W0189073

Gilbert Probst · Steffen Raub · Kai Romhardt
Wissen managen

GILBERT PROBST

STEFFEN RAUB   KAI ROMHARDT

WISSEN MANAGEN

WIE UNTERNEHMEN IHRE WERTVOLLSTE RESSOURCE OPTIMAL NUTZEN

3. AUFLAGE

Frankfurter Allgemeine
ZEITUNG FÜR DEUTSCHLAND

GABLER

Die Deutsche Bibliothek – CIP-Einheitsaufnahme

Probst, Gilbert J. B.:
Wissen managen : wie Unternehmen ihre wertvollste Ressource
optimal nutzen / Gilbert Probst ; Steffen Raub ; Kai Romhardt. – 3.
Aufl. – Frankfurt am Main : Frankfurter Allg., Zeitung für
Deutschland ; Wiesbaden : Gabler, 1999
  ISBN 3-409-39317-X

© Frankfurter Allgemeine Zeitung GmbH, Frankfurt am Main 1999
© Betriebswirtschaftlicher Verlag Dr. Th. Gabler GmbH, Wiesbaden 1999

Der Verlag ist im Internet zu erreichen unter:
www.gabler-online.de

Abbildungen und Tabellen: Publishing Service H. Schulz, Dreieich
Druck: Wilhelm & Adam, Heusenstamm
Buchbinderei: Osswald & Co., Neustadt/Weinstraße

Printed in Germany
ISBN 3-409-39317-X

Vorwort zur dritten Auflage

Das Erscheinen eines Management-Fachbuchs in der dritten Auflage ist nicht nur für den Verlag ein erfreuliches Ereignis, sondern vor allem auch für die Autoren ein (relativ seltener) Grund zum Feiern. Wir freuen uns über die erhebliche Resonanz, die unser inzwischen als „Standardwerk im deutschsprachigen Raum" gepriesener Beitrag vor allem auch in der Praxis gefunden hat. Dieser Zuspruch bedeutet für uns doppelte Genugtuung. Einerseits ist er ein nachhaltiger Beleg für die Aktualität und Relevanz des Themas Wissensmanagement. Andererseits bestätigt er, daß es uns gelungen ist, dieses Thema in einer informativen und stimulierenden Form für praktizierende Manager und Berater sowie für studierende und forschende Kollegen aufzuarbeiten.

Die erfolgreiche Grundstruktur des Buches – basierend auf einem „Baustein-Ansatz" des Wissensmanagements – bleibt auch in dieser dritten Auflage unverändert. Wesentliche Ergänzungen betreffen die folgenden Bereiche:

- als Erweiterung des 8. Kapitels („Wissen (ver)teilen") widmen wir einige Abschnitte dem aktuellen Thema „Transfer von Best Practices";

- ein neues 14. Kapitel („Erste Erfahrungen aus der praktischen Umsetzung") faßt unsere inzwischen recht umfangreichen Erfahrungen aus der Implementierung von Wissensmanagement-Projekten in Form einiger „Leitfragen" zusammen;

- im Anhang präsentieren wir zwei Fallstudien über Wissensmanagement bei HOLDERBANK und NOVARTIS, welche die Funktion dieses Buches auch in Hinsicht auf Seminare oder Lehrveranstaltungen erweitern.

Wir danken wiederum allen Firmen und Einzelpersonen, die uns in unserer Arbeit unterstützen und uns immer wieder neue Anregungen für Ergänzungen und Verbesserungen liefern. Unser besonderer Dank gilt selbstverständlich den Mitgliedsfirmen des Genfer „Forums für Organisationales Lernen und Wissensmanagement". Es sind dies: DAIMLERCHRYSLER, DEUTSCHE BANK, HOLDERBANK, HEWLETT PACKARD, INSELSPITAL, MOTOROLA, NOVARTIS, ROCHE DIAGNOSTICS, SIEMENS, SWISSCOM, UBS, WINTERTHUR VERSICHERUNGEN und XEROX.

Allen zukünftigen Lesern wünschen wir eine bereichernde Lektüre. Für uns selbst hoffen wir, daß dies nicht die letzte Auflage von „Wissen managen" bleiben wird.

Bangkok, Genf, Hamburg
im Januar 1999   *G. Probst, S. Raub, K. Romhardt*

Vorwort zur ersten Auflage

Der intelligente Umgang mit den eigenen Wissensbeständen wird für immer mehr Unternehmen zur zentralen Herausforderung in einem zunehmend wissensintensiven Wettbewerbsumfeld. Seit fast vier Jahren arbeiten wir an der Universität Genf an der Modellierung organisationaler Lernprozesse sowie der Frage, wie man gezielt in die Wissensbestände einer Organisation eingreifen kann. Wissensmanagement sehen wir als eine pragmatische Weiterentwicklung der Theorien und Perspektiven des Organisationalen Lernens. Um ein praxisorientiertes Konzept des Wissensmanagements zu entwickeln, gründeten wir Mitte 1995 das Schweizerische Forum für Organisationales Lernen und Wissensmanagement. In diesem Forum konnten wir regelmäßig mit Praktikern zusammenarbeiten, welche den besseren Umgang mit der strategischen Ressource 'Wissen' als zentralen Hebel für die Sicherung ihrer Wettbewerbsfähigkeit ansehen.

Wir danken François Escher (AT&T-INTERNATIONAL), Dr. Heinz Teuscher Roger Seifritz (HOLDERBANK), Heinz Fischer (DEUTSCHE BANK), Dr. Markus Sulzberger (SCHWEIZERISCHE BANKGESELLSCHAFT), Dr. Walter Rambousek (SCHWEIZERISCHER BANKVEREIN), Toni Fässler (TELECOM-PTT) sowie Dr. Mario Babini und Richard Heinzer (beide WINTERTHUR VERSICHERUNG) für ihre rege Arbeit im Forum und den tiefen Einblick, welche sie uns in ihre organisatorischen Wissensprobleme gewährten. In den Forumsfirmen wurde eine Reihe von Projekten durchgeführt, welche unser Grundverständnis des Themas prägten. Vielen weiteren Firmen haben wir zusätzliche Beispiele zu verdanken, die wir in zahlreichen Beratungsprojekten, Vorträgen und Workshops zu Fragestellungen des Wissensmanagements sammeln konnten. Dabei ging es nicht nur um die Erprobung von Konzepten und Instrumenten, sondern auch um die ständige Weiterentwicklung und Verbesserung unserer Ideen. Das Ergebnis sind nach unserer Meinung pragmatische Bausteine des Wissensmanagements, mit denen Praktiker ihre Aktivitäten im Felde des Wissensmanagements gezielt ausrichten können. In diesem Zusammenhang danken wir insbesondere unseren Kollegen Dr. Bettina Büchel, Arne Deussen, Martin Eppler, Philippe Regazzoni und Clemens Rüling. Weitere wertvolle Gesprächspartner im Entstehungsprozeß dieses Buches waren die Mitglieder der Arbeitsgruppe Wissensmanagement der Universität Kaiserslautern sowie die Teilnehmer der Forschungskolloquien der Studienstiftung des Deutschen Volkes im Schauinsland sowie in Chemnitz. Marc Balsiger und Tobias Radel (Universität St. Gallen/HSG), Frank Heideloff (TU Chemnitz) und Heiko Roehl (DAIMLER-BENZ) sowie viele weitere externe Beobachter sorgten dafür, daß wir uns intensiv mit den Grenzen und Schwierigkeiten von Wissensmanagement-Aktivitäten beschäftigten. Unser Verleger Dr. Hans-Dieter Haenel erhöhte durch seine Anmerkungen zu früheren Versionen dieses Buches den Lesenutzen für den Praktiker. Ihm und unserer Lektorin Frau Barbara Scheu gilt ein besonderer Dank für dieses Engagement, welches heute im Verlagsgeschäft nicht mehr selbstverständlich ist. Besonderer Dank geht an den Schweizerischen Nationalfonds, der unsere Forschungsaktivitäten im Rahmen der Reflexionen über Interkulturelles Lernen und Wissensmanagement großzügig unterstützt hat [1].

Genf, im Mai 1997 *G. Probst, S. Raub, K. Romhardt*

Inhalt

Einführung: Wissenswertes über dieses Buch

Sie haben sich sicher schon vorher mit Fragen des Wissens und des Wissensmanagements in Ihrem Unternehmen beschäftigt. Nun liegt hier ein Buch vor Ihnen, das die verschiedenen Aspekte des Managements von Wissen anspricht. Es beinhaltet Erfahrungen anderer Unternehmen und die Reflexionen von Beobachtern dieses Themas. Es enthält auch einen Gesamtrahmen des Wissensmanagements, in dem verschiedene Bausteine dargelegt und mit Fragen und Instrumenten versehen werden.

Natürlich kann man dieses Buch ganz einfach von vorne bis hinten lesen und durcharbeiten. Wenn Sie alles interessiert und Sie die Zeit dazu finden!

Viel häufiger jedoch werden Sie von bestimmten Fragestellungen getrieben in dieses Buch sehen. Dann scheint es sinnvoll, die Grundfragen stellen zu können und sich entsprechend mit einzelnen Kapiteln (sprich Bausteinen) auseinanderzusetzen. So erging es auch den meisten Firmen, mit denen wir in den letzten Jahren gemeinsam Wissensmanagement-Fragen behandeln konnten. Eine Firma versucht Wissensverluste durch Abgänge von Mitarbeitern der Forschungsabteilung zu verhindern. Die andere überlegt sich, welche besonderen Aufgaben der Personalentwicklung zukommen, wenn sie aus den Kernkompetenzen des Unternehmens die notwendigen individuellen Fähigkeiten ableiten soll.

In den entsprechenden Kapiteln stehen dann jeweils einzelne Bausteine des Wissensmanagements im Vordergrund, ohne die Interaktion mit anderen Fragestellungen außer acht zu lassen. So können auch Sie mit dem Buch umgehen. Gewinnen Sie einen Überblick über das Thema und die Fragestellungen, suchen sich anschließend jedoch die besonderen Themen heraus, welche Sie direkt betreffen. Jedes Kapitel liefert Ihnen Grundfragen, viele Firmenbeispiele und ein Ordnungsraster, um solche Probleme zu bewältigen.

Jedes Kapitel spricht neben unseren Erfahrungen auch die Konzeptionalisierung und vorhandene Instrumente an. Es ist offensichtlich, daß praxisbegleitende Forschung dabei nützliches Wissen produziert. Die Projekte und Gespräche innerhalb des Forums von Unternehmen, die sich im Genfer Kreis zusammengefunden haben, sollen Ihnen für Ihre Managementaufgaben zur Verfügung stehen. Am Ende jedes Kapitels haben wir eine Kurzzusammenfassung und einige Regeln festgehalten. Ergänzen Sie diese durch Ihre Erfahrungen und teilen Sie das Wissen mit uns.

Die Bausteine des Wissensmanagements können also durchaus einzeln und in willkürlicher Reihenfolge gelesen werden. Vergessen Sie dabei jedoch nicht, daß der Mensch ein Ordnungsraster benötigt, einerseits um sich zurecht zu finden, andererseits um sich auch in das größere Ganze einzufügen sowie Interaktionen und Abhängigkeiten beurteilen zu können.

1. Kapitel

Herausforderung
Wissensmanagement

Wissensmanagement ist eine Herausforderung für alle Unternehmen, welche in der Wissensgesellschaft überleben und ihre Wettbewerbsposition ausbauen wollen. Während das Management klassischer Produktionsfaktoren ausgereizt zu sein scheint hat das Management des Wissens seine Zukunft noch vor sich. Wissen ist die einzige Ressource, welche sich durch Gebrauch vermehrt. Dieses Kapitel wird Ihnen zeigen, warum immer mehr Unternehmen die Herausforderung Wissensmanagement annehmen und konkreten Nutzen daraus ziehen. Wir zeigen, daß Wissensexplosion, verkürzte Wissenshalbwertzeiten und die zunehmende Wissensintensität aller Managementprozesse ungeheure Herausforderungen für professionelle Wissensmanager darstellen. Wenn die Wissensmanagement-Maßnahmen Ihrer Konkurrenten greifen, kann es für Sie schon zu spät sein.

Herausforderung Wissensmanagement

Wissen als Wettbewerbsfaktor hat schlagartig den Sprung in die Schlagzeilen der Wirtschaftspresse geschafft. Unternehmen sollen den Schatz in den Köpfen ihrer Mitarbeiter vermehrt nutzen. Innovative Firmen gründen Wissensmanagement-Arbeitsgruppen, Vorstandsvorsitzende betonen die besondere Rolle von Wissen für die Zukunft ihres Unternehmens. Professionelle Veranstalter organisieren Workshops und Konferenzen zum Thema, und auch die Unternehmensberatung verspricht inzwischen Unterstützung beim Umgang mit der Ressource Wissen. Sind Unternehmen, die ihr Wissen nicht bewußt managen, zum Untergang verurteilt?

Tatsache ist, daß zahlreiche wissensintensive Unternehmen in den vergangenen Jahren spektakuläre Erfolge erzielt haben. Ihre Bewertung durch die Börse spiegelt diesen Trend vielfach bereits wider. So übertrifft der Softwarehersteller SAP heute in Hinblick auf seine Börsenkapitalisierung den Autofabrikanten VOLKSWAGEN. Gleiches gilt für den Internet-Spezialisten NETSCAPE, der den Computerhersteller APPLE überholt hat, oder für den Softwaregiganten MICROSOFT, der als „Denkfabrik" par excellence Industriegiganten wie BOEING oder KODAK in den Schatten stellt. Die schiere Größe von Werkhallen und Verwaltungsgebäuden taugt augenscheinlich immer weniger als alleiniger Maßstab für die wirtschaftliche Leistungsfähigkeit und Bedeutung eines Unternehmens.

Manager entdecken Wissen

Der seit vielen Jahren prophezeite Umbau unserer wirtschaftlichen und sozialen Umwelt in eine Informationsgesellschaft beziehungsweise eine Wissenswirtschaft scheint endlich zu einer greifbaren Realität zu werden. Führende Managementtheoretiker halten Investitionen in die Wissensressourcen eines Unternehmens für ungleich profitabler als solche in materielles Anlagekapital. So behauptet etwa der amerikanische Management-Professor James Brian Quinn, daß in vielen Unternehmen bereits heute drei Viertel des generierten Mehrwertes auf spezifisches Wissen zurückzuführen sind [1]. Der britische Management-Vordenker Charles Handy vertritt die Ansicht, daß der Wert des intellektuellen Kapitals von Unternehmen den Wert ihres materiellen Kapitals bereits in zahlreichen Fällen um ein Mehrfaches übertrifft [2].

Industrietrends Diesen Verschiebungen liegt eine makroökonomische Dynamik zugrunde, die insbesondere durch die Revolution in der Kommunikationstechnologie gespeist wird. Auf gesamtwirtschaftlicher Ebene ist in den modernen Industrienationen der Anteil wissensintensiver Industrien an der gesamten Wertschöpfung kontinuierlich im Steigen begriffen. Diese Trends wirken immer deutlicher auf den wirtschaftlichen Erfolg des eigenen Unternehmens, was eine wachsende Anzahl dazu bewegt, die Ressource Wissen als fundamentale Einflußgröße anzuerkennen. In der zahlenorientierten Welt des Managements überrascht es wenig, daß erste Anstöße hierzu von einer Bilanz ausgingen.

Wissensbilanz Während Bilanzen als Instrument des Finanz- und Rechnungswesens zu den fundamentalsten Techniken des Managements gehören, würde die Frage nach der Bilanz des organisationalen Wissens bei den meisten Führungskräften nur ratloses Schulterzucken hervorrufen. Der schwedische Finanzdienstleister SKANDIAS AFS hat als eines der ersten Unternehmen die Öffentlichkeit mit einer solchen neuartigen Form der Bilanzierung konfrontiert. Als Beilage zu den traditionellen Bilanzdaten veröffentlichte SKANDIAS AFS erstmalig für das Geschäftsjahr 1993 eine

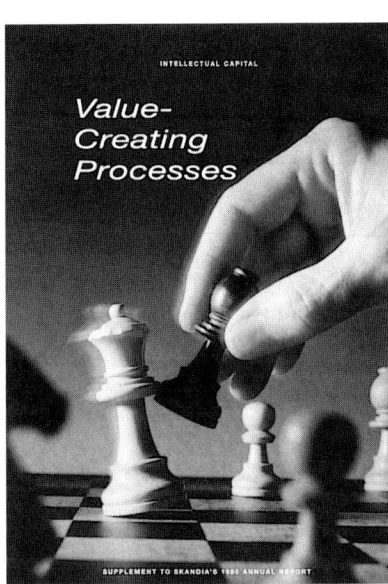

Abbildung 1: Jahresbericht Intellectual Capital von SKANDIA

in ihrer Art völlig neuartige Broschüre: Den ersten Versuch einer Wissensbilanz (siehe Abbildung 1).

SKANDIAS AFS verfolgt mit der Publikation seiner Wissensbilanz hauptsächlich das Ziel, die bisher pauschal als goodwill bezeichneten Aktivposten des Unternehmens systematischer darzustellen. Ein ausgeklügeltes System von Indikatoren trägt dazu bei, die Kenntnisse und Fähigkeiten von hochqualifizierten Mitarbeitern sowie Elemente wie Kundenbeziehungen, Reputation des Unternehmens im Markt und Informationstechnologie abzubilden. In einem als Navigationsinstrument bezeichneten Schema werden zusätzlich die Zusammenhänge zwischen den strategischen Stoßrichtungen des Unternehmens und den abgebildeten Kenngrößen des intellektuellen Kapitals verdeutlicht [3].

Wissensindikatoren

Mangelnde Managementinstrumente SKANDIAS revolutionärer Versuch, mehr Transparenz in das intellektuelle Kapital eines Unternehmens zu bringen, illustriert ein Dilemma des modernen Managements, das in den letzten Jahren immer deutlicher zutage tritt. Während die Techniken und Instrumente zur Steuerung der klassischen Produktionsfaktoren (Arbeit, Kapital und Boden) kontinuierlich verbessert werden, hat eine Professionalisierung der Managementinstrumente im Bereich der Wissensressourcen bis heute so gut wie nicht stattgefunden. Vielmehr liegt organisationales Wissen in vielen Bereichen brach. Patente werden oft unzureichend genutzt, spezifische Fähigkeiten von Mitarbeitern nicht in Anspruch genommen beziehungsweise nicht ausreichend weiterentwickelt, oder spezifische organisationale Kompetenzen, wie zum Beispiel die Beherrschung hochentwickelter Technologien, nicht in entsprechende Wettbewerbsvorteile umgesetzt.

Erste Wissensmanager Die weitgehende Hilflosigkeit des Managements im Umgang mit der Ressource Wissen hat in jüngster Zeit zu unterschiedlichsten Initiativen geführt. Nicht zuletzt zeugen einige neugeschaffene Positionen und ungewöhnlich innovative Titel von der Beschäftigung mit diesem Bereich. So existieren in vielen Unternehmen heute bereits ein Director Intellectual Capital beziehungsweise Director Knowledge oder ähnliche Stellen, die mit Knowledge Asset Manager oder Intellectual Asset Manager beschrieben werden. Die Aufgabenbereiche, mit denen sich diese vollamtlichen Wissensmanager befassen, unterscheiden sich unter inhaltlichen Aspekten oft noch recht beachtlich voneinander. Ihre Tätigkeiten reichen von strategischen Kompetenz-Analysen, über die Entwicklung von Wissensindikatoren und die Schaffung besserer Kommunikationsinfrastrukturen bis hin zur effizienteren Verwaltung von Patent-Portfolien. Ihnen allen gemeinsam ist die Herausforderung, sich mit den Entwicklungen eines wettbewerbsintensiveren Umfeldes auseinanderzusetzen, in dem der verbesserte Umgang mit der Ressource Wissen zum entscheidenden Vorteil werden kann.

Aus der Managementperspektive muß man sich fragen, wie sich die veränderte Bedeutung von Wissen auf die eigene Wettbewerbssituation auswirkt. Hierzu ist ein genaueres Verständnis der zugrundeliegenden Dynamik unserer Wissensgesellschaft notwendig.

Trends der Wissensgesellschaft

Turbulenz statt Transparenz

Die Struktur der Wissensumwelt, in der Unternehmen heute agieren müssen, ist ungleich komplexer als noch vor einigen Jahrzehnten. Hierzu tragen drei eng miteinander verbundene Trends bei: explosionsartige Vermehrung, weitgehende Fragmentierung sowie zunehmende Globalisierung des Wissens. Rein quantitativ betrachtet trägt die Entwicklung menschlichen Wissens eindeutig exponentielle Züge. Nach Erfindung der Druckerpresse dauerte es mehr als 300 Jahre, bis sich das weltweite Volumen der verfügbaren Informationsmedien zum ersten Mal verdoppelte. Inzwischen erfolgt eine solche Verdoppelung nahezu alle fünf Jahre. Zwischen 1950 und 1975 wurden beispielsweise ebenso viele Bücher produziert wie in den 500 Jahren, die seit Gutenbergs revolutionärer Erfindung vergangen waren [4]. In den letzten 30 Jahren verdoppelte sich der prozentuale Anteil von Forschungs- und Entwicklungsmitarbeitern an der gesamten Belegschaft westlicher Industrieunternehmen. Dies trägt dazu bei, daß die Entwicklung angewandter Technologien einer ähnlichen Wachstumskurve folgt.

Umwelttrends

Mit der Vermehrung des Wissens geht folgerichtig eine immer weitergehende Spezialisierung in den wissenschaftlichen Disziplinen einher. Während vor einem

Spezialisierung

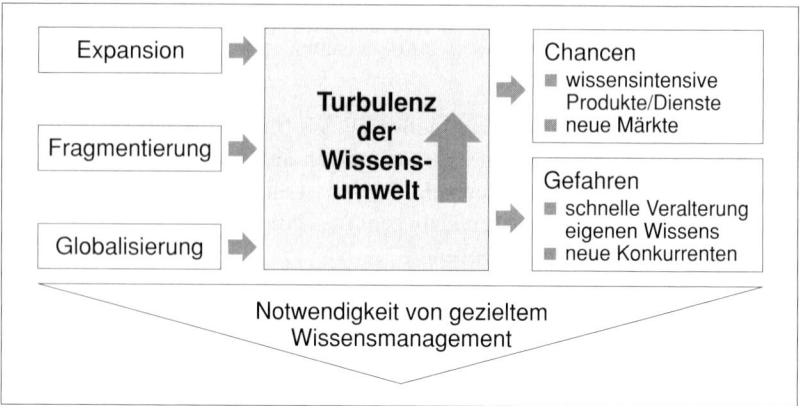

Abbildung 2: Trends der Wissensgesellschaft

Jahrhundert ein Universalgelehrter noch einen Gesamt-
überblick über den Stand nahezu aller wissenschaftlichen
Forschungsgebiete gewinnen konnte, treten heute bereits
innerhalb eines Faches zum Teil erhebliche Verständi-
gungsschwierigkeiten zwischen Mitgliedern verschiedener Spezialdisziplinen auf. So wurden beispielsweise die
ersten beiden Auflagen der Encyclopaedia Britannica
von nur zwei Wissenschaftlern erstellt, während heute
Zehntausende von Experten an einer neuen Edition arbeiten [5] (siehe Abbildung 2).

Globalisierung Die fortschreitende Globalisierung der Wirtschaft, hat
darüber hinaus auch zu einer Globalisierung des Wis-
sens geführt. Die Erfolgsgeschichten von CNN und
MICROSOFT symbolisieren diese Entwicklung hin zum
globalen Dorf, in dem Raum- und Zeitdifferenzen eine
immer geringere Rolle spielen. Diese Entwicklung trägt
dazu bei, daß ein Überblick über existierende Produkte
und Produktvarianten, über unterschiedliche Produkti-
onstechnologien sowie die Verteilung nationaler Wettbewerbsvorteile kaum noch zu gewinnen ist. Während
noch zu Beginn der siebziger Jahre die USA einen Anteil

von mehr als 70 Prozent an der weltweiten Produktion neuer Technologien hatten, verteilen sich die Zentren wissenschaftlichen und technischen Fortschritts heute über die ganze Welt [6]. Die Entstehung eines weltweiten Zentrums der Softwareproduktion im Gebiet um die indische Stadt Bangalore ist ein Paradebeispiel dafür, daß die Globalisierung des Wissens von den Grenzen zwischen entwickelten und weniger entwickelten Ländern nur geringfügig beeinträchtigt wird [7].

Bedrohung oder Chancen durch steigende Wissensintensität?

Die zunehmende Komplexität der Wissensumwelt wird von vielen Unternehmen als Bedrohung wahrgenommen. Dynamische Entwicklungen im Wissensbereich können jedoch auch auf vielfältige Art und Weise neue Wettbewerbschancen eröffnen. So nutzen innovative Unternehmen in zunehmendem Maße die Möglichkeit, Produkte mit relativ einfachem Basisnutzen zu wissensintensiven Produkten aufzuwerten. Dies kann bedeuten, daß Produkte in der Lage sind, sich selbsttätig an wechselnde Umweltbedingungen anzupassen, oder Informationen zu sammeln, zu speichern und für den Verbraucher nutzbringend anzuwenden [8]. Wenn beispielsweise in einem mehrsprachigen Land wie der Schweiz eine Kreditkarte bei der Benutzung von Geldautomaten oder Tanksäulen automatisch die Muttersprache des Benutzers wählt, wird dem Kunden die Nutzung des Produktes erleichtert. Diese „intelligente" Anwendung wird dadurch ermöglicht, daß der Anbieter der Karte seine Informationen über den Kunden in das Produkt integriert.

Intelligente Produkte

Weitere relativ einfache Beispiele für solche intelligenten Produkte sind Textilien, die in Abhängigkeit von Temperatur und Feuchtigkeit ihre Eigenschaften ändern,

Umweltsensitivität

sowie Fenstergläser, die je nach Wetterlage Sonnenlicht reflektieren oder absorbieren und dadurch die Raumtemperatur konstant halten. In diesen Fällen beruht die Intelligenz des Produktes weniger auf gespeicherten Informationen als auf seiner eingebauten Umweltsensitivität. Zahlreiche Entwicklungsanstrengungen laufen auf anspruchsvollere Anwendungen hinaus. So arbeitet beispielsweise GOODYEAR an der Entwicklung eines 'intelligenten Reifens', der über einen Computerchip in der Lage ist, sinkenden Luftdruck zu registrieren und eine entsprechende Warnmitteilung auszulösen.

Servicefunktion von Wissen
Der Dienstleistungssektor bietet zahlreiche andere Beispiele, wie durch die Integration einer Wissenskomponente der Nutzen eines Dienstes entscheidend aufgewertet werden kann. So ermöglicht es ein Service der CITIBANK, untypische Kaufmuster bei der Verwendung von Kreditkarten zu erkennen und dadurch Kunden auf einen möglichen Verlust oder Mißbrauch der Karte hinzuweisen. Zahlreiche Dienstleister, wie zum Beispiel Hotels oder Transportunternehmen, haben schließlich den Nutzen intelligenter Kundendatenbanken erkannt. Sie registrieren individuelle Sonderwünsche ihrer Kunden und nutzen diese für zukünftige Kontakte. Die Buchung eines Nichtraucher-Fensterplatzes in der ersten Klasse einer Fluggesellschaft kann dadurch ebenso automatisch erfolgen wie die Bereitstellung des bevorzugten Champagners in der Zimmerbar eines Fünfsterne-Hotels.

Strategierelevanz von Wissen
Je wissensintensiver das Umfeld eines Unternehmens und je ausgeprägter dessen eigene Wissensbasis, um so eher können spezifische Fähigkeiten eines Unternehmens eine strategische „Eigendynamik" entwickeln. Bestehendes Wissen kann dann häufig zu neuen und überraschenden strategischen Optionen führen. So entwickelte beispielsweise der amerikanische Traktorhersteller MASSEY-FERGUSON ein satellitengestütztes System zur Vereinfachung der Ernteertragsoptimierung. Durch

die Ausstattung der Erntemaschine mit einem Satelliten-Positionierungssystem wird es möglich, Ernteerträge quadratmetergenau zu erfassen. Maßnahmen zur Ertragssteigerung können anschließend gezielter und wesentlich kostengünstiger erfolgen. Der spektakuläre Erfolg dieser ursprünglich als Nebenprodukt betrachteten Komponente des Kernproduktes Traktor veranlaßte MASSEY-FERGUSON, die systematische Entwicklung von Kompetenzen im Bereich des Ertragsmanagements (yield management) weiter voranzutreiben [9].

Beispiele für Unternehmen, die auf der Basis bestehender spezifischer Kompetenzen neue Geschäftsfelder entwickelten, lassen sich auch in anderen Branchen ausmachen. Zur Unterstützung ihrer Kernaktivität entwickelten beispielsweise Fluglinien sehr früh ihre eigenen hochleistungsfähigen Reservierungssysteme. Einigen innovativen Luftfahrtgesellschaften – allen voran AMERICAN AIRLINES – gelang es, diese Expertise auch auf andere Branchen wie das Hotelgewerbe oder die Vergnügungsindustrie zu übertragen. Die Profitabilität dieses Sekundärgeschäftes stellte die des traditionellen Fluggeschäfts dabei gelegentlich sogar in den Schatten. Individuelle Finanzierungsangebote zum Erwerb eines Neuwagens, wie sie heute von der Mehrzahl der Automobilproduzenten angeboten werden, stellen ein weiteres Beispiel für die Integration wissensintensiver Dienstleistungskomponenten in industrielle Basisprodukte dar.

Übertragung von Fähigkeiten

FALLBEISPIEL: REISEBÜRO KUONI AG

Wissensintensive Dienstleistungen im Geschäftsreisesektor – Reisekostenanalyse mit Knows

'KUONI – Ihr Ferienverbesserer'. Dieser Slogan reflektiert bis heute die Hauptaktivität des Schweizer Reiseveranstalters und hat das Image des Unternehmens entscheidend geprägt. Das Segment Geschäftsreisen ist in den neunziger Jahren durch eine rasch voranschreitende Spezialisierung der Anbieter sowie eine wachsende technologische Komplexität gekennzeichnet. Der internationale Umfang vieler Geschäftsreiseaktivitäten sowie die Vielfalt der technischen Möglichkeiten für Buchungen, Reservierungen und damit verbundene Aufgaben stellen erhöhte Anforderungen an die jeweiligen Verantwortlichen im Unternehmen. Vielfach sehen sich diese mit der selbständigen Organisation von Geschäftsreisen überfordert.

Neben der Qualität der Unterstützung durch den Reisemittler in Fragen der organisatorischen und technischen Abwicklung von Geschäftsreisen wird erhöhte Transparenz bei den Reisekosten für viele Unternehmen zu einem entscheidenden Kriterium. Diese Entwicklung geschieht vor dem Hintergrund eines ständig wachsenden Reisekostenblocks, welcher nach den Personalkosten und den Ausgaben für die EDV vielfach bereits an dritter Stelle rangiert.

Im dynamischen Geschäftsreisensektor setzte sich KUONI das Ziel, sich vom reinen Reisemittler zur 'Business Travel Information Management Company' zu entwickeln. Die Kunden sollten relevante Managementinformationen zur besseren Steuerung ihrer Reiseaktivitäten mitgeliefert erhalten. Diese Wissensanreicherung des Angebots erwies sich als erfolgreiche Strategie.

KUONI orientiert sich mit seinem Angebot im Geschäftsreisebereich heute konsequent an einer Profilierung durch wissensintensive Dienstleistungskomponenten. Entsprechend dem Ziel, zum 'Treuhänder des Geschäftsreisebudgets' für den Kunden zu werden, bietet das Unternehmen eine umfassende Palette von Diensten an, die neben gewöhnlichen Geschäftsreisen auch spezielle Messereisen sowie Incentive-Reisen einschließt. So speichert der sogenannte elektronische Kundentresor bei KUONI alle geschäftsreiserelevanten Daten der betreuten Unternehmen. Neben Buchungsklasse und Mietwagenkategorie können dabei für jeden reisenden Mitarbeiter des Kunden auch persönliche Präferenzen bezüglich des Sitzplatzes oder besonderer Mahlzeiten gespeichert werden.

Das Herzstück der wissensorientierten Kundenunterstützung bildet jedoch das unlängst entwickelte System der Reisekostenanalyse. Diese KUONI-eigene Software mit Namen 'Knows' – was für Kuoni Nationally Offered Worldwide Statistics steht – ermöglicht die Erfassung und Aufbereitung der gesamten über KUONI abgewickelten Reiseaktivitäten eines Kunden. Das Datenpaket, das nach kundenspezifischen Vorgaben ausgewertet und aufbereitet werden kann, liefert größtmögliche Transparenz über die Struktur der angefallenen Geschäftsreisekosten. Aufwendungen für Flüge, Hotels und Autovermietung können nach Destinationen, Buchungsklassen, Leistungsträgern und Zeitabschnitten aufgeschlüsselt werden. Ab dem zweiten Berichtsjahr werden darüber hinaus Vergleichszahlen zum Vorjahr angeboten. Durch die Vernetzung mit KUONI Partnern im BTI-Verbund fließt außerdem Managementinformation aus allen wichtigen Geschäftsreiseregionen direkt zum Kunden.

Die übersichtlich aufbereitete Information bietet einfache Antworten, beispielsweise auf die Frage nach der Fluggesellschaft mit dem größten Anteil an Buchungen oder der Destination, welche die höchsten Kosten verursacht. Neben einem verbesserten Controlling der Reiseaktivitäten können die Kunden mit Hilfe von Knows gezielt Volumenverhandlungen führen und somit Rabatte realisieren, die ihnen sonst entgangen wären. Über diesen Zusatzservice kann KUONI sich die Komplettbetreuung von Kunden langfristig sichern (siehe Abbildung 3).

Wissensintensive Produkte können neue Marktchancen eröffnen und die Wettbewerbsstärke eines Unternehmens nachhaltig festigen. Die Erfahrungen von KUONI im Umgang mit Knows verdeutlichen dies. Sie illustrieren je-

Management des Wissens

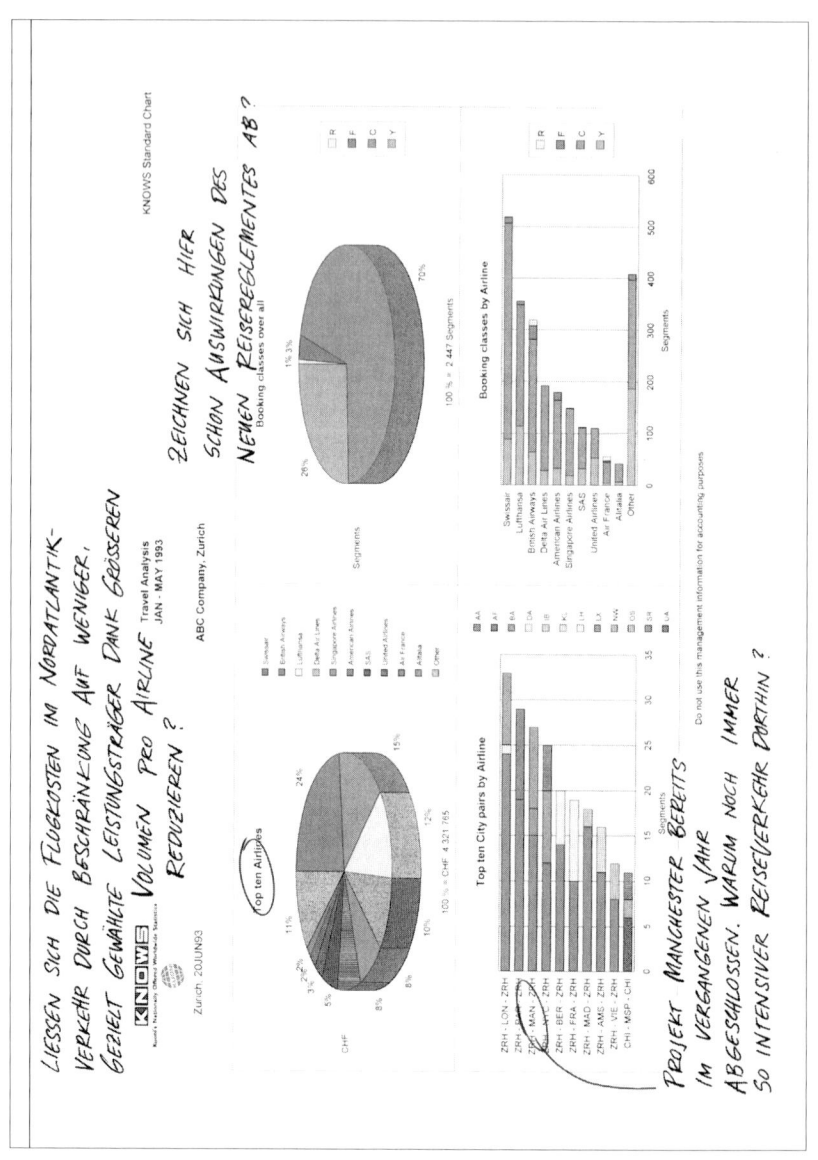

Abbildung 3: Aussagekräftige Kundeninformation durch die Aufbereitung mit Knows

doch ebenso eine Reihe neuartiger Herausforderungen. Knows konnte bei KUONI nur deshalb zum Erfolg geführt werden, weil das Unternehmen durch ein systematischeres Management seines organisationalen Wissens die notwendigen Grundlagen geschaffen hat. Wer die Herausforderung Wissensmanagement annehmen will, muß also zunächst ein Verständnis über eigenes Wissen und Unwissen erlangen und dieses als Grundlage für kompetenzorientierte Strategien nehmen.

Zusammenfassung

- Die „Wissensumwelt" der meisten Unternehmen wird immer dynamischer, Produkte und Prozesse werden wissensintensiver. Darauf muß ein zukunftsorientiertes Management reagieren.

- Ähnlich wie herkömmliche Produktionsfaktoren läßt sich auch das Wissen eines Unternehmens analysieren, bilanzieren und managen.

- Wissensmanagement bietet einen Überblick über Konzepte und Methoden, die hierfür nötig sind.

Leitfragen

- Als Manager kennen Sie Ihre Produkte, Märkte und Konkurrenten. Welche Vorstellung haben Sie dagegen von dem Wissen, das für Ihren Erfolg und für die Dynamik Ihres Wettbewerbsumfeldes bestimmend ist?

- Welche Faktoren bestimmen die derzeitige Wettbewerbsposition Ihres Unternehmens stärker: sein „intellektuelles Kapital" oder seine sonstigen Ressourcen?

- Welche Unternehmen sind in Ihrer Branche „Vor"denker – und welche „Nach"denker? In welcher Kategorie befindet sich Ihr Unternehmen?

- Wo verlaufen die „Wissensgrenzen" Ihrer Branche? Wo entstehen neue Technologien oder Managementinnovationen? Welche anderen Branchen entwickeln Wissen, das für Sie zur Bedrohung werden könnte? Und umgekehrt: in welchen fremden Branchen könnten Sie ihr Wissen eventuell nutzbringend einsetzen?

2. Kapitel

Die Wissensbasis
des Unternehmens

Haben Sie ein Verständnis, wie unsere Managemententscheidungen langfristig auf unsere organisatorische Wissensbasis, das heißt unsere individuellen und kollektiven Fähigkeiten, wirken? Können Sie dem Meister am Band das oft beschworene Konzept der Kernkompetenzen und seinen persönlichen Beitrag dazu erklären? Es reicht nicht, daß alle Entscheider versichern, daß sie in Zukunft die Ideen ihrer Mitarbeiter besser nutzen und das eigene Unternehmen in eine lernende Organisation verwandeln wollen. Wir brauchen eine klarere Sprache, welche die Lernvisionen auf den Boden der Tatsachen holt. Während wir mühelos den Unterschied zwischen Aufwendungen und Kosten oder Cash-Flow und Gewinn erklären können, macht uns die Differenzierung von Daten, Information und Wissen oder von implizitem und explizitem Wissen häufig sprachlos. Wir werden daher die zentralen Begriffe des Wissensmanagements pragmatisch und handlungsorientiert definieren, um Ihnen den Auf- oder Ausbau Ihrer persönlichen Wissenssprache zu erleichtern.

Die Wissensbasis des Unternehmens

Eine wachsende Zahl von Führungskräften versuchten angesichts der einleitend beschriebenen Herausforderungen, die Ressource Wissen stärker in den Steuerungsbereich des Managements einzubeziehen. Dabei wird häufig erkennbar, daß es an einem grundlegenden Verständnis für jene Elemente fehlt, die das Wissen eines Unternehmens eigentlich ausmachen. Wenn wir mit diesem Buch eine systematische Handlungsanleitung für das Management der Ressource Wissen zur Verfügung stellen wollen, muß es also zunächst darum gehen, einige konzeptionelle Grundlagen zu vermitteln (siehe Abbildung 4).

Konzept der Wissensbasis

Für ein besseres Verständnis der Wissensbasis eines Unternehmens werden wir die Unterschiede zwischen Da-

Betrachtungs-perspektiven

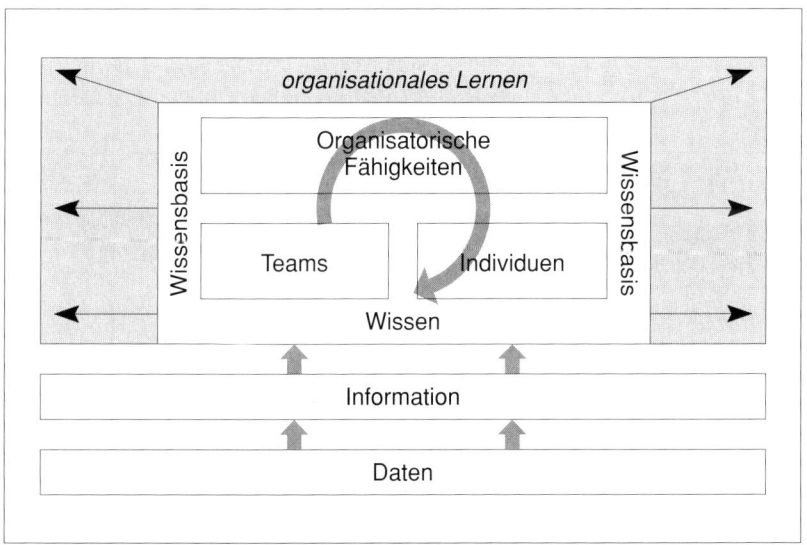

Abbildung 4: Aufbau der organisationalen Wissensbasis

ten, Information und Wissen aufzeigen, welche für zahlreiche Mißverständnisse bei der Diskussion des Themas Wissensmanagement verantwortlich sind. Anschließend werden die Unterschiede zwischen individuellen und kollektiven Wissensbeständen näher beleuchtet und die zentralen Begriffe des Wissensmanagements vorgestellt.

Die Grundelemente der Wissensbasis

Grundunterscheidungen

Die Vorstellungen über den Kern des Wissensbegriffes gehen weit auseinander. Je nach Fragestellung und eigenem Vorverständnis definieren sich Praktiker und Wissenschaftler dabei ihre jeweils eigenen Wissensbegriffe [1]. Die Unterscheidung zwischen den Elementen Zeichen, Daten, Informationen und Wissen gibt uns erste Anhaltspunkte (siehe Abbildung 5).

Beziehungen zwischen Ebenen

Die Zusammenhänge zwischen diesen Ebenen werden häufig als Anreicherungsprozeß dargestellt. Zeichen werden durch Syntaxregeln zu Daten, welche in einem gewissen Kontext interpretierbar sind und damit für den

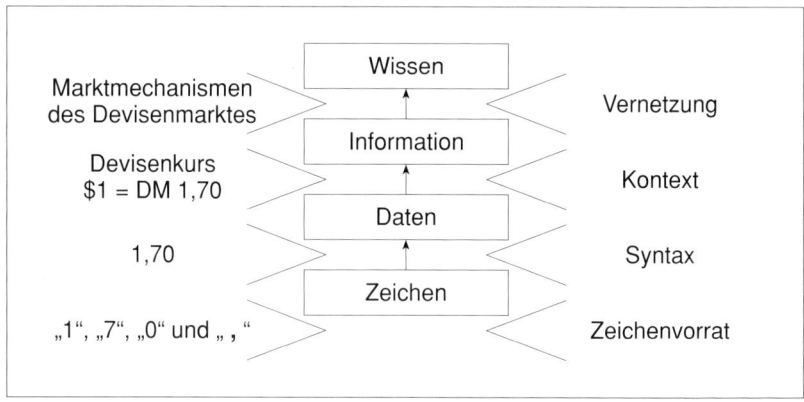

Abbildung 5: Die Beziehungen zwischen den Ebenen der Begriffshierarchie [2]

Empfänger Information darstellen [3]. Die Vernetzung von Information ermöglicht deren Nutzung in einem bestimmten Handlungsfeld, welches als Wissen bezeichnet werden kann [4]. Teilweise werden aufbauend auf dieser Trennung noch zusätzliche Ebenen wie Weisheit, Intelligenz oder Reflexionsfähigkeit unterschieden.

Was diese Unterteilung der Wissensbasis in verschiedene Ebenen für die Praxis bedeutet, illustriert der Fall KUONI aus dem einleitenden Kapitel. Die umfassende Datenbasis von Knows, auf die mit leistungsfähiger Hardware und Software zugegriffen werden kann, ist ein notwendiger aber bei weitem noch nicht entscheidender Bestandteil der Wissensbasis von KUONI. Ein Wettbewerbsvorteil entsteht daraus in erster Linie durch die Fähigkeiten kompetenter Mitarbeiter. Der entscheidende Beitrag, den die Geschäftsreiseberater KUONIs bei der Umsetzung von Knows leisten, liegt dabei in der Transformation von Daten in Information und Wissen.

Praxisrelevanz

Dies geschieht im wesentlichen durch eine Interpretationsleistung, das heißt durch eine Einordnung der zahlreichen Daten in den Kontext der Geschäftsreiseaktivitäten von KUONIs jeweiligen Kunden. Ein erfahrener Berater ist dabei in der Lage, eine Anhäufung von Flugdaten, Destinationen und Preisen in sinnvoller Weise aufzubereiten und darzustellen. Die solcherart aufbereiteten Daten besitzen nun einen Informationswert. Aufbauend hierauf kann der KUONI-Berater schließlich unter Einsatz seines Erfahrungswissens Aussagen und Empfehlungen für das zukünftige Management des betreffenden Geschäftsreisenbudgets ableiten.

Interpretation und Handlungsempfehlung

Für das integrierte Verständnis eines Managements der eigenen Wissensbasis ist es unerläßlich, daß verantwortliche Führungskräfte einerseits zwischen Daten, Information und Wissen zu unterscheiden lernen, andererseits aber auch in der Lage sind, deren Zusammenhänge zu erken-

Koppelung der Ebenen

nen. Das Fehlen dieser Fähigkeit hat vielleicht dazu bei-
getragen, daß verschiedene Daten-, Informations- und
Wissensbereiche heute in Unternehmen völlig entkoppelt
sind. Die Informatik ist häufig nur für den Aufbau und
die Pflege der 'Daten- und Informationsseite' verantwortlich. Die Personalentwicklung soll individuelle Fähigkeiten vermitteln, und die Forschungs- und Entwicklungsabteilung ist für Produktinnovationen zuständig. Resultat
einer solchen Trennung ist eine mangelnde Koordination
der einzelnen Bereiche. Ein perfektes Daten- oder Infor-
mationsmanagement wird dabei jedoch sinnlos, wenn
Mitarbeiter nicht über die Fähigkeit verfügen, die angebotenen Informationsmengen zu nutzen oder neue Erkenntnisse zu verwenden und in ihr Alltagsverhalten und
ihre Entscheidungen einfließen zu lassen.

**Integrierte
Betrachtung**
Wollen Führungskräfte Wissensmanagement betreiben,
um die Wissensbasis ihres Unternehmens besser zu nutzen und weiterzuentwickeln, dann müssen sie sowohl die
Daten- und Informationsseite als auch die individuellen
und kollektiven Wissensbestandteile integriert betrachten.
Wissensmanagement muß sich auch mit den Rohmateria-
lien auseinandersetzen (siehe Abbildung 6).

Daten	Information	Wissen
unstrukturiert		strukturiert
isoliert		verankert
kontext-unabhängig		kontext-abhängig
geringe Verhaltenssteuerung		hohe Verhaltenssteuerung
Zeichen		kognitive Handlungsmuster
distinction		mastery/capability

kein sprunghafter sondern stetiger Qualitätswandel

Abbildung 6: Das Kontinuum von Daten und Informationen zum Wissen

Statt eine strenge Trennung von Daten, Informationen   **Verdichtung von**
und Wissen vorzunehmen, scheint die Vorstellung eines   **Daten zu Wissen**
Kontinuums zwischen den Polen Daten und Wissen trag-
fähiger zu sein. Schließlich verstehen wir eine Problem-
situation selten in klar abgrenzbaren Sprüngen, sondern
nähern uns häufig in vielen kleinen Schritten der Lösung
an. Isolierte Zeichen verdichten sich zu kognitiven
Handlungsmustern. Auch Fähigkeiten und Wissen werden langsam erworben und setzen sich aus dem Zusam-
menfügen und Interpretieren einer Vielzahl von Informationen über einen längeren Zeitraum zusammen. Das
Kontinuum von Daten über Informationen zum Wissen
veranschaulicht diesen Entwicklungsprozeß.

Individuen und Kollektive bilden die Wissensbasis

Die umfangreichen Investitionen in den Ausbildungsbe-   **Individuelle**
reich im Zuge der Einführung von Knows belegen, daß   **Fähigkeiten**
Führungskräfte bei KUONI die fundamentale Bedeutung
individueller Fähigkeiten für die Wissensbasis der Organisation erkannt haben. Die Fähigkeit, Daten in Wissen
zu transformieren und dieses für das Unternehmen vor-
teilhaft einzusetzen, macht das Individuum zum zentralen Träger der organisationalen Wissensbasis. Es reicht
jedoch nicht aus, die Wissensbasis alleine aus der Perspektive des Individuums zu betrachten. Viele der Prozesse, welche die Grundlage für das erfolgreiche Agieren von Organisationen schaffen, beinhalten vielmehr
Elemente kollektiven Wissens.

Erfolgreiche Ausbildung beruht in den seltensten Fällen   **Organisationale**
ausschließlich auf den überragenden Fähigkeiten eines   **Fähigkeiten**
einzelnen Ausbildungsleiters oder Trainers. Ähnlich wie
ein erfolgreiches Basketball-Team neben überragenden
Einzelkönnern auch ein ausgeprägtes Verständnis der

Spieler füreinander benötigt, so beruhen auch funktionierende Prozesse in Organisationen auf einem erfolgreichen Zusammenspiel zahlreicher Beteiligter. Unter Umständen können verschiedenste Mitarbeiter aus der Finanzabteilung, dem Vorstandsstab, der Personalentwicklung, der Gebäudeverwaltung sowie dem Linienmanagement an der Planung und Durchführung eines Ausbildungsprogrammes beteiligt sein und zu dessen Erfolg beitragen. Gelingt Ihnen eine produktive Zusammenarbeit, so besitzt das Unternehmen eine organisationale Fähigkeit, die ein kollektives Element der organisationalen Wissensbasis bildet.

Wissensarbeiter als Hauptwertschöpfer

Neubewertung des Faktors Arbeit

Das spezifische Wissen eines Unternehmens ist zu einem bedeutenden Anteil in den Köpfen seiner Mitarbeiter gespeichert. Je höher die Bedeutung organisationalen Wissens für die Wertschöpfung eines Unternehmens ist, um so wichtiger wird auch die intellektuelle Arbeit hochqualifizierten Personals. Dieses wird immer seltener als reiner Produktionsfaktor Arbeit verstanden. Vielmehr öffnet sich das Management zunehmend der Erkenntnis, daß Mitarbeiter Produzenten und Inhaber immaterieller Vermögenswerte sind [5].

Trends der Wissensarbeit

Die konsequente Pflege dieses Vermögens wird für wissensintensive Unternehmen zu einer vordringlichen Managementaufgabe. Dies läßt sich bereits an den quantitativen Verschiebungen in der Belegschaft moderner Industriestaaten belegen. Jüngste Schätzungen aus den USA kommen zu dem Ergebnis, daß bereits 60 Prozent aller Mitarbeiter Wissensarbeit verrichten und vier von fünf Arbeitsplätzen aus den sogenannten wissensintensiven Industrien stammen [6]. Der Trend vom Handwerker zum „Kopfwerker" hält weiter an.

Ein extremer Fall der individuellen Konzentration organisationalen Wissens findet sich in Situationen, wo einzelne Schlüsselmitarbeiter zu zentralen und nahezu uner-
setzlichen Wissensträgern der Organisation werden. Bei
der freiwilligen oder unfreiwilligen Trennung von ihrem
Unternehmen werden diese in der Regel sehr schwer zu
füllende Lücken hinterlassen. Dies illustriert der Fall der
Werbeagentur SAATCHI & SAATCHI.

Schlüsselmitarbeiter

Im Dezember 1994 wurde Maurice Saatchi auf nachhal-
tigen Druck der Hauptaktionäre als Chairman der Werbeagentur SAATCHI & SAATCHI entlassen. Die Trennung
von dem umstrittenen Manager und Firmengründer stellte eine Maßnahme gegen den weiteren Kurssturz der
SAATCHI & SAATCHI-Aktien dar und wurde zunächst gefeiert. Doch die Trennung vom Firmengründer hatte fatale Auswirkungen. Innerhalb kürzester Zeit hatte Maurice Saatchi ein neues Unternehmen gegründet, firmierte
weiterhin unter Verwendung seines Familiennamens und
warb 30 der kreativsten Mitarbeiter für sein neugegrün-
detes Unternehmen ab. Als Resultat dieses enormen Ver-
lustes von intellektuellem Kapital verlor CORDIANT, das
Nachfolgeunternehmen von SAATCHI & SAATCHI, innerhalb von Wochen Kunden im Wert von über 50 Millionen Pfund. Der ohnehin geschwächte Aktienkurs brach
in den darauffolgenden sechs Monaten nochmals um ein
Drittel ein [7].

Beispiel
SAATCHI & SAATCHI

Die Gefahr, durch den Weggang zentraler Mitarbeiter
Wissensverluste zu erleiden, ist keinesfalls auf traditionell kreative Industrien wie Werbung, Design oder die
Unterhaltungsindustrie beschränkt. Die langanhaltende
Debatte um den spektakulären Wechsel des Ein-
kaufschefs José Ignacio López von GENERAL MOTORS zu
VOLKSWAGEN verdeutlicht dies. Die massiven Schaden-
ersatzforderungen, welche der GENERAL MOTORS-Kon-
zern ursprünglich stellte, standen in diesem Fall vor allem im Zusammenhang mit einem möglichen illegalen

Beispiel
VOLKSWAGEN versus
GENERAL MOTORS

Transfer von Dokumenten oder Datenträgern. Dies überlagert jedoch die Tatsache, daß auch in diesem Fall der Verlust einer Schlüsselperson den anschließenden Exodus einer ganzen Gruppe hochqualifizierter Manager nach sich zog. Ein unschätzbarer Bestand von organisationalem Wissen, das nicht in kodierter Form vorlag, sondern sich in den Köpfen der abtrünnigen, talentierten Mitarbeiter verbarg, ging damit für GENERAL MOTORS unwiederbringlich verloren.

Wissensverluste durch Downsizing

Kompetenzeinbußen aufgrund der Trennung von Wissensarbeitern müssen allerdings nicht auf solch spektakuläre Einzelfälle beschränkt bleiben. Gerade im Zuge von Restrukturierungsmaßnahmen führen Massenentlassungen ohne Rücksicht auf die Wissensbasis des Unternehmens oft zu katastrophalen Verlusten. Beispielsweise verlor der holländische Lastwagenhersteller DAF infolge einer großangelegten Downsizing-Maßnahme erhebliche Anteile seines zentralen Know-how. Schätzungen berichten, daß bis zu 70 Prozent der Wissensbasis von DAF durch die Entlassungen beeinträchtigt wurden. Ähnliche Fehler wurden auch bei IBM sowie den Chemiegiganten DOW CHEMICAL und ICI dokumentiert [8].

Bestandsaufnahme

Solche Fehler weisen vor allem auf die Notwendigkeit einer sorgfältigeren Identifikation und Evaluation kritischer Fähigkeiten hin. Die wenigsten Unternehmen haben heute eine klare Vorstellung davon, welches Wissen für ihren Erfolg von Bedeutung ist und wie dieses sich über Unternehmensbereiche, Funktionen und Mitarbeiter verteilt. Eine solche Bestandsaufnahme ist jedoch eine unerläßliche Voraussetzung für das gezielte Management der kritischen Ressource Wissensarbeiter.

Arbeitsumfeld für Wissensarbeiter

Neben der Sicherung ihrer Fähigkeiten für das Unternehmen ergibt sich auch die Frage der Effizienz von Wissensarbeitern. Dabei wird erkennbar, daß diese deutlich höhere Anforderungen an die Qualität ihres Arbeitsumfeldes stellen [9]. Bedeutende Wissensträger langfristig an ein Unternehmen zu binden, wird auf die Dauer vermutlich nur dann gelingen, wenn durch den Einsatz innovativer Personalmanagement-Maßnahmen Möglichkeiten individueller Entwicklung und Sinnfindung im Rahmen der Organisation geschaffen werden können. Konsequente Wissensorientierung stellt somit auch eine Herausforderung für verändertes Managementdenken im Personalbereich dar.

Kollektive Fähigkeiten: Mehr als die Summe der Experten

Die individuellen Fähigkeiten von Wissensarbeitern sind eine grundlegende Basis für das erfolgreiche Agieren von Unternehmen. Darüber hinaus hängt das Gelingen vieler Projekte und Strategien jedoch entscheidend davon ab, ob verschiedene Wissensbestandteile und Wissensträger effizient kombiniert werden können. Die Idee des organisationalen Lernens beruht in wesentlichen Zügen darauf, daß die Fähigkeit von Organisationen, kollektiv Probleme zu lösen und zu handeln, sich nicht alleine aus den individuellen Fähigkeiten der Organisationsmitglieder heraus erklären läßt [10]. Statt dessen beruht das organisationale Problemlösungspotential häufig in wesentlichem Maße auf den kollektiven Bestandteilen der organisationalen Wissensbasis. Kollektives Wissen, das mehr als die Summe des Wissens einer Anzahl von Individuen darstellt, ist von besonderer Bedeutung für das langfristige Überleben einer Organisation.

Kollektives Wissen

Die außergewöhnlichen Erfolge solch unterschiedlicher Unternehmen wie CHAPARRAL STEEL, HEWLETT PACKARD, JOHNSON & JOHNSON oder 3M lassen sich nach Ansicht der Harvard-Professorin Leonard-Barton darauf zurückführen, daß sie ungewöhnliches Geschick im Umgang mit eben diesem kollektivem Wissen aufweisen. Diesen

Wettbewerbsstärke durch organisationale Fähigkeiten

Unternehmen gelingt es auf besonders effiziente Weise, isolierte Ressourcen und einzelne Mitarbeiter zu einem Geflecht organisationaler Fähigkeiten zu verbinden [11].

Kollektive Prozesse Konstante gemeinschaftliche Problemlösung erhöht die Effizienz bestehender Aktivitäten und kombiniert individuelle Fähigkeiten und organisationale Prozesse zu neuem organisationalen Wissen. Interne Implementierung und Integration des neu erworbenen Wissens verhindert, daß neu gefundene Lösungen auf isolierte 'Wissensinseln' beschränkt bleiben und fördert die unternehmensinterne Verbreitung von best practices. Konstantes Experimentieren in Gruppen und Prozesse des Wissensimports verhindern die Erstarrung organisationaler Fähigkeiten und richten diese stets auf die Anforderungen des Wettbewerbs aus.

Interne Akkumulation von Fähigkeiten Die Bedeutung kollektiven Wissens läßt sich sehr gut aus einer wettbewerbsstrategischen Perspektive begründen. Organisationale Fähigkeiten bestehen in der Regel aus einer Vielzahl einzelner Ressourcen und individueller Wissenselemente, die miteinander zu einem manchmal undurchsichtigen Ganzen verwoben sind. Im Gegensatz zu isolierten Ressourcen, wie Rohstoffen oder Vorprodukten, die von beliebigen Konkurrenten auf frei zugänglichen Faktormärkten [12] erworben werden können, lassen sich kollektive Fähigkeiten nicht extern einkaufen. Sie sind Resultat eines oft langwierigen unternehmensinternen Akkumulationsprozesses und haben dadurch einen besonderen Wert gegenüber Wettbewerbern [13].

Faktor Zeit Einmal erarbeitetes kollektives Wissen kann von Wettbewerbern nur begrenzt aufgeholt werden. Zeitliche Vorsprünge bei der Entwicklung organisationaler Fähigkeiten können von der Konkurrenz durch erhöhte Investitionen nur in begrenztem Maße aufgeholt werden. Kompetenzaufbau braucht Zeit. Ein Student wird in einem ein-

wöchigen Crash-Kurs tendenziell weniger lernen als
durch kontinuierliche Arbeit in einem loseren Rhythmus.
Dies erklärt, warum Unternehmen durch die Verdoppelung von Budget und Mitarbeitern die Dauer einer Produktentwicklung nur sehr selten halbieren können.

Die Entwicklung organisationaler Fähigkeiten beruht
weiterhin oft auf einer bestimmten kritischen Masse oder
auf positiven Wirkungszusammenhängen zwischen Ressourcen. Oft gelingt es einem früher in den Markt eintre-
tenden Wettbewerber („early mover") dabei leichter, die
für eine rentable Produktion notwendigen Absatzzahlen
zu erreichen. Ebenso können auch bereits vorhandene
Ressourcen und Fähigkeiten (etwa ein dichtes Vertriebsnetz) den Aufbau neuer Fähigkeiten (beispielsweise verkürzte Innovationszyklen durch schnelleres Erkennen
von Kundenwünschen) vereinfachen.

**Wirkungszusammen-
hänge zwischen
Ressourcen**

Kollektives Wissen läßt sich für Wettbewerber schwer
analysieren [14]. Wie ließe sich etwa präzise definieren,
aufgrund welcher Fähigkeiten es BMW gelingt, „Freude
am Fahren" zu vermitteln, warum das Fliegen mit THAI
AIRWAYS „smooth as silk" ist oder weshalb AEG-Haus-
haltsgeräte „aus Erfahrung gut" sind. Außer intelligen-
tem Marketing zur Verankerung der jeweiligen Werbe-
botschaft sind für die hervorragende Kundenwahrneh-
mung dieser Produkte sicherlich auch eine Reihe spezifischer Fähigkeiten verantwortlich, welche die Konkurrenz nicht präzise voneinander trennen kann und somit
die Imitierbarkeit der Fähigkeit einschränkt.

**Erschwerte
Analysierbarkeit**

Die entscheidenden Begriffe

Einige zentrale Begriffe ziehen sich durch das ganze
Buch und müssen daher am Anfang möglichst klar definiert werden. Damit wollen wir das herrschende Begriffs-

chaos ein wenig ordnen und dem Leser eine erste Orientierung bieten.

● Wissen bezeichnet die Gesamtheit der Kenntnisse und Fähigkeiten, die Individuen zur Lösung von Problemen einsetzen. Dies umfaßt sowohl theoretische Erkenntnisse als auch praktische Alltagsregeln und Handlungsanweisungen. Wissen stützt sich auf Daten und Informationen, ist im Gegensatz zu diesen jedoch immer an Personen gebunden. Es wird von Individuen konstruiert und repräsentiert deren Erwartungen über Ursache-Wirkungs-Zusammenhänge.

Aufbauend auf dieser grundlegenden Definition lassen sich die Wissensbestände einer Organisation näher eingrenzen. Um die Gesamtheit des relevanten Wissens in Unternehmen zu beschreiben brauchen wir den Begriff der organisationalen Wissensbasis.

● Die organisationale Wissensbasis setzt sich aus individuellen und kollektiven Wissensbeständen zusammen, auf die eine Organisation zur Lösung ihrer Aufgaben zurückgreifen kann. Sie umfaßt darüber hinaus die Daten und Informationsbestände, auf welchen individuelles und organisationales Wissen aufbaut.

Die organisationale Wissensbasis unterliegt regelmäßigen Veränderungen. Diese Veränderungsprozesse können unter dem Begriff des organisationalen Lernens zusammengefaßt werden.

● Organisationales Lernen betrifft die Veränderung der organisationalen Wissensbasis, die Schaffung kollektiver Bezugsrahmen sowie die Erhöhung der organisationalen Problemlösungs- und Handlungskompetenz.

Als Manager interessieren uns vor allem die Lernprozesse, welche wir lenken können. Wir grenzen Wissensmanagement von organisationalem Lernen daher in erster

Linie anhand seiner Anwendungsorientierung ab. Während organisationales Lernen Veränderungsprozesse der organisationalen Wissensbasis beschreibt, verfolgt Wissensmanagement also eine Interventionsabsicht.

Wissensmanagement bildet ein integriertes Interventionskonzept, das sich mit den Möglichkeiten zur Gestaltung der organisationalen Wissensbasis befaßt.

Wir dürfen das Wissen in unseren Unternehmen nicht einfach sich selbst überlassen, sondern müssen es gezielt beeinflussen. Managern geht es nicht um die zweckfreie Produktion von Erkenntnissen, sondern vielmehr um die zielorientierte Nutzung und Entwicklung von Wissen und Fähigkeiten, welche für den Organisationszweck als notwendig angesehen werden. Wissen ist also nicht gleich Erkenntnis, sondern muß seinen Nutzen in der praktischen Anwendung erweisen.

Zusammenfassung

- Wissen bezeichnet die Gesamtheit der Kenntnisse und Fähigkeiten, die Individuen zur Lösung von Problemen einsetzen. Wissen stützt sich auf Daten und Informationen, ist im Gegensatz zu diesen jedoch immer an Personen gebunden. Daher müssen Daten-, Informations- und Wissensmanagement stets zusammenspielen.

- Die organisationale Wissensbasis setzt sich aus individuellen und kollektiven Wissensbeständen zusammen, auf die eine Organisation zur Lösung ihrer Aufgaben zurückgreifen kann.

- Die Fähigkeiten hochqualifizierter „Wissensarbeiter" und kollektive „organisationale Fähigkeiten" bestimmen das Problemlösungspotential eines Unternehmens.

- Durch organisationales Lernen werden Umfang und Struktur der organisationalen Wissensbasis verändert.

Leitfragen

- Gelingt in Ihrem Unternehmen oder Bereich die Umwandlung von Daten in sinnvolle Information, oder ertrinken Sie statt dessen in einer Datenflut?

- Besitzen Ihre Mitarbeiter die notwendigen Fähigkeiten, um das vorhandene Angebot an aufbereiteter Information produktiv zu nutzen?

- Welche Rolle spielt das Wissen Ihres Bereiches oder Ihrer Funktion für die „organisationalen Fähigkeiten" Ihres Unternehmens?

- Wer managt in Ihrem Unternehmen Daten? Welches Verständnis haben die dafür Verantwortlichen von ihrem Arbeitsgebiet? Wie könnte deren Tätigkeit als Ausgangspunkt für Informations- und Wissensmanagement genutzt werden?

3. Kapitel

Bausteine des Wissensmanagements

Was ich bisher zum Organisationalen Lernen und zum Wissensmanagement gelesen habe, war mir immer zu abstrakt. Wo soll ich anfangen? Wie kann ich meine Lernprobleme strukturieren? Wenn Sie sich in das Feld des Wissensmanagement begeben wollen, kann Ihnen ein erprobter Bezugsrahmen eine Menge Arbeit ersparen. In Zusammenarbeit mit einer Vielzahl renommierter Unternehmen haben wir die Kernprozesse und Hauptproblemfelder des Wissensmanagements herausgearbeitet. Die Bausteine des Wissensmanagements helfen Ihnen bei Ihron Analysen, lenken Ihre Aufmerksamkeit auf vernachlässigte Problemfelder und strukturieren so Ihre Aktivitäten im Feld des Wissensmanagements. Wir stellen die einzelnen Bausteine und ihren Inhalt kurz vor und geben Ihnen somit einen Überblick über das gesamte Buch. Wir zeigen, daß unsere Bausteine des Wissensmanagements nicht im Widerspruch zu klassischer strategischer Planung stehen, sondern diese durch die Definition klarer Wissensziele und einer transparenten Wissensbewertung bereichern.

Bausteine des Wissensmanagements

Mit der Frage, wie Unternehmen mit der Dynamik der sie umgebenden Wissensumwelt mithalten können, beschäftigten sich bis vor kurzem hauptsächlich Vertreter des organisationalen Lernens. Die Analyse des organisationalen Lernklimas oder der bestehenden Lerninfrastrukturen bildet eine Vorgehensweise, die für praktische Interventionszwecke nicht selten zu abstrakt ist und daher von Praktikern oft als „intellektuelle Fingerübung" abgelehnt wird. Statt organisationale Lernprozesse zu verstehen, brauchen Führungskräfte Methoden, mit denen sie organisationale Wissensbestände lenken und in ihrer Entwicklung beeinflussen können. Wir schlagen hierzu einen integrierten Bezugsrahmen des Wissensmanagements vor, der uns als Leitidee für alle gestaltenden Eingriffe in die Ressource Wissen dienen soll.

Konzept-entwicklung

Forderungen der Praxis: Pragmatisch, einfach, nutzbar

Wir sind der Meinung, ein pragmatisches Wissensmanagement-Konzept muß:

Action Research-Ansatz

- Unternehmensprobleme in Wissensprobleme übersetzen und Entscheidungen in ihrer Wirkung auf organisationale Wissensbestände beurteilen können,

- Pauschallösungen vermeiden und beim Verständnis wissensspezifischer Probleme helfen,

- sich stets an konkreten Problemen orientieren und nicht die Bodenhaftung verlieren,

- ein handlungsorientiertes Analyseraster sein und erprobte Instrumente zur Verfügung stellen,

- Kriterien für die Meßbarkeit des Erfolgs entwickeln,

- an existierende Systeme anschließen und bestehende Lösungsansätze integrieren,

- in einer verständlichen Sprache formuliert sein, welche im Unternehmensalltag vermittelbar ist.

Wissensmanagement soll Führungskräften beim besseren Umgang mit der Ressource Wissen helfen und ihnen möglichst praxisnahe und umsetzbare Anregungen liefern. Wir haben in Zusammenarbeit mit zahlreichen Unternehmen jene Themengebiete herausgearbeitet, welche aus ihrer Perspektive von größter praktischer Relevanz sind. Themen und Struktur dieses Buches sind das Resultat eines Prozesses, der den Ideen und Prinzipien des Action Research folgt und für eine Theorie und Praxis verbindende Forschung steht [1]. Im folgenden werden die zentralen Bausteine des Wissensmanagements abgeleitet und näher vorgestellt [2].

Durch Action Research zum Wissensmanagement-Konzept

Forschungsarbeit im Praxisforum Neben theoretischen Vorüberlegungen dienten uns vor allem reale Problemstellungen als Grundlage für unser Konzept des Wissensmanagements. In Zusammenarbeit mit Führungskräften verschiedenster Branchen wurden praktische Probleme identifiziert, die einen eindeutigen Bezug zum Bereich Wissen in Organisationen aufzuweisen hatten. Hierzu wurden zahlreiche Interviews und Workshops durchgeführt sowie etliche detaillierte Fallstudien erarbeitet. Diese Forschungstätigkeit war vor allem durch die zweijährige intensive Zusammenarbeit mit größeren Unternehmen im Rahmen des Forums für organisationales Lernen und Wissensmanagement möglich [3]. Verschiedenste Wissensprojekte in den Mitgliedsfirmen des Forums profitieren augenblicklich von den dabei erzielten Resultaten.

Identifikation der wichtigsten Ansatzpunkte

Die in den Unternehmen vorgefundenen Problemstellungen wurden von uns gruppiert und zu größeren Problemkategorien zusammengefaßt. Als Resultat dieser Systematisierung ergaben sich eine Reihe von Aktivitäten, die wir als Kernprozesse des Wissensmanagements auffassen. Diese weisen alle mehr oder weniger enge Verbindungen zueinander auf. Interventionen des Wissensmanagements können selbstverständlich auch in einzelnen Kernprozessen erfolgen. Diese werden jedoch zwangsläufig Auswirkungen auf andere Prozesse nach sich ziehen. Von einer isolierten Optimierung in einzelnen Bereichen ohne Berücksichtigung seiner Auswirkungen sollte abgesehen werden (siehe Abbildung 7).

Kernprozesse

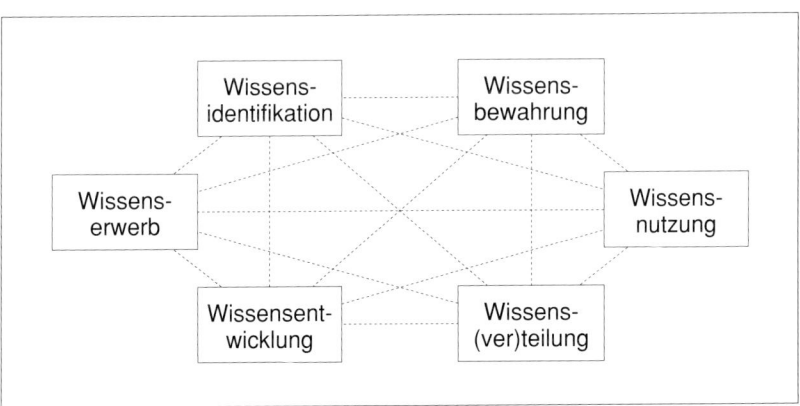

Abbildung 7: Kernprozesse des Wissensmanagements

Wissensidentifikation – Wie schaffe ich mit intern und extern Transparenz über vorhandenes Wissen

Wissensidentifikation Maßnahmen der externen Wissensidentifikation beziehen sich auf die Analyse und Beschreibung des Wissensumfeldes des Unternehmens. Erstaunlich vielen Unternehmen fällt es heute schwer, den Überblick über interne und externe Daten, Informationen und Fähigkeiten zu behalten. Diese mangelnde Transparenz führt zu Ineffizienzen, uninformierten Entscheidungen und Doppelspurigkeiten. Ein effektives Wissensmanagement muß daher ein hinreichendes Maß an interner und externer Transparenz schaffen und den einzelnen Mitarbeiter bei seinen Suchaktivitäten unterstützen.

Wissenserwerb – Welche Fähigkeiten kaufe ich mir extern ein

Wissenserwerb Unternehmen importieren einen erheblichen Teil ihres Wissensbedarfs aus Quellen, die außerhalb des Unternehmens liegen. In den Beziehungen zu Kunden und Lieferanten, zu Konkurrenten sowie zu Partnern in Kooperationen besteht ein erhebliches und sehr oft unausgeschöpftes Potential des Wissenserwerbs. Durch Rekrutierung von Experten oder die Akquisition von besonders innovativen Unternehmen können Firmen sich Know-how einkaufen, das sie aus eigener Kraft nicht entwickeln könnten. Möglichkeiten zur Erschließung dieses Potentials müssen bei einer systematischen Umsetzung des Wissensmanagements daher berücksichtigt werden.

Wissensentwicklung – Wie baue ich neues Wissen auf

Wissensentwicklung Wissensentwicklung ist ein komplementärer Baustein zum Wissenserwerb. Im Mittelpunkt steht die Produktion neuer Fähigkeiten, neuer Produkte, besserer Ideen und leistungsfähigerer Prozesse. Wissensentwicklung umfaßt alle Managementanstrengungen, mit denen die Organisation sich bewußt um die Produktion bisher intern noch nicht bestehender oder gar um die Kreierung intern und extern noch nicht existierender Fähigkeiten bemüht. Neben der „klassischen" Verankerung von Wissensentwicklungsaktivitäten in der Forschung und Entwicklung oder der Marktforschung eines Unternehmens, kann für den Unternehmenserfolg relevantes Wissen auch in allen anderen Bereichen der Organisation entstehen. Daher muß in diesem Baustein der allgemeine Umgang des Unternehmens mit neuen Ideen und die Nutzung der Kreativität der Mitarbeiter untersucht werden. Unter der Perspektive des Wissensmanagements lassen sich dabei auch Aktivitäten, die traditionell nur als Leistungserstellung betrachtet werden, als Prozesse der Wissensentstehung analysieren und optimieren.

Wissens(ver)teilung – Wie bringe ich das Wissen an den richtigen Ort

Die (Ver)teilung von Erfahrungen in der Organisation ist eine zwingende Voraussetzung, um isoliert vorhandene Informationen oder Erfahrungen für die gesamte Organisation nutzbar zu machen. Die Leitfrage lautet: Wer sollte was in welchem Umfang wissen oder können und wie kann ich die Prozesse der Wissens(ver)teilung erleichtern? Nicht alles muß von allen gewußt werden, sondern das ökonomische Prinzip der Arbeitsteilung verlangt eine sinnvolle Beschreibung und Steuerung des Wissens-(ver)teilungsumfanges. Daher ist vor allem der Übergang von Wissensbeständen von der individuellen auf die Gruppen- und Organisationsebene zu analysieren. Wissens(ver)teilung betrifft diesen Prozeß der Verbreitung bereits vorhandenen Wissens innerhalb des Unternehmens.

Wissens(ver)teilung

Wissensnutzung – Wie stelle ich die Anwendung sicher

Die Wissensnutzung, also der produktive Einsatz organisationalen Wissens zum Nutzen des Unternehmens, ist Ziel und Zweck des Wissensmanagements. Mit erfolgreicher Identifikation und (Ver)teilung zentraler Wissensbe-

Wissensnutzung

standteile ist die Nutzung im Unternehmensalltag leider
noch lange nicht sichergestellt. Die Nutzung fremden
Wissens wird durch eine Reihe von Barrieren beschränkt.
Die Sicherstellung der Nutzung von wertvollen Fähigkei-
ten und Wissensbeständen (zum Beispiel Patente oder
Lizenzen) muß daher sichergestellt werden.

Wissensbewahrung – Wie schütze ich mich vor Wissens-
verlusten

Wissensbewahrung Einmal erworbene Fähigkeiten stehen nicht automatisch
für die Zukunft zur Verfügung. Die gezielte Bewahrung
von Erfahrungen oder Informationen und Dokumenten
setzt Managementanstrengungen voraus. Tatsächlich beklagen heute viele Organisationen, daß sie im Zuge von
Reorganisationen einen Teil ihres Gedächtnisses verloren haben. Um wertvolle Expertise nicht leichtfertig
preiszugeben, müssen die Prozesse der Selektion des Bewahrungswürdigen, die angemessene Speicherung und
die regelmäßige Aktualisierung bewußt gestaltet werden.
Der Prozeß der Wissensbewahrung beruht auf der effizienten Nutzung verschiedenster organisationaler Speichermedien für Wissen.

Pragmatische Bausteine des Wissensmanagements

Ergänzung des Die beschriebenen Kernprozesse des Wissensmanage-
Konzeptes ments bieten eine relativ umfangreiche Abbildung der
operativen Probleme, die im Umgang mit der Ressource
Wissen auftreten können. Oft liegt das Problem allerdings in der mangelnden Verankerung des Wissensthe-
mas in der Unternehmensstrategie. Interventionen im
operativen Bereich benötigen einen orientierenden und
koordinierenden Rahmen, der von der Unternehmensleitung geschaffen werden muß. Daher haben wir dem
Konzept die Bausteine Wissensziele und Wissensbewer-

tung hinzugefügt. Sie bauen das Konzept zu einem Managementregelkreis aus. Die Wissensziele verdeutlichen dabei die Wichtigkeit einer strategischen Ausrichtung des Wissensmanagements sowie konkreter Zielsetzungen für einzelne Interventionsbereiche. Prozesse der Wissensbewertung schließen den Kreislauf und ermitteln die notwendigen Controlling-Daten, welche eine zielgerichtete Steuerung von Wissensmanagementprojekten erst ermöglichen.

Wissensziele – Wie gebe ich meinen Lernanstrengungen eine Richtung

Wissensziele geben den Aktivitäten des Wissensmanagements eine Richtung. Sie legen fest, auf welchen Ebenen welche Fähigkeiten aufgebaut werden sollen. Normative Wissensziele richten sich dabei auf die Schaffung einer wissensbewußten Unternehmenskultur, in der Teilung und Weiterentwicklung der eigenen Fähigkeiten, die Voraussetzungen für ein effektives Wissensmanagement schaffen. Strategische Wissensziele definieren organisationales Kernwissen und beschreiben somit den zukünftigen Kompetenzbedarf eines Unternehmens. Operative Wissensziele sorgen für die Umsetzung des Wissensmanagements und sichern die notwendige Konkretisierung der normativen und strategischen Zielvorgaben. So soll verhindert werden, daß es zu einem Verkümmern des Wissensmanagements auf der Stabs- oder Strategieebene kommt, beziehungsweise daß der Wissensaspekt dem operativen Geschäft zum Opfer fällt.

Wissensziele

Wissensbewertung – Wie messe ich den Erfolg meiner Lernprozesse

Entsprechend den formulierten Wissenszielen werden Methoden zur Messung von normativen, strategischen und operativen Wissenszielen notwendig. Spätestens bei der Bewertung zeigt sich, welche Qualität die formulierten Zielvorstellungen hatten, denn bei der Definition von

Wissensbewertung

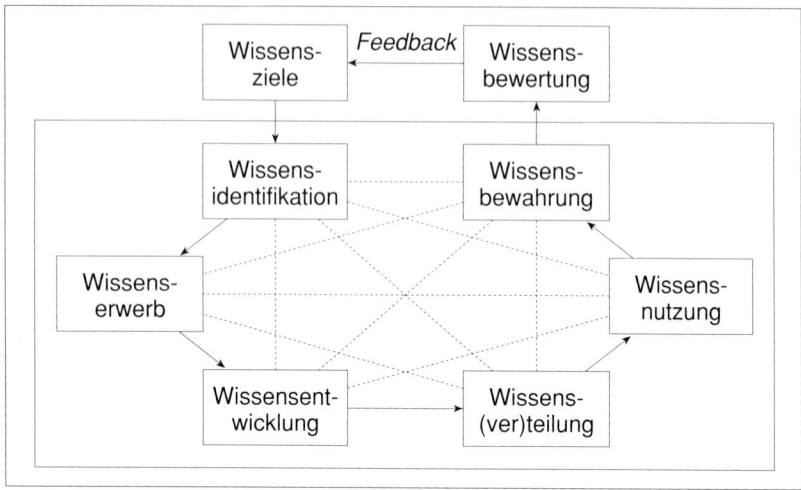

Abbildung 8: Bausteine des Wissensmanagements

Zielen werden immer auch die Möglichkeiten der abschließenden Erfolgsbewertung festgelegt. Wissensmanager können im Gegensatz zu Finanzmanagern nicht auf ein erprobtes Instrumentarium von Indikatoren und Meßverfahren zurückgreifen, sondern müssen neue Wege gehen. Maßnahmen des Wissensmanagements beanspruchen Ressourcen und müssen daher versuchen, ihre Wirksamkeit zu belegen. Dieser Controlling-Prozeß ist eine essentielle Voraussetzung für wirksame Kurskorrekturen bei der Durchführung von längerfristigen Wissensmanagementinterventionen (siehe Abbildung 8).

Bausteine für Interventionen   Wir betrachten diese acht Elemente als Bausteine des Wissensmanagements. Sie umreißen weitgehend die möglichen Interventionsfelder für Wissensmanagementmaßnahmen in einem Unternehmen. Abbildung 8 stellt alle acht Bausteine noch einmal in ihrem logischen Zusammenhang dar. Eine detailliertere Betrachtung der Inhalte und Instrumente im Rahmen jedes Bausteins bildet den Hauptteil des vorliegenden Buches. Dieser beginnt im anschließenden Kapitel 4.

Wissensmanagement als Integrationsauftrag

Mit den Bausteinen des Wissensmanagements legen wir ein integriertes Konzept vor. Die Mehrzahl der bereits bestehenden Ansätze zur Systematisierung von Wissensmanagementaktivitäten in Unternehmen orientieren sich in ihrer Gliederung an allgemeinen Managementkonzepten. Einige folgen beispielsweise dem „7-S-Modell" von MCKINSEY [4], andere verwenden allgemeine Kategorien wie Führung, Kultur, Technologie und Messung als Basis [5]. Ein entscheidender Vorteil des hier entwickelten Konzeptes liegt darin, daß es die Ressource Wissen als ausschließliches integrierendes Gliederungsprinzip in den Mittelpunkt stellt. Die Bausteine des Wissensmanagements stellen ausnahmslos Aktivitäten dar, die unmittelbar wissensbezogen sind und deren Beziehung zueinander keiner anderen externen Logik folgt. Nur mit einem solchen Konzept scheint uns die Übersetzung von bestehenden Managementproblemen in Wissensprobleme und damit eine wirklich tiefgreifende Verankerung der Basisvariable Wissen möglich zu sein.

Wissen als Gliederungsprinzip

Diese konzeptionelle Integriertheit auf Basis des Wissensbegriffes wird durch eine integrierte Sichtweise auf weiteren Ebenen ergänzt. Wissensmanagement umfaßt einerseits Interventionen, die stärker auf der individuellen und Gruppenebene ansetzen (zum Beispiel Maßnahmen des Personalmanagements) und auf der anderen Seite solche, die direkt auf die organisationale Ebene abzielen (zum Beispiel Unternehmensentwicklung, strategische Planung oder EDV-Organisation). Es übt damit eine Brückenfunktion zwischen den Elementen Individuum, Gruppe und

Ebenen der Organisation

Organisation aus. Wissensmanagement vereint außerdem
die verschiedensten Funktionsbereiche unter einer gemeinsamen Interventionsstrategie.

**Strategische und
operative Aspekte**

Wissensmanagement berührt die Ebene des strategischen Managements dort, wo es um die langfristige Sicherung von Wettbewerbsvorteilen durch Entwicklung
organisationaler Fähigkeiten geht. Gleichzeitig umreißen die Bausteine des Wissensmanagements jedoch
auch sämtliche operativen Managementphasen, die zur
Erreichung eines solchen Zieles durchlaufen werden
können. Die Gesamtstruktur des Konzeptes, die sich an
den Gedanken eines klassischen Managementkreislaufs
von Zielsetzung, Umsetzung und Kontrolle anlehnt, sichert die Anschlußfähigkeit an alternative Managementansätze und stellt die Suche nach zielorientierten Steue-
rungsmöglichkeiten in den Vordergrund.

**Offenheit für
alternative Ansätze**

Das Konzept ist dabei hinsichtlich bereits bestehender
Ansätze und Interventionsprojekte offen. Ein Wissens-
managementprojekt auf der Basis des vorliegenden Konzeptes kann ohne Mühe in bestehende Projekte integriert
werden, auch wenn diese auf anderen Managementkonzepten oder Interventionsansätzen beruhen. Diese Inte-
grationsfähigkeit wird vor allem dadurch unterstützt, daß
sich die Bausteine des Wissensmanagements als ein
Leitfaden für Interventionen verstehen lassen, der auf
mehreren Ebenen angewendet werden kann.

Zusammenfassung

● Organisationales Lernen beschreibt die Veränderungsprozesse der organisationalen Wissensbasis. Deren Gestaltung und Lenkung ist Gegenstand des Wissensmanagements.

● Wissensidentifikation, Wissenserwerb, Wissensentwicklung, Wissens(ver)teilung, Wissensnutzung und Wissensbewahrung sind die sechs Kernprozesse des Wissensmanagements. Durch die Bestimmung von Wissenszielen und die Durchführung einer Wissensbewertung läßt sich ein Managementkreislauf konstruieren, der allen Wissensmanagern hilfreiche Ansatzpunkte liefert.

● Wissensmanagement kann auf der individuellen, Gruppen- oder Organisationsebene ansetzen und beinhaltet neben operativen auch strategische und normative Aspekte.

Leitfragen

● Werden in Ihrem Unternehmen pauschale Forderungen und Beschreibungen einer „lernenden Organisation" benutzt? Oder wird dieses Ziel genauer spezifiziert?

● Haben Sie bereits eine Selbstanalyse des Wissens und der Wissensprozesse in Ihrem Unternehmen durchgeführt?

● In welchen Bausteinen des Wissensmanagements sehen Sie Ihre Hauptprobleme?

● In welchen Bausteinen des Wissensmanagements sind Sie besonders stark und warum?

4. Kapitel

Wissensziele definieren

Welches Wissen ist heute für Ihren Geschäftserfolg entscheidend? Und wird es morgen das gleiche sein? Kompetenzen entwerten sich im internationalen Fähigkeitswettbewerb immer schneller und müssen daher systematisch entwickelt und gepflegt werden. Wissensvorsprünge müssen erkämpft und in konkrete Nutzungsstrategien übersetzt werden. Kennen Sie Ihre Hebelfähigkeiten und übertragen Sie diese konsequent in neue Geschäftsfelder? Oder konzentrieren Sie sich auf Bereiche, welche die Konkurrenz besser beherrscht? In vielen Unternehmen herrscht eine Atmosphäre, in der Wissen zurückgehalten und zum Spielball politischer Interessen wird. Was tun Sie, damit es sich für den einzelnen lohnt, gezielt Wissen aufzubauen, die eigenen Fähigkeiten zu verbessern und das neue Wissen an die Organisation zurückzugeben? Wir zeigen Ihnen, wie Sie Ihre allgemeinen Unternehmensziele in normative, strategische und operative Wissensziele übersetzen können, und geben Ihnen Beispiele von erfolgreichen Unternehmen, für die das Führen über Wissensziele bereits zur Normalität geworden ist.

Wissensziele definieren

„Als wir das Joint Venture mit unserer Partnerfirma eingegangen sind, dachten wir eigentlich an eine gemeinsame Produktentwicklung. Wie sich später herausstellte,
haben wir dabei die Motive unseres Partners völlig
falsch eingeschätzt. Denen ging es eigentlich nur um den
Zugang zu unseren Marktkenntnissen. Ein Produkt hatten sie schon in der Hinterhand und haben dementsprechend wenig Energie in unsere gemeinsamen Entwicklungsaktivitäten gesteckt. Welches Wissen wir von ihnen
gewinnen könnten, darüber hatten wir uns keine Gedanken gemacht." *(Leitende Führungskraft eines High-Tech-
Joint Ventures)*

„In unserem Unternehmen wird in letzter Zeit viel von organisationalem Lernen und intelligenten Organisationen
gesprochen. Wenn ich unsere Strategiedokumente be-
trachte, dann ist aber nur von Kosten, Qualität und Kundennutzen die Rede. Wie sollen wir wissen, in welche
Richtung gelernt werden muß, wenn es keine Zielsetzungen für Wissen in unserer strategischen Planung gibt?"
(Manager eines multinationalen Markenartiklers)

„Seit zwei Jahren betreuen wir ein Projekt mit dem Titel
'Kernkompetenz-Management'. Unsere Strategie ist inzwischen auf dieser Grundlage neu ausgerichtet worden,
aber die operative Umsetzung bereitet uns unglaubliche
Schwierigkeiten. Es ist nahezu unmöglich, sämtliche
Programme der Funktionsbereiche in Einklang mit den
neuen strategischen Zielen zu bringen…" *(Mitarbeiter
der zentralen Unternehmensplanung eines Großkon-
zerns)*

Die Ausrichtung der wesentlichen Prozesse des Unternehmens durch die Definition von Zielen ist eine der
Kernaufgaben des Managements [1]. Die Vereinbarung

Bedeutung von Zielen
im Management

strategischer Ziele bildet das Kernelement strategischer Planung, welche wiederum die Grundlage für Umsetzungs- und Kontrollaktivitäten liefert. Unternehmensziele bestimmen die generelle Entwicklungsrichtung der Aktivitäten eines Unternehmens. Diese Funktion erfüllen sie vor allem auch durch ihren Einfluß auf das Verhalten von Mitarbeitern [2].

Ziele und organisationales Lernen

Prozesse der Zieldefinition bilden auch im Wissensmanagement den Anfang. Wie die einleitenden Praxiskommentare verdeutlichen, ist organisationales Lernen ein positiv besetzter Begriff, der bei der Auslösung von Veränderungsprozessen hilfreich sein kann. Doch ohne eine Konkretisierung der betroffenen Lernprozesse und Wissensbeständen wird Lernen zu einer inhaltslosen Metapher für Wandel und kontinuierliche Verbesserung. Erst wenn konkrete Ziele für organisationales Wissen entwickelt werden, kann organisationales Lernen effizient erfolgen. Folgende Fragen müssen wir beantworten: Worin liegen Sinn und Notwendigkeit von Wissenszielen? Welches sind die Aufgaben von Wissenszielen? Auf welchen Referenzebenen lassen sich Wissensziele formulieren? Welches sind die besonderen Herausforderungen bei der Definition von Wissenszielen?

Warum Wissensmanagement?

Wissensziele werden selten formuliert

Aussagen über organisationales Wissen haben heute in den meisten Unternehmen weder in die normativen und strategischen noch in die operativen Zielsetzungen Einzug gehalten. Vision, Mission oder Leitbild eines Unternehmens, welche Aufschluß über die wesentlichen Elemente normativer Zielsetzungen liefern sollten, umfassen bislang vor allem Aussagen über die strategische Ausrichtung der Geschäftsaktivitäten, über Kundenleistungen und finanzielle beziehungsweise organisationale Prinzipien sowie über mitarbeiter- und führungsbezogene Leitsätze.

Strategische Zielsetzungen auf Gesamtunternehmensebene (corporate strategy) und Geschäftsbereichsebene (business strategy) konzentrieren sich in der Praxis vornehmlich auf markt- und wettbewerbsbezogene Elemente, wie zum Beispiel prioritär zu bearbeitende Märkte und die dort anzustrebenden Marktpositionen, sowie notwendige Kundenleistungen in Form von Produkten oder Diensten. Operative Ziele, die zumeist aus der normativen und strategischen Zielsetzung resultieren, weisen in der Regel ebensowenig Wissenskomponenten auf.

Fehlen strategischer Wissensziele

Die Vision eines 'integrierten Technologiekonzerns', die von DAIMLER-BENZ zu Beginn der neunziger Jahre verfolgt wurde, liefert ein Beispiel für eine unternehmerische Zielsetzung, die Wissensaspekte weitgehend unberücksichtigt ließ. Die strategischen Zielsetzungen des Konzerns umfaßten damals eine Erweiterung der Aktivitäten vom Pkw- und Nutzfahrzeuggeschäft auf sämtliche Bereiche der Verkehrsmittel und Transporttechnik. Welche konkreten Fähigkeiten, welches Know-how zur erfolgreichen Integration von Bahntechnik, Luft- und Raumfahrttechnik sowie finanziellen und technischen Dienstleistungen in die bestehenden Aktivitäten von DAIMLER-BENZ nötig sein würden, darüber waren in dem visionären Entwurf keine Aussagen enthalten. Es wäre sicherlich übertrieben, diesen Umstand als alleinige Ursache für das weitgehende Scheitern der Pläne vom 'integrierten Technologiekonzern' anführen zu wollen. Eine etwas detailliertere Analyse des damaligen Kompetenzportfolios von DAIMLER-BENZ sowie der benötigten Investitionen zum Aufbau der in den neuen Unternehmensbereichen notwendigen Kompetenzen hätte diese Strategie jedoch aller Wahrscheinlichkeit nach um einiges vorsichtiger und realistischer ausfallen lassen.

Beispiel DAIMLER-BENZ

Beispiel 3M Der Fall eines Unternehmens, das die Weiterentwicklung und Pflege seiner Wissensbasis bewußt in den Vordergrund seiner Planungsaktivitäten stellt, soll zeigen, wie Wissensaspekte auf zahlreichen Zielebenen integriert werden können.

FALLBEISPIEL:
MINNESOTA MINING AND MANUFACTURING (3M)

Wissensziele im Forschungs- und Entwicklungsbereich

3M erzielt seinen weltweiten Umsatz von 15,1 Milliarden US Dollar (1994) mit über 60 000 verschiedenen Produkten. 3M-Handelsmarken wie beispielsweise Post-it™-Haftnotizen und Scotch™-Klebebänder werden inzwischen nahezu synonym für die jeweiligen Produktkategorien verwendet und tragen erheblich zu Image und Ertragsstärke des Unternehmens bei. 3M ist darüber hinaus jedoch in einer Vielzahl unterschiedlicher Märkte aktiv. Die verschiedenen Geschäftsbereiche, die sich in die zwei großen Sektoren Industrie und Verbraucherartikel sowie Gesundheit gliedern lassen, reichen von der Autopflege über Elektronik und industrielle Werkstoffe bis zu Zahn- und Hautpflegeprodukten, Büromaterial sowie Telekommunikations- und Transporttechnologie. Seit Juli 1996 ist dazu der Geschäftsbereich Bildsysteme und Datentechnik als eigenständiges Unternehmen unter dem Namen IMATION aktiv [3].

3M gilt als ein Unternehmen, das von außergewöhnlicher Kreativität geprägt ist. Alleine im Laufe des Geschäftsjahres 1994 ließ 3M insgesamt 543 Patente registrieren. Mehr als sechs Prozent des Umsatzes resultierte aus Produkten, die im Laufe des Jahres entwickelt worden waren. Produkte, die nicht älter als vier Jahre waren, steuerten erstaunliche 30 Prozent des Umsatzes bei. Die Forschungs- und Entwicklungsausgaben, in Höhe von sieben Prozent des Umsatzes, lagen hierbei beim doppelten des US-amerikanischen Durchschnitts.

Für Außenstehende ist unverständlich, wie das Unternehmen die enorme Bandbreite seiner 60 000 Produkte erfolgreich steuert. Bei näherer Betrachtung erkennt man jedoch, daß das Produktportfolio von 3M kein einfacher 'Gemischtwarenladen' ist, sondern auf einer Palette von etwa 100 Basistechnologien beruht, auf deren Beherrschung sich der Erfolg der meisten Produkte zurückführen läßt. Gezielte Weiterentwicklung dieser Technologien sowie gezielte Produktinnovationen auf der Basis bereits beherrschter Technologien sichern im Endresultat den internen Zusammenhalt der Aktivitäten des Unternehmens.

Die strategische Organisation des Forschungs-und Entwicklungsbereichs bei 3M unterstützt die Kohärenz in der Unternehmensentwicklung. Während Divisionslaboratorien in den einzelnen Geschäftsbereichen die konkrete Produktentwicklung vorantreiben, widmen sich zwei höhere Forschungsebenen der Grundlagenforschung sowie der Umsetzung in Verfahren und Basistechnologien. Die Kooperation zwischen diesen Ebenen folgt der Regel, daß Produkte Divisionseigentum sind, (weiter)entwickelte Technologien jedoch stets dem ganzen Unternehmen gehören. Die bereichsübergreifende Definition von Wissenszielen, auf die der Forschungs- und Entwicklungsbereich auszurichten ist, wird somit ermöglicht.

Auf der strategischen Ebene sichern Wissensziele die Kohärenz und konsequente Weiterentwicklung von Kompetenzen. In den Geschäftsbereichen werden diese Kompetenzen anschließend durch verschiedene Mechanismen in neue Produkte verwandelt. Einen häufigen Fall bilden dabei neuartige Kombinationen der Basistechnologien, aus denen innovative Anwendungen resultieren. Kompetenzen in den Bereichen Klebstoffe und Beschichtungstechnologie wurden beispielsweise bei der Entwicklung der Post-it™-Haftnotizen kombiniert. Aus der Kombination von Schleifmitteln und Klebebändern entstand Safety Walk™, ein besonders rutschfester Bodenbelag. Eine weitere Möglichkeit zur Entwicklung neuer Produkte bieten Analogien. So gelang es beispielsweise, technologische Erfahrungen aus einem Reparaturprodukt für beschädigte Kabelummantelungen auf den medizinischen Stützverband Scotchcast™ zu übertragen.

Wissensziele im Forschungs- und Entwicklungsbereich von 3M erfüllen somit zwei Funktionen. Einerseits sichern sie die Entwicklung und Bewahrung zentraler Kompetenzen in Form umfassend beherrschter Basistechnologien. Andererseits erleichtern sie eine weitgehend kohärente Unternehmensentwicklung dadurch, daß allen Divisionen der Zugriff auf diese Technologien gesichert bleibt. Firmeneigene Kompetenzen, die ihren Eingang in verschiedene Endprodukte finden, stellen somit den roten Faden in der ungeheueren Vielfalt des Produktprogrammes dar.

Wissensziele ergänzen herkömmliche Planung

Wie der Fall 3M illustriert, muß die Einführung von Wissenszielen nicht als eine vollkommene Revolutionierung der Planung verstanden werden. Wissensziele sollten vielmehr eine bewußte Ergänzung herkömmlicher Planungsaktivitäten darstellen. Zielkategorien strategischer oder finanzieller Planung, wie beispielsweise Umsatzwachstums- oder Marktanteilsziele beziehungsweise Zielwerte für die Eigenkapitalrendite, werden weiterhin ihre Bedeutung behalten. Die wachsende Bedeutung von Wissen als kritische Größe des Unternehmenserfolges läßt jedoch eine Einbeziehung von Wissenszielen in den Katalog der Unternehmensziele sinnvoll erscheinen.

Wissensziele auf verschiedenen Ebenen

Zusammenwirken der Zielebenen

Die Betrachtung der Wissenszielsetzung bei 3M hat vor allem die strategische Perspektive von Wissenszielen in

den Vordergrund gerückt. Wissensziele im Sinne von bewußten Aussagen über zu bewahrende und aufzubauen-
de Kompetenzen haben sich dabei als eine strategische
Konstante in der Unternehmensentwicklung erwiesen.
Strategische Ziele können ihre Wirkung jedoch nur dann
voll entfalten, wenn sie einerseits in einen passenden
Unternehmenskontext eingebettet sind und andererseits
durch eine konsequente operative Zielübersetzung unterstützt werden.

Diese Unterscheidung verschiedener Zielebenen (unter   **Drei Zielebenen**
Anlehnung an das St. Galler Managementkonzept) ver-
deutlicht Abbildung 9. Normative Wissensziele betreffen
dabei die Ebene der grundlegenden unternehmenspolitischen Vision sowie alle unternehmenskulturellen Aspekte. Strategische Wissensziele werden für langfristige

	Unternehmens-verfassung	Unternehmenspolitik	Unternehmenskultur
Normatives Management	■ rechtliche Strukturen Auswirkung auf WM (Geheimhaltungs-regeln etc.)	■ Wissensleitbild ■ Identifikation von kritischen Wissens-feldern	■ Wissensteilung erwünscht ■ Innovationsgeist ■ Kommunikations-intensität
	Organisationsstrukturen	Programme	Problemverhalten
Strategisches Management	■ Konferenzen, Berichts-wege, F&E-Organisation, Erfahrungszirkel Managementsysteme ■ EIS, Lotus-Notes	■ Kooperation ■ Aufbau von Kern-kompetenzen ■ Informatisierung	■ Orientierung an Wissenszielen ■ problemorientierte Wissensidentifizierung
	Organisatorische Prozesse	Aufträge	Leistungs- und Kooperationsverhalten
Operatives Management	■ Steuerung von Wissens-flüssen Dispositionsprozesse ■ Wissensinfrastruktur ■ Wissensbereitstellung	■ Wissensprojekte ■ Aufbau Expertendaten-bank ■ CBT-Einführung	■ Wissensteilung ■ knowledge in action
	Strukturen	Aktivitäten	Verhalten

Abbildung 9: Wissensthemen auf unterschiedlichen Zielebenen

Programme festgelegt, die zur Erreichung der Vision entwickelt werden. Operative Wissenziele sollen schließlich die Umsetzung der strategischen Programme auf der
Ebene der täglichen Aktivitäten des Unternehmens sichern helfen. Im Idealfall sollten Wissensziele auf allen
drei Ebenen harmonisch ineinander greifen und gemeinsam zur Umsetzung der jeweiligen Unternehmensziel-
setzungen beitragen.

Nutzenpotentiale sowie Möglichkeiten zur Formulierung
von Wissenszielen werden wir im weiteren getrennt nach
den drei beschriebenen Referenzebenen betrachten.

Warum ist uns unser Wissen wertvoll?

Eigenschaften norma-
tiver Wissensziele
Normative Wissensziele bilden die aus wissensorientierter Perspektive relevanten unternehmenspolitischen und
-kulturellen 'Leitplanken' des Managements. Im normativen Bereich werden die Grundlagen für die generelle
Bereitschaft zur Auseinandersetzung mit Wissensaspekten geschaffen. Grundlegende Voraussetzung für ein an
Wissenszielen orientiertes Management ist die Grund-
einstellung, daß Wissen eine zentrale Größe für den Unternehmenserfolg darstellt [5]. Man könnte auch sagen,
daß das dominierende Wissensziel auf normativer Ebene
die Schaffung einer wissensbewußten beziehungsweise
wissensfreundlichen Unternehmenskultur ist.

Normative Wissensziele

- schaffen die Voraussetzungen für wissensorientierte
  Ziele im strategischen und operativen Bereich,

- richten sich auf eine wissensbewußte Unternehmenskultur,

- erfordern Einsatz und Überzeugung des Top-Managements.

Wie bei den meisten unternehmenskulturellen Aspekten ist die überzeugende Kommunikation von normativen Wissenszielen eine Aufgabe der Führung. Das überzeugende Engagement des obersten Managements ist in diesem Zusammenhang von großer Wichtigkeit. Damit dieses den Zusammenhang zwischen organisationalem Wissen und Unternehmenserfolg glaubhaft darstellen kann, müssen zwei wesentliche Voraussetzungen gegeben sein.

Normative Wissensziele als Führungsaufgabe

Einerseits müssen die Begriffe Wissen, Information oder Lernen bereits Eingang in das Managementvokabular des Unternehmens gefunden haben. Andererseits muß Wissensmanagement effektiv als eine Quelle von Wachstum und Gewinn und nicht als überflüssiger Ballast oder als ein reines 'nice to have' verstanden und kommuniziert werden. Bekenntnisse wie „Wir wollen eine lernende Organisation werden!" oder „Wir sehen Wissen als zentrales Element unserer Wertschöpfung und unseres Erfolges an!" lösen zwar an sich noch keine Probleme, stellen jedoch als globale Ziele einen normativen Rahmen zur Verfügung. Ohne eine solche Grundlage wird eine weitere Umsetzung von Wissensmanagementmaßnahmen auf strategischer und operativer Ebene geringere Aussichten auf einen durchschlagenden Erfolg haben.

Voraussetzungen auf Top-Management-Ebene

3M erkannte, daß Innovationseffizienz in entscheidendem Maße auch eine Frage der Unternehmenskultur ist. Das 3M-Innovationsmanagement setzt daher auf eine Politik des Vertrauens, der Offenheit sowie der Fehlertoleranz, um Mitarbeiter zum Ausschöpfen von Freiräumen und zum Ausprobieren von Neuem zu ermutigen. In Bezug auf die Zeitbudgetierung gilt beispielsweise, daß jeder Mitarbeiter das Recht hat, 15 Prozent seiner Arbeitszeit auf Projekte außerhalb seines eigentlichen Aufgabengebietes zu verwenden. Dem Management werden bei 3M darüber hinaus zehn Regeln an die Hand gegeben, durch die das Innovationsklima gefördert werden soll [6].

Normative Wissensziele bei 3M

**Innovationsmanage-
ment bei 3M**

MINNESOTA MINING AND MANUFAKTURING (3M)

Die 10 Regeln des Innovationsmanagements:

1. Schaffen sie Denkfreiräume für Ihre Mitarbeiter.
2. Heben Sie Denkverbote auf.
3. Erlauben Sie Fehler.
4. Würdigen Sie Innovationsleistungen.
5. Fördern Sie intensive Kommunikation.
6. Werden Sie Coach für Innovationen.
7. Beziehen Sie wichtige Kunden ein.
8. Innovationen können aus vielen Quellen kommen.
9. Produkte gehören dem Vertriebsbereich – Technologien dem gesamten Unternehmen.
10. Rechnen Sie mit Innovationshürden.

**Einfluß normativer
Maßnahmen auf
Wissensprozesse**

Unter dem Aspekt der Wissensentwicklung wirken normative Maßnahmen also auf eine Kultur des Vertrauens und der Fehlertoleranz hin und fördern dadurch den Innovationsgeist und die Innovationsbereitschaft der Mitarbeiter. Entsprechende normative Voraussetzungen lassen sich für andere Bausteine des Wissensmanagements formulieren. Leiden Unternehmen unter dem not-invented-here-Syndrom, das heißt werden Ideen welche nicht im eigenen Hause entwickelt wurden immer wieder abgelehnt, so sollten Ziele formuliert werden, welche eine stärkere Umweltoffenheit sowie die Bereitschaft zum Ausprobieren und zur Nachahmung einfordern [7].

Wissensleitbild

Gezielte Veränderungen der Unternehmenskultur sind mit vielen Unwägbarkeiten versehen. Im Normalfall wird nur eine Beeinflussung der Rahmenbedingungen möglich sein, denn eine Verhaltensänderung des einzelnen kann nicht befohlen werden. Eine Möglichkeit zu einer derartigen Kontextsteuerung ist die Formulierung eines Wissensleitbildes. Im herkömmlichen Sinne macht ein Leitbild Aussagen über die Visionen und Ideale, denen die Organisation sich verpflichtet fühlt. Ein Wissensleitbild kann ähnlich grundlegende Aussagen in Bezug auf die Bedeutung und den allgemeinen Umgang mit Wissen machen.

Die Wirksamkeit eines solchen Instrumentes wird entscheidend davon abhängen, wie stark es gelingt, die Handlungsrelevanz der im Leitbild verankerten Grundsätze deutlich zu machen. Hierbei muß es gelingen, das Wissensleitbild nicht als ein Dokument für Presse und Aktionäre sondern als eine Anleitung für das Verhalten der Mitarbeiter zu positionieren. Hilfreich hierzu kann die Interpretation des Wissensleitbildes als Denkmethode [8] sein. Aufgabe des Leitbildes ist es dann, das Mitdenken von Wissensaspekten bei allen strategischen und operativen Entscheidungen zu fördern.

Handlungsrelevanz des Wissensleitbildes

Der hochinnovative Hörgerätehersteller PHONAK nutzt die Möglichkeiten eines solchen Wissensleitbildes. Das Unternehmen hat einen sogenannten Wissensquadranten entwickelt, um seinen Innovationsanstrengungen eine Richtung zu geben. Die eigenen Aktivitäten werden dabei in zwei Wissensdimensionen (nutzen/neu entwickeln sowie innen/außen) positioniert. So helfen beispielsweise Kooperationen mit führenden, innovativen Institutionen, neues Wissen zu entwickeln und mit Erkenntnissen außerhalb des eigenen Unternehmens zu kombinieren. Mindestinvestitionen in Form von Managementzeit und Kapital unterstützen die Entwicklung neuen Wissens. Den Kern dieses Wissensquadranten bildet das eigentliche Wissensleitbild, welches kulturelle Werte (wie Offenheit und Vertrauen) und strategische Ziele (wie Führerschaft im technologischen Bereich) in den Vordergrund stellt [9] (siehe Abbildung 10).

Das Wissensleitbild der PHONAK AG

Abbildung 10: Der Wissensquadrant der PHONAK AG

Rolle von Anreizmechanismen

Unerläßlich für die Wirkung einer solchen normativen Maßnahme ist darüber hinaus, daß die sonstigen Anreizmechanismen, die eine steuernde Wirkung auf das Verhalten der Mitarbeiter ausüben, in Einklang mit den wissensorientierten Zielen des Leitbildes stehen. So wird es unumgänglich sein, Aktivitäten der Wissensentwicklung, des Wissenserwerbs und vor allem der Wissensverteilung bei der Mitarbeiterbeurteilung sowie bei der Bemessung von Entlohnung und nicht-monetärer Kompensation zu berücksichtigen.

Ein erheblicher symbolischer Einfluß auf die Wissenskultur eines Unternehmens kann schließlich durch die Einrichtung einer konkreten Wissensfunktion ausgeübt werden. Dies kann etwa durch die Berufung eines Wissensdirektors oder die Einrichtung eines Projektteams geschehen. So kennt McKinsey die Position eines 'Direktor Wissensmanagement', der für die internen Prozesse der Wissensschaffung verantwortlich ist und als Mr. Inside des Wissensgeschäftes bezeichnet wird. Wichtig bei einer solchen Maßnahme ist allerdings, daß mit der Initiierung dieser Position das Thema Wissensmanagement nicht als gelöst betrachtet wird, sondern der professionelle Wissensmanager oder das Wissensteam als Katalysator für die langfristige Einführung von Wissensperspektive und Wissensvokabular in alle Bereiche des Management verstanden wird. Der Wissensmanager wird damit zum professionellen Übersetzer, der bestehende Zielsysteme durch Wissensziele zu ergänzen beziehungsweise in Wissensziele zu überführen versucht und ständig zur Berücksichtigung der Wissensperspektive herausfordert.

Einrichtung einer Funktion Wissensmanagement

Welches Wissen wollen Sie aufbauen?

Der japanische Managementforscher Itami regte als einer der Ersten an, strategische Zielsetzungen von Unternehmen mit der Wissensperspektive zu verbinden. In seiner Untersuchung der Wechselbeziehungen zwischen organisationalen Aktivitäten und Entwicklung der Wissensbasis beschreibt er neben der 'direkten Route' der Wissensentwicklung (über Forschung und Entwicklung) auch die 'indirekte Route' (über das operative Geschäft).

Wissensperspektive für die Produktion

Was ein Unternehmen tut bestimmt also in gewissem Umfang was es weiß. Aus dieser Analyse leitet Itami die Forderung ab, Produktionsprozesse immer auch unter der Perspektive ihrer Bedeutung für die Wissensakkumulation zu verstehen [10]. Dies kann in der Praxis beispielsweise bedeuten, zentrale Produktkomponenten unabhängig von Kostenüberlegungen im eigenen Haus herzustellen um das dabei generierte Know-how zu bewahren.

Strategische Konsequenzen

Itami faßt seine Überlegungen in der Forderung zusammen, die Gesamtheit der vielfältigen Umweltbeziehungen des Unternehmens so zu gestalten, daß letzten Endes nicht nur eine positive finanzielle Bilanz sondern auch ein Zuwachs an organisationalen Wissensbeständen entsteht. Die erfolgreiche Umsetzung einer Strategie ist nicht nur auf vorhandene organisationale Fähigkeiten angewiesen, sondern strategische Entscheidungen determinieren umgekehrt auch, welche neuen Fähigkeiten aufgebaut werden. Werden strategische Entscheide unter Vernachlässigung der Wissensperspektive getroffen, kann dies nicht nur den Aufbau neuer Fähigkeiten verhindern sondern auch zur Erosion des vorhandenen Bestandes an Fähigkeiten beitragen [11].

Funktionen von strategischen Wissenszielen

Strategische Wissensziele können im wesentlichen zwei unterschiedliche Funktionen erfüllen. Werden sie auf der Basis einer bestehenden Strategie formuliert, dann erleichtern sie es, deren Umsetzbarkeit aus Wissenssicht zu bewerten. Als eigenständige Zielformulierung können sie es umgekehrt ermöglichen, neue strategische Optionen zu generieren.

Erfolgswahrscheinlichkeit von Diversifikationen

Diversifikationsstrategien liefern ein anschauliches Beispiel für die erste Funktion. So konnte empirisch belegt werden, daß Diversifikationen in verwandte Produkt- oder Industriebereiche drastisch höhere Erfolgsaussichten haben als solche, die einen Vorstoß in fremde Industrien beinhalten. Die Übertragung bestehender Fähigkeiten erwies sich in diesen Fällen als relativ einfacher als der Aufbau neuer Fähigkeiten [12]. Bei einem angestrebten Eintritt in neue Produkt- oder Marktbereiche kann eine zusätzliche Formulierung von Wissenszielen also die Erfolgswahrscheinlichkeit des Vorhabens sowie den dazu notwendigen Ressourceneinsatz abschätzen helfen.

Die Analyse des bestehenden Fähigkeitenportfolios bildet eine strategische Möglichkeit zur Ableitung neuer Betätigungsfelder. Modifizierte Absatzbereiche, Erweiterungen der Produktpalette oder Diversifikationen, die auf einem solchen Vorgehen basieren, sollten in diesem Fall auf Grundlage der bestehenden Wissensbasis und der bestehenden Ressourcen realisierbar sein. Der Fall 3M bietet ein Beispiel dafür, wie durch konsequente Investitionen in Basistechnologien sowie durch Technologiekombination und den Einsatz von Produktanalogien im Entwicklungsbereich eine bewußt wissensorientierte Strategie umgesetzt werden kann. Die scheinbar unzusammenhängende Palette der unzähligen Endprodukte von 3M weist tatsächlich eine erstaunliche Kohärenz auf, wenn man das den Produkten zugrundeliegende Wissen als Maßstab wählt. Auch der Fall MICROAGE illustriert, wie bestehendes Wissen zum Ausgangspunkt neuer strategischer Optionen werden kann.

Neue strategische Optionen

FALLBEISPIEL: MICROAGE

Vom Computergroßhändler zum Konfigurationsberater

Die Entwicklung des Computergroßhändlers MICROAGE war seit seiner Gründung im Jahr 1976 von rasantem Wachstum geprägt. Ein Umsatz von 2,2 Milliarden US Dollar für das Geschäftsjahr 1994 bedeutete für das in Tempe, Arizona, ansässige Unternehmen eine Steigerung von 47 Prozent zum Vorjahr. Diese äußerst positive Geschäftsentwicklung war nicht zuletzt auf eine radikale Kursänderung zurückzuführen, für die MICROAGE sich

einige Jahre zuvor entschieden hatte. Dieser Entschluß
betraf die Entwicklung des Unternehmens weg vom reinen Großhandel mit Hardware und Zubehör von APPLE,
COMPAQ, HEWLETT PACKARD und IBM und hin zum Geschäft des Konfigurationsberaters für Großkunden [13].

Seine weitsichtige strategische Entscheidung begründet
CEO Jeffrey McKeever mit Verschiebungen in der Wissensumwelt von MICROAGE. Angesichts immer kompli-
zierter werdender Netzwerke, die oft aus Komponenten
zahlreicher verschiedener Hersteller zusammengesetzt
sind, erwarteten die Kunden des Großhändlers immer
mehr Informationen über mögliche Netzwerkkonfigura-
tionen sowie Kompatibilitäten und Leistungsmerkmale
verschiedenster Produkte. McKeever erkannte die Möglichkeit, das in langjährigen Großhandelsaktivitäten erworbene Wissen über Kundenbedürfnisse in eine Dienstleistung zu transformieren. MICROAGE entschloß sich, eines seiner Lagerhäuser in eine Fabrik umzuwandeln.
Hier werden heute täglich bis zu 125 Tonnen Hardware
in kundengerechte einmalige Konfigurationen verwandelt. Durch die Ausnutzung einer bisher brachliegenden
Kompetenz konnte MICROAGE auf diese Weise seine Position in der Wertschöpfungskette grundlegend neu definieren.

Diese neue Aktivität brachte jedoch auch Veränderungen
für das Wissensmanagement von MICROAGE mit sich.
Während der Wissenserwerb zuvor ein Nebenprodukt der
Hauptaktivität Handel war, mußte Wissen über spezifische Kundenbedürfnisse zukünftig wesentlich konsequen-
ter erworben werden. Während die veränderte Strategie
eine Konsequenz aus den nebenbei erworbenen Erfahrungen war, hatte sie selbst wiederum Einfluß auf die zur Erhaltung der Kompetenz notwendigen Maßnahmen.

Ergänzungsfunktion   Strategische Wissensziele können in Ergänzung der traditionellen strategischen Planung die Sicherung des or-

ganisationalen Wissensbestandes fördern, indem sie eine Beschreibung des zukünftigen Fähigkeitenbedarfs liefern. Sie geben dadurch Antwort auf die Frage, welche Fähigkeiten bewahrt oder neu entwickelt werden sollen und welche sich als obsolet erweisen. Außerdem können sie Zielsetzungen für die strategische Gestaltung von Organisationsstrukturen und Managementsystemen formulieren, die hierzu benötigt werden. Zusammenfassend lassen sie sich damit wie folgt beschreiben:

Strategische Wissensziele

- definieren ein für die Zukunft angestrebtes Fähigkeitenportfolio,

- liefern damit häufig eine inhaltliche Bestimmung des organisationalen Kernwissens,

- erlauben eine strategische Orientierung von Organisationsstrukturen und Managementsystemen.

Möglichkeiten zur Umsetzung von strategischen Wissenszielen beschäftigen die Forschung auf dem Gebiet des strategischen Managements bereits seit einiger Zeit. Prahalad/Hamel haben beispielsweise die Existenz einer bewußten Wissensstrategie bei NEC als Ursache für den beachtlichen wirtschaftlichen Erfolg des Unternehmens identifiziert. Mit ihrem Langzeitvergleich der Entwicklung von GTE und NEC verdeutlichen sie, welchen Unterschied bewußte strategische Wissensziele für die langfristige Unternehmensentwicklung machen können.

Wissensstrategie

GTE verfügte zu Beginn der achtziger Jahre über die besten Aussichten, zu einem führenden Anbieter im Informationstechnologiemarkt zu werden. Zehn Jahre später nahm dagegen der zu Beginn deutlich unterlegene japanische NEC-Konzern die Position des Marktführers in diesem Bereich ein. Während GTE sich unter rein kurzfristigen, finanziellen Prämissen aus zahlreichen Geschäftsbereichen zurückzog und damit die Erosion seiner

Gezielte Entwicklung von Kernwissen

Wissensbasis beschleunigte, investierte NEC bewußt in
Technologien, die als zentral für den Geschäftserfolg in
zukunftsträchtigen Marktsegmenten angesehen wurden.
Auf der Basis eines bewußt gemanagten Kernwissens,
das vor allem im Halbleiterbereich entwickelt wurde,
konnte NEC neue Geschäftsfelder erschließen und über-
flügelte dadurch die meisten seiner Konkurrenten. Der
NEC-Konzern ist heute weltweit das einzige Unternehmen, das sowohl in der Halbleiterproduktion als auch im
Kommunikations- und im Computerbereich zu den
führenden Anbietern zählt [14].

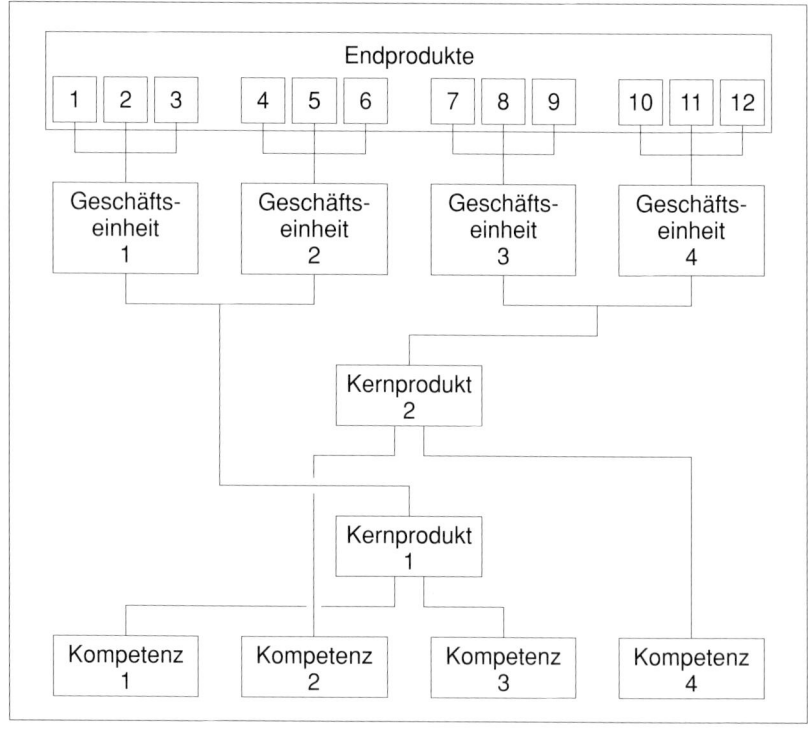

Abbildung 11: Kernkompetenzen als Wurzel der Wettbewerbsfähigkeit
               (nach Prahalad/Hamel: 1990)

Der Kernkompetenzen-Ansatz von Prahalad/Hamel, der unter anderem auf dieser Untersuchung basiert, ist in der Managementpraxis auf große Resonanz gestoßen [15]. Er postuliert, daß Unternehmen ihr Wachstum und ihre Profitabilität in einem sich ständig wandelnden Wettbewerbsumfeld besser aufrechterhalten können, wenn sie sich als Portfolio organisationaler Fähigkeiten verstehen. Prahalad/Hamel orientieren sich dabei in erster Linie an technologischen Fähigkeiten, die als sogenannte Kernkompetenzen die Wurzel der Wettbewerbsfähigkeit bilden. Auf ihr aufbauend werden eine Reihe von Kernprodukten entwickelt, die wiederum die Basis für die Wettbewerbsstärke der Endprodukte in den einzelnen Geschäftsfeldern sind (siehe Abbildung 11).

Kernkompetenzen

Auch organisationale Fähigkeiten, die nicht-technologischer Natur sind, können dagegen zu einem Wettbewerbsvorteil führen [16]. So verfügt zum Beispiel UNILEVER durch die bewußt interkulturelle Zusammensetzung seiner Managementteams über eine erhöhte kulturelle Sensitivität, die es dem multinationalen Markenartikler erlaubt, in den unterschiedlichsten Ländern und Marktsegmenten erfolgreich zu sein. JOHNSON & JOHNSON bezeichnet seine starke Unternehmenskultur sowie ein ausgeprägtes Bekenntnis zu ethischen Grundsätzen als Kernkompetenzen, die schnelle Reaktionsfähigkeit und ein effektives Management in solch sensitiven Bereichen wie der Medikamentenherstellung erlauben [17].

Nicht-technologische Fähigkeiten

Mit einer Neuausrichtung auf die Ressource Wissen als Basisfaktor der Organisation sind erhebliche Chancen verbunden. Strategie wird in diesem Kontext zu einem Instrument der systematischen Ausrichtung des Unternehmens auf den Aufbau individueller und kollektiver Wissensbestände sowie das bewußte Management der Ressource Wissen. In der Praxis bedeutet dies die Konzentration auf eine begrenzte Anzahl von Aktivitäten sowie eine bewußtere Pflege einiger weniger für den Er-

Wissen als Basisfaktor

folg des Unternehmens zentraler Wissensbestände. In einem verschärften globalen Wettbewerb versprechen nur best-in-world-Aktivitäten Erfolg und jedes Unternehmen kann nur in einer begrenzten Anzahl von Bereichen diesen Standard erreichen. Der Erfolg japanischer Unternehmen wie SONY oder NEC, die über deutlich abgrenzbare Kompetenzfelder auf höchstem Niveau verfügen, liefern hierfür ein illustratives Beispiel. Wissen als Basisfaktor bedeutet außerdem, daß Entscheidungen von strategischer Bedeutung – beispielsweise bezüglich des Outsourcing von Aktivitäten, über Diversifikationen oder Joint Ventures – konsequent unter der Perspektive des zu bewahrenden oder aufzubauenden organisationalen Wissens getroffen werden.

Zeitliche Anpassung Wissensbasierte Strategien müssen nicht zuletzt die zeitliche Dynamik des Wettbewerbs berücksichtigen. Wissen entwertet sich immer schneller. Stillstand in der Entwicklung neuer Fähigkeiten führt rasch in die Sackgasse [18]. Der erfolgreiche Fähigkeitsaufbau in einem heute relevanten Wissensfeld kann den Mißerfolg von morgen einleiten. Es gilt daher, die notwendige Balance zwischen Konzentration und Bereitschaft zum Wandel zu bewahren. Dauerhaft erfolgreiche Unternehmen in dynamischen High-Tech-Industrien, wie zum Beispiel HEWLETT PACKARD, zeichnen sich oft sogar dadurch aus, daß sie ihre eigenen Produkte noch weit vor dem Ende des Lebenszyklus durch neue und bessere Lösungen kannibalisieren. Nur durch die proaktive Anpassung von Wissenszielen gelingt es ihnen also, den zeitlichen Vorsprung als eines der zentralen Elemente einer wettbewerbsfähigen Wissensbasis dauerhaft zu wahren.

Fähigkeitenmatrix Instrumente zur Definition strategischer Wissensziele stecken noch weitgehend in den Anfängen. Eine Analyse erster Ansätze auf diesem Gebiet [19] zeigt, daß hier ein erheblicher Spielraum für die kreative Anpassung bereits vorhandener Instrumente der Strategieentwicklung vor-

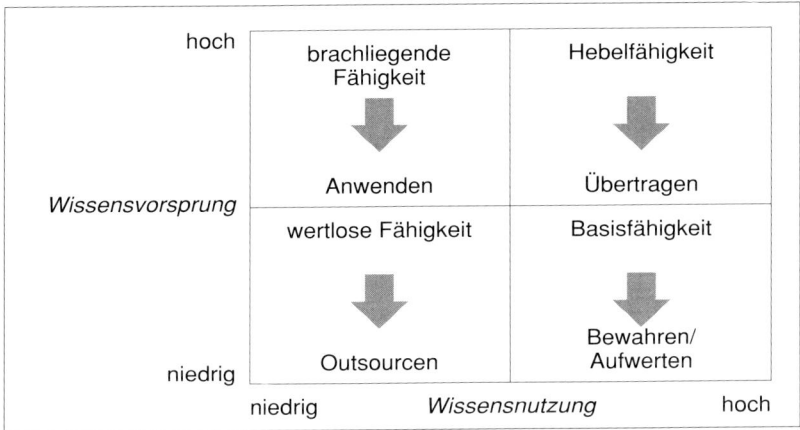

Abbildung 12: Matrix der Normwissensstrategien

handen ist. So läßt sich die Fähigkeitsbasis des Unternehmens beispielsweise in Form einer Matrix darstellen. Durch eine Unterscheidung der Achsen Niveau des Wissensvorsprunges (im Vergleich zur Konkurrenz) sowie aktuelle interne Wissensnutzung können vier Quadranten organisationaler Fähigkeiten gebildet werden. Je nach Einordnung der jeweiligen Fähigkeiten in die Matrix können hierfür anschließend unterschiedliche Normwissensstrategien abgeleitet werden [20] (siehe Abbildung 12).

Im ersten Quadranten – geringer Wissensvorsprung und geringe Nutzung – bietet sich ein Outsourcing der Fähigkeit an. Weder kann diese einen Wettbewerbsvorteil begründen, noch ist sie unbedingt notwendig, um höherwertige Fähigkeiten zu unterstützen.

Bewahrung von Fähigkeiten

Im zweiten Quadranten – geringer Wissensvorsprung und hohe Nutzung – kann unter Umständen eine Basisfähigkeit vorliegen. Strategische Wissensziele müssen in diesem Kontext die Substanzerhaltung einer gewissen Anzahl von Basisfähigkeiten ermöglichen. Wird die Fähigkeit für die interne Verwendung irrelevant, ist ebenfalls

Basisfähigkeiten

das Outsourcing zu erwägen. Umgekehrt kann versucht werden, eine Basisfähigkeit durch Verbesserung des Fähigkeitsniveaus zu einer Hebelfähigkeit aufzuwerten.

Ungenutzte Fähigkeiten

Der dritte Quadrant – hoher Wissensvorsprung, niedrige Nutzung – bildet ein ungenutztes Fähigkeitspotential. In vielen Unternehmen liegt solches Wissenskapital brach, obwohl es im Vergleich zur Konkurrenz überlegenes Know-how darstellt. Oft ist das Bewußtsein für diese vernachlässigten Wissensschätze gering. Hier kommt es darauf an, die vorhandenen Fähigkeiten zur Anwendung zu bringen, um das Wettbewerbspotential, das in ihnen ruht, nutzbar zu machen.

Hebelfähigkeiten

Der vierte Quadrant schließlich – hoher Wissensvorsprung und hohe Anwendung – bildet die eigentlichen Hebelfähigkeiten des Unternehmens. Fähigkeiten, die auf Basis eines hohen Wissensvorsprungs bereits am Markt kapitalisiert werden, können dabei häufig auch auf andere Märkte übertragen werden. Strategische Wissensziele haben hierbei die Aufgabe, im Zusammenwirken mit der strategischen Planung innovative strategische Optionen für die Übertragung von Fähigkeiten auf neue Geschäftsbereiche zu bestimmen.

Die Übersetzung von Visionen ins Konkrete

Umsetzung des Wissensmanagements

Ein zentrales Problem vieler neuer Managementansätze besteht darin, daß sie auf der Ebene strategischer Reflexion verharren und die Resultate dieser Reflexion nicht in die konkrete Implementierungsphase gelangen. Viele Unternehmen haben ihre Kernkompetenzen analysiert und beschrieben, doch nur wenige konnten aus diesen Analysen Konsequenzen für ihr konkretes Geschäft ziehen. Um diesen Schwierigkeiten im Bereich des Wissensmanagements vorzubeugen, soll die Bedeutung der Definition operativer Wissensziele an dieser Stelle gesondert hervorgehoben werden. Operative Wissensziele ermöglichen eine systematische Steuerung und Kontrolle des Wissensaspektes im Rahmen operativer Projekte und Implementationsprozesse. Gerade dort, wo sich kurzfristige, markt- und wettbewerbsorientierte Zielsetzungen naturgemäß in den Vordergrund schieben, ist es am wichtigsten, auf zugrundeliegende Wissensbestände und -prozesse hinzuweisen. Die Definition operativer Wissensziele soll also verhindern, daß es zu einem Verkümmern des Wissensmanagements auf der Stabs- oder Strategieebene kommt, beziehungsweise daß der Wissensaspekt dem operativen Geschäft zum Opfer fällt. Wenn dies gelingen soll, müssen operative Wissensziele ausreichend konkret formuliert sein und organisationsweit mit ganzer Konsequenz verfolgt werden.

Operative Wissensziele

- sichern die Umsetzung des Wissensmanagements auf operativer Ebene,

- übersetzen die normativen und strategischen Wissensziele in konkrete, operationalisierbare Teilziele,

- optimieren die Infrastruktur des Wissensmanagements,

- sichern die Angemessenheit der Interventionen in bezug auf die jeweilige Interventionsebene.

Die Kohärenz zwischen normativen, strategischen und operativen Wissenszielen läßt sich dadurch gewährleisten, daß operative Wissensziele ähnlich einem Übersetzungsprozeß aus den übergeordneten Zielebenen abgeleitet werden. Die Übersetzung strategischer Wissensziele in den operativen Bereich – unter Beachtung des normativen Kontextes – erlaubt es, den Anwendungsbezug von Wissenszielen und ihre Kompatibilität zu anderen

Übersetzungsprozeß von Zielen

Unternehmenszielen deutlich zu machen sowie die konkrete Umsetzung anzustoßen. Beispiele für solch operativ-konkrete Wissensziele wären: „In der Forschungskooperation mit der Universität X sollen bis Ende des Jahres drei funktionsfähige Prototypen entwickelt werden. Ein Prototyp ist funktionsfähig, wenn..." oder „Unsere internen Experten sollen für Kunden besser erreichbar sein. Akzeptable Antwortzeiten sind...". Der Übersetzungsprozeß von strategischen in operative Wissensziele erfolgt dabei in mehreren Etappen.

Operativer Bezug In einer ersten Phase müssen den strategischen Wissenszielen relevante Zielgruppen und Zeitbezüge auf operativer Ebene zugeordnet werden. So können mehrere Divisionen oder Funktionsabteilungen in die Realisierung eines strategischen Wissensziels eingebunden sein. Die Realisierung des Ziels kann außerdem unterschiedliche Zeithorizonte umfassen oder im Zeitablauf unterschiedliche Zielgruppen betreffen.

Abgleichen mit bestehenden Zielebenen In einer zweiten Phase geht es darum, die solchermaßen abgeleiteten Wissensziele mit den vorhandenen konventionellen Zielebenen zu vereinbaren. Operative Wissensziele können nur als eine Teilkategorie der operativen Zielsetzung betrachtet werden. So wird eine Personalabteilung das Wissensziel „Ausbildung des gesamten Außendienstes in Laptop-gestützter Auftragsannahme" mit den übrigen strategischen und operativen Zielen der Abteilung, beispielsweise „Reduktion des Ausbildungsbudgets auf 0,2 Prozent des Auftragsvolumens", abstimmen müssen. Hierbei steht sowohl die Frage nach Zielprioritäten angesichts begrenzter Ressourcen als auch die Suche nach Synergien mit anderen relevanten Maßnahmen im Vordergrund.

Aufteilung der Ziele In einer dritten Phase müssen schließlich die für einen bestimmten Unternehmensbereich festgelegten operativen Wissensziele auf einzelne Abteilungen, Projekte, Arbeitsgruppen und Individuen heruntergebrochen werden. Am Ende dieses Prozesses findet sich im Idealfall ein persönlicher Entwicklungsplan pro Mitarbeiter, der individuelle Wissensziele für einen bestimmten Zeitraum definiert, die wiederum ihren konkreten Beitrag zur Erreichung strategischer Wissensziele auf Gesamtunternehmensebene leisten.

Im gesamten Verlauf dieses Prozesses ist zu beachten, daß ein reiner Top-Down-Ansatz ungewisse Erfolgsaussichten hat. Auf allen Stufen wird es vielmehr Rückkopplungsprozesse geben, die eine Adaption höhergelagerter Wissensziele notwendig machen kann. So kann die Umsetzung von Wissenszielen aufgrund von Ressourcenrestriktionen, von Nichtvereinbarkeiten mit anderen Unternehmenszielen oder von unerwarteten Lücken im Kompetenzportfolio des Unternehmens verzögert oder verhindert werden. Andererseits ist es auch möglich, daß im Übersetzungsprozeß unerwartete Kompetenzen aufgedeckt werden, die Teile der Wissenszielsetzung überflüssig machen und dadurch zusätzliche Mittel frei werden lassen. Oder es kann gelingen, Wissensziele, die in einer Abteilung nicht erfüllt werden können, auf andere Abteilungen zu übertragen.

Top-Down versus Rückkoppelung

Eine wesentliche Funktion der aus diesem Übersetzungsprozeß resultierenden Wissensziel-Hierarchie besteht darin, einen Wegweiser für den angemessenen Umfang von Interventionsmaßnahmen zur Verfügung zu stellen. Hierbei gilt die Regel, daß Bedeutung und Umfang des Wissenszieles sowie die für seine Umsetzung gewählte Interventionsebene miteinander kompatibel sein sollten. Ein Sprachkurs für eine Gruppe von Mitarbeitern oder ein Reengineering-Projekt der Forschungs- und Entwicklungsabteilung bewegen sich auf einer anderen Ebene als die Neuausrichtung eines Geschäftsbereiches auf veränderte Basistechnologien oder die Festlegung auf eine innovationsfreundlichere Unterneh-

Angemessene Interventionen

menskultur. Sie erfordern somit grundlegend andere Vor-
gehensweisen und einen unterschiedlich umfangreichen
Ressourceneinsatz.

Anpassung bestehen-
der Instrumente
Im Zusammenhang mit der Definition operativer Wissensziele läßt sich festhalten, daß noch kein spezifisches
Instrumentarium zur Erfüllung dieser Aufgabe entwickelt wurde. Es erscheint vielmehr fraglich, ob eine
solche Entwicklung überhaupt Sinn machen würde. Die
wissensorientierte Anpassung vorhandener und bekann-
ter Zielsetzungsmechanismen scheint dagegen eine wenig aufwendige und dennoch vielversprechende Lösung
zu bieten.

Zielformulierung
Eine wissensorientierte Ergänzung kann je nach Interventionsebene unterschiedlichste Zielformulierungsin-
strumente betreffen. Auf der Ebene einer Geschäftseinheit können Wissensziele beispielsweise eine Ergänzung
der Jahreszielsetzung liefern. Neben einer qualitativen
oder quantitativen Beschreibung der Zielsetzung können
in diesem Rahmen auch Maßnahmen, Verantwortliche
und Termine definiert werden. Entsprechende Ergänzungen der Zielsetzungen sind auch auf Bereichs- oder Ab-
teilungsebene sowie im Rahmen von Projektplänen
möglich (siehe Abbildung 13).

Management by
Knowledge Objectives
Auf individueller Ebene ergibt sich vor allem die Möglichkeit, Zielinstrumente der Personalentwicklung durch
Wissensaspekte anzureichern. So ist es beispielsweise
denkbar, ein Management by Objectives-Konzept neben
dem Aspekt der zu erfüllenden Aufgaben und zu errei-
chenden Ergebnisse auch auf den Erwerb oder die Erweiterung persönlicher Fähigkeiten auszurichten. Ein
solches System könnte als Management by Knowledge
Objectives bezeichnet werden. Über eine gemeinsame
Zielvereinbarung zwischen Vorgesetztem und Mitarbeiter werden Qualifizierungsziele festgelegt, welche peri-
odisch gemessen und angepaßt werden. Um die Abkop-

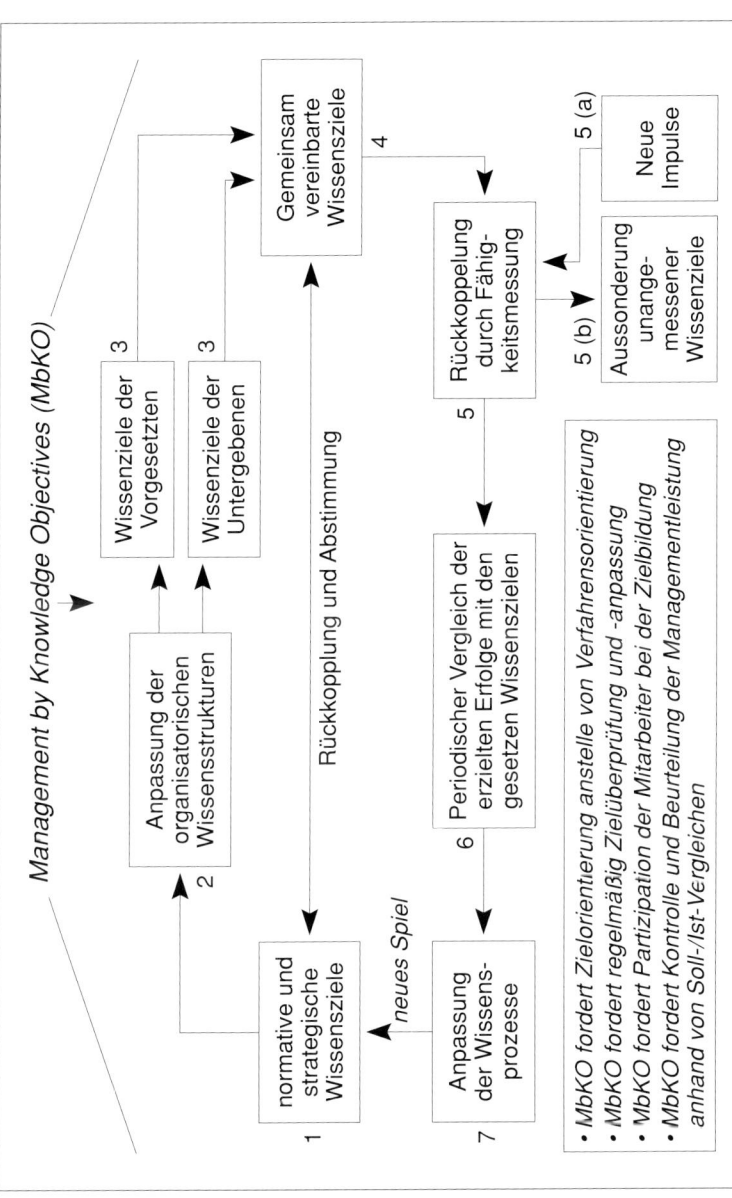

Abbildung 13: Management by Knowledge Objectives [21]

pelung der Qualifizierungsmaßnahmen von der strategischen Ebene zu verhindern, bilden die normativen und strategischen Wissensziele der Unternehmung Anfang und Ende des Zielvereinbarungsprozesses.

Fallstricke bei der Formulierung von Wissenszielen

Problem: gemeinsame Sprache

Wenn es um die Definition von Wissenszielen im Unternehmen geht, können sich Probleme auf mehreren Ebenen ergeben. Eine oft unterschätzte jedoch grundlegende Schwierigkeit liegt dabei im Fehlen einer gemeinsamen Sprache. Während andere Managementdisziplinen (Finanzen, Logistik etc.) über ein detailliertes Vokabular zur Beschreibung ihres Gegenstandsbereiches verfügen, besitzen Wissensmanager bisher nur über wenige gemeinsame Begriffe. Ziele für ein Investitionsvorhaben lassen sich unter Zuhilfenahme des finanziellen Fachvokabulars eindeutig beschreiben. Bei der Formulierung von Wissenszielen beginnt dagegen häufig zunächst eine grundlegende Verständigung über Grundbegriffe wie Daten, Information, Fähigkeiten, Kompetenzen oder Wissen. Eine Lösung für dieses Problem scheint der regelmäßige Umgang mit wissensbezogenen Fragestellungen zu bieten, der über eine Gewöhnung an das Thema langfristig auch zur Ausbildung einer verbindlichen Sprache führen wird.

Problem: Instrumente

Hand in Hand mit der fehlenden Sprache geht der Mangel an ausgereiften Instrumenten. Dieser wird um so deutlicher, je konkreter der Grad der Zielformulierung wird. Während es auf normativer und strategischer Ebene noch gelingt, relativ globale Kompetenzziele zu formulieren, bereitet die detaillierte Formulierung von Wissenszielen auf nachgelagerten Ebenen zunehmend Probleme. Die hierzu notwendigen Instrumente sind noch wenig ausgereift und relativ unhandlich in ihrer Verwendung [22].

Die generelle Frage der Operationalisierbarkeit und Quantifizierbarkeit von Wissenszielen schließt sich an die oben erwähnten Probleme an. Fehlende Sprache und fehlende Instrumente sind die Ursache für zu wenig detaillierte Zielformulierungen, welche der Forderung nach einer umfassenden Quantifizierbarkeit selten gerecht werden können. Der weitverbreitete Grundsatz „Was man nicht messen kann, kann man auch nicht managen" führt im Kontext des Wissensmanagements heute nicht weiter. Fortschritte bei der Operationalisierung und Quantifizierung von Wissenszielen können nur gemacht werden, wenn man dem Wissensmanagement eine gewisse Testphase zur Entwicklung seines eigenen Instrumentensets einräumt.

Problem: Quantifizierung

Als weiteres Hindernis der Wissenszielformulierung und der Umsetzung von Wissensmanagementmaßnahmen erweist sich ein Phänomen, das man als operative Trägheit bezeichnen könnte. Da der Umgang mit vertrauten Instrumenten, die nicht mit den oben beschriebenen Probleme zu kämpfen haben, wesentlich einfacher als die Einführung neuer Konzepte ist, muß Wissensmanagement die üblichen Hürden der operativen Durchsetzung überspringen. Der relativ abstrakte Vorgang der Zielformulierung ist dabei für ein noch nicht vollständig verstandenes Gebiet natürlich besonders problematisch.

Problem: operative Trägheit

Nicht zu vernachlässigen ist schließlich der Einfluß des Machtaspektes auf die Formulierung von Wissenszielen. Besonders individuelle Wissensziele berühren immer auch in gewissem Umfang das Machtverhältnis zwischen Mitarbeiter und Organisation. Organisationsinteressen sind hier nicht immer mit den Individualinteressen vereinbar. Im Zusammenhang mit den Aspekten Wissens-

Problem: Macht

erwerb, -entwicklung und -verteilung werden wir diesen
Aspekt noch genauer untersuchen.

Kontrollillusion Generell läßt sich festhalten, daß eine intangible Ressource wie Wissen nicht unbeschränkt steuerbar ist. Bei
allen Fragen der Zielformulierung im Wissensbereich
sollte man daher eine Kontrollillusion vermeiden und
diese sowie alle anderen Maßnahmen des Wissensmanagements unter das Zeichen von Kontextsteuerung und
schrittweisem, behutsamem Vorgehen stellen.

Eigenschaften von Trotz dieser vielfältigen Schwierigkeiten bei der Zielfor-
Unternehmenszielen mulierung, muß jede Managementlehre an der Formulierung von Zielen festhalten. Sie sind immer noch der beste
Weg, um erwünschte zukünftige Zustände zu beschreiben
[23]. Die Zielforschung hat hierzu eine Reihe von Komponenten ermittelt und systematisiert, welche Ziele idealerweise beinhalten sollten [24] (siehe Tabelle).

Quantitative und Eine weitere wichtige Unterscheidung ist die Trennung
qualitative Ziele in quantitative und qualitative Aspekte. Ein identisches
Zielobjekt kann durch die Wahl quantitativer Maßstäbe
ganz anders beschrieben werden, als dies mit Hilfe qua-
litativer Elemente möglich wäre. Ein finanzielles Kenn-

Zielkomponente	Inhalt der Zielkomponente	Beispiel
■ Zielobjekt	Allgemeiner Gegenstandsbereich der Zielformulierung	Außendienst
■ Zieleigenschaften	Variablen zur Bewertung alternativer Lösungen	Sprachkompetenz
■ Zielmaßstäbe	Genaue Meßvorschriften für die Bewertung	Sprachtest/TOEFL
■ Zielerfüllungsbeitrag	Sollwerte bzw. Anspruchsniveaus der Zielerfüllung	600 Punkte
■ Zeitbezug	Vorhandener Zeitrahmen für die Zielerfüllung	bis Mitte 1998
■ Zielpersonen	Für die Zielerfüllung verantwortliche Personen	Außendienstleiter

Abbildung 14: Zielkomponenten

zahlensystem, anhand dessen Zielwerte für Umsatzren-
tabilität, Kapitalumschlag und Return on Investment
festgelegt werden, bildet ein Beispiel für ein rein quantitativ orientiertes Zielsystem. Die Verbesserung des Un-
ternehmensimages in der Öffentlichkeit ist dagegen ein
Ziel, das sich nur sehr schwer eindeutig quantifizieren
läßt. In diesem Fall werden eher qualitative Maßstäbe in
den Vordergrund der Zieldefinition rücken.

Die Formulierung hilfreicher Wissensziele ist heute also   **Pionierarbeit**
in vielen Bereichen noch Pionierarbeit und erfordert
Ideenreichtum und Mut. In dieser Arbeit kann man auch
auf die Beiträge von Dörner zum strategischen Denken
in komplexen Situationen zurückgreifen [25]. Die Fähigkeit, je nach Situation Anstrebungs- oder Vermeidungs-
ziele, Mehrfach- oder Einfachziele, allgemeine oder spezifische Ziele beziehungsweise klare oder unklare Ziele
formulieren zu können, setzt eine hohe Flexibilität im eigenen Denken und die differenzierte Erfassung des je-

Anstrebungsziel „Wir wollen Fähigkeit X bis zum 3. Quartal aufgebaut haben". *Vermeidungsziel* „Wir wollen Fähigkeit Y nicht verlieren".	*Allgemeines Ziel* „Wir wollen die besten Mitarbeiter beschäftigen". *Spezifisches Ziel* „Wir rekrutieren jedes Jahr zehn Top-Absolventen der Elite-Business Schools der USA".
Unklares Ziel „Wir wollen eine lernende Organisation werden". *Klares Ziel* „Wir wollen in den Benchmark- Dimensionen 1 – 5 unsere Konkurrenten überholen".	*Mehrfachziel* „Mit dem Erreichen des Zieles A, wollen wir die Fähigkeiten X, Y und Z stärken". *Spezifisches Ziel* „Mit der Erreichung des Zieles B, wollen wir die Fähigkeit Y stärken".

Abbildung 15: Zielarten und ihr Bezug zum Wissensmanagement [26]

weiligen Wissenskontextes voraus. Die Abbildung 15 zeigt unterschiedliche Zielarten in Bezug auf Fragestellungen des Wissensmanagements.

Funktionen von Unternehmenszielen

Wissenziele müssen darüber hinaus klassische Zielfunktionen erfüllen können. Hierbei lassen sich vor allem die Entscheidungs-, Koordinations-, Motivations- und Kontrollfunktion unterscheiden [27]. Die Entscheidungsfunktion betrifft vor allem die Möglichkeit, alternative Maßnahmen im Hinblick auf ihre Effektivität und Effizienz gegeneinander abwägen zu können [28]. Die Koordinationsfunktion von Unternehmenszielen betrifft die Abstimmung zwischen unvereinbaren Zielen sowie den frühzeitigen Interessenausgleich, der zur Verhinderung von Reibungsverlusten im Umsetzungsprozeß beiträgt [29]. In direktem Zusammenhang hierzu steht die Motivationsfunktion, die das erhöhte Engagement aller an der Umsetzung beteiligten Mitarbeiter durch Ausrichtung auf gemeinsame Ziele betrifft. Die Kontrollfunktion umfaßt schließlich den Aspekt der Messung und Bewertung von Fortschritten, die nur anhand klar definierter Ziele möglich ist.

Bezug von Funktionen und Referenzebenen

Ordnet man diese Funktionen den oben betrachteten Referenzebenen zu, dann wird deutlich, daß normative und strategische Ziele in stärkerem Maße die Entscheidungs- und Koordinationsfunktion wahrnehmen, während der Schwerpunkt der operativen Ziele auf der Motivationsfunktion für die anschließende Umsetzung liegt. Operative Ziele bilden darüber hinaus durch ihren unmittelbaren Bezug zur konkreten Realisation und ihren relativ begrenzten Umfang die Grundlage für sämtliche Kontrollaktivitäten und unterstützen hierdurch auch die Kontrollfunktion.

Verbindung von Zielsetzungen und Controlling

Generell betrachtet sollten Ziele sinnvollerweise in einem direkten Zusammenhang mit dem Aspekt der Messung und Bewertung betrachtet werden. Dieser enge Zusammenhang tritt in unserem Wissensmanagementkonzept deutlich zutage. Um den Prozeß des Wissensmanagements besser zu illustrieren werden diese beiden Bausteine in diesem Buch getrennt behandelt. Es soll an dieser Stelle daher bereits hervorgehoben werden, daß bei der Definition von Zielen immer auch die Möglichkeiten der abschließenden Erfolgsbewertung festgelegt und mitgedacht werden müssen. Auf die so entstehenden Ansatzpunkte zu einem systematischen Wissenscontrolling wird in Kapitel 11 genauer eingegangen.

Zusammenfassung

● Wissensziele sorgen dafür, daß organisationale Lernprozesse eine Richtung erhalten und der Erfolg sowie
  der Mißerfolg von Wissensmanagement überprüfbar
  gemacht werden kann. Sie sind die wissensbezogene
  Übersetzung der Unternehmensziele.

● Wissensziele werden als praktisches Planungsinstru-
  ment im Unternehmen nur ungenügend genutzt.

● Wissensziele sollten im normativen, strategischen
  und operativen Bereich formuliert werden.

● Normative Wissensziele setzen die Rahmenbedingungen für eine innovative und „wissensbewußte" Unternehmenskultur.

● Strategische Wissensziele legen das zukünftige Kompetenzportfolio des Unternehmens fest.

● Operative Wissensziele übersetzen normative und
  strategische Vorgaben in umsetzungs- und handlungs-
  orientierte Teilziele.

● Die Definition von Wissenszielen stößt auf zahlreiche
  Hindernisse. Dazu gehören das Fehlen einer „Wissenssprache", Probleme der Instrumentalisierung und
  Operationalisierung sowie Gewohnheits- und Machtaspekte.

● Wissensziele ergänzen herkömmliche Unternehmensziele auf zahlreichen Ebenen. Bei den meisten langfristigen Managemententscheidungen ist es heute unabdingbar, Auswirkungen auf die organisationale Wissensbasis zu berücksichtigen.

● Unternehmenskulturelle Leitlinien lassen sich in
  Form eines Wissensleitbildes verankern. Sie müssen
  jedoch vom Management gelebt werden, wenn sie das

Verhalten von Mitarbeitern wirklich beeinflussen sollen.

● Eine bewußte Wissensperspektive kann neue strategische Optionen eröffnen.

● Bei der Formulierung von Wissenszielen muß die Möglichkeit der Messung des Erfolges immer mitgedacht werden.

Leitfragen

● Wo erscheinen Wissensaspekte – in direkter oder indirekter Form – bereits heute in den Zielsetzungen Ihrer Organisation?

● Wie werden Unternehmensziele in Wissensziele übersetzt?

● Wie steht es um Ihre Wissenskultur? Welche Wertschätzung genießt Wissen in Ihrem Unternehmen und woran machen Sie diese fest?

● Wird in strategischen Debatten das Thema Wissen berücksichtigt? Haben Sie eine Vorstellung vom „Kernwissen" Ihrer Organisation und von der Richtung, in welche dieses sich künftig bewegen soll?

● Wo bestehen in Ihrer unmittelbaren Umgebung Ansatzpunkte, Wissensziele zur Ergänzung bisheriger Zielsetzungen einzuführen?

● Welches sind Ihre persönlichen Wissensziele; was wollen Sie lernen? Stehen diese Ziele im Einklang mit den Wissenszielen Ihres Unternehmens?

5. Kapitel

Wissen identifizieren

Sie können nicht alles wissen, aber Sie sollten wissen, wo Sie nachzusehen haben. Wenn um uns herum das Wissen explodiert und sich in immer feinere Bereiche differenziert, kann man leicht den Überblick verlieren. Transparenz über intern und extern vorhandenes Wissen stellt sich nicht automatisch ein. Transparenz muß organisatorisch unterstützt werden. Wer im Wissenswettbewerb erfolgreich sein will, der muß sich schnell einen Überblick über interne und externe Experten zu kritischen Themen verschaffen können. Wissen Sie, wieviele Projekte in Ihrem Unternehmen parallel laufen und womit sie sich beschäftigen? Haben Sie Zugang zu einem Wissensbroker, welcher für Sie in den Untiefen des Internet und den weltweit anschwellenden Spezialdatenbanken kritische Informationen zusammenträgt? Wir zeigen vielfältige Ansätze, mit denen Sie sich die interne und externe Identifikation von Wissen erleichtern. Wissenslandkarten, Gelbe Seiten für Experten oder die intelligente Nutzung des eigenen Intranet sind hierfür nur einige Beispiele.

Wissen identifizieren

„Ich komme fast täglich in Situationen, in denen ich schnell und unkompliziert auf Wissen zugreifen möchte, das ich irgendwo in unserer weltweiten Organisation vermute. Unsere interne Intransparenz verhindert solche zeit- und kostensparenden Maßnahmen, und ich muß mir anders helfen." *(Manager einer multinationalen Bank)*

Praxisstimmen

„Bis vor kurzem wußten wir in der Zentrale nicht, welche neuen Produkte in unseren weltweit verteilten Tochter- und Beteiligungsunternehmen entwickelt werden. Das ist das Ergebnis unserer konsequenten Dezentralisierungspolitik. Obwohl wir in der Summe die weltweit größten Forschungsbudgets in unserer Branche bewegen, weiß unser Forscher in Kanada nicht, ob sein Kollege in Frankreich sich mit identischen Problemen beschäftigt." *(Manager eines internationalen Industriekonzerns)*

„Uns ist es egal, ob andere auch wissen, was wir wissen. Know-how allein reicht nicht aus, denn die Frage, die einem Unternehmen den Vorsprung sichert, lautet immer: Was fange ich mit dem Wissen an?" *(Unternehmer in einer High Tech-Branche)*

Das Phänomen mangelnder Transparenz gehört in vielen Organisationen zum Alltag. Gerade multinationale Großunternehmen klagen darüber, daß sie in wichtigen Bereichen den Überblick über ihre internen Fähigkeiten und Wissensbestände verloren haben [1]. So werden zum Beispiel Marktstudien zum gleichen Thema an mehreren Stellen der Organisation erstellt, bleiben wertvolle Wissensbestände unentdeckt und damit ungenutzt. Interne Experten sind den verantwortlichen Führungskräften nicht bekannt oder das Rad wird im

Interne Intransparenz

eigenen Unternehmen neu erfunden, weil man existierende externe Problemlösungen nicht kennt.

Informationsflut Dabei verfügen Führungskräfte heute eher über zuviel als zu wenig Information. Die Flut von Fachliteratur, Memos, Technologieberichten, E-Mails oder Konferenzeinladungen zwingt zur strikten Selektion. Computersysteme ermöglichen den Zugriff auf unterschiedlichste Datenbanken, Kostenrechnungssysteme oder die Welt des Internet. Dennoch fühlen sich viele schlecht informiert. „Ich habe alle Informationen außer denen, die ich brauche", lautet eine häufig geäußerte Klage. Oft vermuten Manager, daß das benötigte Wissen irgendwo innerhalb oder außerhalb ihrer Organisation existiert. Was ihnen jedoch dringend fehlt, ist die Fähigkeit, Transparenz in ihre Wissensumwelt zu bringen sowie interne und externe Wissensbestände gezielt zu identifizieren.

Angemessene Transparenz statt absoluter Transparenz Wenn wir organisationale Kompetenzen aufbauen wollen, brauchen wir in einem ersten Schritt eine angemessene Transparenz über kritische Wissensbestände, die es uns ermöglicht Ansatzpunkte für die Erfüllung der Wissensziele (vergleiche Kapitel 2) zu identifizieren. Wer nach absoluter Transparenz sucht, der wird seine Kräfte verzetteln, und letztendlich scheitern. Die Wissensziele weisen aber bereits die Richtung auf Wissensfelder und Wissensquellen, in denen wir suchen müssen, um unsere Kompetenzen zu stärken oder neue aufzubauen. Diese Suche muß dabei sowohl die internen als auch die externen Wissensquellen umfassen.

Personelle und strukturelle Transparenz Die Schaffung interner Wissenstransparenz umfaßt die Feststellung des Status-Quo, daß heißt die Schaffung eines Bewußtseins der Organisation über ihre eigenen Fähigkeiten. Welche Experten sind an Bord und welchen Beitrag könnten sie zum Aufbau organisationaler Kompetenzen leisten? Welche Wissensträger verfügen über besonders kritisches Wissen zur Erreichung meiner Wissensziele? Diese Fragestellungen können wir unter den Begriff der personellen Transparenz zusammenfassen. Doch auch die Transparenz über kollektives Wissen ist von Bedeutung. Nach welchen Spielregeln laufen Wissensteilungsprozesse ab? Welche internen Netzwerke sind beim Austausch von Informationen von Bedeutung?

Die externe Hauptaufgabe der Wissensidentifikation liegt in der systematischen Erhellung des relevanten Wissensumfeldes einer Organisation. Oft sehen Organisationen nur, was sie im Laufe ihrer Geschichte zu sehen gelernt haben. Viele wichtige Details entgehen ihnen. So werden Kooperationschancen mit externen Experten oder wichtige Netzwerke außerhalb der Organisationsgrenzen nicht genutzt und günstige Gelegenheiten des Wissensimportes werden vergeben.

Erhellung des Wissensumfeldes

Einen Weg, den viele Unternehmen gehen, um sich ein Bild über die eigene Leistungsfähigkeit zu machen, ist der systematische Vergleich eigener Fähigkeiten und Leistungsdaten mit der Konkurrenz. Innerhalb und außerhalb der eigenen Branche werden sogenannte best practices identifiziert – Unternehmen also, welche in einer Dimension ihres Leistungsprozesses (zum Beispiel dem Finanzmanagement ihrer kurzfristigen Geldmittel) allen anderen Konkurrenten überlegen sind. Unter der Überschrift Benchmarking [2] haben sich in Theorie und Praxis bereits einige Methoden etabliert, welche diese systematische Suche nach Fähigkeitslücken zur Konkurrenz methodisch unterstützen. Benchmarking ist Anlaß und Mittel zugleich für die Suche nach neuen Wissensquellen und Fähigkeiten.

Benchmarking

Neben der traditionellen Variante des externen Benchmarkings gewinnt zunehmend auch internes Benchmarking an Bedeutung. Unternehmen, die sich in den vergangenen Jahren auf ein konsequentes internes Benchmarking eingelassen haben, wurden von den Resultaten

Interne Best Practices

ihrer Analysen in der Regel überrascht. Die Untersuchung vergleichbarer Prozesse in vergleichbaren Einheiten enthüllte in vielen Fällen 200- bis 300-prozentige Abweichungen in zentralen Effizienz-Maßstäben. Benchmarking-Experten bestätigen, daß der Faktor 1:2 eher die Regel als die Ausnahme ist. In Extremfällen werden sogar Abweichungen bis zum Faktor 1:10 festgestellt [3]. Internes Benchmarking und die Identifikation interner Best Practices bilden eine zentrale Voraussetzung für anschließende Prozesse des Best-Practice-Transfers [4].

Nutzen von Wissenstransparenz

Im Resultat schafft die gezielte Wissensidentifikation eine Wissenstransparenz, die dem Einzelnen in der Organisation eine bessere Orientierung liefert und einen besseren Zugriff auf das externe Wissensumfeld verschafft. Dadurch können Synergien erzielt, Kooperationen geschlossen und wertvolle Kontakte geknüpft werden. Die Organisation nutzt im Resultat interne und externe Ressourcen effizienter und erhöht damit die eigene Reaktionsfähigkeit.

Bedeutung des zugestandenen Nicht-Wissens

Das durch die Identifikation des eigenen Nicht-Wissens, der eigenen Wissenslücken und Fähigkeitsdefizite geschaffene Bewußtsein, kann einen wirksamen Auslöser von Lernprozessen darstellen. Viele Organisationen gestehen sich solche Defizite nur ungern ein. Neue Ansichten können das eigene Weltbild schließlich arg destabilisieren [5]. Wer sich allerdings gegen die Ignoranz entscheidet, dem bietet die Herstellung einer angemessenen internen und externen Wissenstransparenz einen wertvollen Ausgangspunkt für den Abbau von Fähigkeitsdefiziten und die Schließung von Wissenslücken.

Wenn das Unternehmen wüßte, was es weiß

Eine wesentliche Ursache für mangelnde Wissenstransparenz ist darin zu sehen, daß die Zuständigkeit für die Wissensidentifikation im Unternehmen selten eindeutig geregelt ist oder geregelt werden kann. Während in der Personalabteilung bekannt sein sollte, welche Mitarbeiter mit welchen Fähigkeiten eingestellt worden sind, bleibt der Rest der Organisation oft uninformiert. Der Informatik-Bereich installiert Netzwerke und Kommunikationssoftware, welche die Identifizierung von Informationen und Ansprechpartnern verbessern könnten, doch selten begreifen die EDV-Experten dies als eine ihrer Hauptaufgaben. Wer ist also verantwortlich? Sind es die Führungskräfte, welche ihren Mitarbeitern durch eigenes Vorleben oder gezielte Information die Orientierung im Dickicht von Großorganisationen erleichtern sollten? Oder trägt jeder Mitarbeiter die Eigenverantwortung für die Identifizierung relevanter Informationen und Wissensträger? Diese Fragen sind so nicht zu beantworten. Sicherlich können alle erwähnten Akteure und noch viele weitere zur Verbesserung der internen Wissenstransparenz beitragen. Aber Organisationen sollten ihre Mitarbeiter hierbei durch die Bereitstellung geeigneter Infrastrukturen unterstützen.

Zuständigkeit für Wissenstransparenz ist selten geregelt

Eine zentralisierte Transparenzschaffungsstelle ist im Organigramm oder Organisationshandbuch allerdings in der Regel nicht vorgesehen. Das ist problematisch, da sich durch regelmäßige Restrukturierungen, Job-Rotation und erhöhte Fluktuation das Personalkarussel in vielen Unternehmen immer schneller dreht. Das führt dazu, daß der Überblick über Zuständigkeiten leicht verloren geht ("wer gestern zuständig war, ist heute schon anderswo und morgen bei der Konkurrenz"). Die Lean Management-Welle hat dazu geführt, daß viele

Negative Einflüsse auf Wissenstransparenz

sogenannte redundante Stellen abgebaut wurden. Damit sind gewisse Wissensbestände oder Fähigkeiten nicht mehr an mehreren Stellen der Organisation gleichzeitig vorhanden und damit weiter von der Wissensnachfrage entfernt. Radikale Dezentralisierungsprogramme und Reengineering Projekte haben dazu geführt, daß zentrale Bereiche mit Integrationsfunktion und informelle Netzwerke auseinandergerissen wurden, was im Extremfall dazu führt, daß autonome Unternehmensteile über ihre Schwestergesellschaften oft nicht viel mehr als über die Konkurrenz wissen. Auch viele Stäbe wurden als „unproduktiver Overhead" aufgelöst oder in ihren Aufgaben beschnitten. Während Stabsfunktionen in den achtziger Jahren noch als Synergierealisierer gefeiert wurden, sind sie in vielen Organisationen heute zurückgestuft worden, was ihre Koordinierungsleistung zur Mehrfachnutzung von Wissensressourcen erheblich schwächt.

Positive Einflüsse auf Wissenstransparenz Die oben angeführten Trends wirken sich negativ auf die interne Wissenstransparenz aus und erschweren die Wissensidentifikation. Auf der anderen Seite sind jedoch auch gegenläufige Entwicklungen auszumachen. Die Mehrzahl der vertriebenen PCs sind inzwischen multimediafähig und der Anteil der vernetzten PCs in Unternehmen nimmt kontinuierlich zu. Die technischen Möglichkeiten zur leichteren Wissensidentifikation sind also in einer Vielzahl von Organisationen bereits vorhanden. Der Abbau von Hierarchien sowie der Aufstieg von Wissensarbeitern und Experten hat zu einem offeneren Kommunikationsstil geführt. Vertikale Kommunikation entlang des Dienstweges wird immer mehr von horizontalen Direktkontakten abgelöst. Experten sprechen direkt miteinander, was die Kontaktqualität erhöht. Der direkte Vorgesetzte verliert damit als zentraler Wissensfilter an Bedeutung.

Auflösung der Hierarchie Diese Trends lösen bestehende Hierarchien langfristig immer stärker auf. Organisationen werden daher von der

Organisationstheorie immer mehr als Netzwerke [6] beschrieben. Während die Organisationstheorie auf diese veränderten Kommunikationstrends mit der Forderung nach radikal neuen Organisationsformen reagiert, genügen oft schon einfache Maßnahmen, um die interne Wissenstransparenz zu erhöhen. Einige Beispiele für Maßnahmen und Instrumente, mit denen dies auf individueller und kollektiver Ebene erreicht werden kann, stellen wir im folgenden vor.

Die unbekannten Experten

Die kleinste Einheit des Wissensmanagements ist das Individuum. Das Individuum ist Träger von Fähigkeiten und besitzt Intuitionen sowie Erfahrungen. Ein Teil dieser Fähigkeiten ist der Organisation bekannt. So verfügen Personalabteilungen in der Regel über Informationen bezüglich der Ausbildung, Sprachkenntnisse und ähnlicher Fähigkeitsmerkmale von Mitarbeitern. Doch diese Stammdaten bilden nur einen Teil der tatsächlich vorhandenen Mitarbeiterfähigkeiten ab. Ein wesentlicher Teil der Mitarbeiterfähigkeiten wird aus Gründen des Datenschutzes oder anderen Motiven erst gar nicht erfaßt. Diese Intransparenz führt dazu, daß der interne Zugriff auf das Expertenwissen der eigenen Kollegen erschwert wird. Wer die Fähigkeiten seiner Mitarbeiter nicht kennt, verpaßt die Gelegenheit sie zu nutzen.

Unkenntnis über die Fähigkeiten der eigenen Mitarbeiter

Eine effektive und relativ unaufwendige Methode zur Identifikation von weltweit verteilten Experten und Wissensträgern ist die Erstellung von Expertenverzeichnissen oder Personalhandbüchern. So erhob der Schweizer Chemiekonzern HOFFMANN-LAROCHE die speziellen Kenntnisse der eigenen Forscher auf der ganzen Welt. Diese Informationen wurden ähnlich einem Telephonbuch zusammengefaßt und als sogenannte Gelbe Seiten [7] in

Expertenverzeichnisse und Gelbe Seiten

der Organisation verteilt. Der Auflistung von typischen Problemen der Produktentwicklung wurden die Namen potentieller Problemlöser in der Organisation zugeordnet. So gewannen die Forscher einen wesentlich einfacheren Zugriff auf die interne Expertise. „Wissensinseln" wurden verbunden und die Suchkosten nach geeigneten Ansprechpartnern für spezielle Fragestellungen konnten erheblich gesenkt werden.

Wissenskarten Zur Steigerung der Wissenstransparenz haben sich eine Vielzahl anderer Wissenskarten in der Praxis entwickelt. Nach Eppler (1997) sind Wissenskarten allgemein formuliert graphische Verzeichnisse von Wissensträgern, Wissensbeständen, Wissensquellen, Wissensstrukturen oder Wissensanwendungen. Neben der Transparenzerhöhung ermöglichen sie das Auffinden von Wissensträgern oder -quellen, erleichtern sie das Einordnen von neuem Wissen in bestehendes und verbinden Aufgaben mit Wissensbeständen beziehungsweise -trägern. Wissenskarten können je nach ihrer Struktur in unterschiedliche Typen unterschieden werden [8] (siehe Abbildung 16).

Bringt man diese Informationen auf den Computer, strukturiert die Daten nach unterschiedlichen Kriterien und nutzt die technologischen Visualisierungsmöglichkeiten, kann man den Zugriff auf formalisierbare Wis-

---

■ *Wissen**träger**karten:*
  - Wissenstopographien
  - Kompetenzkarten
  - Pointer-Systeme
  - Wissensquellenkarten

■ *Wissen**bestand**skarten*

■ *Knowledge Flow Maps*
  (z. B. INTOP Mapping)

■ *Wissen**struktur**karten:*
  - Concept Mapping
  - Clustering
  - Schematizing
  - Relational Mapping

■ *Argumentationskarten*

■ *Abbildung lokaler Theorien*

Abbildung 16: Arten von Wissenskarten

sensarten enorm vereinfachen und macht diese zeit- und raumunabhängig für einen großen Personenkreis zugänglich.

So veranschaulichen Wissenstopographien, welche Wissensart (zum Beispiel Marketing-Kenntnisse) in welcher Ausprägung bei welchen Wissensträgern vorhanden sind. Mit einem solchen System kann man sich relativ rasch einen Überblick verschaffen, was von wem in welchem Detaillierungsgrad gewußt oder beherrscht wird (siehe Abbildung 17).

Wissenstopographie

Wissensbestandskarten zeigen an, wo und wie bestimmte Wissensbestände gespeichert sind. Für den Nutzer macht es einen großen Unterschied, ob die gesuchten Informationen in einem Rechenzentrum, auf einer Diskette, in Papierform oder im Gedächtnis eines bereits pensionierten Experten zu finden sind. Damit berücksichtigen Wissensbestandskarten den Aggregationszustand des Wissens und geben dem Nutzer wertvolle Informationen über mögliche Weiterverarbeitungsschritte.

Wissensbestandskarten

Personen	EDV-Einsatz	Technologietransfer	M&A	Rechnungslegung	Marketing
Goltz, Jodez	■	■	■		
Borer, André		■			■
Brenner, Otto	■			■	
Deller, Max					■
Popper, Knut B.	■	■	■	■	
Gross, Peter	■	■			■
Isler, Tanja				■	■

Abbildung 17: Wissenstopographie

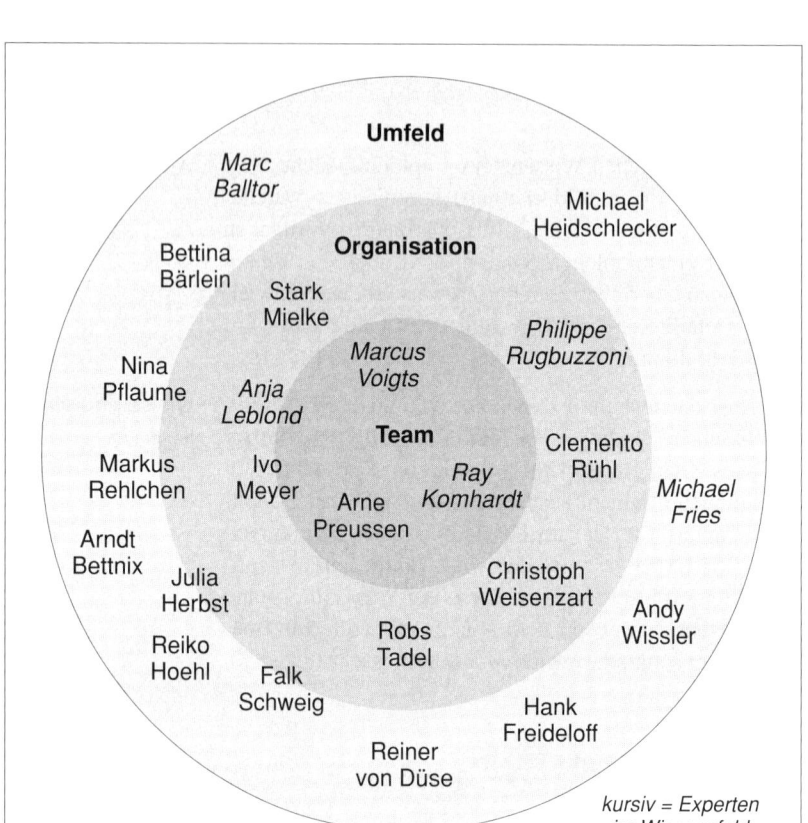

Abbildung 18: Wissensquellenkarte

Geographische Informationssysteme Geographische Informationssysteme (GIS) dienen der Darstellung von geographisch angeordneten Wissensbeständen. Sie ordnen Informationen nach geographischen Kriterien zu. So können beispielsweise zur Unterstützung von Marketingmaßnahmen, Informationen über Verkaufsregionen geographisch dargestellt werden. Diese intuitive Darstellungsweise kann die Effektivität von Managemententscheidungen enorm erhöhen. Darum ist es nicht erstaunlich, daß sich ein rasant wachsender Markt für GIS-Anwendungen – insbesondere auf dem CD-ROM- Markt – gebildet hat.

Wissensquellenkarten zeigen, welche Personen inner- **Wissensquellenkarten** halb eines Teams, innerhalb der Organisation oder im externen Umfeld, wichtiges Wissen zur entsprechenden Aufgabe beitragen können. Experten im betrachteten Wissensfeld werden optisch herausgehoben (siehe Abbildung 18).

Eine andere Möglichkeit der Darstellung ist die Abbil- **Wissensmatrix** dung von Wissensbeständen in einer Wissensmatrix. Je nach Fragestellung können über eine Wissensmatrix beliebige Wissensbestände oder Fähigkeiten im Verhältnis zu zwei Spannungsfeldern positioniert werden. Der Einsatz unterschiedlicher Leitunterscheidungen [9] (intern/extern, neu/vorhanden, implizit/explizit...) eröffnet unterschiedliche Perspektiven auf die organisatorische Wissensbasis und verdeutlicht Trends [10] (siehe Abbildung 19).

Bei der Erstellung von Wissenskarten sollten die oben aufgeführten Prozeßschritte beachtet werden. Als Aus-

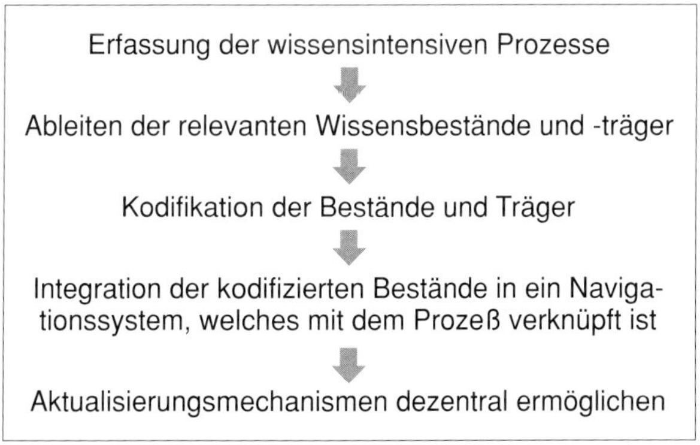

Erfassung der wissensintensiven Prozesse
⬇
Ableiten der relevanten Wissensbestände und -träger
⬇
Kodifikation der Bestände und Träger
⬇
Integration der kodifizierten Bestände in ein Navigationssystem, welches mit dem Prozeß verknüpft ist
⬇
Aktualisierungsmechanismen dezentral ermöglichen

Abbildung 19: Prozeß der Wissenskartenerstellung

gangspunkt dienen besonders wissensintensive Prozesse oder besonders sensible Wissensbestände, welche erhoben, kodifiziert und ein geeignetes Navigationssystem eingebunden werden müssen. Dabei ist die Aktualisierung des Systems dezentral zu verankern, denn nur so kann die permanente Aktualisierung des Systems gewährleistet werden.

Wissenskarten haben allerdings auch ihre kritischen Seiten:

- Sie verschieben die internen Machtverhältnisse durch die Popularisierung von Wissen, das sich auf tiefere Hierarchiestufen verschiebt.

- Sie dürfen nicht statisch sein und damit zu neuen Prozeßordnungen oder Vorschriften degenerieren.

- Sie dürfen die Privatsphäre nicht verletzen.

- Sie müssen als lebendige Dokumente verstanden werden, die niemals fertig werden und ständig weiterentwickelt werden. Die Qualität der Daten und Informationen der Wissenslandkarten ist der entscheidende Faktor für den Erfolg und die Nutzungsbereitschaft des Systems. Daher sollte man sich insbesondere in der Startphase bewußt auf Wissensbestandteile mit hohem Informationsnutzen beschränken und eine Kopplung an bereits bestehende Systeme vornehmen.

- Sie sind nur schwer in Phasen des Arbeitsplatzabbaus zu realisieren, da die Angst um den eigenen Arbeitsplatz die Explizierungsbereitschaft stark hemmt.

- Sie müssen auf eine Kollektivsprache zurückgreifen können, welche die unterschiedlichen Wissensfelder integriert. Nur ein controlled vocabulary gewährleistet die vergleichbare Begriffsverwendung und Klassifikation von Informationen der unterschiedlichen Wissensdimensionen.

- Sie entfalten ihre volle Wirkung erst, wenn der Ressource Wissen bereits ein gewisser Wert zugemessen wird. Am produktivsten sind Wissenslandkarten, wenn ein effizienter interner Wissensmarkt existiert [11].

Wissenstransparenz hat zudem ihren Preis. Die Messung oder Erfassung von Fähigkeiten kostet Zeit und Geld. Interviews müssen geführt, Fragebögen verschickt, Testverfahren entwickelt werden. Dieser Aufwand muß sich lohnen. Bessere Transparenz sollte daher nur über kritische Fähigkeiten der Organisation erzeugt werden. Eine Strategie der „Transparenz um jeden Preis" macht keinen Sinn, sondern kann sogar kontraproduktiv sein.

Keine Transparenz um jeden Preis

Viele Mitarbeiter trennen ihr Berufsleben relativ strikt von der Privatsphäre. Informationen oder Kontakte, die sie im Privatleben erwerben, oder Fähigkeiten, welche sie in ihrer Freizeit nutzen, stellen sie nicht automatisch ihrem Arbeitgeber zur Verfügung. Diese Barriere ist ein natürlicher Schutz vor der totalen Vereinnahmung durch professionelle Rollen und sichert ein privates Rückzugsrevier. Eine Aufgabe im Bereich der Wissensidentifikation liegt sicherlich auch darin, verborgene Talente und Potentiale sichtbar zu machen. Der Transparenz über die Privatsphäre sind allerdings Grenzen gesetzt.

Respektierung der Privatsphäre

Wissenstransparenz sollte auch den Zugriff auf die Intuition oder Erfahrung interner Experten erleichtern. Managementforscher untersuchen heute, wie man diese unbewußten Fähigkeiten (auch tacit knowledge genannt) in eine kommunizierbare Form bringen kann [12]. Es wird behauptet, daß erst durch die Formalisierung der unbewußten Wissensbestandteile und anschließende Kombination mit anderen Wissensbestandteilen das Expertenwissen für organisatorische Innovationen nutzbar gemacht werden kann. Der Aufwand der Hebung dieses Expertenwissens kann allerdings sehr hoch sein und in keinem Verhältnis zum zu erwartenden Ertrag stehen.

Explizierung von Expertenwissen ist nicht per se gut

Daher reicht es zur Wissensidentifikation in den meisten Fällen aus, einen raschen Verweis auf den zuständigen Experten zu erhalten.

Transparenz kann schaden

Transparenz hat auch ihre Schattenseiten. Headhunter könnten in betriebliche Expertendatenbanken eindringen und sich schnell einen Überblick über interessante Kandidaten verschaffen. Auch Mitarbeiter könnten sich gegen einen allzu offenen Umgang mit intimen Stärken- und Schwächenprofilen wehren. Nicht umsonst existieren Datenschutzgesetze, die gewisse Persönlichkeitsdaten vor dem Zugriff beliebiger Dritter schützen. Übertriebene Offenheit könnte zur leichtfertigen Preisgabe sensibler Informationen führen und von der Konkurrenz entsprechend genutzt werden. Es gilt daher immer abzuwägen, in welchen Wissensfeldern zusätzliche Transparenz einen Nutzen generiert und wie hoch der Schaden wäre, wenn Informationen abfließen. Allerdings kann mit einer „security first"-Argumentation jede Verschleierung gerechtfertigt werden, eine Argumentation, welche in der Konsequenz zur Isolierung von Experten führen kann und damit die Berücksichtigung ihres Know-how in organisatorischen Entscheidungen behindert.

Transparenz hat natürliche Feinde

Transparenz erleichtert vielen Menschen den Zugang zu Informationen und Wissensträgern, von deren Existenz sie vorher nichts wußten. Wer schon vorher gut informiert war hat häufig nichts zu gewinnen, sondern verliert hingegen seinen Wissensvorsprung. Wer seine interne Macht auf Wissensvorsprüngen aufgebaut hat („Der X ist immer bestens informiert"), wird in den seltensten Fällen Interesse an einer breiten, einfachen Wissensidentifikation haben. Für ihn ist Intransparenz eine funktionale Strategie zur Erhaltung der eigenen Machtbasis. Von daher haben Maßnahmen, welche Wissenstransparenz schaffen, ihre natürlichen Feinde.

1. Es sichert Projekterfahrungen durch die automatische Einforderung von lessons learned am Ende eines jeden Projektes, was einen Eingriff in die übliche Projektablauforganisation bedeutet.

2. Es erhöht die Transparenz über aktuelle Projekte, was zur Vermeidung von Doppelarbeit und Auslösung von Kooperationen führen kann.

3. Es ermöglicht den direkten Zugriff auf Projektmitarbeiter und deren Erfahrungen.

Wie ein global tätiges Industrieunternehmen die Transparenz über interne Produktentwicklungsprojekte erhöht hat, zeigt der folgende Fall:

FALLBEISPIEL: HOLDERBANK

Verbesserung der Transparenz über weltweit verteilte Forschung

HOLDERBANK, der Weltmarktführer im Bereich Zement und Beton mit Sitz in der Schweiz, ist ein dezentral geführtes Unternehmen. Dem weltweiten Netz von Tochtergesellschaften und Beteiligungen wird ein sehr großer Entscheidungsfreiraum eingeräumt; die Konzernzentrale versteht sich lediglich als Dienstleister. Zement, als Hauptprodukt der Gruppe, weist im Vergleich zu anderen Industrieprodukten einen langen Lebenszyklus auf. Der geringe Innovationsdruck innerhalb der Branche und die dezentrale Struktur führten dazu, daß die Zentrale von HOLDERBANK im schweizerischen Kanton Solothurn nur sehr wenig über die aktuellen Produktentwicklungsverfahren ihrer internationalen Tochtergesellschaften wußte.

Obwohl HOLDERBANK weltweit über das größte Knowhow im Zementbereich verfügte, konnten die Kräfte nicht gebündelt werden, wurden Kooperationschancen ausgelassen und blieben verantwortliche Forscher der Tochtergesellschaften in der Schweiz unbekannt. Diese Intranspa-

renz bildete den Ausgangspunkt für die Schaffung eines
weltweiten Systems zur besseren Nutzung der globalen
Wissensbasis im Produktentwicklungsbereich. Diese wurde unter die Leitung von Harry Brantz, einem gestandenen Entwickler und Marketingexperten, gestellt. Über einen Zeitraum von fast zwei Jahren baute Brantz ein persönliches Netzwerk auf. Er machte die Hauptverantwortli-
chen in den Tochtergesellschaften ausfindig („Wer ist bei
Ihnen für die Produktentwicklung zuständig?"), und
bemühte sich darum, in jeder Tochtergesellschaft einen
geeigneten Produktentwickler persönlich kennenzulernen
und dessen Vertrauen zu gewinnen. Hierbei konzentrierte
er sich auf die Entwicklungsleiter selbst oder auf Personen, die so nah am Entscheidungsprozeß waren, daß sie
den Überblick über die aktuellen Aktivitäten hatten.

In persönlichen Begegnungen konnte er seine Mission
– die bessere Teilung von Wissen über die Produktentwicklung in der gesamten HOLDERBANK-Gruppe – vermitteln und gleichzeitig eine Vertrauensbasis aufbauen,
die auch über die Distanz von mehreren tausend Kilome-
tern ein gemeinsames Arbeiten ermöglichte. Nach und
nach trafen Informationen über Entwicklungsprojekte in
der ganzen Welt ein. Während die Nutzung von Recyc-
lingstoffen als Beimischstoff in Beton das Thema eines
Werkes in den USA war, arbeitete eine deutsche Tochter-
firma an einem Verfahren, mit dessen Hilfe Zement mit
geringerem Kohlendioxideinsatz produziert werden
könnte. Die ganze Breite der HOLDERBANK-Aktivitäten
im Produktentwicklungsbereich wurde deutlich. Dies
war ein erster Erfolg. Um allerdings einen systematischen Zugang zu allen Projekten zu gewinnen, fragte
Brantz in einem zweiten Schritt nach den genauen Pro-
jektzielen und dem aktuellen Status der Projekte. Weiterhin war es wichtig, eine konzernweit einheitliche
Sprachregelung zum Entwicklungsstatus verschiedenster
Projekte zu schaffen. Hierzu entwickelte Brantz einen

Produktentwicklungs- und Einführungsplan (PIP), der in fünf Phasen einen idealtypischen Produktentwicklungsprozeß modelliert und den Verantwortlichen vor Ort ermöglichte, ihre Projekte systematisch zu bewerten.

Anfang 1995 hatte Brantz weltweit 283 Produktentwicklungsprojekte identifiziert. Diese Projekte ordnete er acht Entwicklungsfeldern zu (Alternatives, Durability, Chemicals …) (siehe Abbildung 20).

Mit dieser Matrix gelang es zum ersten Mal, einen anschaulichen Überblick über die Produktentwicklungsanstrengungen des Gesamtkonzerns zu gewinnen und gleichzeitig Anknüpfungspunkte für gemeinsame Forschung zwischen bisher isolierten Einheiten aufzuzeigen. Idealtypisch könnte die Nutzung des Netzwerkes folgendermaßen aussehen: Ein Entwickler der Firma A, der sich in der Anfangsphase (Status 1.1) eines Projektes zum Thema „Durability" befindet, stellt fest, daß die Schwesterfirma C mehrere bereits weiter fortgeschrittene Projekte (2.1, 3.2, 4.1) zu ähnlichen Themen behandelt. Er setzt sich direkt mit dem ins Netzwerk eingebundenen Entwickler in Verbindung und prüft, welche Ge-

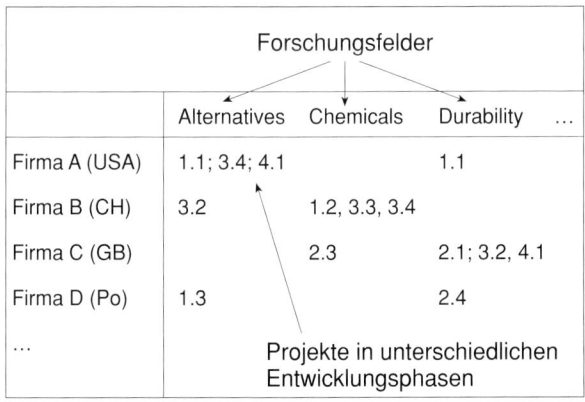

Abbildung 20: Produktentwicklungsmatrix

meinsamkeiten die Entwicklungsprojekte aufweisen und in welchen Bereichen eine Kooperation Sinn macht. Das Wissensnetzwerk von HOLDERBANK befindet sich noch in der Erprobungsphase. Die Nutzungsbarrieren auf struktureller, persönlicher, politischer und kultureller Ebene werden zur Zeit evaluiert. Erste Erfolge sind allerdings sichtbar. So formierte sich eine Forschungsgruppe aus mexikanischen, nordamerikanischen und europäischen Unternehmen der HOLDERBANK-Gruppe, die in der Zukunft ein großes gemeinsames Projekt durchführen möchte. Die Überschneidung ihrer Interessen war durch die Projektdatenbank sichtbar geworden. In Zukunft erwünscht man sich weitere Forschungskooperationen, die internationale Multiplikation von Entwicklungsergebnissen und die Gründung von internationalen Forschungszirkeln zu speziellen Themen. Dies würde der HOLDERBANK-Gruppe erlauben, ihre enorme Kompetenz in allen Bereichen der Zement- und Betonbranche noch besser zu nutzen.

Neben der Einführung aufwendiger Systeme können aber auch bereits kleine Arbeitshilfen die Identifikation kritischer Wissensquellen im Alltag unterstützen. Eine dieser intelligenten Lösungen zeigt der nächste Fall.

Weltweite Ortung von Charts

Beratungsunternehmen leben von der Nutzung des Wissens ihrer Mitarbeiter und der Qualität ihrer Analysen und Vorschläge. Die Präsentation ist das Kommunikationsmedium, mit dem Beraterteams ihre Arbeitsergebnisse dem Auftraggeber vermitteln. Daher ist es nicht verwunderlich, welche zentrale Rolle Charts in der täglichen Arbeitssituation der großen Beratungen spielen. Sie sind die kleinste „Wissenseinheit" im Beratungsgeschäft. Die kurzfristige Zusammenstellung einer Präsentation ist nicht die Ausnahme und dabei müssen Charts, die in unterschiedlichsten Büros erstellt worden sind und zumeist nur in Druckform existieren, so schnell wie möglich zusammengeführt werden. Die Ortung dieser

Charts ist daher von größter Wichtigkeit. Brook Manville, der internationale Knowledge Director von MCKINSEY, hat für dieses Problem eine Lösung: Jedes Chart, das weltweit von den professionellen Graphikern der Firma erstellt wird, erhält eine Codierung (zum Beispiel 15-0002Y031.ZYJ), welche direkt auf das Chart gedruckt wird. Mit diesem Code wird die spätere weltweite Ortung ermöglicht. Das gefragte Chart kann bei spontaner Nachfrage schnell per Datenfernübertragung an das entsprechende MCKINSEY-Büro gesendet werden, um dort weiterbearbeitet zu werden.

Je nach Branche und Unternehmen sind es unterschiedliche immaterielle Ressourcen, welche beim Aufbau dauerhafter Wettbewerbsvorteile helfen können (vergleiche Kapitel 2). Viele Organisationen verfügen über rechtlich geschütztes Wissen, das als Patent, Handelszeichen,

Immaterielles und rechtlich geschütztes Wissen

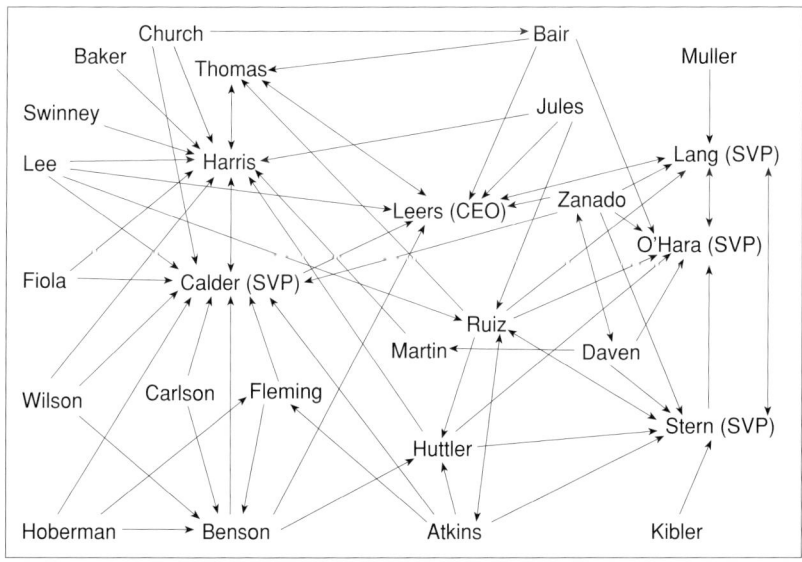

Abbildung 21: Beratungsbeziehungen in einer Organisation [19]

Marke oder Lizenz vorliegen kann. Die Rechte werden
oft nur schlecht genutzt, können aber wie im Fall der
DOW-CHEMICAL reaktiviert werden und dann einen
großen Nutzen für das Unternehmen generieren.

Sichtbarmachung informeller Strukturen Während Patente oder Marken recht faßbare Repräsentanten kollektiven Wissens sind, entziehen sich andere Wissensstrukturen der Wahrnehmung des Betrachters. So setzen Krackhardt und Hanson an der informellen Organisation an. Diese bildet für sie ein zentrales Nervensystem, das Prozesse kollektiven Denkens und Handelns unterstützt [20] aber selten verstanden wird. Informelle Netzwerkstrukturen können durch Mitarbeiterbefragungen sichtbar gemacht werden, indem die Beteiligten angeben, mit wem sie über ihre Arbeit sprechen, wem sie vertrauen und wer wem in fachlichen Fragen Rat erteilt.

Netze Das Ergebnis sind Beratungsnetze, Vertrauensnetze und Kommunikationsnetze, die in anschaulicher Form die verschiedenen Beziehungsqualitäten darstellen. In der Einschätzung dieser kollektiven Beziehungsstrukturen irren sich die Manager häufig und begehen daher bei der Besetzung von Projektteams und der Verteilung von Aufgaben schwerwiegende Fehler.

In der Abbildung 21 repräsentieren die Pfeile Beratungsbeziehungen, das heißt Kibler (unten rechts) fragt regelmäßig Stern um Rat, wenn er ein fachliches Problem hat. Harris und Calder sind die gefragtesten Experten des Beratungsnetzes. Das parallel erhobene Vertrauensnetzwerk ergab allerdings, daß diese beiden im sozialen Bereich sehr isoliert waren, was Konsequenzen für die Zusammenstellung zukünftiger Projektteams hatte.

Teams als Träger organisationaler Intelligenz Zwei Teams, deren Mitglieder formal die gleichen Qualifikationen aufweisen, können sich in ihrer Leistungsfähigkeit enorm unterscheiden. Einige Gruppen verhalten sich in der Meisterung von Aufgaben oder der Lösung von Problemen intelligenter als andere. Über die Eigenschaften solcher Hochleistungsteams ist viel geschrieben worden [21]. Ein Grund für die besonderen Fähigkeiten bestimmter Teams liegt in der besonderen Qualität der Beziehungen der Teammitglieder untereinander. Diese Beziehungen bilden ähnlich den Neuronen des menschlichen Gehirns eine Struktur heraus, welche von einigen Autoren als organisationale Intelligenz bezeichnet wird [22]. Diese Beziehungsstrukturen sind allerdings nur schwer beschreibbar. Weick und Roberts zeigen am Beispiel der Zusammenarbeit verschiedener Stationen auf einem Flugzeugträger, wie wichtig solch ein ausgeprägtes gegenseitiges Verständnis [23] der Lotsen für die Flugsicherheit ist. Eingespielte Teams können auf geteilte Vergangenheitserfahrungen zurückgreifen, sind sich der Vernetzung verschiedenster Aktivitäten bewußt und können so mit deutlich niedrigeren Fehlerzahlen operieren als neu zusammengesetzte Teams, welche formell das gleiche Fachwissen besitzen. Krankheit oder Fluktuation führen schnell zu einer deutlich herabgesetzten Intelligenz des Fluglotsenteams. Störungen des Beziehungsgefüges können so leicht zu schwerwiegenden Unfällen führen, was manchem Reengineering-Experten zu denken geben sollte.

Das Flugzeugträgerbeispiel zeigt die Grenzen kollektiver Wissenstransparenz auf. Gewisse Fähigkeiten der Organisation gleichen einer black box. Man kann sehen, was für eine Fähigkeit die Gruppe/Organisation besitzt, aber man weiß nicht, wie diese zu erklären ist. Die Komplexität sozialer Verhaltensmuster erschwert ihre Offenlegung. Und so werden auch in der Zukunft Organisationen immer wieder überrascht sein, welche unerwarteten Auswirkungen das Ausscheiden eines reich vernetzten Wissensträgers auf ihre organisatorischen Fähigkeiten haben kann. Ist die Konsequenz dieser Darstellung, daß sich die Auseinandersetzung mit kollektiven Wissensstrukturen nicht lohnt, da sie ja doch nicht verstanden werden können? Die Antwort lautet „Nein". Man sollte

Kollektive Wissenstransparenz hat Grenzen

sich vielmehr der Möglichkeiten und Grenzen der Sichtbarmachung kollektiven Wissens bewußt werden. Die Auseinandersetzung mit dem unbewußten Teil der organisatorischen Wissensbasis kann sich allerdings lohnen und bedarf Methoden, die heutzutage noch selten in Unternehmen eingesetzt werden. Einen Weg, auf dem man kollektives Wissen aufdecken kann, beschreibt Scott-Morgan – Berater bei ARTHUR D. LITTLE – in seinem vielbeachteten Buch „Die heimlichen Spielregeln" [24].

Entschlüsselung geheimer Spielregeln

In einem Industriewerk, das innerhalb des Konzerns als besonders erfolgreich gilt und in dem die Mitarbeiter besonders stolz auf das gute Arbeitsklima und Image des Betriebes sind, kommt es aus unerklärlichem Grund zu einer signifikanten Steigerung von sogenannten Beinahe-Unfällen. Niemand kann sich diesen Anstieg erklären. Eine Analyse der Unternehmensberater von ARTHUR D. LITTLE bringt ans Licht, daß diese Steigerung durch die Kollision einer geheimen Spielregel mit einer offiziellen Anweisung verursacht wurde. Aus Solidarität zu ihren Kollegen hatten die Arbeiter meldepflichtige kritische Vorfälle (die Vorstufe von Beinahe-Unfällen) nicht gemeldet. Im Kollektiv galt schließlich die ungeschriebene Regel: „Verpfeife Deinen Kollegen nicht". Meldung wurde mit Denunziation gleichgesetzt. Die offizielle Regel: „Melde jeden kritischen Vorfall" wurde damit ausgeschaltet. In der Konsequenz fiel ein wichtiger Frühwarnindikator zur Beseitigung von Gefahrenquellen aus, was dazu führte, daß die Beinahe-Unfälle zunahmen. Erst durch die Bewußtmachung dieses kollektiven Paradoxons (man will den Kollegen vor Ärger schützen und gefährdet dadurch seine Gesundheit) konnte man das alte Sicherheitsniveau wieder herstellen.

Die Identifikation von geheimen Spielregeln führte in diesem Beispiel zu einem besseren Verständnis der sozialen Dynamik innerhalb des Kollektivs. Durch die

Herstellung und öffentliche Darstellung der kollektiven Werte konnte man die paradoxe Situation auflösen.

Die Erstellung von Wissenslandkarten (HOFFMANN-LA-ROCHE), die Erhebung von Experten-, Vertrauens- und Kommunikationsnetzwerken oder der Aufbau eines Wissensnetzwerkes im Forschungs- und Entwicklungsbereich (HOLDERBANK) haben Anregungen zur Verbesserung der kollektiven Wissenstransparenz geliefert. Standardlösungen sind sie jedoch nicht. So braucht ein mittelständischer Betrieb – in dem noch jeder jeden kennt – mit Sicherheit kein Rapid Response Network. So kann die Erstellung eines Vertrauensnetzwerkes in einem stark politisierten Umfeld zu verzerrten Resultaten führen, da man den Netzwerkerhebern nicht traut. In solch einem Umfeld kann echte Transparenz nur schwer erzielt werden. Großunternehmen müssen sich fragen, ob der Nutzen, den eine globale elektronische Wissensbasis generieren könnte, den Aufwand für Infrastruktur, Schulungen und die Bindung von Managementkapazität aufwiegt.

Angemessenheit von Maßnahmen zur Herstellung von Transparenz

Ansatzpunkte zur Erleichterung der Wissensidentifikation finden sich dabei auf allen Ebenen. Jeder Mitarbeiter kann die Transparenz über seine eigenen Fertigkeiten erhöhen und damit seinen Kollegen den Zugriff erleichtern. Teams können über ihre Arbeitsfortschritte informieren. Einige Maßnahmen betreffen allerdings die Infrastruktur der Unternehmung und sollten daher auf organisatorischer Ebene getroffen werden. Es gilt dabei stets, eine an den Kontext angepaßte, auf bestehenden Wissensstrukturen aufbauende Lösung zu finden, deren Realisierung in einem angemessenen Verhältnis zum zu erwartenden Nutzen steht.

Ansatzpunkte auf allen Ebenen

Wissen, was die anderen wissen

Verfolgung von Trends im Wissensumfeld

Wenn es internationalen Großorganisationen bereits schwerfällt, eine hinreichende interne Wissenstransparenz herzustellen, so haben sie mit der Verfolgung des externen Wissensumfeldes oft noch größere Mühe [25]. Viele Mitarbeiter haben gar keine Verbindung zu externen Wissensquellen und -trägern oder kapitulieren vor den Informationsfluten. Dennoch müssen Unternehmen sicherstellen, daß sie über wichtige Trends informiert sind und daß sie wesentliche externe Wissensträger und -quellen identifizieren können.

Selektionen von Organisationen und Individuen

An der Grenze zwischen innen und außen haben sich bei Individuen und Organisationen eine Vielzahl von Filtern ausgebildet, die nur einen Teil der extern verfügbaren Informationen passieren lassen. Diese Selektionsmechanismen schützen Individuen wie Organisationen vor lähmender Reizüberflutung. Nicht jeder Bewerber erhält ein Vorstellungsgespräch, nicht jede Kundenbeschwerde wird an den Produktmanager weitergeleitet und nicht jedes Patent, das irgendwo auf der Welt geschützt wird, überprüfen die internen Forscher auf seine Nützlichkeit für den eigenen Betrieb. Diese natürliche und notwendige Selektion hat aber auch ihre Schattenseiten. Organisationsforscher sprechen von organisationalen Vertuschungen (cover-ups), defensiven Routinen [26] oder kollektiven blinden Flecken [27], wenn sie erklären wollen, warum Organisationen gewisse Realitäten einfach nicht wahrnehmen oder wahrhaben wollen. Starre kollektive Bezugsrahmen legen somit die Organisation auf wenige – jedoch nicht immer zentrale – Wissenssuchfelder fest. Neue Wissensquellen werden dabei oft ignoriert, abgewertet oder schlicht übersehen. Auf der individuellen Ebene sprechen Psychologen von selektiver Wahrnehmung [28], wenn sie erklären wollen, warum Menschen aus der täglichen Informationsflut gerade die Ereignisse

herausfiltern, welche ihre eigenen Vorurteile und Meinungen bestätigen oder von selektiver Aufmerksamkeit
[29], wenn sie die Begrenztheit des menschlichen Verar-
beitungsvermögens betonen wollen.

Sowohl für Individuen als auch für Organisationen geht
es also darum, ein Gleichgewicht zwischen schädlicher
und gesunder Ignoranz sowie zwischen überlastender
und anregender Informationsflut zu erreichen. Je klarer
die Wissensziele formuliert und verstanden sind, desto
einfacher fällt die Orientierung in diesem Spannungsfeld. Die Möglichkeiten und Grenzen der Schaffung von
externer Wissenstransparenz werden im folgenden untersucht.

Schaffung eines Gleichgewichts

Externe Wissensträger und -quellen

Experten, Professoren, Berater, Lieferanten oder Kunden
sind Wissensträger, welche über Kompetenzen und Informationen verfügen, die innerhalb des Unternehmens
nicht notwendigerweise vorhanden sind. Unternehmens-
verbände, Archive, externe Datenbanken, Fachzeitschriften oder das Internet sind Wissensquellen, welche relevante Informationen für organisatorische Fragestellungen
enthalten können. Bei der Wissensidentifikation wird viel
Zeit und Energie verschwendet, weil man die falschen
Wissensträger befragt oder ungeeignete Wissensquellen
nutzt. Oft sind Suchziele zu vage formuliert oder besteht
keine Erfahrung im Umgang mit externen Wissensträgern und der Nutzung externer Wissensquellen.

Während sich in Großorganisationen spezialisierte Stellen zur Unterstützung von internen Informationsanfra-
gen gebildet haben, können sich kleinere Unternehmungen diesen Luxus selten leisten. Sie müssen daher oft
den Weg über externe Wissensträger wie Unternehmensberater, Marktforschungsinstitutionen oder andere Spe-

Helfer im Umgang mit der externen Informationsflut

zialisten gehen, bevor sie an die benötigten Informationen gelangen. Diese Nische nutzen sogenannte Wissensbroker. Sie behalten den Überblick über spezielle Wissensfelder, die gerade Klein- und Mittelbetriebe nicht mit vertretbarem Aufwand selber verfolgen können und bieten Dienstleistungen wie Kooperationspartnervermittlung oder Patentrecherchen an.

Technologie-Scout hilft bei der Partnersuche Die mittelständische Firma STÄHLER aus Stade in Niedersachsen suchte ein Anti-Graffiti-Mittel, mit dem man U-Bahnen, Betonmauern und Aufzugstüren mit geringem Aufwand von unerwünschten Verzierungen befreien kann. Da der mittelständische Betrieb sich keine aufwendige Forschungs- und Entwicklungsabteilung leisten konnte, war STÄHLER auf einen Partner angewiesen, dessen Produkt man in Lizenz oder Kooperation fertigen und vertreiben konnte. Doch aus eigener Kraft war kein Partner zu identifizieren, obwohl man sich fast sicher war, daß das gesuchte Mittel bereits irgendwo auf dem Weltmarkt verfügbar sein müßte. Erst durch die Einschaltung eines spezialisierten Technologie-Scouts, der per Internet, CD-ROM und einschlägigen Nachschlagewerken, den Patentmarkt durchforstete, fand STÄHLER die Firma DECORARC Ltd. aus Schottland, welche ein Mittel entwickelt hatte, mit dem sich Graffitis nicht nur entfernen lassen, sondern das gleichzeitig die Oberfläche versiegelte, so daß neue Schmierereien nicht mehr haften bleiben konnten. Ohne den Wissensbroker hätten die beiden Firmen wohl nie etwas von ihren gemeinsamen Interessen erfahren.

Horchposten Eine Möglichkeit zur frühzeitigen Erkennung relevanter Neuigkeiten ist die Unterhaltung von Horchposten. Wissenschaftler, Journalisten oder Politiker, die sich in ihrer Funktion mit speziellen Fachbereichen beschäftigen, können wertvolle Informationen über neue Trends liefern. Die Institutionalisierung solcher Kontakte wird recht unterschiedlich organisiert. So treffen sich Manager des Schweizer

Chemiemultis CIBA-GEIGY regelmäßig mit Vertretern von Umweltorganisationen wie GREENPEACE, Anwohnern der Industrieanlagen und Kommunalpolitikern, um neue Konzepte zu diskutieren. Diese Risikodialoge dienen der Identifikation von Bedürfnissen wichtiger Anspruchsgruppen und bauen Vertrauen zwischen den Interessengruppen auf. Andere Organisationen berufen Expertenhearings zu ausgewählten Themen ein, um neue Trends vertieft zu verstehen und mit externen Experten zu diskutieren.

Der Kontakt zu externen think tanks oder think factories [30] oder zu universitären Lehrstühlen, sichert die Nähe zu neuen Technologien oder Theorien, welche langfristig Einfluß auf die Verbesserung der eigenen organisatorischen Fähigkeiten haben könnten. Diese Kontakte können auf informeller Basis, durch gemeinsame Projekte oder Auftragsforschung gehalten werden. Fachhochschulen, die sich über eine besondere Praxisnähe profilieren wollen, sowie Institute wie die FRAUNHOFER-GESELLSCHAFTEN zur Förderung der angewandten Forschung werden so zu Trendaufspürern für die Organisationen, die mit ihnen kooperieren.

Kontakte zu think tanks

Auch die Fähigkeitsentwicklung von Zulieferern oder anderen Service-Leistern (insbesondere im EDV-Bereich) muß verfolgt werden. Durch massives Outsourcing haben sich viele Organisationen im hohen Maße von diesen externen Partnern abhängig gemacht. Teilweise wurden unter der Überschrift Lean Management gar Teile der Kernkompetenzen nach außen verlagert. Die Verfolgung der Leistungsentwicklung dieser Schlüsselpartner wird daher für den eigenen Erfolg immer wichtiger. Dies führt dazu, daß beispielsweise in der Automobilindustrie Firmen wie VOLKSWAGEN den Produktionsprozeß ihrer (bereits streng selektierten) Zulieferer regelmäßig begutachten, um sicher zu sein, daß die eingekauften Teile tatsächlich nicht effizienter zu produzieren sind.

Transparenz über externe Partner

Transparenz über die Fähigkeiten von Beratern

Berater sind die großen Gewinner der achtziger und neunziger Jahre. Organisationen haben an sie immer mehr originäre Managementtätigkeiten abgegeben. In vielen Unternehmungen wird kaum mehr ein wichtiges Projekt ohne den Beistand von externen Beratern gestartet. Durch ihre besondere Bedeutung für den Aufbau von zukünftiger Wettbewerbsfähigkeit und den zunehmenden Konkurrenzkampf innerhalb der Branche, werden Berater immer stärker schon im Vorfeld auf den Prüfstand gestellt. Der unkritische Umgang mit den „Propheten der Effizienz" scheint nachzulassen und viele Kunden fordern heute Vorpräsentationen oder informieren sich im Vorfeld wesentlich stärker, welche Fähigkeiten von welcher Beratungsfirma am ehesten zu erwarten sind. Dies geht soweit, daß Aufträge nicht mehr pauschal an einen der Großen vergeben werden, sondern direkt nach Frau Dr. X. gefragt wird, von der man weiß, daß sie in ähnlich gelagerten Fällen erfolgreich agierte oder mit der internen Kultur harmoniert hat. Beratungsfirmen reagieren auf diese neuen Transparenz-Anforderungen, indem sie ihre Fähigkeiten in Fachzeitschriften, auf Konferenzen oder durch die Lancierung von Management-Büchern [31] dokumentieren und bewußt vom kultivierten low-profile der Vergangenheit abrücken. Es ist darauf hinzuweisen, daß heute viele Führungskräfte Berater nicht wegen ihrer überlegenen Fähigkeiten ins Unternehmen holen, sondern diese als Exkulpationsinstrument im Falle auftretener Schwierigkeiten eingesetzt werden.

Aufbau externer Netzwerke

Netzwerke

Ein wichtiges Hilfsmittel zur Identifikation von Wissensträgern und Wissensquellen sind Netzwerke. Ein Netzwerk zeichnet sich durch ein gemeinsames Basisinteresse seiner Mitglieder, konsequente Personenorientierung und die Freiwilligkeit der Teilnahme aus. Die Be-

ziehungen zwischen den Teilnehmern beruhen auf dem
Tauschprinzip. Die Kommunikation in Netzwerken folgt
damit radikal anderen Gesetzmäßigkeiten als Prozesse
des geregelten Informationsaustausches in hierarchisch
gegliederten Unternehmen [32].

In vielen Bereichen unserer Gesellschaft haben sich Expertennetzwerke gebildet, die sich nicht an Branchen-
oder Unternehmensgrenzen orientieren. In ihnen zirku-
lieren Informationen, werden Kontakte vermittelt, was
den Mitgliedern oft entscheidende Informationsvorsprünge sichert. Das gegenseitige Vertrauen, das durch
persönliche Kontakte aufgebaut und verstärkt wird, ermöglicht einen informell-direkten Kommunikationsstil,
der den Netzwerkteilnehmern erlaubt, sich in einem
rasch wandelnden Umfeld schnell zu orientieren. Dies
funktioniert nur, wenn jeder sein eigenes (für die anderen externes) Wissen ins System einbringt. Netzwerke
sind dabei polyzentrische Gebilde, die durch das Ausscheiden einzelner Teilnehmer nicht untergehen. Das
Problem für viele Organisationen liegt in der mangelnden Nutzung solcher Expertennetzwerke. Oft wissen sie
gar nicht von deren Existenz, von den behandelten Wissensgebieten oder der Mitgliedschaft eigener Mitarbeiter
in vielfältigen Netzwerken. Sind allerdings relevante
Netzwerke identifiziert worden, können Anstrengungen
zur Einnetzung unternommen werden. Hier können Unternehmen sicherlich viel von Lobbying-Profis oder Di-
plomaten lernen. Aber auch der Erfolg von Alumni-
Netzwerken (akademische Verbindungen, Alumni von
amerikanischen Business-Schools, Ex-McKinseys) zeigt,
wie die zunehmende externe Komplexität durch Netzwerke bewältigt werden kann.

Expertennetzwerke

Nehmen wir das Beispiel eines europäischen Musikpro-
duzenten, der auf der Suche nach neuen Rap-Talenten in
New York ist. Tagtäglich hat er Kontakte mit Künstlera-
genturen, Musikfachzeitschriften, Konzertveranstaltern,

**Nutzung eines
Szene-Netzwerkes**

Szenegängern, Künstlern und mit seinen Kollegen von
der Konkurrenz, die ihn mit Tips versorgen – so bilden
sich gegenseitige Abhängigkeiten. Mit diesen Personen
hat er vielleicht mehr Gemeinsamkeiten als mit einem
Großteil der Mitarbeiter seines Arbeitgebers. Dieses
„Szene"-Netzwerk liefert ihm eine Vielfalt von Meinungen über die aktuelle Rap-Szene, was ihm erlaubt, bereits vor der direkten Kontaktaufnahme eine qualifizierte
Selektion vorzunehmen und einige interessante Gruppen
zu identifizieren. Die Übergabe solcher Kontakte ist allerdings schwierig, die Einnetzung erfordert Zeit und gelingt nicht jedem. Gerade in Zeiten steigender Fluktuation können neue Organisationsmitglieder oft nur unzureichend in das komplexe Beziehungsgeflecht ihrer Vor-
gänger eingeführt werden. Die Organisation verliert so
den schnellen und effektiven Zugriff auf wichtige Wissensbestände, die außerhalb der eigenen Organisationsgrenzen liegen.

Die Vernetzung mit dem externen Wissensumfeld bildet
ein effektives Instrument zur Realisierung eines integrierten Wissensmanagements, das zu einer vereinfachten Identifikation qualitativ hoch einzuschätzender Wissensträger und -quellen beiträgt.

Das Internet: Universales Suchmedium?

**Internet als
Transparenzinstrument**
Eine andere Möglichkeit zur Identifikation externer In-
formationen und Wissensquellen liegt heutzutage in der
Nutzung des Internet. Von einem Netzwerk für Compu-
terfreaks, das im Jahre 1969 im Auftrag des US-Vertei-
digungsministeriums entstand, um im Falle eines
Atomkrieges den Austausch zwischen strategischen
Punkten sicherzustellen, hat sich das Internet rasant in
den Zugriffsbereich von Jedermann entwickelt. Die
netzartige, dezentrale Struktur zwischen verschiedenen
Kommunikationspunkten verbindet heute rund 50 000

kleinere Computernetzwerke, 5 Millionen Computer und wird zur Zeit weltweit von rund 30 Millionen Nutzer genutzt [33]. Kern der Nutzung des Netzes ist das WWW (World-Wide-Web), das durch die Nutzung des Programmierformates HTML (Hyper Text Mark-Up Language) einen einheitlichen Standard für die anwenderfreundliche Übertragung von Texten, Graphiken, Tönen und sogar Videos zur Verfügung stellt. Einzelpersonen, Universitäten sowie andere staatliche und private Organisationen haben im WWW ihre sogenannten Homepages eingerichtet, über welche sie Informationen verbreiten, Produkte anbieten oder andere Dienstleistungen für den „Web-Surfer" zur Verfügung stellen.

Die anfängliche Euphorie hat sich jedoch bei vielen Anwendern wieder gelegt. Die Suche nach Informationen im World-Wide-Web erwies sich als extrem zeitraubend und ineffektiv. Zielgerichtete Abfragen waren praktisch nicht möglich. In der Hypertextstruktur des Netzes sprang der Anwender von einer Internetadresse zur anderen und das Herunterladen interessanter Informationen konnte Stunden dauern und den eigenen Rechner während dieser Zeit blockieren.

Grenzen des Internets

Doch das Chaos lichtet sich, und die Möglichkeiten zur effektiven Suche nach Wissensquellen verbessern sich rasant. Online-Dienste wie COMPUSERVE, AMERICA ONLINE oder MICROSOFT NETWORK strukturieren den Informationsmarkt für ihre Kunden. Sie kategorisieren und aktualisieren die immensen Informationsfluten und erleichtern ihren Kunden die Navigation. Einen großen Nutzen zur Orientierung der Internet-Anwender generieren sogenannte Suchmaschinen. Hierbei handelt es sich um Dienste, die mit Hochleistungsrechern (sogenannten Web-Robotern oder Abfrage-Automaten) die Unweiten des Internet durchforsten und dabei neues Informationsmaterial aufspüren. Die eigentliche Arbeit liegt dann in der sinn-

Verbesserung des Zugriffes auf Internet-Quellen

vollen Strukturierung der Informationsmassen. So verfügt
der populäre Suchdienst YAHOO! [34] über einen Web-Ka-
talog mit über 20 000 Kategorien, in den die 20 Mitarbeiter die Flut neuer Angebote einordnen, um den bis zu
200 000 Anfragern pro Tag die Orientierung zu erleichtern. Wie viele andere Dienste kämpft YAHOO! mit seiner
begrenzten Verarbeitungskapazität, welche beim Anwender zu langen Wartezeiten führen kann.

Intelligente Agenten Suchmaschinen oder Web-Robots gehören in die weitere
Kategorie der intelligenten Agenten. Diese sind Compu-
terprogramme, die selbständig Aktivitäten für den Benutzer ausführen, wenn gewisse Kriterien gegeben sind. Sie
scannen zum Beispiel Net-News nach gewissen Stich-
worten, besorgen die interessanten Seiten und kopieren
sie ihren Nutzern auf die Festplatte. Sie können daher
frühzeitig auf kritische Trends hinweisen oder sie filtern
die E-Mail ihrer Anwender, was diese in einem informati-
onsintensiven Umfeld mit riesigen Datenmengen vor der
Blockade bewahren kann. Die intelligenten Agenten der
Zukunft werden noch näher an den Informationsinteres-
sen ihrer Kunden ansetzen, indem diese Wissenfelder angeben können, in denen sie regelmäßig über Neuigkeiten
auf dem Internet auf dem Laufenden gehalten werden
wollen. Auch die Navigations-Software (zum Beispiel
der Marktstandard NETSCAPE-Navigator) wird immer an-
wenderfreundlicher und in andere Alltagsanwendungen
integriert werden. Übertragungsgeschwindigkeiten werden durch die rasche Leistungserhöhung auf der Netz-
werk- und Hardwareseite immer schneller werden.

Das Internet braucht
eine sinnvolle
Nutzungsstrategie Diese Trends werden dazu führen, daß die effektive Nutzung der Internetressourcen für immer mehr Organisa-
tionen sinnvoll werden wird. Ein schneller Zugang zu
externen Wissensquellen wird in Zukunft von jedem vernetzten PC aus möglich sein. In einigen Wissensbereichen haben sich bereits öffentliche Wissensdatenbanken
etabliert, welche klassischen Auskunftsdiensten, Archi-

ven oder Bibliotheken überlegen sind. So bietet die Datenbank Swiss-Prot ein Who-is-Who im Bereich der Proteine. Mehr als 52 000 Proteine sind hier verzeichnet und
beschrieben und können als dreidimensionale Graphik
mit allen Zusatzinformationen heruntergeladen werden.
Über 200 000 Forscher, Ärzte, Laboratorien, Unternehmen und Studenten nutzten diese Dienstleistung der
Universität Genf und des Kantonsspitales im Jahre 1995.

Das Internet ist ein neues Kommunikationsmedium, das
einen neuartigen Zugriff und Austausch auf digitalisierte
Daten und Informationen aller Art liefert, mehr nicht.
Wie alle anderen Kommunikationsmedien (Telefon, Fax,
Konferenz…) bedarf es des sinnvollen Einsatzes zur Erreichung von angestrebten Zielen. Den größten Nutzen
stiftet es denjenigen, die schon relativ genau wissen, was
sie suchen. Ihnen bietet das Internet die Bereitstellung
leistungsstarker Metamedien. Metamedien sind Medien,
welche auf andere Medien verweisen und somit den
schnellen Zugriff auf weit entfernte Informationen er-

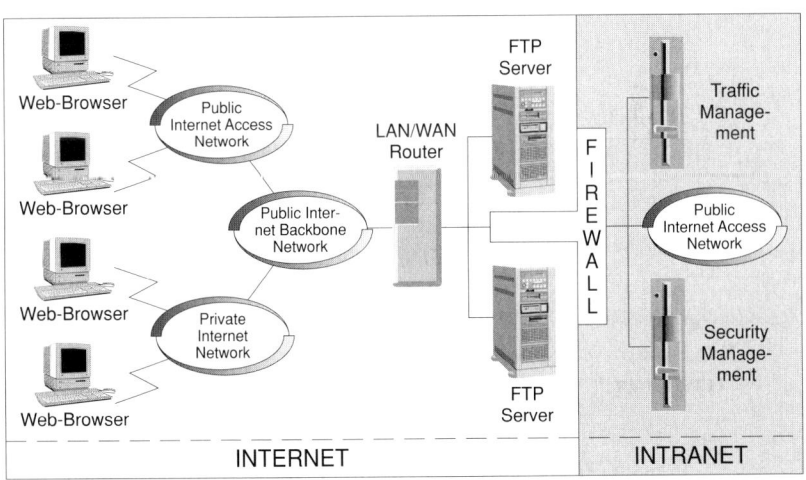

Abbildung 22: Beziehungen zwischen Intranet und Internet [35]

leichtern. Wer allerdings das „Medium zur Nachricht" macht, kann im Umgang mit dem Internet nur enttäuscht werden. Übertriebene Erwartungen und eine gewisse Idealisierung von Internetaktivitäten ist zur Zeit in vielen Bereichen zu beobachten.

Intranet Die Technologien des WWW nutzen viele Organisationen zum Aufbau sogenannter Intranets. Interne Dokumente wie Markstudien, Hauszeitung, Jahresberichte, Präsentationen oder Presseberichte werden auf dafür eingerichteten Rechnern abgelegt und können von den Mitarbeitern abgerufen werden. Leistungsfähige Intranets ermöglichen Recherchen in der internen elektronischen Informationsbasis und unterstützen damit den schnellen Zugriff auf Firmeninformationen.

Schutz des Intranets An der Grenze zwischen Internet und Intranet mußten allerdings einige Pioniere Lehrgeld bezahlen. Wenn das Intranet zu wenig vor versierten Eindringlingen (Hackern) aus dem Internet geschützt wird, können vertrauliche Firmeninterna ungehindert nach außen abfließen. Entscheidend für den Schutz der internen Daten ist nach Aussage von HEWLETT PACKARD [36] die Netzwerkkonfiguration. Abbildung 22 zeigt eine mögliche Konfiguration, die drei Netzwerkbereiche voneinander unterscheidet:

1. das öffentliche Netzwerk mit Zugang zum gesamten Internet-Angebot,

2. ein privater Bereich im Internet, den jeder Mitarbeiter selber gestalten kann, und

3. das durch Sicherheitseinrichtungen (Firewall) geschützte firmeninterne Netz.

Homepages Viele Organisationen nutzen inzwischen die Möglichkeit sich selbst über Homepages auf dem Internet darzustellen [37]. Sie ermöglichen es damit interessierten Externen, sich schnell und unkompliziert ein Bild über die eigenen Aktivitäten zu bilden. Zwischen der Qualität dieser Homepages liegen heute noch Welten. In der Zukunft könnten viele Aktivitäten, die heute zur Pflege eines gewissen externen Bildes der Organisation unternommen werden, über dieses Medium abgewickelt werden.

Wissenslücken

Die Erstellung von Wissensinventaren oder die Herstellung einer umfassenden Wissenstransparenz ist kein Selbstzweck. Nur im Zusammenspiel mit organisatorischen Zielsetzungen erhalten diese Bemühungen einen Sinn. In unserem Modell des integrierten Wissensmanagements dienen uns die Wissensziele aus Kapitel 4 als Leitplanken unserer Suchbewegungen. Das Ergebnis

Konsequenzen

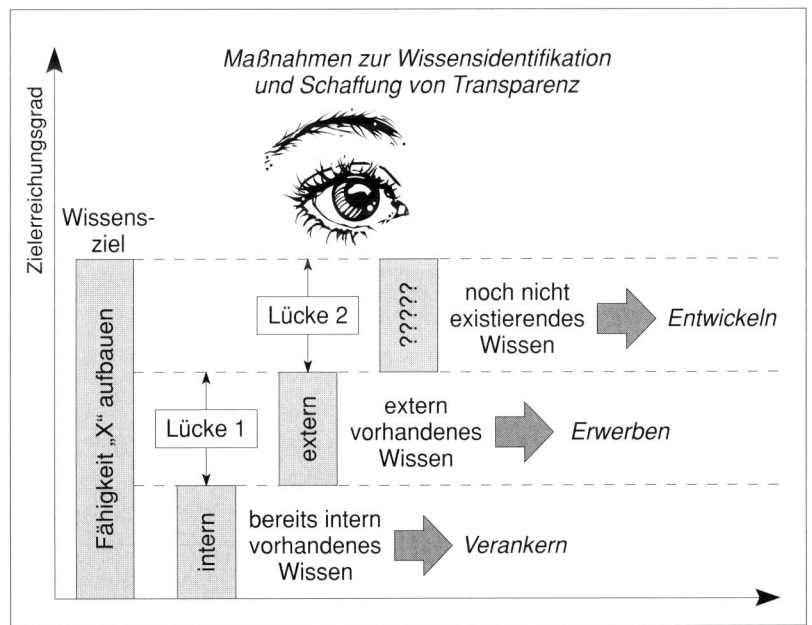

Abbildung 23: Arten von Wissenslücken

dieser Suche findet sich beispielsweise im gesteigerten Wissen über interne Wissensträger und ihre Fähigkeiten oder dem Verständnis interner Prozesse, die unsere organisatorischen Fähigkeiten unterstützen. Diese bereits vorhandenen Fähigkeiten dürfen der Organisation nicht wieder verloren gehen, sondern müssen verankert werden (vergleiche Kapitel 10).

Wissenslücken orten Die Auseinandersetzung mit dem Wissensumfeld der Organisation führt zur Sichtbarmachung eigener Wissenslücken und Fähigkeitsdefizite. Externe Wissensquellen können auf ihren Beitrag zum Aufbau der angestrebten Fähigkeiten bewertet werden. Gleichzeitig kann die Auseinandersetzung mit der Konkurrenz zu einer Identifizierung von sogenannten best practices führen. Dieser Prozeß wird zumeist als externes Benchmarking bezeichnet. Benchmarking kann allerdings nur die Lücke eins in Abbildung 23 aufdecken. Zum Aufbau schwer imitierbarer organisationaler Kompetenzen reicht ein solches Aufhol-Lernen allein selten aus. Dennoch ist es wichtig, diese Lücke zur Konkurrenz durch Maßnahmen des Wissenserwerbes (Rekrutierung, Kooperation, Imitation) auszugleichen. Die kreative Aufgabe liegt in der Schließung der Lücke zwei. Diese kann durch vielfältige Aktivitäten der Wissensentwicklung (Forschung, Marktstudien, quality circles ...) geschehen.

Erwerben oder entwickeln? Die Identifikation von Fähigkeitsdefiziten und Wissenslücken bietet den Ausgangspunkt für Maßnahmen des Wissenserwerbes und der Wissensentwicklung. Brauchen wir einen externen Trainer für die Verkaufsschulung oder können wir sie mit eigenen Mitteln in hinreichender Qualität selber durchführen? Vergeben wir den Auftrag für die Entwicklung eines Zwischenproduktes an ein externes Laboratorium oder beauftragen wir die interne Forschungs- und Entwicklungsabteilung? Soll das neue Werk in China von einem relativ unerfahrenen Nachwuchsmanager aufgebaut werden oder engagieren wir einen Manager auf Zeit? Leisten wir uns einen externen Informationsdienst, der uns mit komprimierten Brancheninformationen versorgt, oder lassen wir unsere Manager selber selektionieren? Betreiben wir weiterhin Grundlagenforschung oder verlagern wir sie in Kooperationsprojekte mit Universitäten? Die Grundentscheidung, die in all diesen Fällen zu treffen ist, lautet: Wollen wir Wissen intern selber aufbauen oder andere (externe) Quellen nutzen?

Vielleicht kommt man mit einem exzellenten Berater schneller und letztendlich günstiger zum angestrebten Ergebnis. Verlernt derjenige, der sich bei Problemen immer an Experten wendet aber nicht langfristig die Fähigkeit selber zu denken? Die Ausführungen zur Bedeutung des Aufbaus, des Erhalts und der Entwicklung organisationaler Kompetenzen haben gezeigt, daß es bei Entscheidungen, die den Wissensimport oder Fähigkeitsexport berühren, nicht nur um kurzfristig-monetäre Erwägungen gehen kann. Unreflektiertes Outsourcing nach dem Motto „lean is beautiful" ist gefährlich. Wer heute seine Forschung an Dritte vergibt, kann vielleicht kurzfristig die Personalkosten senken, könnte sich aber bereits mittelfristig seiner unverwechselbaren Produktstärken beraubt sehen. In jedem Fall macht er sich von einem externen Dritten abhängig. Entscheidungen über Wissenserwerb oder Wissensentwicklung sollten daher bewußt getroffen werden. Um das Risiko (vielleicht irreparabler) Fehlentscheidungen zu reduzieren, sollten Wissensmanager über die generellen Probleme und Chancen im Spannungsfeld zwischen Wissenserwerb und Wissensentwicklung orientiert sein und sich einen Überblick über die Vielfalt möglicher Ansätze und Instrumente verschaffen. Diesen Überblick sollen das Kapitel 6 und das Kapitel 7 liefern.

Bewußte Wissensentscheidungen

Zusammenfassung

- Organisationen wissen oft wenig über ihre internen Fähigkeiten, Wissensträger und Netzwerke. Dadurch wird der gezielte Aufbau von organisationalen Fähigkeiten behindert.

- Dezentralisierung, Globalisierung, Lean Management, Restrukturierungen und steigende Fluktuation haben die interne Intransparenz vieler Organisationen erhöht.

- Interne und externe Netzwerke machen die schnelle und qualitativ hochwertige Identifikation von Informationen und Wissensträgern möglich. Ihnen ist vermehrt Beachtung zu schenken.

- Organisationen verfügen heute in der Regel nicht über Verantwortliche und Institutionen, welche die Aufgabe haben, die unternehmensweite Wissenstransparenz zu verbessern.

- Organisationen müssen ein gesundes Gleichgewicht zwischen Ignoranz und Neugier finden.

- Information wird immer mehr zur Holschuld, der effektive Umgang mit der Informationsflut wird zur Schlüsselqualifikation. Mitarbeiter sollten in ihrer Arbeit von der Organisation durch eine Infrastruktur unterstützt werden, welche die interne und externe Orientierung des Einzelnen erleichtert.

- Die Schaffung von Wissenstransparenz verdeutlicht bestehende Wissenslücken und schafft die Voraussetzungen, um über Wissenserwerb oder Wissensentwicklung zu entscheiden.

- Der weltweite Austausch digitalisierter Texte, Graphiken etc. und die Recherchierfunktionen des Internet unterstützen völlig neue Suchstrategien und bieten für

Nutzer, die wissen was sie suchen, einen enormen Hebel zur Aufspürung externer Informationen und Wissensträger.

Leitfragen

- Kennen Sie die internen Experten Ihres Unternehmens und können Sie sie leicht kontaktieren?

- Treffen Sie häufig auf Wissenslücken? Wie häufig war das Wissen für wichtige Entscheidungen prinzipiell vorhanden, aber zum entscheidenden Zeitpunkt nicht bekannt oder abrufbar?

- Haben Sie einen Überblick darüber, welche Projekte in Ihrem Unternehmen zur Zeit laufen?

- Wie entscheiden Sie, wer wieviel wissen darf? Ist die Zurückhaltung aus Sicherheitgründen gerechtfertigt oder übertriebene Geheimniskrämerei?

- Durch welche Systeme werden Sie bei Ihrer Informationssuche unterstützt? Werden Instrumente wie Wissenskarten und ähnliches bewußt genutzt?

- Haben Sie eine Internet-Suchstrategie oder Personen, welche Ihnen bei der Suche helfen könnten?

6. Kapitel

Wissen erwerben

Wer würde nicht gerne durch eine einmalige Zahlung eine zusätzliche Fremdsprache beherrschen? Was der einzelne nicht käuflich erwerben kann, ist Unternehmen auf verschiedensten Wissensmärkten möglich. Sie können auf dem Arbeitsmarkt nach Personen suchen, welche genau die Fähigkeiten besitzen, welche sie aus eigener Kraft nicht entwickeln können. Experten, Berater oder eingespielte Teams können angeworben werden, um interne Wissenslücken zu schließen. Doch häufig bleiben diese Investitionen ohne Wirkung. Experten bleiben isoliert oder werden abgelehnt, Beraterstudien wandern in die Schublade. Erworbenes Wissen ist häufig nicht mit Bestehendem kompatibel und wird abgestoßen. Wir zeigen vielfältige Möglichkeiten, mit denen Sie fremdes Wissen ins eigene Unternehmen integrieren können, wie Sie Ihre Kunden zu Wissenslieferanten machen können und worauf Sie beim Einkauf externer Experten achten sollten. Außerdem werden die Konsequenzen des Kaufs von wissensintensiven Produkten für den eigenen unternehmerischen Freiraum verdeutlicht.

Wissen erwerben

„Wir wollten unsere Produktion prozeßorientiert reorganisieren. Darum haben wir die Berater reingeholt, weil sie das theoretische Wissen und die praktischen Erfahrungen aus anderen Projekten mitbringen, die uns intern fehlten. Die Arbeit mit ihnen hat sehr viel Spaß gemacht, wir haben eine Menge gelernt und das ganze Team war zuversichtlich, daß wir es schaffen. Als die Berater aus dem Betrieb gingen, fiel die Dynamik steil ab. Von 100 Projektideen, die wir vor einem Jahr gemeinsam ausgearbeitet hatten, sind fünf übrig geblieben und die versickern nun auch langsam." *(Manager eines Industriebetriebes)*

Praxisstimmen

„Unser Rekrutierungsverfahren ist in der Krise. Auf der einen Seite erhalten wir Tausende von Bewerbungen, auf der anderen Seite bewerben sich die besten Leute erst gar nicht bei uns. Die kommen gar nicht auf den Markt, sondern werden schon während ihres Studiums von den Beratungsfirmen, Investmentbankern und einigen großen Industrieunternehmen gezielt angeworben." *(Personalchef einer nationalen Handelskette)*

„Wir sind ein Joint-Venture mit einem unserer Konkurrenten eingegangen. Wir wollten etwas über eine neue Technologie lernen, der Partner wollte unser Vertriebsnetz nutzen. Da wir in der Muttergesellschaft parallel eine ähnliche Technologie entwickelten, war die Zusammenarbeit bald von Mißtrauen beherrscht und beide Seiten begannen zu mauern. Dies war die Ursache für das letztendliche Scheitern der Kooperation." *(Joint-Venture Mitarbeiter)*

Das ökonomische Prinzip der Arbeitsteilung gilt auch für die Ressource Wissen. Durch Wissensexplosion und gleichzeitige Wissensfragmentierung sind Unternehmen

Wissensmärkte gewinnen an Bedeutung

oft nicht in der Lage, sämtliches für den Erfolg notwendige Know-how aus eigener Kraft zu entwickeln. Es muß zusätzliches Wissen erworben werden. Neue Technologien entstehen in Universitäten, staatlichen Forschungsinstituten oder in spezialisierten privaten Unternehmen. Software, Logistikkonzepte und viele andere intelligente Produkte werden außerhalb des eigenen Unternehmens entwickelt und angeboten. Neben dem effizienten Bezug von Kapital und Rohstoffen über die klassischen Faktormärkte, müssen Unternehmen auf diesen Wissensmärkten die richtige Auswahl treffen, um sich kritische Fähigkeiten und zentrale Wissensträger zu sichern. Wir unterscheiden folgende Aktivitäten auf den externen Wissensmärkten [1]:

● den Erwerb von Wissen externer Wissensträger,

● den Erwerb von Wissen anderer Firmen,

● den Erwerb von Stakeholderwissen (zum Beispiel Kundenwissen),

● den Erwerb von Wissensprodukten.

Besonderheit von Wissensmärkten

Wissensmärkte sind alles andere als vollkommene Märkte. Auf ihnen besteht meist nur sehr geringe Markttransparenz. Die angebotenen 'Produkte' sind häufig nur schwer miteinander zu vergleichen und es wird oft mit Potentialen statt mit bereits kapitalisierten Ideen gehandelt. Die Beziehungen zwischen Wissensanbieter und Wissensnachfrager sind zudem häufig persönlicher Natur und beruhen auf langfristig aufgebautem Vertrauen. Dieses ist notwendig, weil der Käufer nicht immer die internen Möglichkeiten besitzt, um die Qualität der importierten Leistung einzuschätzen und erst auf längere Frist zu einem abgestützten Urteil kommen kann. Eine weitere Besonderheit von Wissensmärkten besteht darin, daß die interessantesten Kaufobjekte häufig gar nicht auf offiziellen Märkten erscheinen. Außergewöhnlich begabte Nachwuchswissenschaftler schreiben keine Bewerbung, revolutionäre Produktionsverfahren werden bereits vor der Serienreife lizensiert und auch viele andere wissensintensive Leistungen gehen 'unter der Hand weg'.

Dies macht deutlich, daß der erfolgreiche Wissenserwerb einer eigenen Logik folgt. Wissensnachfrager müssen daher andere Spielregeln beachten als die Mitarbeiter der klassischen Beschaffungsfunktion. Einige grundsätzliche Gedanken sollen helfen zu verstehen, warum Projekte des Wissenserwerbs so häufig mit großen Schwierigkeiten zu kämpfen haben.

Organisationen und Menschen verfügen über einen Grundstock von relativ gesichertem Wissen, der ihnen die Orientierung im Alltag erleichtert. Dieses Alltagswissen stabilisiert unsere Erwartungen und stiftet Sicherheit. Der Import von neuem Wissen destabilisiert diese Sicherheit und ruft daher in der Organisation häufig starke Emotionen und Abwehrreaktionen hervor. Neue Mitarbeiter mit ungewöhnlichem Profil (zum Beispiel Frauen im Topmanagement, Betriebswirte als Forschungsleiter) müssen große Barrieren überwinden. Ideen von externen Experten konkurrieren mit internen Studien und könnten deren Verfasser blamieren oder diskreditieren. Extern eingekaufte Fertigungslizenzen vernichten Arbeitsplätze in der internen Produktionsentwicklung. Zwischen innen und außen besteht eine Vielfalt von Abhängigkeiten, die entscheiden, wie mit dem externen Wissen umgegangen wird. Die Ablehnung externer Erkenntnisse ist insbesondere im Produktentwicklungsbereich beobachtet worden und ist dort als not-invented-here-Syndrom [2] beschrieben worden. Hierbei wird die teurere Eigenentwicklung der kostengünstigeren (und eventuell auch besseren) externen Lösung vorgezogen. Das Outsourcing von nicht zentralen Wertschöpfungs- oder Entwicklungsbereichen wird so verhindert.

Abwehrreaktionen gegen externes Wissen

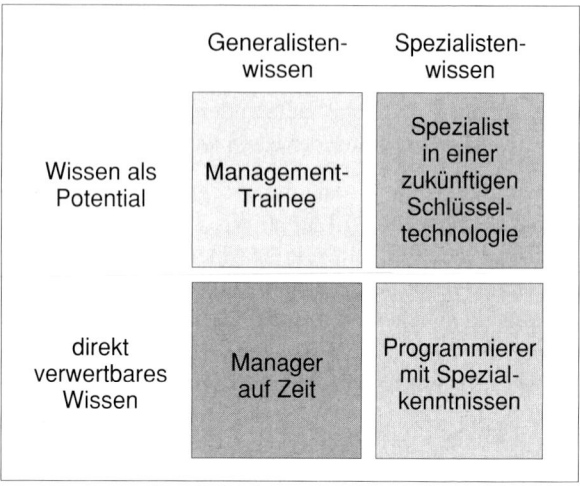

Abbildung 24: Typen von Wissensträgern

Potentialcharakter von Investitionen

Der Import externer Fähigkeiten kann sich unterschiedlich rasch in konkreten Ergebnissen niederschlagen. Die Einstellung eines Nachwuchsforschers oder einer unerfahrenen aber begabten Führungskraft kann sich unter Umständen erst nach Jahren auszahlen. Jahre, die oft benötigt werden, um auf Grund von Erfahrungen gute Leistungen zu erbringen. Der mutmaßliche Ertrag von Potentialen läßt sich häufig nur schwer einschätzen (siehe Abbildung 24). Die Leistung eines Programmierers, der pro Tag eine relativ konstante Anzahl an Programmzeilen in einer speziellen Programmiersprache erstellen kann, kann dagegen sehr viel leichter abgeschätzt werden.

Risikocharakter von Potentialen

Was für Personen gilt, läßt sich auch auf Projekte oder immaterielle Güter übertragen. So sind die Auswirkungen eines Beratungsprojektes, das sich mit der internen Unternehmenskultur beschäftigt, schwerer vorhersehbar als die routinemäßige Durchführung einer Gemeinkostenwertanalyse in einer Betriebsstätte. Der Erwerb eines Patentes der Grundlagenforschung sichert vielleicht einen Markt der Zukunft, eine Lizenz für die Nutzung eines Markennamens in Europa gibt der Organisation hingegen das Recht diesen Markentitel in der Gegenwart zu nutzen. Doch wer kann schon sagen, ob sich ein heute erhältliches Patent in fünf Jahren tatsächlich zum Marktstandard entwickeln wird? Verfechter von Potentialakquisitionen sehen sich auf Grund dieser Unsicherheit daher einem besonders starken Rechtfertigungsdruck ausgesetzt. Dieser wird um so stärker sein, je kurzfristiger das Zielsystem des Unternehmens ausgerichtet ist.

Wir müssen daher beim Wissenserwerb generell zwischen einer Investition in die Zukunft (Potential) und einer Investition in die Gegenwart (direkt verwertbares Wissen) unterscheiden. Ein integriertes Wissensmanagement muß den Aufbau von Potentialen und den effizienten Erwerb direkt verwertbaren Wissens mit geeigneten Instrumenten unterstützen. Insbesondere bei der Formulierung von Wissenszielen und der Durchführung des Wissenscontrolling ist daher auf die unterschiedliche Amortisationszeit von Wissensinvestitionen zu achten.

Amortisation der Investition

Standardrezepte zum Wissenserwerb sind gefährlich. Insbesondere amerikanische Managementforscher sind Meister in der Formulierung solcher Konzepte [3]. Die kritiklose Übernahme von Standardlösungen (beispielsweise Dezentralisierung, Globalisierung oder Prozeßorientierung) ist jedoch gefährlich. Die Anziehungskraft dieser Ideen beruht häufig auf unzulässigen Verallgemeinerungen, die vortäuschen, daß die Autoren allgemeingültige Wahrheiten aufgespürt hätten. Im Einzelfall erweisen sich solche Standardlösungen aber häufig nur als bedingt taugliche Mittel zur Problemlösung. Management-Konzepte, Fähigkeiten oder Wissen, die aus ihrem Kontext gerissen werden, können leicht ihre problemlösende Kraft und damit ihren Wert verlieren. Wissen ist immer mit einem speziellen Kontext verbunden. Dieses

Rolle des internen Kontextes

Kontextwissen ist nur „sehr bruchstückhaft individuell herauslösbar oder gar übertragbar" [4]. Ein japanisches Vertriebsgenie wird also in den USA nicht zwangsläufig den gleichen Erfolg haben und ein Beratungsunternehmen, das in der Zementindustrie großen Erfolg hatte, könnte Schwierigkeiten beim Eintritt in den Medienmarkt haben. Das Wissen der Umgebung intelligent auf die eigene Geschichte und die eigenen Fähigkeiten zu beziehen, scheint daher erfolgsversprechender als das Kopieren von Erfolgsgeschichten.

Absorptionsfähigkeit Die obengenannte Fähigkeit beschreiben Cohen und Levinthal mit ihrem Begriff der Absorptionsfähigkeit [5] von Organisationen. In ihrer Feldforschung machten sie die erstaunliche Beobachtung, daß die Haupttätigkeit von vielen Forschungs- und Entwicklungsabteilungen nicht in der Entwicklung neuer Verfahren und Produkte bestand, sondern vielmehr im intelligenten Erwerb externen Wissens. Lösungen wurden eher durch das Studium der Fachliteratur gefunden als durch die Experimente im eigenen Labor. Diese Untersuchung zeigt die enorme Bedeutung und das besondere Potential des externen Wissenserwerbes. Die Verfolgung und Adaptierung externer Technologietrends wird zu einer originären Aufgabe von Forschungs- und Entwicklungsabteilungen [6]. Sehr spezifisches Wissen muß vor dem Erwerb auf ihre Eignung zur Unterstützung organisatorischer Ziele geprüft werden. Der unkritische Import kann zu organisatorischen Abstoßungsreaktionen führen.

Outsourcing als Substitution Unter den Überschriften Outsourcing, Lean Management und Make-or-buy werden seit längerer Zeit Maßnahmen diskutiert, mit deren Hilfe Unternehmen gezielt Glieder ihrer Wertschöpfungskette optimieren wollen. Die Ausgliederung von Wertschöpfungsaktivitäten an leistungsfähige Marktpartner, welche interne Leistungen zu geringeren Kosten, in besserer Qualität oder in kürzerer Zeit realisieren können, ist der Grundgedanke dieser Konzepte. Aus der Perspektive des Wissensmanagements ist Out-sourcing als Substituierung internen Know-hows durch externes Know-how zu bezeichnen. Diese Preisgabe kann nicht allein mit kurzfristigen Kosteneinsparungen gerechtfertigt werden. Während das Outsourcing der Gebäudereinigung weitgehend folgenlos bleiben wird, können durch die Auslagerung der Produktion intelligenter Komponenten oder der Gesamtlogistik an Marktpartner [7] die eigenen Kernfähigkeiten stark geschwächt werden (vergleiche Kapitel 4). Im folgenden werden wir Hauptbezugsquellen externen Wissens vorstellen.

Einkauf externer Experten

Unternehmen beschäftigen in der Regel ihre Angestellten, um deren Fähigkeiten zur Erstellung ihrer Produkte oder Dienstleistungen zu nutzen. Anbieter und Nachfrager von Fähigkeiten finden auf verschiedenen Arbeitsmärkten zueinander. Der Prozeß der Selektion externer Wissensträger (Personalbeschaffung) spielt aus der Perspektive eines integrierten Wissensmanagements eine zentrale Rolle. Durch die Einstellung externer Wissensträger, wird eine Vorentscheidung darüber getroffen, welche organisatorischen Fähigkeiten aufgebaut werden können.

Rekrutierung

Eine enge Kopplung zwischen strategischen Wissenszielen und der Rekrutierungspolitik scheint daher von größter Bedeutung zu sein. Obwohl viele Firmen einen großen Rekrutierungsaufwand treiben und mit mehrstufigen Auswahlverfahren und personalintensiven Testmethoden (Assessment-Center etc.) operieren, sind viele Personalleiter mit den Fähigkeiten der Auserwählten im Nachhinein unzufrieden [8]. Oft erweist sich im nachhinein der 'ideale Kandidat' als ungeeigneter Banker,

Kopplung von Wissenszielen und Rekrutierung

kann der spezialisierte Programmierer nicht mit den Kunden kommunizieren und muß mit erheblichem Aufwand nachgeschult werden.

Unspezifisches Suchprofil Eine Ursache liegt in der mangelnden Spezifizität des Anforderungsprofiles. Obwohl sich Unternehmen unterschiedlicher Branchen in ihrer Organisation, Kultur und ihren Tätigkeitsfeldern meist kraß unterscheiden, gleichen sich ihre Anforderungsprofile an den Bewerber sehr stark und der Idealtyp wird häufig mit schwammigen unscharfen Attributen beschrieben [9]. Hier zahlt es sich aus, wenn man sich im Baustein 'Wissensziele definieren' ausreichend Zeit für die Übersetzung normativer und strategischer Wissensziele in möglichst klare Suchprofile genommen hat. Nur wer ein solches klares Bild von seinen Wunschkandidaten hat, kann das Angebot auf dem Arbeitsmarkt systematisch durchforsten und proaktiv handeln.

FALLBEISPIEL: BERTELSMANN

Proaktive Rekrutierung

Die BERTELSMANN AG [10] bildet ein gutes Beispiel für eine solche proaktive Rekrutierungsstrategie. Für Aufbau und Sicherung des Managementpotentials der hochautonomen Profitcenter, die Ausdruck der dezentralen Unternehmensphilosophie des Medienkonzerns sind, sucht man hochbegabte und belastbare Nachwuchskräfte, die sich selber steuern können. Die Gewinnung dieser Unternehmertalente genießt höchste Priorität. Selbst die Vorstandsebene bis hin zum Vorstandsvorsitzenden ist in den Selektionsprozeß eingeschaltet.

Die Eigenschaften bereits erfolgreicher interner Unternehmer ergeben ein relativ klares Fähigkeitsprofil für die Wunschkandidaten. Sie müssen das, was sie angepackt haben mit starkem Willen vorangetrieben und mit großem Erfolg gemeistert haben. Gezielt wird nach unternehmerischen Ansätzen im Leben der Kandidaten gefahndet. Statt sich auf eingehende Bewerbungen zu verlassen, wird viel Energie auf die ständige Verbreiterung der Kontaktfläche zur Identifizierung von passenden Kandidaten bereits im Vorfeld des eigentlichen Bewerbungsprozesses gelegt. Mit Hilfe von Ehemaligen, Professoren und anderen Kontakten werden ausgewählte Ausbildungsstätten systematisch auf Kandidaten mit Unternehmerpotential durchforstet. Dieses Früherkennungssystem ermöglicht den qualifizierten (und häufig exklusiven) Kontakt mit Kandidaten und unterstützt ein unverbindliches Kennenlernen noch vor dem eigentlichen Bewerbungsverfahren.

Bedeutung des Suchprofils

Der Kampf um die Besten scheint immer härter zu werden und Unternehmen sind gut beraten, wenn sie sich realistische Rekrutierungsziele setzen. Bundesbehörden, die im Trend der Zeit nun auch nach Unternehmenstalenten suchen, tun sich solange keinen Gefallen, wie sie nicht tatsächlich die Fähigkeiten der entsprechenden Kandidaten nutzen können. Der Entwicklung des Suchprofils sollte daher eine hohe Aufmerksamkeit gewidmet werden und sich an den Fähigkeiten orientieren, welche die Organisation langfristig aufbauen möchte. So kauften die deutschen Talentsucher von MCKINSEY 1994 kurzerhand einen großen Teil der promovierten Chemiker mit der Note 'summa cum laude' vom Markt [11], um sich in diesem Wissensfeld zielgerichtet zu verstärken.

Diversity Recruiting

Die Diskussion um gleiche Beschäftigungschancen ethnischer Gruppen in den USA hat in der Managementliteratur zu einer Thematisierung von Diversität in Organisationen geführt. Es wird davon ausgegangen, daß durch Diversity Recruiting, das heißt die Einstellung von Mitarbeitern mit extrem unterschiedlichem fachlichen und kulturellen Hintergrund, neue Erfahrungen, Problemlösungsansätze und Werte in die Organisation gelangen. Diese importierte Vielfalt kann Organisation dabei helfen, ein Problem aus mehreren Perspektiven zu betrachten, was zu einem verbesserten Prozeß der Definition von Wissenszielen führen kann. Gleichzeitig erzielt die Organisation eine erhöhte Wissenstransparenz über die Bevölkerungsgruppen, in denen die neuen Mitarbeiter verankert sind. Man importiert Konfliktpotential, das interne Routinen sichtbar macht und 'Bewährtes' in Frage stellt. Es wird behauptet, daß durch die Erhöhung der internen Diversität in letzter Konsequenz die Effektivität und Reaktionsfähigkeit der Gesamtorganisation verbessert werden kann [12]. So kann eine Privatbank, die bisher nur Wirtschaftswissenschaftler und Juristen eingestellt hat, beispielsweise durch die Rekrutierung einer Sinologin oder eines Physikers neue Perspektiven in ihre Fernostbeziehungsweise Technologieaktivitäten bringen und damit wahrgenommene Fähigkeitslücken schließen.

Abwerbung/ Headhunting

Wer spezielle Wissenspotentiale nicht aus eigener Kraft entwickeln kann oder entwickeln will, der muß sie auf den externen Märkten einkaufen. So ist in den USA der Wechsel von Einzelforschern oder ganzen Forscherteams von der Universität in die privaten Forschungslabors der Pharmaindustrie ein alltäglicher Prozeß [13]. Die gezielte Abwerbung von Mitarbeitern der Konkurrenz gilt allerdings in vielen Bereichen der Wirtschaft noch als Verstoß gegen die guten Sitten. Teilweise existieren sogar Branchenregeln, die aggressive Rekrutierungsmaßnahmen sanktionieren und damit verhindern, daß zentrale Wissensträger herausgekauft werden oder durch geschickte Verhandlungen ihr Einkommen maximieren. Spätestens der abrupte Wechsel des Einkaufsmanagers Lopez von GENERAL MOTORS zu VOLKSWAGEN hat allerdings gezeigt, daß man sich auf solche gentlemen agreements nicht mehr zwangsläufig verlassen kann. Exzellente Führungskräfte erhalten zumindest monatliche Anrufe von Headhuntern, welche ihnen neue Positionen offerieren. Headhunter sind heute etabliert. Obwohl sie den Unternehmen, die Einstellungsentscheidung nicht abnehmen können, können sie firmenspezifische blinde Flecken aufdecken und damit den Auswahlprozeß verbessern. Headhunter und Personalberatungsfirmen schaffen somit Markttransparenz und sorgen für effiziente Personalmärkte in unterschiedlichsten Segmenten. Dies heizt den Wettbewerb um die Besten weiter an. Da gesetzliche Bestimmungen heute häufig kein großes Wechselhindernis mehr darstellen und die Konfliktbereitschaft sich in Zeiten härteren Wettbewerbs bei vielen Firmen erhöht hat, müssen Unternehmen neben der gezielten Anwerbung externer Wissensträger auch die Bindung aktueller Leistungsträger an das Unternehmen sicherstellen.

Befristete Beschäftigung

Temporäre Anstellungen sind eine interessante Alternative zur klassischen Festanstellung. Häufig sind gewisse Fähigkeiten nur kurz- bis mittelfristig knapp. Manager auf Zeit oder die Nutzung von Teilzeitarbeitsfirmen können über diesen Engpaß hinweghelfen. Da sich gewisse Fähigkeiten sehr schnell entwerten oder ihre Bedeutung für die Zukunft des eigenen Unternehmens noch unklar sein kann, sind Zeitverträge eine attraktive Form der mittelfristigen Wissenssicherung. Für die betroffenen Wissensträger sinkt somit die Beschäftigungssicherheit, was dazu führt, daß in Zukunft die Zahl der festangestellten Wissensarbeiter sinken wird und größere Teile der Bevölkerung zu Unternehmern in eigener Sache werden. Sie müssen ihre eigenen Fähigkeiten vermarkten und Bedürfnisse der Zukunft antizipieren. Die bewußte Pflege und Entwicklung des eigenen Fähigkeits-Portfolios wird für diesen neuen Typ Mitarbeiter zur zentralen Anforderung, um auf aktuellen und zukünftigen Wissensmärkten bestehen zu können. Unternehmen können diese Märkte nutzen, um gezielt Wissenslücken zu schließen ohne dabei langfristige Beschäftigungsverpflichtungen einzugehen.

Fachberater und Generalisten

Einer ähnlichen Logik folgt die Beschäftigung von Beratern. Beratungsunternehmen mit fachlicher Spezialisierung beschäftigen eine Vielzahl von Experten, deren Fähigkeiten ein einzelnes Unternehmen nicht wirtschaftlich nutzen könnte. Der gezielte Einsatz dieser Spezialisten sichert den Zugriff auf ein qualitativ hochstehendes Know-how ohne die Nachteile einer dauerhaften Anstellung. Bei der Gestaltung der Beratungsverträge können zudem erfolgsabhängige Kategorien berücksichtigt werden. Patentanwälte, Ingenieurbüros oder Netzwerk-Betreuer wären Beispiele für diesen Beratungstyp. Generalisten bieten häufig allgemeinere Dienstleistungen und haben Tätigkeitsschwerpunkte im Bereich der Strategieentwicklung oder Organisationsgestaltung ausgebildet. In diesen Feldern gestaltet sich der Wissensimport weniger konkret. Das beratene Unternehmen kauft sich für die Zeit der Beratung eher eine zusätzliche Problemlösungskapazität dazu. Diese wird repräsentiert durch die Qualität des Beraterteams und die Nutzung der globalen Wissensbasis des entsprechenden Consulting-Unternehmens.

Beraterboom

Das ungebremste Wachstum des Beratungsmarktes – zunehmend auch im Bereich des Wissensmanagements – zeigt, daß der Wissensimport über den Beratungskanal für Unternehmen immer wichtiger wird. Dies führt dazu, daß die besten Branchenexperten teilweise gar nicht mehr in Linienfunktionen ihrer angestammten Branche arbeiten, sondern ihre Erfahrungen als Berater verkaufen. Dort können sie in vielen Fällen wesentlich besser verdienen. Von manchen Organisationen gewinnt man den Eindruck, daß sie nicht mehr in der Lage sind, ohne externe Beratung wichtige Entscheidungen zu treffen. Sie werden von ihren Beratern abhängig. Gerade weil Berater in der Regel ein Interesse an Folgeaufträgen haben, sollte man sich ziemlich sicher sein, zu welchem Zweck man externes Know-how benötigt.

Fremde Wissensbasen anzapfen

Neben dem personellen existiert ein organisationaler Kontext des Wissenserwerbs. Statt einzelne Wissensträger zu rekrutieren oder das Wissen externer Experten zeitweise für die Organisation anzumieten, können sich Organisationen auch über Kooperationen aller Art einen Zugang zu den Wissensbasen anderer Firmen sichern. Das Kooperationskontinuum [14] (siehe Abbildung 25) zeigt auf, welche breiten Optionen des Wissenserwerbes Firmen zur Verfügung stehen.

Kooperationsformen

Großunternehmen, die unter internen Innovationsschwierigkeiten leiden, wählen häufig den radikalsten Weg des Wissenserwerbes: die Akquisition. Wallstreet erlebte in den letzten Jahren eine Welle von Übernahmen innovativer Kleinunternehmen der Kommunikationsbranche. Mit diesen Akquisitionen wollten sich etablierte Größen der Branche wie MICROSOFT oder IBM den

Übernahme von hot-shops

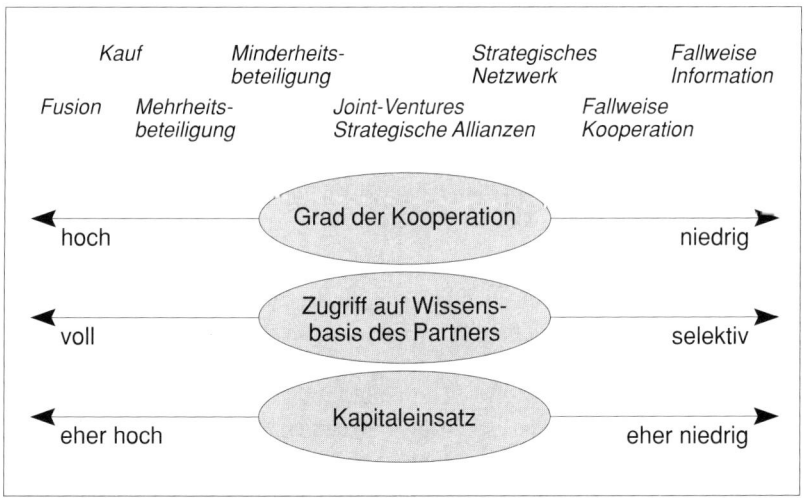

Abbildung 25: Das Kooperationskontinuum

Zugang zu Zukunftsprodukten des Internet sichern und gleichzeitig die begabten Produktentwickler und Programmierer der hot-shops für ihre eigenen strategischen Projekte gewinnen. Viele Großunternehmungen mußten allerdings bei der Integration der Ideenschmieden in die eigenen Strukturen die Erfahrung machen, daß die Kreativität zurückging und die besten Mitarbeiter das Unternehmen verließen (um im schlimmsten Falle eine Konkurrenzfirma zu gründen). Der direkte Zugriff auf die organisatorische Wissensbasis mit allen Verfügungsrechten kann durch diesen brain-drain die übernommene Wissensbasis zerstören und entwerten [15].

Gezielte Schließung von Wissenslücken

Während es sich bei der Übernahme von kleinen innovativen Firmen häufig um Investitionen in Potentiale handelt, können Organisationen durch die Akquisition anderer Unternehmen auch gezielt Wissenslücken schließen. Der Erwerb einer Handelsfirma mit einem bestehenden Vertriebsnetz verbessert unter günstigen Umständen die Vertriebsmöglichkeiten des Käufers im betreffenden Zielmarkt schlagartig. Er profitiert somit von den langfristig aufgebauten Distributionsfähigkeiten des übernommenen Unternehmens. Den Normalfall stellt eine solche geglückte Übernahme allerdings nicht dar. Häufig erweisen sich Fähigkeiten oder Unternehmenskulturen als inkompatibel. Die Summe zweier Wissensbasen ist in solchen Fällen kleiner als die der Einzelteile. Kompetenzen werden zerstört.

Bedeutung des Übernahmeprozesses

Die Art und Weise des Übernahmeprozesses spielt eine entscheidende Rolle für die zukünftige Nutzung der akquirierten Wissensbasis. Nicht selten folgen einer unfreundlichen Übernahme langanhaltende interne Machtkämpfe, welche einen Teil der organisatorischen Wissensbasis zerstören. Wer sich „verkauft" fühlt, wird den neuen Eigentümern sein Wissen und seine Fähigkeiten nicht bereitwillig zur Verfügung stellen, sondern wird es im Extremfall zur Sabotage oder Desinformation nutzen.

Diese Phänomene, welche einen Teil des häufig beschriebenen Merger-Syndroms ausmachen, sind bei der
Planung der Übernahme externer Wissensbasen zu
berücksichtigen.

Der Wissenserwerb über den Weg der Akquisition ist jedoch nur eine Möglichkeit, um in den Besitz von Kennt-
nissen fremder organisatorischer Wissensbasen zu gelangen. Heute wählen die meisten Firmen weniger radikale
Formen der Kooperation, welche häufig mit geringeren
Risiken und niedrigerem finanziellem Einsatz zu realisieren sind. Eine häufig diskutierte und realisierte Form
der Kooperation ist die strategische Allianz. In strategischen Allianzen legen sich die Kooperationspartner auf
gemeinsame Ziele fest und können so ihre Schwächen
teilweise kompensieren, indem sie die physischen Ressourcen, die Absatzmärkte sowie das Know-how und das
Kapital des Partners erschließen und damit ihre Handlungskompetenz erhöhen [16].

Strategische Allianzen

Strategische Allianzen können verschiedenen Typen zugeordnet werden. Mit Hilfe sogenannter Product links
[17] können Lücken im Sortiment eines Unternehmens
geschlossen werden. Durch die gegenseitige Nutzung
des Know-how des Partners kann der zunehmenden Mobilität des Wissens begegnet werden. Ziele von Product
links liegen in der Kostenreduktion, Risikoverminde-
rung, Verkürzung der time-to-market, Überwachung von
Konkurrenten, Lenkung von Wissenswanderung und
Neutralisierung von Konkurrenten. In diesen Kooperationen werden allerdings langfristig keine eigenen
Fähigkeiten aufgebaut, sondern sie führen eher zu kurzfristigen Vorteilen.

Product links

Eine weitergehende Form der Wissenskooperation bilden sogenannte knowledge links [18]. In diesen strategischen Allianzen sind das gegenseitige Lernen und der
Wissenserwerb erklärte Ziele der Kooperation. Damit

Knowledge links

grenzen sie sich von anderen Kooperationstypen ab, deren strategisches Interesse beispielsweise in der Realisierung von economies of scale begründet sind. Am Beispiel von IBM kann gezeigt werden, wie Firmen eine Vielzahl von knowledge links mit Partnern aus unterschiedlichsten Bereichen (Universitäten, Gewerkschaften, Konkurrenten) zur Stärkung der eigenen strategischen Kompetenzen aufbauen können. Beim Aufbau von knowledge links sollten Manager dabei folgende Regeln beherzigen [19]:

- Verfüge vor dem Eingehen der Allianz über ein klares strategisches Verständnis der aktuellen Fähigkeiten der eigenen Firma und der zukünftig benötigten Fähigkeiten.

- Ziehe vor Eingang der Allianz eine breite Anzahl möglicher Allianzen in Betracht.

- Überprüfe vor dem Eingang einer Allianz die Werte, das ernsthafte Engagement und die Fähigkeiten des voraussichtlichen Partners kritisch.

- Verstehe die Risiken von Opportunismus, 'Wissenslecks' und schleichenden Abnutzungs- und Veralterungsprozessen.

- Vermeide die übertriebene Abhängigkeit von Allianzen.

- Strukturiere und führe die Allianzen eines Unternehmens wie getrennte Unternehmen.

- Baue zwischen den Partnern gegenseitiges Vertrauen auf.

- Ändere die Kernaktivitäten und die traditionelle Organisation des eigenen Unternehmens, um eine Offenheit für die Lernprozesse der Allianzen aufzubauen.

- Führe die Allianz, statt sie zu verwalten.

Wissen der Stakeholder ins Unternehmen holen

Eine weitere Möglichkeit zum Erwerb externen Wissens liegt im gezielten und konsequenten Management des Umgangs mit den Stakeholdern der eigenen Organisation. Als Stakeholder einer Organisation bezeichnet man diejenigen Gruppen im Umfeld einer Organisation, welche besondere Interessen und Ansprüche an die Tätigkeit eines Unternehmens richten [20]. Die Wissenspotentiale und -bestände dieser Anspruchsgruppen sind für das Unternehmen von außerordentlich großer Wichtigkeit. Die Relevanz der einzelnen Anspruchsgruppen hängt allerdings sehr stark vom organisatorischen Kontext und den betroffenen Wissensfeldern ab. In der Literatur werden häufig Kunden, Lieferanten,

Management von Stakeholder-Wissen

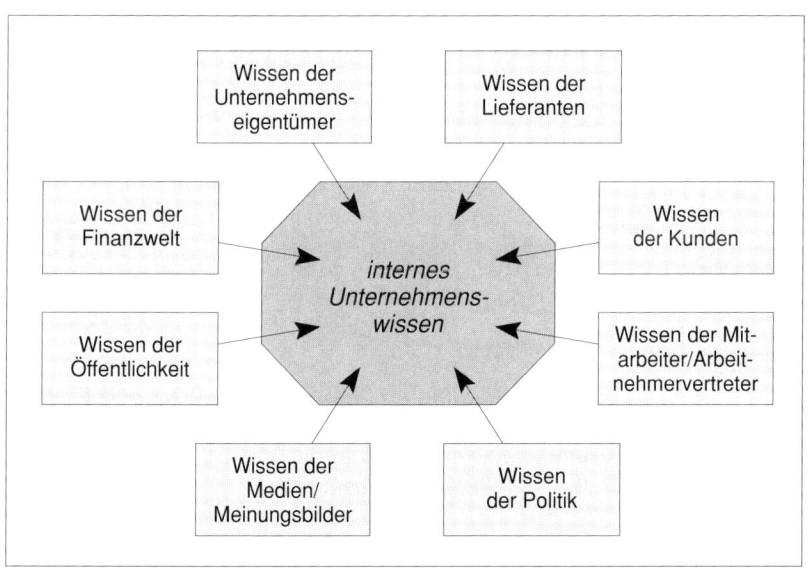

Abbildung 26: Stakeholder-Beziehungen

Eigentümer, Mitarbeiter/Arbeitnehmervertreter, Politiker, Medien und Meinungsbildner, Finanzwelt und die allgemeine Öffentlichkeit als wichtigste Stakeholder bezeichnet (siehe Abbildung 26).

Vertiefung: Kundenwissen erwerben

Importkanäle Der Aufbau von Importkanälen für Stakeholder-Wissen bildet eine wichtige Aufgabe des Wissensmanagements im Baustein Wissenserwerb. Jeder Kanal kann hierbei von Bedeutung sein. Wir beschränken uns im folgenden auf die exemplarische Darstellung des Stakeholder Kunde.

Wissen über Kunden Die Untersuchung und Beobachtung des Bedarfs – also der Marktnachfrage – bildet in einem traditionellen Verständnis eines der drei großen Tätigkeitsfelder der Marktforschung [21]. Die Ermittlung von Einkommenshöhe und konsumptivem Bedarf der Haushalte, die Entschlüsselung von Käufergewohnheiten und der Verteilung des Bedarfs über ein Absatzgebiet stehen im Mittelpunkt des Interesses. Schlüsselgrößen für Marktforscher liegen in der Berechnung von Preis-, Werbe- oder Einkommenselastizitäten [22]. Dieses Wissen über Kunden ist für eine erfolgreiche Marktbearbeitung wichtig und es haben sich vielfältige Spezialinstitutionen herausgebildet, welche Unternehmen mit diesem Typ von Kundeninformationen versorgen.

Wissen der Kunden Aus der Perspektive des Wissensmanagements ist allerdings nicht nur das Wissen über den Kunden sondern auch Ideen und Kenntnisse in den Köpfen der Kunden von Bedeutung. Der Innovationsforscher von Hippel hat darauf hingewiesen, daß Kundenideen inzwischen die größte Innovationsquelle für Unternehmen der verarbeitenden Industrie [23] darstellen.

Nutzung von Schlüsselkunden Schlüsselkunden, das heißt Kunden, welche besonders intensive Nutzer eines Produktes sind, wissen häufig mehr über die Stärken und Schwächen eines Produktes im täglichen Gebrauch als die verantwortlichen Entwickler. So errichteten einige Automobilhersteller sogenannte Kundenwerkstätten, in denen Entwickler mit eingeladenen Kunden systematisch Einflüsse auf schwer meßbare Bedürfniskategorien wie Geruch oder Akustik erheben. Auf diese Weise lernen die Produktentwickler von ihren Stammkunden, wie das Zuschnappen des Türschlosses zu klingen hat oder der Innenraum des Autos riechen sollte. In Japan verantworten mächtige Produktmanager, den gesamten Prozeß vom ersten Produktkonzept bis zur Serienproduktion eines neuen Autos [24]. Diese sogenannten Schwergewichtsproduktmanager folgen ihren Kunden sogar bis in Kaufhäuser, Museen und Diskotheken, um so die quantitativen Marktdaten der Marketingabteilung durch eigene Anschauung zu einem Gesamtbild zu integrieren. Durch systematische Beobachtung der Kunden im direkten Umgang mit dem Produkt können Konsequenzen für Layout, Design oder andere kaufentscheidende Kriterien abgeleitet werden. Je mehr diese Beobachtungen im tatsächlichen Erlebniszusammenhang aufgenommen werden, desto eher kann ein Ganzheitliches Verständnis der komplexen Kundenbedürfnisse erzielt werden. Bei HILTI sind es die Monteure, welche durch ihre zahlreichen Kundenkontakte wertvolle Anregungen über Kundenbedürfnisse aufnehmen und an die Forschungs- und Entwicklungsabteilung weiterleiten.

METTLER-TOLEDO, ein Hersteller von Präzisionswaagen, ließ die Entwickler der nächsten Waagen-Generation eine Woche in einer Großbäckerei mitarbeiten. Beim tagtäglichen Umgang mit dem eigenen Produkt stellten sie Produktschwächen fest, welche in den systematischen Kundenbefragungen bisher nicht erwähnt worden waren. So klebte der frische Brotteig an gewissen Stellen der Waage fest und war nur schwer wieder zu lösen. Die-

Involvierung in Kundenprozesse

se Erkenntnisse konnten direkt in die nächste Produktgeneration einfließen.

Integration von Kunden in den Entwicklungsprozeß

Unzufriedene Kunden können entweder als Ursache dauerhaften Ärgers oder als Quelle wertvoller Informationen über Kundenbedürfnisse und Produktmerkmale interpretiert werden. Ein Hersteller von Druckmaschinen machte einem Schlüsselkunden, der sich durch seine Streitlust und dauernden Beschwerden unbeliebt gemacht hatte, das Angebot, zeitweise im Entwicklungsteam der nächsten Druckmaschinen-Generation mitzuarbeiten. Durch die Mitwirkung des „Störenfrieds" gelangte der Hersteller zu einem sehr frühen Zeitpunkt zu qualifiziertem Feedback über die Bedürfnisse seiner Kunden und konnte gleichzeitig viele Ideen seines Schlüsselkunden direkt im neuen Prototypen verwirklichen.

Pilotprojekte

Eine weitere Möglichkeit des Wissenstransfers vom Kunden zum Produzenten liegt in der Definition von Pilotprojekten. Gerade um Erfahrungen mit noch nicht ganz ausgereiften Produkten zu sammeln, sind Unternehmen auf Kunden angewiesen, die bereit sind, in einem Pilotprojekt mitzuwirken. Speziell für Softwarefirmen ist das qualifizierte Feedback von Pilotkunden wichtig, um deren Erfahrungswissen noch vor der Lancierung der endgültigen Version einzubauen. Eine übliche Praxis ist die Freigabe sogenannter Beta-Versionen auf dem Internet. Der Prototyp einer neuen Software kann auf diese Weise auf den eigenen Computer geladen werden und die Softwarehersteller erhalten kostenloses Feedback aus der weltweiten Gemeinde der Computerfreaks.

Wissen über die Sprache der Kunden erwerben

Wer gezielt die Wünsche seiner Kunden befriedigen möchte, der muß nicht nur deren Bedürfnisse kennen und ihre Ideen nutzen, sondern auch in einer möglichst angepaßten Sprache mit ihnen kommunizieren. Nicht nur Werbebotschaften müssen den richtigen Ton treffen, um die angestrebte Zielgruppe zu aktivieren. Auch bei

Anfragen oder Beschwerden muß der Kunde das Gefühl haben, verstanden zu werden. Eine intelligente Lösung zur Gewinnung dieses Wissens über die Sprache von Kunden zeigt das Beispiel von TELTECH.

FALLBEISPIEL: TELTECH

Erfassung der Kundensprache in einer Begriffskarte

Die in Minneapolis ansässige Firma TELTECH betreut ein Netzwerk von Technologieexperten [25]. Ihre Dienstleistung besteht darin, Kunden mit speziellen Technologieproblemen mit dem passenden Experten zu verbinden. Da die Kunden ihre Probleme selten in einer klaren Fachsprache ausdrücken, fiel die Vermittlung mit dem richtigen Experten nicht einfach. TELTECH entwickelte daraufhin einen Online-Suchdienst, in dem die Kunden mit Hilfe eines sogenannten Knowledgescope den passenden Experten identifizieren können. Das Knowledgescope ist eigentlich ein Thesaurus oder eine Begriffskarte mit über 30 000 technischen Einträgen. Sie wird von mehreren vollzeitbeschäftigten Wissensingenieuren betreut und gepflegt, welche pro Monat 500 bis 1200 neue Begriffe in das System einspeisen und gleichzeitig veraltete Bezeichnungen eliminieren. Jeder vom Kunden benutzte Begriff hat mehrere Synonyme, über deren Verweis man mit einer bestimmten Wahrscheinlichkeit mit dem problemlösenden Experten verbunden werden kann. Jeden Tag erhalten die Wissensingenieure eine Liste aller erfolglosen Suchmanöver von Kundenanfragen, welche sie in die Begriffskarte eingliedern. Neue Synonyme und Begriffe werden dem Knowledgescope zugefügt, was dazu führt, daß die TELTECH zu jedem Zeitpunkt über eine relativ genaue Beschreibung der Technologiesprache ihrer Kunden verfügt.

Wir haben gezeigt, daß viele Organisationen heutzutage ungewöhnliche Wege gehen, um kritisches Wissen über ihre Stakeholder – in diesem Fall ihre Kunden – zu ge-

Maßgeschneiderte Importkanäle

winnen. Die Architektur der Wissenskanäle, welche externes Wissen in die eigene organisatorische Wissensbasis überführen, wird dabei von Fall zu Fall verschieden ausfallen. Wichtig ist es, unter Berücksichtigung der Relevanz der eigenen Stakeholder-Gruppen zu einem adäquaten Design zu gelangen und in der Ausgestaltung der Importkanäle kreativ zu sein.

Erwerb von Wissensprodukten

Wissenskonserven

Im Gegensatz zum Import der Fähigkeiten von Wissensträgern und Experten, steht der Kauf von personenunabhängigem Wissen wie beispielsweise Software oder CD-ROMs. Durch den Ankauf solcher Wissenskonserven gelangt die Organisation aber nicht automatisch in den Besitz von organisatorischen Fähigkeiten. In der Regel wird ihr Potential erst durch menschliches Handeln und eine sinnvolle Integration in die bestehende Wissensbasis realisiert. Der Kauf passender Wissensprodukte kann einen enormen Hebel für ein effektives Wissensmanagement darstellen. In der Praxis ist allerdings häufig der Ankauf von nicht integrationsfähigen Ressourcen zu beobachten. Die Prüfung der importierten Produkte im Vorfeld ist daher von besonderer Bedeutung.

Erwerb immateriell-rechtlicher Güter

Der am häufigsten beschriebene Erwerb von Wissensprodukten ist die Akquisition immateriell-rechtlicher Güter. Die Forschungs- und Entwicklungsanstrengungen vieler Firmen finden ihren Niederschlag in Patenten, welche über Lizenzverträge verschiedenster Art von Drittparteien genutzt werden können. Die Lizenznahme ist ein geeigneter Weg zur Schließung des Technologie-, Kapazitäts-, Zeit- und Kapitaldefizites eines Unternehmens [26]. Franchiseverträge ermöglichen die Nutzung erprobter Vertriebskonzepte und des in ihnen gespeicherten Wissens.

Die Einführung von Softwarepaketen ist der sichtbarste Eingriff in die organisatorische Wissensbasis. In ausgereiften Programmen stecken oft viele Mannjahre Entwicklungsarbeit, die nun in Form eines Programmcodes ins Unternehmen importiert werden. Diese Codes verändern den Umgang der Organisation mit Daten, Informationen und Wissen. So vernetzte ANDERSEN CONSULTING alle seine Berater mit Hilfe der Groupware LOTUS-Notes. Mit Hilfe dieses Kommunikationsprogrammes können weltweit verteilt arbeitende Beraterteams auf gemeinsame Dateien zugreifen und sie parallel bearbeiten. Der Erwerb dieses Wissenspaketes hatte somit einen hohen Einfluß auf Prozesse der Wissensteilung und veränderte Informationsflüsse in der Organisation radikal. Noch deutlicher wird die Auswirkung von mächtigen Softwarepaketen, wenn sie Prozesse übernehmen sollen, welche in der Vergangenheit von Mitarbeitern gesteuert wurden. Der Einsatz eines Softwarepakets wie SAP standardisiert und programmiert (nach einer aufwendigen Customizing-Phase) Prozesse von der Beschaffung über die Lagerhaltung bis hin zur Produktionssteuerung und Buchhaltung. Diese Formalisierung zentraler Prozesse innerhalb der Organisation führt häufig zu gesteigerter Effizienz, kann aber auch ihre Schattenseiten haben. Experten können – wie bereits gezeigt – ihr Wissen selten vollständig explizieren und kollektives Wissen ist nur schwer erfaßbar. Es ist daher nur sehr schwer abschätzbar, ob durch die Formalisierung und Programmierung eines erfolgreichen Prozesses, der vormals in enger Kooperation vieler Wissensträger abgewickelt wurde, nicht gerade das Unverwechselbare verloren geht [27].

Substituierung durch Software

Eine andere Form von Wissensprodukten sind Konstruktionspläne, Blaupausen oder andere Entwurfsformen (Designentwürfe etc.) [28]. Diese „Wissenspakete" sind in einem Code verfaßt, der für Dritte direkt weiterverwendbar ist und daher ein ideales Feld des Wissenser-

Erwerb von Blaupausen

werbes aber leider auch der Industriespionage darstellt. So wurden im Jahre 1982 sechs japanische Computerexperten verhaftet, welche die geheimen Konstruktionspläne der nächsten Generation von IBM-Großrechnern an den japanischen Konzern HITACHI weitergeleitet hatten [29]. Als Produzent IBM-kompatibler Produkte brachte HITACHI die frühzeitige Kenntnis der Konstruktionspläne der neuen IBM-Generation einen entscheidenden Zeitvorsprung, um ein konkurrierendes Produkt auf den Markt zu bringen. In diesem Fall erwiesener Industriespionage endete der illegale Wissenserwerb für HITACHI mit einer Geldstrafe von 300 Millionen Dollar und der Eigenverpflichtung, IBM Zugang zu zukünftigen eigenen Konstruktionsplänen zu gewähren.

Legales Kopieren   Nicht immer kann der illegale Wissenserwerb so leicht nachgewiesen werden und nicht immer ist er durch entsprechende Gesetzgebung sanktioniert. So stehen an den Laufstegen der Pariser Modeschauen immer auch Beobachter von Modemultis wie HENNES & MAURITZ, welche die neuesten Trends aufnehmen und auf dem schnellsten Wege in die Produktionsstätten nach Asien übermitteln. Innerhalb weniger Wochen sind die Hauptmotive und Designs der Pariser Modeschöpfer bereits fest im Sortiment der Massenanbieter verankert.

Reverse engineering   Heute können die meisten Produkte und Maschinen legal erworben werden. Produkte und Maschinen sind Wissensträger, in denen sich „gefrorenes Wissen" materialisiert. Dieses kann sich die Konkurrenz in vielen Fällen durch detaillierte Analysen erschließen. Diese Form des Wissenserwerbs nennt man auch reverse engineering [30]. Sie kann weit über reine Kopiertätigkeiten hinausgehen. So wurden beispielsweise in einem Entwicklungsteam der Haushaltsgeräte-Branche drei Konkurrenzprodukte in verschiedenen Konstruktionsdimensionen überprüft. Diese Ergebnisse wurden mit dem eigenen Produktionsverfahren verglichen. Günstigere Einzelteile, welche die

Konkurrenz verwendete, aber keinen Einfluß auf die Produktqualität hatten, wurden identifiziert. Durch die Kombination dieser günstigeren Realisierungsmöglichkeiten – so wurden beispielsweise Schnappverbindungen statt Schrauben eingesetzt – konnte der Hersteller die Kosten der nächsten Produktgeneration rund sechs Prozent reduzieren [31].

Neben Software können Unternehmen andere Speichermedien auf dem Markt für Wissensprodukte erwerben. CD-ROMs, Bücher, Datenbanken, Videos oder Computer-Based-Trainings (CBT) liefern Problemlösungen für spezielle Fragestellungen. Sie eignen sich insbesondere für Lösungen, die innerhalb der Organisation häufig multipliziert werden sollen und damit eher quantitative als qualitative Wissenslücken schließen [32].

Erwerb technischer Speichermedien

Unternehmen können heute auf den vorgestellten Wissensmärkten vieles erwerben, was sie aus eigener Kraft nicht hätten erstellen können. Sie können gegen entsprechende Bezahlung und Anreize die qualifiziertesten Experten zur Erreichung ihrer Wissensziele beschäftigen. Doch die Konkurrenz verfügt über vergleichbare Importmöglichkeiten. Daher bleibt die Fähigkeit zur Wissensentwicklung aus eigener Kraft so wichtig und ist häufig im Wissenswettbewerb entscheidend. Das nächste Kapitel stellt die Möglichkeiten und Grenzen gezielter Wissensentwicklung vor.

Grenzen des Wissenserwerbs

Zusammenfassung

● Wissen kann auf zahlreichen Wissensmärkten erworben werden.

● Wir unterscheiden zwischen dem Erwerb von direkt verwendbarem Wissen und der Akquisition von Wissenspotentialen.

● Der Erwerb 'fremder' Fähigkeiten führt häufig zu Abwehrreaktionen. Erworbenes Wissen muß möglichst gut zum eigenen Unternehmen passen.

● Outsourcing ist die Substitution interner durch externe Fähigkeiten und wird dann gefährlich, wenn kritische Fähigkeiten preisgegeben werden.

● Eine der Hauptaufgaben von Forschungs- und Entwicklungsabteilungen liegt in der Beobachtung des Wissensumfeldes der Organisation und dem Import dieses Wissens in die eigenen Produkte und Dienstleistungen.

● Berater werden immer stärker als Katalysatoren externen Wissens in der Organisation eingesetzt. Der Umgang mit Beratern ist unter diesem Gesichtspunkt gut zu planen.

● Knowledge links sind strategische Allianzen, in denen das gegenseitige Lernen und der Wissenserwerb wichtige Ziele der Kooperation darstellen. Knowledge links können mit Institutionen jeden Typs geschlossen werden.

● Der Import des Wissens wichtiger Interessenvertreter kann durch verschiedenste Importkanäle unterstützt werden.

● In Wissensprodukten (Blaupausen, Software, High-Tech-Produkte) steckt 'gefrorenes Wissen'.

- Durch den Erwerb von Wissensprodukten wie beispielsweise CD-ROMs können Problemlösungen für spezielle Fragestellungen schnell und effizient in der Organisation multipliziert werden.

Leitfragen

- Prüfen Sie vor dem Start eines Entwicklungsprojektes, ob Sie dieses Wissen auch extern erwerben könnten?

- Welches sind Ihre Hauptakquisitionsfelder für Wissen? Welche Beschaffungskanäle nutzen Sie hauptsächlich, welche kaum und warum?

- Woran ist die Integration externen Wissens (beispielsweise Beraterwissen, Szenarien etc.) in der Vergangenheit gescheitert? Was haben Sie daraus gelernt?

7. Kapitel

Wissen entwickeln

Bahnbrechende Ideen, überschäumende Kreativität und der Nobelpreis für den internen Laborchef. So stellen sich einige Unternehmen erfolgreiche Wissensentwicklung vor. Das Bessere ist der Feind des Guten, doch der Aufbau neuer Fähigkeiten im Unternehmen hat in der Regel wenig mit Zufall und viel mit systematischer, harter Arbeit zu tun. Wer erfolgreich Wissen entwickeln will, befindet sich immer im Spannungsfeld von Kreativität und systematischem Problemlösen. Nicht nur in Labors und Forschungs- und Entwicklungsabteilungen muß 'erfunden' werden, sondern in allen Wissensfeldern, welche für den Unternehmenserfolg wichtig sind. Wie entwickeln Sie Ihr Wissen über Kunden, Lieferanten oder Konkurrenten? Wie kooperieren Sie mit den think tanks dieser Welt? Wir zeigen, wie Sie neuen Ideen Freiraum geben können, ohne im Chaos zu versinken. Wir machen deutlich, daß man sich nicht nur auf einzelne Experten stützen darf, sondern auch kollektive Fähigkeiten wie das Problemlösen in heterogen zusammengesetzten Teams zusätzlich entwickeln muß.

Wissen entwickeln

„Die größten Wachstumschancen liegen für uns dort, wo durch die Erweiterung des Wissens neue Verfahren und Produkte erschlossen werden. Neues Wissen schafft die Basis für innovative Produkte und damit für eine wachsende Wertschöpfung." *(Vorstandsvorsitzender eines Chemieunternehmens)*

Praxisstimmen

„Wir haben eine Anzahl exzellenter Wissenschaftler zu Partnern gemacht, welche nun von uns bezahlt werden, aber in ihrer Grundlagenforschung völlig frei agieren können. Die Entwicklung dieser Forschungsfelder ist sehr ungewiß, aber wir hoffen, durch diese Maßnahmen direkt auf bahnbrechende Erkenntnisse zugreifen zu können." *(Manager eines Computerherstellers)*

„Neues Wissen entsteht im Dialog zwischen allen Beteiligten. In unserer dezentralen Organisation konnten nie alle Involvierten an der Vorbereitung wichtiger Entscheidungen mitwirken und ihr Wissen einbringen. Daher haben wir für wichtige Entscheidungen spezielle Workshops eingeführt. Hier sind alle potentiellen Wissensträger dabei und können vor der Entscheidung der verantwortlichen Führungskräfte am kollektiven Prozeß der Wissensentwicklung teilnehmen." *(Manager eines Energieversorgers)*

Der Baustein Wissensentwicklung ist für das Konzept des Wissensmanagements von besonderer Bedeutung. Im Mittelpunkt steht die Entwicklung neuer Fähigkeiten, neuer Produkte, besserer Ideen und leistungsfähigerer Prozesse. Es geht uns hierbei um all die Managementanstrengungen, mit denen die Organisation sich bewußt um die Produktion bisher intern noch nicht bestehender oder gar um die Kreierung intern und extern noch nicht existierender Fähigkeiten bemüht. Wird Wissen trotz ex-

Bedeutung der Wissensentwicklung

terner Erwerbsmöglichkeiten intern entwickelt, so müssen
hierfür sehr gute ökonomische oder strategische Gründe
gefunden werden. Ökonomisch macht die Eigenentwicklung Sinn, wenn man die Fähigkeit intern günstiger erstellen kann als sie über den Markt zu beziehen ist oder man
sich aus strategischen Gründen um jeden Preis die Kontrolle über gewisse zentrale Fähigkeiten erhalten muß.

Neues entsteht nicht nur in Forschungslabors

Forschung und Entwicklung
In einer traditionellen Perspektive ist Wissensentwicklung Aufgabe der Forschungs- und Entwicklungsabteilung. So entstehen in den Laboratorien der Pharmaindustrie immer wirkungsvollere Medikamente oder wird in
den Entwicklungsschmieden der Computerhersteller die
nächste – noch leistungsfähigere – Chipgeneration entworfen. In der Realität kann die Forschungs- und Entwicklungsabteilung (sofern sie überhaupt existiert) die
Entwicklung neuer Fähigkeiten nicht mehr aus eigener
Kraft leisten. Sie ist in der Regel auf kompetente externe
Partner angewiesen, welche in Kooperation oder in völ-
liger Unabhängigkeit Teile des Wissensentwicklungsprozesses übernehmen (siehe Abbildung 27).

Arten von Forschungs-kooperation
Das Spektrum möglicher Kooperationsformen ist weit.
Die Entwicklungsaktivitäten reichen von der Gemein-
schaftsforschung mit der Konkurrenz [2] bis hin zur reinen Auftragsforschung [3]. Immer mehr Unternehmen
suchen den Zugang zu externen Ideenschmieden, eine
Entwicklung, von der insbesondere Universitäten und
Forschungsinstitute mit einem exzellenten Ruf profitieren. So werden am Massachusetts Institute of Technology (MIT) über 50 High-Tech Lehrstühle von der Industrie gefördert. Allein japanische Unternehmen, die rund
ein Drittel aller Stellen fördern, zahlen jährlich 40 Mil-

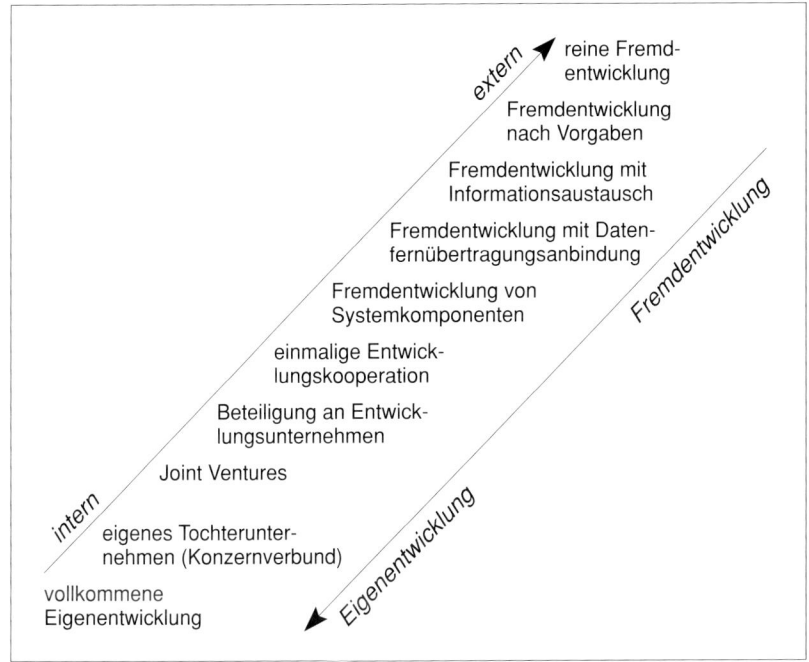

Abbildung 27: Das Kontinuum der Kooperationsmöglichkeiten im Entwicklungsprozeß [1]

lionen DM, um so den Anschluß an die technologische
Weltspitze zu halten [4]. So hat beispielsweise NESTLÉ
ein Netzwerk von etwa 20 Forschungszentren aufgebaut,
welche auf der ganzen Welt verstreut liegen und in enger
Kooperation mit externen Experten des jeweiligen For-
schungsfeldes arbeiten.

Doch Neues entsteht nicht nur in den Laboratorien. Or-   **Dominanz der**
ganisationen können ihre Fähigkeiten nicht allein durch   **Forschungs- und Ent-**
die Entwicklung und Anwendung neuer natur- und inge-   **wicklungsperspektive**
nieurwissenschaftlicher Erkenntnisse verbessern. Aus ei-
ner Perspektive des Wissensmanagements müssen auch
andere Unternehmenstätigkeiten und Innovationsprozes-

se analysiert werden, welche kritisches, neues Wissen für die Gesamtorganisation entwickeln.

Innovationsarten Eine Unterscheidung in Produkt-, Prozeß- und Sozialinnovationen hilft hier weiter und verdeutlicht, wie vielfältig die Erscheinungsformen von Innovationen innerhalb von Organisationen sein können. Während ein Chiphersteller völlig von der Entwicklung der nächsten Produktgeneration (Produktinnovation) abhängt könnte eine Restaurantkette durch eine Sozialinnovation, wie die Einführung eines neuen Entlohnungssystems, die Leistungsbereitschaft ihrer Mitarbeiter entscheidend beeinflussen.

Forschungsarten Oft konzentrieren sich Organisationen allerdings auf eine Erscheinungsform der Innovation (zum Beispiel das Produkt) und werten andere Innovationsformen ab. Für die klassische Forschung und Entwicklung, deren Ziel in der Regel in einer Produktinnovation besteht, ist eine klare Trennung von Grundlagenforschung, angewandter Forschung und Entwicklung etabliert [5]. Hingegen wird der Entwicklung von neuen Erkenntnissen über Prozesse und soziale Phänomene häufig wesentlich geringere Aufmerksamkeit gewidmet. Die Berücsichtigung unterschiedlicher Formen der Wissensentwicklung (zu deren Charakterisierung in der Innovationsliteratur noch wesentlich differenziertere Unterscheidungen getroffen werden [6]) bereichert die organisatorische Wissensbasis. Um das Verständnis für Prozesse der Innovation zu vertiefen, sollen im folgenden generelle Schwierigkeiten im Wissensentwicklungsprozeß vorgestellt werden.

Barrieren der Wissensentwicklung

Innovationsbarrieren Innovation bewegt sich zwischen entstehenden und bestehenden Ordnungen und bietet eine Konfliktzone par excellence [7]. Die Auseinandersetzung mit dem Neuen destabilisiert, da alte Normen und Erkenntnisse aufgegeben werden müssen, während die Tragfähigkeit der neuen Lösung häufig noch nicht gesichert ist. Gleichzeitig verändern Neuerungen die Machtstrukturen innerhalb von Organisationen indem sie traditionelle Fähigkeiten entwerten und die Vertreter des Neuen stärken. Abwehrreaktionen gegen Fremdes und Neues sind daher natürliche Reaktionen und gefährden die Entstehung und Förderung neuer Ideen. Neben diesen personenbezogenen Barrieren bestehen zusätzliche Durchsetzungsprobleme in Form von objektbezogenen Innovationsbarrieren (zum Beispiel Inkompatibilität eines neuen Produktes mit dem Gesamtsortiment oder Abteilungsegoismen) und umfeldbezogenen Innovationsbarrieren (zum Beispiel strenge Gesetzgebung oder Mangel an qualifizierten Arbeitskräften) [8].

Die Planung von Innovationen hat ihre Grenzen. Niemand kann einen Forscher dazu zwingen, einen genialen Einfall zu haben. Eine Verdopplung des Forschungsbudgets kann keine Kreativität herbeizaubern. Gleichzeitig steht der aktiven Steuerung von Wissensentwicklung und der bewußten Setzung von Wissens- und Entwicklungszielen immer die passive, inkrementale und eher zufällige Entstehung neuer Fähigkeiten gegenüber. Wissen wird entwickelt und Wissen entsteht als Ergebnis eines Prozesses, der nur sehr schwer beschreibbar und daher auch kaum steuerbar ist. Wissensentwicklungsprozesse folgen also in vielen Belangen selbstorganisatorischen Prinzipien [9]. Der Wissensmanager muß erkennen in welchen Bereichen er die Wissensproduktion der Organisation beeinflussen kann. Ist die direkte Beeinflussung nicht möglich, kann die Rolle des Wissensmanagers in der Schaffung eines positiven Kontextes der Wissensentwicklung bestehen. In solch einem lernfreundlichen Kontext [10] besteht eine erhöhte Wahrscheinlichkeit, daß der Einzelne oder Teile der Organisation relevantes Wissen für die Organisation entwickeln.

Planung versus Selbstorganisation

Entkopplung der Wissensentwicklung

Wenn sich auch viele Prozesse der Wissensentwicklung einer direkten Steuerung entziehen, so ist dennoch eine Kopplung zentraler Prozesse der Wissensentwicklung an die Wissensziele der Organisation sicherzustellen. Läßt man beispielsweise den professionellen Entwicklern zu viel Freiraum ihre technologischen Vorstellungen zu verwirklichen, kann dies für die Gesamtunternehmung höchst ineffizient sein. So führte in der jüngeren Vergangenheit die Dominanz der technischen Machbarkeit über die wirtschaftliche Notwendigkeit in der Automobilindustrie zu teuren Entwicklungsprojekten, welche vom Markt nur wenig honoriert wurden [11] (siehe Abbildung 28).

Doppelspurigkeiten

Gleichzeitig finden wir häufig Doppelspurigkeiten im Entwicklungsprozeß, welche nicht auf mangelhafte Wissenstransparenz zurückzuführen sind. Einige Prozesse, wie beispielsweise die Erstellung gewisser Berichte oder Studien, laufen in vielen Großunternehmen automatisch ab und werden nicht mehr hinterfragt. Sie haben sich von bestehenden Wissenszielen und häufig auch von den Bedürfnissen der Wissensnutzer entkoppelt. In Ausnahmefällen können solche Doppelspurigkeiten in Form von internem Wettbewerb um die beste Lösung oder im Aufbau

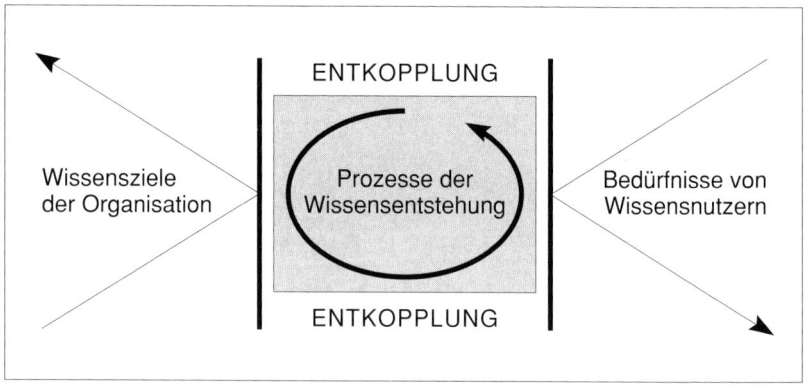

Abbildung 28: Entkopplung des Wissensentstehungsprozesses

von Entwicklungsreserven effizient sein. Häufig handelt es sich aber schlicht um die Vergeudung organisatorischer Ressourcen, welche durch die Bündelung von Entwicklungsanstrengungen reduziert werden könnten [12].

Die Bedeutung des effektiven Managements von Innovationsprozessen nimmt bei wachsendem Wettbewerbsdruck permanent zu. So geht man in der Pharmaindustrie davon aus, daß nur noch der Erstanbieter eines neuen Medikamentes, das heißt der schnellere Innovator, seine Entwicklungskosten am Markt kapitalisieren kann. Wer zu spät kommt, dem bleiben oft nur die Entwicklungskosten. Gleichzeitig wird die Abschöpfungsfrist von Monopolistenrenten durch Innovatoren auf Grund ausgeklügelter Imitationstechniken immer kürzer [13]. Die zunehmende Mobilität von Wissensträgern und „Wissenspaketen" nivelliert Wissensvorsprünge, welche durch eigene Entwicklungsanstrengungen aufgebaut wurden, immer schneller. An dieser Stelle zeigt sich der enge Zusammenhang zwischen Wissenserwerb und Wissensentwicklung, je nachdem ob man am Wissensmarkt als Anbieter oder Nachfrager auftritt.

Wissensvorsprünge sind schwerer zu verteidigen

Zur Bewältigung all dieser Probleme bei der Entwicklung des Neuen sollen im folgenden Möglichkeiten des Managements des Entwicklungsprozesses auf der individuellen und kollektiven Ebene dargestellt werden.

Individuelle Wissensentwicklung

Jeder Lernprozeß ist für das Individuum ein Prozeß, in dem neues persönliches Wissen entwickelt wird. Lernt ein Lehrling in der Produktion, wie man ein Metallstück entgratet, so hat er neues Wissen erworben – für die Organisation als Ganzes hat allerdings in der Regel keine Innovation stattgefunden, da die Fähigkeit des Entgra-

Multiplikation versus Entwicklung

tens bereits an mehreren Orten der Organisation vorhanden ist. Wir interessieren uns an dieser Stelle mehr für Lernprozesse von Individuen, welche für die Gesamtorganisation eine Innovation darstellen. Hierzu stellen wir zunächst theoretische Ansätze der Wissensentwicklung vor, beschreiben Kontexte, welche Innovation begünstigen, und präsentieren im Anschluß eine Reihe von Instrumenten, welche heute in der Praxis vielen Organisationen dabei helfen, ihre Mitarbeiter bei der Produktion neuer Ideen zu unterstützen.

Kreativität versus systematisches Problemlösen

Kreativität
Wie kommt der Mensch zu seinen Einfällen, Ideen oder schöpferischen Akten? Jeder Mensch kennt das Gefühl, wenn ihm eine Idee in den Kopf schießt oder er einen Geistesblitz hat. Die Verwendung dieser Metaphern verdeutlicht, daß uns Ideen eher geschehen, als daß wir sie auf Knopfdruck produzieren könnten. Im nachhinein können wir in den seltensten Fällen genau erklären, wie wir zu einer brillanten Idee oder einer außergewöhnlichen Problemlösung gelangt sind. Die Ursache für dieses Phänomen ist wahrscheinlich in der Operationsweise unseres Gehirns zu suchen. In unserem Gehirn bilden Neuronen in einem vielfältigen Wechselspiel zwischen internen und externen sowie gegenwärtigen und vergangenen Daten Informationsmuster aus. Diese interagieren miteinander und können aus sich selbst heraus neue Sinninhalte und damit auch neue Ideen generieren [14]. Die Fähigkeit zur Produktion neuer Ideen und Problemlösungen bezeichnen wir als Kreativität. Sie ist eine wichtige (und ungleich verteilte) Eigenschaft des Individuums auf dem Weg zur Produktion von Wissen, das für die Organisation von Nutzen sein kann.

Neben der Kreativität ist die Fähigkeit eines Individuums unterschiedliche Probleme zu lösen eine der wichtigsten Quellen neuer Erkenntnis für die Organisation. Während Kreativität eher als einmaliger Schöpfungsakt gedacht werden kann, folgt die Lösung von Problemen eher einem Prozeß, der durch mehrere Phasen beschrieben werden kann. Kreativität könnte als chaotische Komponente und Problemlösungskompetenz als systematische Komponente des Wissensentwicklungsprozesses bezeichnet werden. Prozesse des Problemlösens können je nach Problemtyp in einfache, komplizierte oder komplexe Probleme eingeteilt werden [15]. Im heutigen Unternehmensgeschehen ist eine Verschiebung von einfachen zu immer komplexeren Problemsituationen zu beobachten. Während einfache und komplizierte Probleme von Managern häufig noch mit Standardlösungsverfahren bewältigt werden konnten, sind komplexe Probleme durch ihre Dynamik, das schnelle Auftreten neuer Muster und durch schwer durchschaubare Wechselwirkungen charakterisiert. Dies führt dazu, daß quasi kein Prozeß zur Lösung komplexer Probleme ohne die Entwicklung neuen Wissens oder neuer Fähigkeiten auskommt. In einem solchen Umfeld wird die individuelle Problemlösungskapazität im Wissensentwicklungsprozeß zu einer Schlüsselqualifikation.

Individuelle Problemlösungskapazität

Kontexte, welche das Neue ermöglichen

Daß die Chancen für Wissensmanagement in der Phase der Wissensentwicklung viel eher in der Kontextsteuerung als in der direkten Steuerung liegen, wurde bereits ausgeführt. Doch was sind das für besondere Kontexte oder Situationen, in denen das Neue sich besser entwickeln kann? Viele Organisationen versuchen die Kreativitätsneigung ihrer Mitarbeiter zu beeinflussen. Tagungszimmer, die in anregenden Farben gestrichen werden,

Kontextsteuerung

kommunikationsanregende Kaffeecken oder die ganze Breite existierender Kreativitätstechniken sollen beim Kampf gegen die individuelle und kollektive Einfallslosigkeit helfen. Fast jede Führungskraft hat inzwischen Brainstorming- oder Synektiкübungen absolviert. Doch häufig erweist sich der große Aufwand als vergebens. Das Pauschalrezept zur Ideenerzeugung existiert nicht. Dennoch lohnt es sich, auf einige grundlegende Kontextfaktoren im Wissensentwicklungsprozeß zu achten.

Schaffung von Freiräumen

Viele Autoren sind sich darin einig, daß die Schaffung von Freiräumen für neue Ideen eine der wichtigsten Bedingungen in diesem Prozeß darstellt. Viele gute Ideen werden bereits im Ansatz von der bestehenden Kultur erdrückt: „Das war schon immer so". „Das hat damals schon nicht funktioniert". Es gilt die Regel, daß es zehnmal so einfach ist eine neue Idee zu zerstören als sie konstruktiv weiterzuentwickeln. Hieraus haben viele Firmen gelernt. Sie schützen neue Ideen, indem sie Innovationsprojekte beispielsweise in Tochtergesellschaften auslagern oder ihnen starke Promotoren zur Seite stellen. So bildet IBM sogenannte skunk works für Innovationen, welche aus Schutzerwägungen geographisch vom Mutterhaus getrennt werden.

Handlungsentlastung

Doch nicht nur strukturelle Veränderungen können dem Einzelnen Freiräume schaffen. Im Organisationsalltag hat zu häufig das kurzfristige Handeln Priorität. Die Beschäftigung mit Verbesserungsideen und Innovationen geht dabei häufig in der operativen Hektik unter. Eine Entschärfung dieser Situation kann in der Schaffung handlungsentlasteter Interaktionszusammenhänge [16] liegen, in denen sich der Einzelne den Sachzwängen des Organisationsalltags entzieht und sich eher langfristig orientierten Projekten widmen kann. So können gewisse Mitarbeiter sabbaticals nehmen, das heißt Urlaubsphasen bis zu einem Jahr, in denen sie, ähnlich Universitätsprofessoren, ihren Ideen ungestört nachgehen können.

Auch die Freistellung vom operativen Geschäft zur Vorbereitung von Publikationen oder Vorträgen gehört in diese Kategorie von Handlungsentlastungen. Auch über die Einrichtung von „Spinnerecken" oder „Kreativzonen", welche örtlich vom normalen Arbeitsumfeld getrennt sind, können Freiräume geschaffen werden, welche den kreativen Prozeß unterstützen. Bei 3M hatten wir bereits gesehen, daß sich Mitglieder von Entwicklungsabteilungen gar während eines beträchtlichen Anteiles ihrer Arbeitszeit mit selbstdefinierten Projekten beschäftigen dürfen [17].

Interessendeckung

Wer an solchen selbstgewählten Projekten arbeitet, ist in der Regel motivierter, als wenn vorgegebene Projektziele zu erfüllen sind. Exzellente, kreative Mitarbeiter streben den Erfolg ihres Projektes häufig mit höchster Energie an. Insbesondere in Entwicklungsabteilungen ist das Phänomen des bootlegging zu beobachten. Bootlegging bedeutet, daß Projekte, denen vom Management die Unterstützung und Ressourcen entzogen wurden, von den Forschern heimlich weitergeführt werden. Gerade solche getöteten Projekte haben in der Vergangenheit zu revolutionären Ergebnissen geführt. Schafft es die Unternehmensleitung, individuelle und kollektive Entwicklungsziele zur Deckung zu bringen, so erhält sie Zugang zu dieser Quelle nicht zu unterschätzender Eigenmotivation.

Fehlerfreundlichkeit

Auch der Umgang einer Organisation mit den Fehlern ihrer Mitarbeiter ist von Bedeutung. Eine Fehlervermeidungskultur erstickt das Neue, denn wer über das Experiment zu neuen Lösungen gelangen will, wird auf seinem trial-and-error-Pfad zwangsläufig Fehler machen. In einem Kontext, in dem diese Fehler nicht als Versagen interpretiert sondern als notwendiges Lehrgeld auf dem Weg zur richtigen Lösung verstanden werden, wird der einzelne sich eher auf die Suche nach ungewöhnlichen Lösungen begeben. Ein Klima der Fehlerfreundlichkeit ist daher der Innovation förderlich, muß aber langfristig und glaubwürdig aufgebaut werden. Nur so können double-bind Situationen in der Art von: „Fehler sind erlaubt (aber sie schaden der Karriere)" vermieden werden.

Geburtshelfer des Neuen

Kreativität planen Wissen entsteht nicht aus dem Nichts. Die Erforschung von Innovationsprozessen hat eine Vielzahl erprobter und leistungsfähiger Instrumente hervorgebracht, welche bei der Planung und Steuerung von Innovationsprozessen eingesetzt werden können. Selbst Kreativität kann man bis zu einem gewissen Grade erlernen [18]. Der Einsatz eines bestimmten Instrumentes ist allerdings keine Garantie für den Erfolg. Es gilt folgende Regel:

„Instrumente sind nicht per se gut oder schlecht geeignet, um ein bestimmtes Ziel zu erreichen. Ein und dasselbe Instrument kann lernfördernd und lernhemmend sein und ist in seiner Wirkung stets abhängig von der Art der Verwendung [19]".

Kreativitätstechniken Daher gilt, daß der steigenden Anzahl von Methoden zur Innovationsproduktion keine dementsprechend steigende Innovationsrate gegenüber steht. Die individuelle Kreativität versucht man mit inzwischen etablierten Instrumenten wie Brainstorming, der morphologischen Methode oder Synektik zu wecken [20]. Doch oft kommt die Organisation nicht an die Ideen der Mitarbeiter heran. Wer jemals an einer schlecht moderierten oder zum falschen Zeitpunkt durchgeführten Brainstorming-Sitzung teilgenommen hat weiß, daß jedes dieser Verfahren kontra-produktiv sein kann, insbesondere wenn die Promotoren nicht glaubwürdig sind, das heißt nicht wirklich das Neue wagen wollen. Daher ist es erforderlich, neben dem Prinzip und den Anwendungsfeldern der Methode, viel über die Voraussetzungen ihres Einsatzes zu wissen. Nur wenn diese Methodenkompetenz vorhanden ist, erfüllen Kreativitätstechniken ihren Zweck statt zu frustrieren. Gleiches gilt für andere Methoden wie Such- und Screening-Verfahren, formalisierte Analogieverfahren, Delphi-Methode, Relevanzbaum-Methode oder den Einsatz von Algorithmen mit dementsprechender Computerunterstützung [21].

Grundsätze der Kreativität bei SONY [22]:

• Unternehmertum durch kleine überschaubare Einheiten.

• Unternehmensweite Mobilität erhöht die Kreativität.

• Familiensinn als Energiequelle.

• Kreativität benötigt Zielvorgaben.

• Die Einstellung zu Fehlern muß thematisiert werden.

• Ein langfristiger Zeithorizont schafft Freiräume.

• Eine faire Streitkultur fördert die Innovation.

Organisationen greifen zu vielfältigen Maßnahmen, um neue Ideen ihrer Mitarbeiter zu ermutigen und zu honorieren. Dabei werden neue Entscheidungs-, Handlungs- oder Belohnungsstrukturen eingeführt. Doch kein Instrument kann seine beabsichtigte Wirkung zeigen, wenn es nicht zum bestehenden unternehmensspezifischen Kontext paßt. So bleibt die Einführung einer Ideenbox auf dem Intranet in einer traditionell innovationsfeindlichen Unternehmenskultur solange ohne Wirkung, bis der Wandel zu mehr Risiko und neuen Ideen glaubwürdig vermittelt wird. Oft kommt man gar ohne die Einführung neuer Instrumente weiter, da sich bestehende Instrumente reaktivieren lassen. So existiert beispielsweise in sehr vielen Organisationen ein betriebliches Vorschlagswesen, welches – häufig als zentrale Stelle institutionalisiert – die Aufgabe hat, neue Ideen zu sammeln und durch Prämien aller Art zu honorieren. Viele dieser Vor-

Vorschlagswesen

schlagsstrukturen haben im Laufe der Jahre ihren
Schwung verloren und funktionieren nur noch schlecht.
Sie können sogar negativ wirken, wenn der Eindruck
entsteht, daß Kreativität im Alltagsgeschäft nicht erwartet wird und jede weitergehende Ideenentwicklung zusätzlich honoriert werden muß.

FALLBEISPIEL: METTLER TOLEDO

*Vom betrieblichen Vorschlagswesen zum Innovations-
management*

Ein gutes Beispiel für die Reaktivierung des Vorschlags-
wesens bietet METTLER TOLEDO, ein Unternehmen der
Wägetechnik mit Sitz in Albstadt. Hier wurde das traditionelle betriebliche Vorschlagswesen abgelöst und durch
ein neues Innovationsmanagement-System ersetzt. Be-
herrschende Philiosophie des neuen Systems war das
Vertrauen in die Kreativität der eigenen Mitarbeiter. In
einem ersten Schritt wurde auf die zentrale Sammlung,
Bewertung und Honorierung von Verbesserungsvor-
schlägen komplett verzichtet. Von jedem Mitarbeiter
wurde einmal pro Woche oder mindestens einmal pro
Monat eine kleine Verbesserung seines persönlichen Ar-
beitsbereiches erwartet (siehe Abbildung 29).

Verbesserungen wurden nicht mehr gesammelt, sondern
sollten sofort umgesetzt werden. Damit entfiel der büro-
kratische Prozeß der Vorschlagsbewertung. Direkt nach
der Umsetzung seiner Idee hat der Mitarbeiter ein Formular auszufüllen, auf dem er die Verbesserung kurz beschreibt, die Verbesserungswirkung konkretisiert (ko-
sten-, qualitäts-, zeitorientiert etc.) und zum Abschluß
alle Personen aufführt, welche ihm bei der Realisierung
dieser Idee geholfen haben. So wird die individuelle Idee
sofort in das Kollektiv überführt. Die Honorierung erfolgt dementsprechend nicht individuell, sondern pro
hilfreicher Person wird ein 10-DM-Schein in einen Prä-
mientopf eingezahlt, welcher am Ende des Jahres für

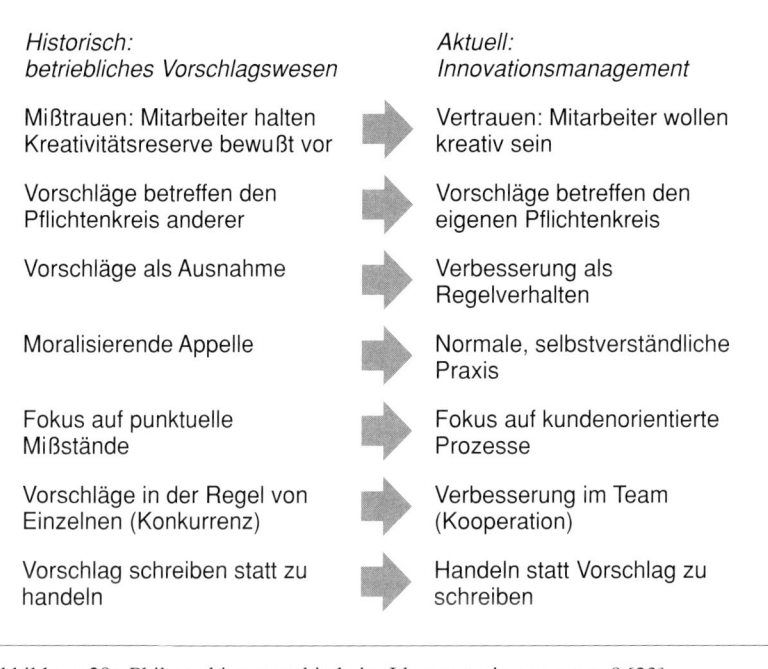

Historisch: betriebliches Vorschlagswesen		Aktuell: Innovationsmanagement
Mißtrauen: Mitarbeiter halten Kreativitätsreserve bewußt vor	➡	Vertrauen: Mitarbeiter wollen kreativ sein
Vorschläge betreffen den Pflichtenkreis anderer	➡	Vorschläge betreffen den eigenen Pflichtenkreis
Vorschläge als Ausnahme	➡	Verbesserung als Regelverhalten
Moralisierende Appelle	➡	Normale, selbstverständliche Praxis
Fokus auf punktuelle Mißstände	➡	Fokus auf kundenorientierte Prozesse
Vorschläge in der Regel von Einzelnen (Konkurrenz)	➡	Verbesserung im Team (Kooperation)
Vorschlag schreiben statt zu handeln	➡	Handeln statt Vorschlag zu schreiben

Abbildung 29: Philosophieunterschiede im Ideengenerierungsprozeß [23]

eine gemeinsame Aktion der gesamten Belegschaft verwendet wird. METTLER TOLEDO bemüht sich mit dieser Maßnahme, Kreativität zur Normalität zu machen und signalisiert, daß letztendlich alle vom Erfolg der Innovation profitieren.

Die bisher vorgestellten Instrumente unterstützen die chaotische Komponente des individuellen Wissensentstehungsprozesses: die Kreativität und Produktion neuer Ideen. Aber auch die individuelle Problemlösungskapazität – die systematische Komponente – kann durch geeignete Instrumente gefördert werden. Gewisse Schritte von Problemlösungsprozessen lassen sich formalisieren, was sicherstellt, daß man nicht zu einem frühen Zeit-

Individuelles Problemlösen

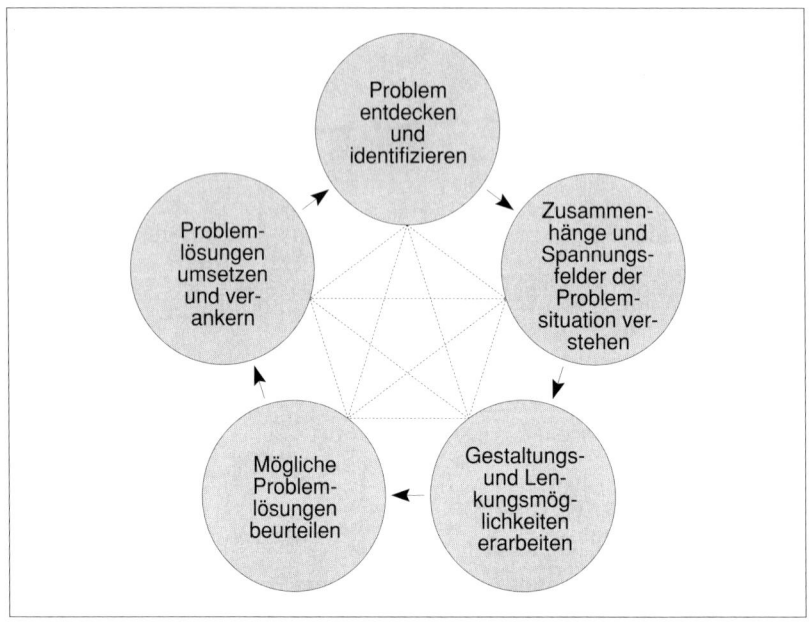

Abbildung 30: Schritte der ganzheitlichen Problemlösungsmethodik
                     (nach Gomez/Probst: 1995)

punkt im Problemlösungsprozeß wichtige Einflußgrößen
vernachlässigt (siehe Abbildung 30).

Systematischer   Ein systematischer Problemlösungsprozeß, der dennoch
Problemlösungsprozeß auf unterschiedliche Problemtypen anwendbar ist, erleichtert nicht nur dem einzelnen Problemlöser die Ar-
beit, sondern kann auch die Kommunikation zwischen
Individuen und Gruppen vereinfachen, welche an unterschiedlichen Fragestellungen eines zusammengehören-
den Problemgebietes arbeiten. So bildet XEROX seine
Mitarbeiter seit längerem systematisch in Techniken der
Problemlösung aus [25], welche auf Probleme aus allen
Unternehmensbereichen und Hierarchieebenen angewendet werden können. Ideenentwicklung und Informa-
tionssammlung werden durch die Vermittlung von Brain-

storming, Interviewtechniken und Formen der Datener-
hebung geschult. Zur verbesserten Analyse und Darstellung von Daten werden den XEROX-Mitarbeiter die
Grundregeln bei der Erstellung von Ursache-Wirkungs-
Diagrammen und Kraftfeldanalysen vermittelt, während
die Planungsprozesse mit Hilfe von Flußdiagrammen
transparenter gestaltet werden. All diese Instrumente
werden in sogenannten family groups, das heißt Gruppen der selben Abteilung oder Geschäftseinheit, an realen
Problemen eingeübt und damit im Organisationsalltag
verankert. Über die Jahre wurde so eine einheitliche
„Problemlösungssprache" entwickelt, welche die Kommunikation über Abteilungs- und Hierarchiegrenzen hinweg enorm vereinfacht.

Ein großer Teil unseres persönlichen Wissens entsteht allerdings weder durch den bewußten Einsatz von Innova-
tionstechniken noch durch die systematische Anwendung von Problemlösungstechniken. Wissen entsteht im
Alltag durch permanentes Tun und Handeln. Der Meister, welcher seit Jahren eine Spezialmaschine bedient,
kann häufig noch deren leisestes Geräusch interpretieren
und entsprechend reagieren. Er verfügt über eine Fähigkeit, welche außer ihm niemand in der Organisation besitzt, häufig auch über Fähigkeiten, die ihm selber nicht
bewußt sind. Dieses implizite Wissen, welches wir bereits im Kapitel zur Wissensidentifikation thematisiert
haben, bildet daher einen wichtigen Teil des Wissensentstehungsprozesses.

Handlungswissen

Dem Wissensträger oder Meister ist sein wertvolles Wissen häufig nicht bewußt, zumindest ist er nicht in der
Lage, seine Fähigkeit in einer klaren, nachvollziehbaren
Sprache zu beschreiben. Für die Organisation als Ganzes
ginge sein Wissen daher bei seinem Ausscheiden (durch
Kündigung, Pensionierung oder Tod) verloren, wenn
nicht Methoden der Externalisierung des Unbewußten
gefunden werden. Zur Artikulation impliziten Wissens

**Methoden der
Externalisierung**

wird insbesondere die Verwendung von Metaphern, Analogien und Modellen vorgeschlagen [26]. Metaphern dienen einer lebendigen, anschaulichen Versprachlichung von Zusammenhängen, welche sich der logisch-exakten Darstellung für das Individuum entziehen („Ihr Gesichtsausdruck erinnert mich an meine Zeit im Militär"). Analogien sind hingegen schon stärker strukturiert. Sie zeigen funktionale Gemeinsamkeiten zwischen getrennten Wissensgebieten auf und bemühen sich um den direkten Transfer von einem Anwendungsbereich auf den anderen („Dieses Saugrohr funktioniert wie ein Elephantenrüssel"). Kann Wissen noch exakter vom impliziten in den expliziten Zustand überführt werden, kann vielleicht sogar ein Modell gebildet werden. Aus den Erkenntnissen der Metapher- und Analogiebildung werden Variablen abgeleitet und in ihren gegenseitigen Abhängigkeiten getestet. Weist das Modell einen hinreichenden Erklärungsgrad auf, kann es als expliziertes Wissen in der Organisation multipliziert werden.

Grenzen der Explizierung Alle Explizierungstechniken erfordern allerdings, daß die Wissensträger bereit sein müssen, ihre Fähigkeiten zu externalisieren. Oft wird dieser Vorgang als Preisgabe existenzsichernden Expertenwissens verstanden und nährt dementsprechende Ängste. Wer seinen Experten das kritische Wissen raubt, um sich in Zukunft von ihnen unabhängig zu machen oder sie gar zu entlassen, verspielt das Vertrauen für alle zukünftigen Externalisierungsaktivitäten. Trotz hohem Aufwand wird ein großer und wichtiger Teil des Wissens wertvoller Experten nie explizierbar sein, und damit bedeutet jeder Abgang eines solchen Wissensträgers einen schwer abschätzbaren Verlust für die organisationale Wissensbasis. Externalisierungsaktivitäten können dies nicht verhindern, sondern nur die Auswirkungen des Abganges verringern. Die Fähigkeit einer Organisation, das Wissen ihrer Experten sichtbar zu machen und auf andere Mitglieder der Organisation zu übertragen bildet demnach eine kritische Stelle bei der Kollektivierung individuellen Wissens.

Aufbau von Routinen und Vertrauen

Was unterscheidet Prozesse der Wissensentwicklung auf der individuellen Ebene von kollektiven Wissensentwicklungs- oder Lernprozessen? Teams oder ganze Organisationen können Eigenschaften ausbilden, welche durch die individuellen Fähigkeiten der Einzelmitglieder nicht erklärt werden können. Gruppen, welche im täglichen Erfahrungsaustausch und bei gegenseitiger Abhängigkeit der Einzelakteure agieren, bilden Verhaltensweisen aus, welche nur durch das Zusammenspiel der gesamten Gruppe erklärt werden können. Gleichzeitig können gewisse Innovationen nicht von Einzelpersonen allein erreicht werden, sondern sind nur im Team möglich. Prozesse, an denen eine Vielzahl von Organisationsmitgliedern mitwirken, bilden heute die unverwechselbaren Kernkompetenzen von Unternehmen. Auch hier müssen Innovationsmechanismen auf der kollektiven Ebene gesucht werden. In diesem Abschnitt werden Prozesse, Kontexte und Instrumente der kollektiven Wissensentwicklung getrennt voneinander vorgestellt.

Kollektives Wissen

Wie Wissen zwischen Individuen entsteht

Um die Isolation individuellen Wissens zu verhindern und dieses für kollektive Prozesse der Wissensentstehung nutzbar zu machen, müssen einige Transformationsbedingungen erfüllt sein. In einer vereinfachten Darstellung kann man behaupten, daß erst durch Kommunikation beziehungsweise Interaktion, Transparenz und Integration individuelles Wissen in kollektives Wissen

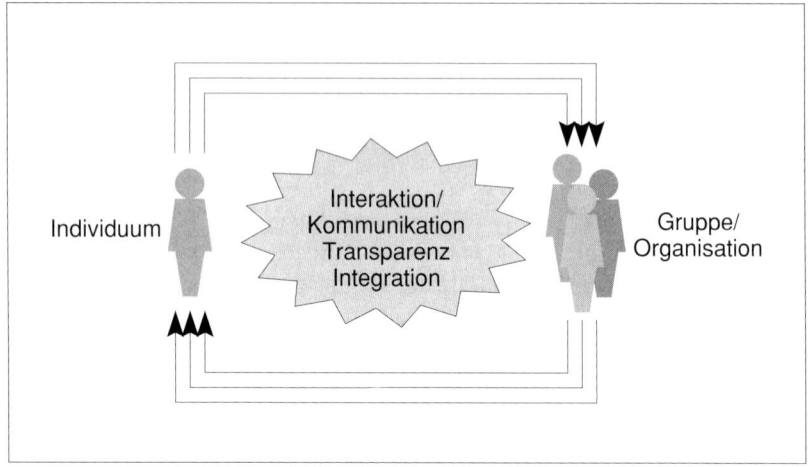

Abbildung 31: Schlüsselgrößen der kollektiven Wissensentstehung

überführt wird und gleichzeitig auf die individuelle Ebene zurückwirken kann [27] (siehe Abbildung 31).

**Interaktion/
Kommunikation**

Ohne Kommunikation zwischen individuellen Wissensträgern kann keine Verständigung über eigene und fremde Ideen und Erfahrungen stattfinden. Organisationen, in denen hohe Kommunikationsbarrieren zwischen einzelnen Abteilungen bestehen, können daher nur schwer zu gemeinsam entwickelten Lösungen gelangen und bilden nur zu oft ineffiziente Wissensinseln. Zur Ausbildung von organisationaler Intelligenz bedarf es vor allem der Interaktion, denn „...der kollektive Geist „steckt" in Prozessen gegenseitiger Beeinflussung" und wir können „Intelligenz […] eher in Verhaltensmustern als im individuellen Wissen finden" [28]. Mit dieser Aussage wird deutlich, daß für den Erfolg einer Organisation das Wissen in den einzelnen Mitgliedern weniger wichtig sein kann, als die Abhängigkeiten und Beziehungen zwischen Organisationsmitgliedern, also das Wissen zwischen den einzelnen. Diese Beziehungen können aber nur durch Interaktion und Kommunikation errichtet und erhalten bleiben [29].

Der besonderen Bedeutung von Wissenstransparenz und effektiven Prozessen der Wissensidentifikation haben wir bereits ein gesamtes Kapitel gewidmet. Es können nicht alle Informationen und Fähigkeiten, welche prinzipiell intern und extern zur Verfügung stünden, in den organisatorischen Zentren der Wissensentwicklung verarbeitet werden. Ungenutzte Publikationen, unbekannte Experten oder Parallelaktivitäten verteuern oder verlangsamen auf diese Art und Weise den Wissensentwicklungsprozeß. So werden beispielsweise die bewußt oder unbewußt ignorierten Experten leicht in eine Abwehrreaktion verfallen und somit die Erfolgswahrscheinlichkeit des Innovationsprozesses reduzieren. **Transparenz**

Die letzte Schlüsselgröße im Prozeß der kollektiven Wissensentstehung liegt in der Integration individueller Fähigkeiten und Wissensbestandteile zu einem funktionalen Ganzen. Es wurde bereits betont, daß die Wechselwirkung zwischen den Mitgliedern einer Gruppe Begrenzungen des einzelnen Gehirns aufheben und häufig Probleme lösen kann, deren Bewältigung dem einzelnen unmöglich gewesen wären. Eine zentrale Funktion in diesem Integrationsprozeß nimmt das Feedback zwischen Individuum und Gruppe beziehungsweise Gesamtorganisation ein [30]. Die Integration der individuellen Fähigkeiten in das Kollektiv kann dabei über unterschiedliche Mechanismen mit verschiedenen Freiheitsgraden erfolgen. Während in Maschinenbürokratien [31] das Individuum über die Definition klarer Verhaltensregeln und Fähigkeitskataloge geradezu durch das Kollektiv programmiert wird, erfolgt die Integration des individuellen Wissens in anderen Organisationstypen eher selbstorganisatorischen Prinzipien. Im zweiten Falle besteht eine erhöhte Wahrscheinlichkeit, daß sich auf der kollektiven Ebene neue **Integration**

Lösungen ergeben wahrscheinlicher, aber gleichzeitig sind die Prozesse der Wissensentwicklung weniger vorhersehbar.

Hochleistungsteams und ihre Fähigkeiten

Rolle von Teams Der häufigste Entstehungsort kollektiven Wissens in modernen Organisationen ist das Team oder die Arbeitsgruppe [32]. Wir konzentrieren uns zur Ableitung günstiger Rahmenbedingungen der Wissensentwicklung auf Teams. Teams erforschen neue Technologien, führen Kulturanalysen durch, arbeiten in der Montagehalle an effizienteren Prozeßabläufen oder bemühen sich um die Entwicklung neuer Vertriebsstrategien. Teams werden damit immer häufiger wichtige Aufgaben oder Projekte übertragen, bei deren Bewältigung in der Regel neue Erkenntnisse für die Gesamtorganisation gewonnen und gleichzeitig individuelle Fähigkeiten ausgebaut werden.

Leitgedanke der Entwicklung weg vom einsamen Entscheider oder Tüftler ist die Erkenntnis, daß Spitzenteams Leistungen erbringen, welche dem Einzelnen nie möglich gewesen wären. Die günstigen Rahmenbedingungen oder Kontexte für die kollektive Wissensentwicklung sollen daher aus den Erkenntnissen der ausgereiften Team- und Gruppenforschung abgeleitet werden.

Rahmenbedingungen für Teamerfolg In einer Untersuchung von annähernd 50 besonders erfolgreichen Teams leiteten die MCKINSEY-Berater Jon Katzenbach und Douglas Smith einige besonders günstige Rahmenbedingungen für den Teamerfolg ab (siehe Abbildung 32). Diese Kontextvariablen gelten sicherlich nicht für alle kollektiven Wissensentwicklungsprozesse, bilden aber gute Ansatzpunkte zur Überprüfung des eigenen Organisationsumfeldes.

Zahl der Mitglieder ist klein genug	Adäquates Niveau einander ergänzender Fähigkeiten	Wirklich sinnvolle Zielsetzung
■ Kann die Gruppe sich leicht und oft versammeln? ■ Können Sie mit allen Mitgliedern leicht und häufig kommunizieren? ■ Sind die Diskussionen offen und können sich alle Mitglieder daran beteiligen? ■ Versteht jedes Mitglied die Rollen und Fähigkeiten der anderen? ■ Benötigt ihre Gruppe mehr Mitglieder, um ihre Ziele zu erreichen? ■ Sind Sub-Teams möglich oder nötig?	■ Sind alle Fähigkeitenbereiche (funktional/technisch, Problemlösung/Entscheidungsfindung, Umgang miteinander) tatsächlich oder potentiell im Team vorhanden? ■ Verfügt jedes Mitglied in allen drei Bereichen über genügend Potential, um den Teamzweck zu garantieren? ■ Sind die Mitglieder einzeln und gemeinsam gewillt, die erforderliche Zeit zu investieren, um sich selbst und den anderen dabei zu helfen, die nötigen Fähigkeiten zu erlernen und weiterzuentwickeln? ■ Sind Sie imstande bei Bedarf neue oder zusätzliche Fähigkeiten hinzuzufügen?	■ Stellt Sie eine weitreichende, über lediglich kurzfristige Ziele hinausgehende Ambition dar? ■ Ist es eine Teamzielsetzung, im Gegensatz zu einer für die Gesamtorganisation geltenden oder einer nur individuellen Zielsetzung (z.B. der Führungsperson)? ■ Verstehen und beschreiben sie alle Mitglieder gleich? Tun sie dies ohne auf verschwommene Abstraktionen zurückzugreifen? ■ Verfechten sie die Mitglieder in Diskussionen mit Außenstehenden entschieden? ■ Nehmen die Mitglieder häufig Bezug darauf? ■ Halten die Mitglieder das Ziel für wichtig oder mitreißend?
Spezifisches Ziel oder Ziele	Klarer Arbeitsansatz	Gefühl wechselseitiger Verantwortung
■ Sind die Ziele klar definiert, einfach und meßbar? ■ Kann Erfüllung trotz mangelnder Meßbarkeit überprüft werden? ■ Sind sie realistisch und zugleich anspruchsvoll? Ermöglichen sie Teilsiege? ■ Verlangen sie konkrete Team-Arbeitsprodukte? ■ Ist ihre jeweilige Bedeutung und Priorität allen Mitgliedern klar? ■ Sind alle Mitglieder einverstanden mit den Zielen, mit ihrer relativen Bedeutung und mit der Art und Weise, in der ihre Verwirklichung gemessen wird? ■ Drücken die Mitglieder die Ziele in derselben Art aus?	■ Ist der Ansatz klar und konkret, wird er von allen Beteiligten verstanden und geteilt? Wird er dazu führen, daß die gesteckten Ziele erreicht werden? ■ Nutzt und stärkt er die Fähigkeiten aller Mitglieder optimal? Deckt er sich mit anderen Anforderungen an die Mitglieder? ■ Verlangt er von allen Mitgliedern, echte Arbeit zu gleichen Teilen beizutragen? ■ Ermöglicht er offene Interaktion, sachliche Problemlösung und ergebnisorientierte Bewertung? ■ Drücken alle Mitarbeiter den Ansatz auf dieselbe Weise aus? ■ Ermöglicht er Modifikationen und Nachbesserungen im Lauf der Zeit? ■ Werden systematisch neue Anregungen und Perspektiven gesucht und aufgenommen?	■ Sind die Mitglieder individuell und gemeinsam verantwortlich für Existenzzweck, Ziele, Ansatz und Arbeitsergebnisse des Teams? ■ Können sie die Fortschritte an den spezifischen Zielen messen, und tun sie es? ■ Fühlen sich alle Mitglieder für alle Maßnahmen verantwortlich? ■ Sind sich die Mitglieder darüber im klaren, wofür sie individuell und wofür sie gemeinsam verantwortlich sind? ■ Herrscht die Einstellung vor, daß alle Beteiligten „nur als Team scheitern können"?

Abbildung 32: Günstige Rahmenbedingungen für Teamarbeit und Leitfragen für verantwortliche Teamplaner (Katzenbach/Smith: 1993)

Komplementäre
Fähigkeiten

Die Diversität der Fähigkeiten der Teammitglieder scheint eine wichtige Voraussetzung für die Fähigkeit zur kreativen Problemlösung einer Gruppe zu sein. Zuviel Diversität kann allerdings die Integrität der Gruppe zerstören, ein fehlender Basiskonsens bindet die kreativen Kräfte in politischen Manövern. In kollektiven Lernprozessen muß dieses Paradox zwischen Konsens und Diversität immer wieder neu balanciert werden [34]. Diese Integration könnte durch einen Konsens über den anzuwendenden kognitiven Bezugsrahmen bei gleichzeitiger Akzeptanz divergierender Standpunkte erreicht werden. Sehr viel konkreter argumentieren Katzenbach und Smith. Sie fordern für erfolgreiche Teams einen ausgewogenen Mix aus fachlicher oder funktioneller Sachkenntnis, Fähigkeiten zur Problemlösung und Entscheidungsfindung sowie Fähigkeiten für den Umgang miteinander. Diese drei Basisfähigkeiten sollten bei allen Mitgliedern – mit unterschiedlichen Schwerpunkten – potentiell vorhanden sein. Dies scheint einsichtig, da insbesondere bei sozialen Fähigkeiten eine Arbeitsteilung im Team nur schwer vorstellbar ist.

Sinnvolle und
realistische Ziele

Die Integration und Koordination der Gruppenaktivitäten kann nur über sinnvolle und realistische Ziele geleistet werden. Hier zeigt sich, ob Wissensziele definiert wurden, welche geeignet sind, den vielfältigen Aktivitäten des Teams eine gemeinsame Linie zu geben. Verschwommene Abstraktionen im Sinne von „wir wollen eine lernende Organisation werden" rächen sich, indem sie die Konkretisierung dieses Ziels auf die Ebene des Teams verlagern. Auch die Bevorzugung individueller Leistungsmaßstäbe gegenüber echten Teamzielen kann den Zusammenhalt des Innovationsteams belasten. Stellt sich heraus, daß die festgelegten Entwicklungsziele unklar definiert, nur sehr bedingt meßbar sind oder vom Top-Management nicht wirklich unterstützt werden, entstehen ungünstige Rahmenbedingungen für den gesamten Innovationsprozeß. Die Einforderung einer Konkretisierung und damit die Neuformulierung der Ziele wird nötig, um den Entwicklungserfolg nicht von vornherein zu gefährden.

Eines der größten Hindernisse im Innovationsprozeß sind sogenannte defensive Routinen [35]. Diese kollektiven Verhaltensmuster machen es höchst unwahrscheinlich, daß Individuen, Gruppen oder Organisationen schädliche Routinen ablegen oder eigene Fehler entdecken und abstellen, da ihre Aufdeckung für sie bedrohlich ist und mit unkalkulierbaren Veränderungen und Verunsicherungen verbunden ist. Auf subtile Art und Weise werden so gewisse Lösungen tabuisiert und nicht weiter verfolgt, was zu schwerwiegenden Störungen des Innovationsprozesses führen kann. Die Festlegung klarer Spielregeln im Team, das Recht zum freien unsanktionierten Einbringen der eigenen Ideen, verhindert das Aufkommen solcher Informationspathologien [36]. Die Orientierung an einem klaren – aber undogmatischen – Arbeitsansatz fördert die Integration abweichender Meinungen während des gesamten Innovationsprozesses, ohne diese auszugrenzen.

Offenheit versus defensive Routinen

Die Vermeidung defensiver Routinen und der Aufbau kollektiver Fähigkeiten wird durch den Aufbau einer hohen Kommunikationsintensität [37] unterstützt. Wenn sich alle Mitglieder eines Teams leicht und häufig versammeln und ihre Ideen in einer offenen Atmosphäre austauschen können, wächst das gegenseitige Verständnis für die Fähigkeiten der anderen Teammitglieder. Hierauf aufbauend wird deutlich, wer in welcher Situation welche Rolle einnehmen kann und sollte, um die kollektiven Ziele am effektivsten zu erfüllen. In diesen kommunikationsintensiven Situationen können unklare Begriffe durch bewußtes Hinterfragen geklärt werden. In diesem Prozeß des languaging [38] gelangt das Kollektiv zu einem gemeinsamen Verständnis zentraler Begrif-

Kommunikationsintensität

fe und Unterscheidungen, welches zukünftige Kommunikation wesentlich effektiver gestaltet. Vor diesem Hintergrund werden auch die Grenzen elektronischer Kommunikationsmedien wie Videokonferenzen oder groupware deutlich, welche zwar eine effiziente Datenübertragung ermöglichen, aber die unmittelbaren, persönlichen
Kontakte nicht ersetzen können.

Dem Neuen ein Zuhause geben

Bestehende Ansätze In der Managementpraxis werden heute eine Vielzahl
von Instrumenten zur bewußten Steuerung der Entwick-
lung kollektiven Wissens eingesetzt. Diese sind häufig in
bestehende Managementkonzepte wie Business Process
Reengineering oder Total Quality Management eingebettet. Ob als systematische und schrittweise Innovation
im Rahmen von kontinuierlichen Verbesserungsprozes-
sen (KVP) oder als Einrichtung von Erfahrungsgruppen
oder Kommunikationsforen zu ausgewählten Themen,
Instrumente der Wissensentwicklung sind weit verbreitet
und häufig bereits etabliert. Im folgenden sollen daher
Anwendungsbeispiele und Ideen präsentiert werden,
welche diese grundsätzlichen Ansätze weiterentwickeln
und damit die Bildung kollektiven Wissens noch stärker
begünstigen.

FALLBEISPIEL: GENERAL ELECTRIC (GE)

Wissensverdichtung durch „Work-Out" [39]

GE richtete 1981 seine Strategie neu aus. Damit reagier-
te der Konzern auf die Bedrohungen, welche ihm aus der
damaligen starken Binnenorientierung sowie mangelnder Internationalisierung und der Konzentration auf
wachstumsschwache Märkte zu erwachsen drohten. Im
Rahmen dieser strategischen Kehrtwende wurde die
Struktur des Energiegiganten durch spektakuläre Akquisitionen und Verkäufe von Unternehmensbereichen radi-

kal verändert. Aus der Wissensperspektive betrachtet wurden Kernkompetenzen in einem Stück verkauft, während auf der anderen Seite das neu erworbene Wissen der akquirierten Firmen zunächst mit den eigenen Fähigkeiten unverbunden blieb.

Um diesem neuen Konglomerat eine dynamische und gemeinsame Kultur zu geben, führte GE ein Programm zur Kulturtransformation ein, welches „Work-Out" getauft wurde. Als treibende Kraft dieses Veränderungsprozesses wurde die Initiierung eines organisationalen Dialogs angesehen, der auf allen Hierarchieebenen zur Thematisierung und schnellen Entscheidung kritischer Vorkommnisse führen sollte, unnötige Arbeitsschritte eliminierte und dabei Freiraum für Kreativität und Kommunikation schaffte.

Eine Work-Out-Sitzung besteht dabei in der Regel aus drei Veranstaltungen. In einem Pre-Meeting werden die Themenstellung eingegrenzt und die betroffenen Teilnehmer und Wissensträger identifiziert. Am eigentlichen Kern von Work-Out, dem Town-Meeting, nehmen 40–100 Personen aus unterschiedlichen Hierarchieebenen und Funktionsbereichen teil. Sie repräsentieren im Idealfall die versammelte Expertise von GE zu den thematisierten Problemen und Prozessen. In Kleingruppen werden Lösungen erarbeitet, in denen individuell vorhandenes Wissen offengelegt und mit anderen Perspektiven kombiniert wird. So kommt man zu kollektiven Problemlösungen, welche über die Entwicklung einer gemeinsamen Sprache hinaus im Diskussionsprozeß zudem eine besonders hohe Anschlußfähigkeit besitzen.

Über die Lösungsvorschläge der Kleingruppen hat das versammelte Management sofort und begründet zu entscheiden. Entscheidungen dürfen nur in Ausnahmefällen (beispielsweise fehlende Daten) verschoben werden. Das Controlling des gesamten Work-Out wird in einem

Post-Meeting durchgeführt, welches den Implementie-
rungsstand der beschlossenen Aktivitäten überprüft.

Insgesamt ist Work-Out als ein effizienter Prozeß zur
themenspezifischen Konzentration von Wissensträgern
zu bezeichnen, welche in einem Prozeß der offenen
Kommunikation, ihre Erkenntnisse zu kollektiven Problemlösungen kombinieren und durch schnelle Entscheidung sicherstellen, daß ihr Wissen in zukünftige Managemententscheidungen einfließen.

Think tanks   Im Gegensatz zu zeitlich und thematisch klar eingegrenz-
ten Methoden, wie der Durchführung des Work-Out-Pro-
grammes bei GE, steht die Einrichtung von think tanks aller Art. In think tanks konzentriert die Organisation ihre
Intelligenz und betraut sie mit der Entwicklung kritischen
Wissens und kritischer Fähigkeiten für die Gesamtorganisation. Traditionelle Formen von think tanks sind Stäbe
und Forschungs- und Entwicklungsabteilungen. In letzter
Zeit sind interessante neue Formen hinzugekommen. So
leistet sich MOTOROLA eine eigene Universität, welche neben der Ausbildung eigener Mitarbeiter auch in den Kern-
geschäftsbereichen eigene Forschung betreibt. Auch die
MCDONALD's-Universität, in welcher die Fast-Food-Pro-
dukte der Zukunft entstehen und zukünftigen Filialleitern
die Qualitätsmaßstäbe des Fastfood-Marktführers vermittelt werden, fällt in diese Kategorie.

Lernen im laufenden   Die Hauptkritik an think tanks und Stäben aller Art war
Betrieb   und bleibt allerdings ihre Praxisferne, was in zahlreichen
Fällen zu radikalen Personalkürzungen in diesen Berei-
chen geführt hat. Heute konzentrieren sich viele Unternehmen auf Instrumente, welche das Wissen direkt im
Arbeitsprozeß entstehen lassen. Unter der Überschrift
„Die Fabrik als Ort der Forschung" unterbreitet die Harvard-Professorin Leonard-Barton Vorschläge, wie man
die laufende Produktion zu einem Lernlabor umfunktio-
nieren kann [40]. Hierbei müssen sich alle Beteiligten

permanent um die Integration von externem und internem Wissen, die selbständige Lösung von Problemen und die fortgesetzte Suche nach Neuem bemühen. Kollektive Lernprozesse werden allerdings nur erreicht, wenn gewisse Wertmaßstäbe beachtet werden. Nur wenn Gleichbehandlung, der gemeinsame Besitz des erarbeiteten Wissens, Risikobejahung und Offenheit gegenüber dem Wissen anderer gegeben sind, können wirkliche Innovationen erzielt werden. Einer ähnlichen Logik liegt dem folgenden Ansatz der Produktklinik zur systematischen Verbesserung von Produkten, Abläufen, Strukturen und der Zuliefererstruktur zugrunde:

Die Produktklinik als Keimzelle für Lernprozesse [41]

Der Produktionsexperte Wildemann fordert zur Institutionalisierung organisationaler Innovation eine Keimzelle, welche den Innovationsprozeß anheizt und am Laufen hält. Die Grundidee seiner Produktklinik liegt darin, „daß eigene aktuelle Produkte und Prozesse aufbauend auf Markt-, Wettbewerbs- und Kundendaten direkt auf physischer Ebene mit den Mitbewerbern verglichen werden." [42] So nimmt man beispielsweise zehn verschiedene Toaster auseinander und vergleicht, mit Hilfe welcher Techniken (zum Beispiel Schrauben oder Schweißen), Materialien (zum Beispiel Stahl oder Kunststoff) und Einzelteilen (zum Beispiel Fabrikat der Schrauben), die einzelnen Funktionen realisiert wurden. Auf Basis einer systematischen Analyse lassen sich die Funktionen und Leistungsmerkmale des eigenen Produktes auf der Teilfunktionsebene analysieren und im folgenden auf die entsprechenden Funktionsträger zurückführen. So können best practices identifiziert werden und auf direktem Wege in das eigene Produkt integriert werden (siehe Abbildung 33).

Durch die Einbindung von Spezialisten aller Funktionsbereiche können die Konsequenzen auf der Prozeß-

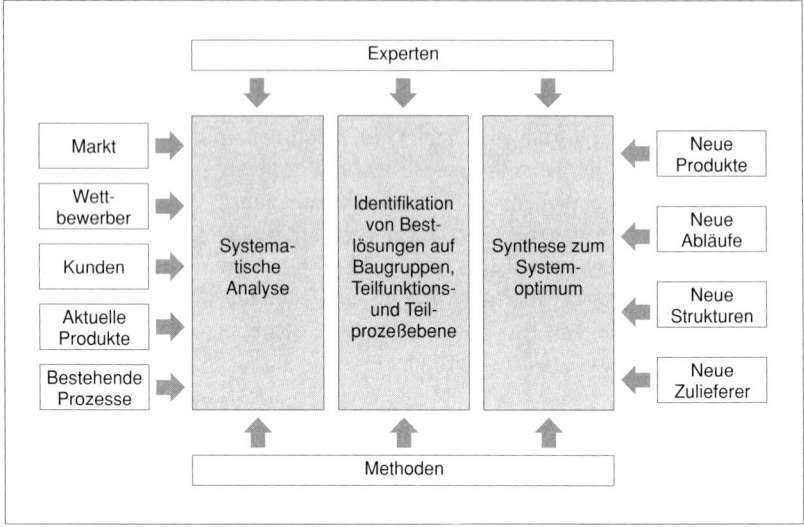

Abbildung 33: Konzeptionelle Vorgehensweise in der Produktklinik

Leistungs- und Technikebene direkt analysiert werden, was zu einer radikalen Beschleunigung des Innovationsprozesses führen kann und gleichzeitig das gemeinsame Verständnis für die komplexen Wechselwirkungen zwischen Produktion, Forschung, Marketing, Einkauf und anderen Funktionalbereichen verbessert (siehe Abbildung 34).

Lernarenen Solche Keimzellen des Lernens und der Wissensentwicklung sind nicht auf den Produktbereich beschränkt. Vielmehr lohnt es sich, sogenannte Lernarenen [43] für all die Lernprozesse oder Wissensfelder einzurichten, welche in Hinblick auf die Unternehmensziele als kritisch oder besonders wichtig einzuschätzen sind. Die Integration der Lernarena kann durch die Zuweisung klar operationalisierter Lernziele, die Ausstattung mit entsprechenden Ressourcen und die klare Zuweisung persönlicher Verantwortung erreicht werden. Lernarenen

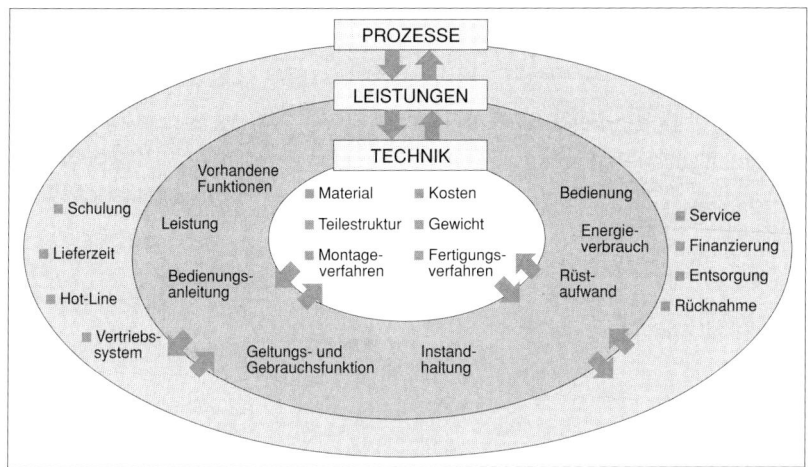

Abbildung 34: Untersuchungsebenen der Produktklinik

überlagern somit die gewohnte Aufbau- und Ablauforganisation, ohne sie zu ersetzen. Dieses Prinzip soll beispielhaft an der Organisation der Wissensentwicklung im folgenden Fall konkretisiert werden.

FALLBEISPIEL: MCKINSEY

Aufbau interner Kompetenzzentren zur gezielten Wissensentwicklung [44]

Im Verlaufe der siebziger Jahre nahm der Wettbewerbsdruck im Sektor der Unternehmensberatung erheblich zu. Konkurrenten wie die BCG oder AT KEARNEY rivalisierten mit MCKINSEY in stärkerem Maße um die attraktivsten Kunden und die besten Absolventen und Mitarbeiter. Das funktionale Wissen der Unternehmungspraxis differenzierte sich zunehmend aus, was zur Notwendigkeit vertiefter Spezialisierung der Berater und zur wenigstens teilweisen Abkehr von rein generalistisch orientierten Beratungsansätzen führte. Die zunehmende Internationalisierung erforderte schließlich sowohl regionale Spezial-

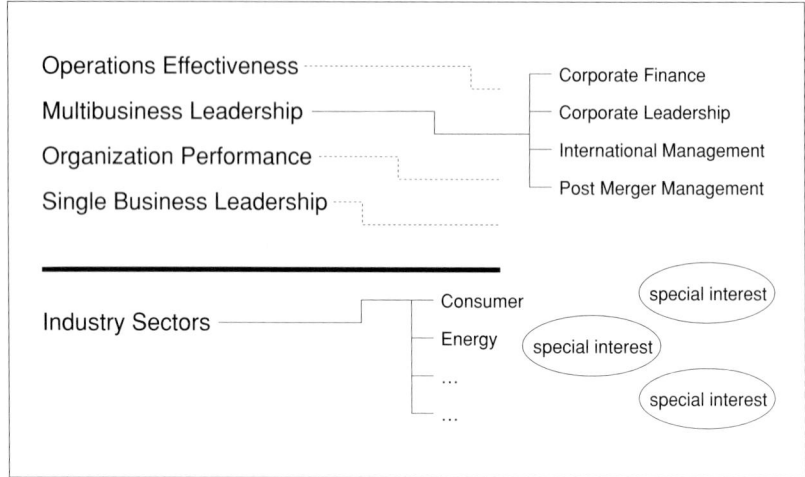

Abbildung 35:   Struktur interner Kompetenzzentren bei MCKINSEY

kenntnisse als auch den weiteren Aufbau von Prozeßwissen zur Internationalisierung (siehe Abbildung 35).

Die Reaktion von MCKINSEY auf diese Herausforderungen bestand im Aufbau von internen Expertengruppen oder think tanks, den sogenannten practices. Diese bestehen heute in funktionaler Gliederung (Manufacturing etc.), für ausgewählte Branchen (Automobil, Banken etc.) und für aktuelle Spezialthemen (Osteuropa etc.). In den practices werden von erfahrenen Spezialisten – neben der regulären Projektarbeit – Projekterfahrungen gebündelt, weiterentwickelt und kommuniziert. Für Jungberater besteht hier die Möglichkeit sich in einem Spezialbereich ein fundiertes Know-how anzueignen und dieses wiederum in entsprechenden Projekteinsätzen zu kapitalisieren. So entwickeln beispielsweise die Mitglieder der practice „Energie" Visionen und Konzepte für die Energiewirtschaft von morgen. Dieses Wissen steht anschließend in komprimierter

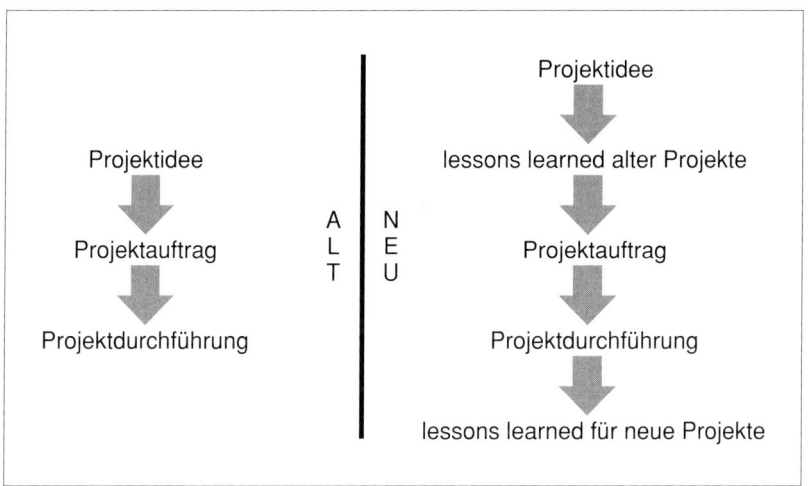

Abbildung 36: Integration von lessons learned im Projektprozeß

Form, als sogenannte lessons learned der gesamten Organisation zur Verfügung.

In jedem Projekt werden durch die Teammitglieder Erfahrungen gemacht, welche für zukünftige Teams mit ähnlichen Fragestellungen von großem Interesse sein könnten. Häufig werden diese Erfahrungen am Ende eines Projektes allerdings nicht systematisch erhoben und damit für die Organisation als Ganzes verfügbar gemacht (siehe Abbildung 36).

Lessons learned

In einem Prozeß der Selbstreflexion kann sich jedes Team nach Abschluß des Projektes allerdings die Frage stellen, welche kritischen Erfahrungen gemacht wurden und worauf zukünftige Teams bei ähnlichen Problemstellungen achten sollten. Häufig werden unterschiedliche Einschätzungen erst durch solche Abschlußveranstaltungen sichtbar und können damit auch für die Beteiligten eine wertvolle Quelle zur Reflexion der eigenen Arbeit darstellen. Unter dem Stichwort lessons learned

Selbstreflexion

versuchen mehr und mehr Unternehmen, die Aufarbeitung vergangener Tätigkeiten voranzutreiben und sowohl aus vergangenen Erfolgen als auch aus Fehlern konsequent zu lernen. Lessons learned repräsentieren die Essenz der Erfahrungen, welche in einem Projekt oder einer Position gemacht wurden.

FALLBEISPIEL: COOP SCHWEIZ

Gewinnung von lessons learned im Strategiebereich

Mit einem Umsatz von annähernd zwölf Milliarden Franken gehört die COOP-Gruppe zu den führenden Handelsunternehmen der Schweiz. Besonders mit innovativen ökologieorientierten Produktkonzepten gelang dem Unternehmen in den letzten Jahren eine erhebliche Profilierung im Wettbewerb.

Die Erkenntnis, daß verschiedene Strategieprojekte in ökologieorientierten Warenbereichen Differenzen in den jeweiligen Erfolgsniveaus aufzuweisen hatten, löste ein Projekt zur Ermittlung von lessons learned aus. Die Problemstellung dieses Wissensprojektes umfaßte die Ermittlung von Möglichkeiten zur Übertragung von Erfahrungen von erfolgreichen Strategieprojekten auf die weniger erfolgreichen.

Eine Interviewstudie in Kombination mit der Erstellung von Fallstudien der einzelnen Projekte führte zur Ermittlung einer Reihe von Erfolgsfaktoren bei der Entstehung, Organisation und Führung von strategischen Projekten. Möglichkeiten der Übertragung dieser lessons learned bewegen sich auf organisationaler und personaler Ebene und umfassen Modifikationen der Projektorganisation ebenso wie spezifische Programme der Weiterbildung.

Kontext der Erfahrungssicherung

Um aus lessons learned den entsprechenden Nutzen zu ziehen, muß vor allem ein geeigneter Kontext zu ihrer Sicherung vorhanden sein. Mangelnde Zeit, abweichende Prioritäten und mangelnde Bereitschaft seitens der

Beteiligten verhindern zu oft eine systematische Aufarbeitung organisationaler Aktivitäten. Ohne diese Sicherung von Erfahrungen ist eine spätere Nutzung jedoch nicht möglich.

In der Kontextgestaltung kann man besonders gut von sogenannten high reliability-Organisationen [45] lernen. Kernkraftwerke, Chemiewerke oder Flugleitstellen sind Beispiele für solche Organisationen, bei denen auch der geringste Störfall zu einer sorgfältigen Analyse und entsprechenden Bereinigung eventueller Fehlerquellen führen muß. Die Untersuchung dieser Organisationen hat eine Reihe von Kriterien zutage gefördert, welche das Umfeld für die produktive Sicherung von lessons learned beschreiben:

Beispiel high reliability-Organisation

- Offenlegung sämtlicher aufgetretener Fehler ohne Geheimhaltung,

- sofortige Auswertung und „Debriefing" von Operationen oder Projekten,

- Beteiligung des gesamten betroffenen Teams,

- beteiligte Prozesse oder standard operating procedures auf Fehler hin untersuchen,

- gegenseitige Überwachung ohne Vertrauensverlust [46].

Auf einer abstrakteren Ebene experimentiert das Organizational Learning Center am MIT. Dieses Forschungsinstitut untersucht mit zahlreichen Partnerfirmen die Möglichkeiten der Schaffung von Infrastrukturen des Lernens [47]. Neben den Experimenten mit Lern-Laboratorien und Dialog-Projekten, mit denen man ein günstiges Lernumfeld schaffen möchte, gewinnt heute die Dokumentation und Thematisierung von Geschichten des Lernens an Bedeutung. Hierbei werden organisatorische Schlüsselereignisse wie schwere Niederlagen oder

Lernen aus der Vergangenheit

große Erfolge in ihrer Wirkung auf das Gesamtorganisation untersucht. Die am „Konsortium lernender Unternehmen" Beteiligten, erhoffen sich durch diese Maßnahmen einen Einblick in ihre persönliche Unternehmenslerngeschichte und ihre grundlegenden Lernmechanismen.

Einsatz von Szenarien Eine Methode, mit der die Spanne möglicher zukünftiger Entwicklungen expliziert werden kann, ist die Szenario-Technik [48]. Die Teilnehmer eines Szenario-Workshops erarbeiten in einem durch mehrere Phasen strukturierten Kommunikationsprozeß gemeinsame Modelle der Zukunft. In einer Methodik, welche vom Bereich „Forschung, Gesellschaft und Technik" der DAIMLER-BENZ AG entwickelt wurde, klären die aus unterschiedlichen Unternehmensbereichen stammenden Prozeßbeteiligten zunächst die Leitfrage des Workshops. In einem weiteren Schritt werden Einflußfaktoren auf die Fragestellung identifiziert und im Hinblick auf ihre zukünftige Entwicklung rechnergestützt vernetzt. Das Ergebnis dieser Vernetzung sind Szenarios, die in sich konsistente Modell-Welten darstellen. Aus ihnen lassen sich begründete Hypothesen ableiten, die auch unvorhersehbare Ereignisse oder Trendbrüche in zukünftige Entwicklungen einbeziehen. Typische Anwendungen sind die Entwicklung von Unternehmensvisionen, Strategien, Produkten und Serviceleistungen. Dies soll an einem Beispiel verdeutlicht werden.

FALLBEISPIEL: DAIMLER-BENZ

Szenariotechnik als Instrument der Wissensentwicklung bei Daimler-Benz: Das Projekt Luftverkehr 2015

Im DAIMLER-BENZ Konzern organisiert der Bereich „Forschung, Gesellschaft und Technik" für die Konzernbereiche und für externe Kunden Szenario-Prozesse als „Zukunftslabors". Im Konzern kommt der Forschungsgruppe dabei eine Wissensmanagement-Funktion zu:

Vielfältige Formen organisationalen Umfeldwissens werden hier in einem engmaschigen Netz identifiziert, gebündelt und der Organisation zugänglich gemacht. Mit der DAIMLER-BENZ AEROSPACE AG wurde ein konzernübergreifendes Team gebildet, um das „Zukunftslabor Luftverkehr 2015" durchzuführen [49]. Organisationsbereiche, die mit Entwicklung, Produktion und Vertrieb von Flugzeugen verbunden sind, wurden zusammengebracht, um Wissen aus unterschiedlichen Perspektiven einzubringen. Ziel des Prozesses war eine ganzheitliche Beschreibung des Luftverkehrs: Einflußfaktoren des Systems Luftverkehr, Zusammenhänge und Wirkungen des Umfeldes und schließlich die Erstellung von Zukunftsbildern des Luftverkehrs im Jahr 2015, aus denen sich strategische Implikationen ableiten lassen.

Hierbei wurde von folgender Situation ausgegangen. Der weltweite Flugverkehr ist gegenwärtig durch steigende Passagierzahlen und zunehmendes Frachtaufkommen geprägt, das von vielen, infolge von Preiskämpfen auf den transatlantischen und pazifischen Routen defizitär operierenden Airlines bewältigt werden muß. Zunehmende wirtschaftliche Verflechtungen und dynamische Entwicklungen in der Branche fordern heute für Anbieter von Produkten für den Flugverkehr ein tiefes Verständnis der Zusammenhänge im System Luftverkehr und erschweren strategische Planungen. Für die DAIMLER-BENZ AEROSPACE AG stellte sich vor dieser Ausgangssituation das Problem, eine weit in die Zukunft reichende Geschäftsfeldstrategie zu entwickeln.

In fünf Schritten wurden mehrere Haupt-Szenarien erarbeitet [50]. Die in Abbildung 37 in Kurzform skizzierten Szenarien weisen jeweils völlig unterschiedliche strategische Implikationen auf.

Die Ergebnisse des Zukunftslabor der DAIMLER-BENZ AEROSPACE AG lagen auf unterschiedlichen Ebenen.

Szenario A: *„Fliegen, was sonst"*	*Szenario B:* *„Fliegen ist beschränkt"*
▪ Niedrige Flugpreise, attraktive Dienstleistungen und verbesserte Verkehrsanbindung steigern das Passagieraufkommen. ▪ Es besteht ein umfangreiches Luftverkehrsnetz mit komfortablem Dienstleistungsangebot. ▪ Eine starke Nachfrage nach Flugzeugen und anderen Komponenten für integrierte Verkehrskonzepte prägt den Markt. ▪ Flugsicherung, Airlines und Passagiere funktionieren in reibungslosem Zusammenspiel.	▪ Die Attraktivität des Fliegens hat stark abgenommen. ▪ Erschwerte Marktbedingungen führen zu abnehmenden Flugzeugpreisen. ▪ Es fehlen integrative Verkehrskonzepte ▪ Das Luftverkehrsaufkommen stagniert.

Abbildung 37: Szenarien zum Luftverkehr 2015

Zunächst konnte auf der Grundlage der Szenarien eine weitreichende Geschäftsfeldstrategie entworfen werden. Teilnehmer und Experten des Zukunftslabors nahmen die ermittelten Deskriptoren und Szenarien zum Anlaß, ihre Annahmen zur Luftverkehrsentwicklung kritisch zu hinterfragen. Dies führte beispielsweise dazu, daß alte Planungsansätze neu bewertet und zum Teil verworfen wurden. Darüber hinaus leistete das Zukunftslabor einen Beitrag zur Lösung von Kommunikationsproblemen der beteiligten Bereiche: Organisation, Fluggesellschaften und Flughäfen.

Die Szenario-Experten des Bereiches „Forschung, Gesellschaft und Technik" des DAIMLER-BENZ Konzerns schätzen das Wissensmanagement-Potential ihres Instrumentes wie folgt ein: Mit der Szenario-Technik wird Wissen entwickelt. Individuelles Wissen der Workshop-Teilnehmer, Expertenwissen und die Beiträge der Moderatoren werden mit der Methode zu zukunftsbezogenen Bildern modelliert. Der Prozeß gemeinsamer Konstruktion zukünftiger „Modell-Welten" verändert die eingebrachten Wissensstrukturen systematisch. Die Gruppe entwickelt eine alternative mentale Repräsentation der Wirklichkeit, an der jeder Teilnehmer Anteil hat. Zum einen werden so die eigenen Annahmen zur Leitfrage des Szenarios mit den Annahmen der Experten und anderer Teilnehmern konfrontiert. Denkgewohnheiten können hinterfragt werden. Durch den Zukunftsbezug des Szenarios wird zum anderen gegenwärtiges Wissen in veränderter Perspektive sichtbar. Das aktuell bestehende Wissen der Organisation zu gegenwärtigen Problemkonstellationen erhält einen neuen Kontext. Alternative Planungen und Handlungen werden möglich.

Das Potential zur Wissensentwicklung der Szenario-Technik ist dabei allerdings auf den Zeitraum des Prozesses beschränkt. Der Kommunikationsprozeß in der Gruppe zeigt jedoch eine intensive längerfristige Wirkung: Die an einem Szenario-Prozeß Beteiligten sind häufig auch noch lange nach den Workshops eine Gruppe, die eine ganz besondere Erfahrung teilt. Sie sind eine Art „Knowledge Community", die häufig in intensivem Austausch bleibt. Die Resultate des Prozesses können außerdem durch eine angemessene Transferstrategie in der Organisation verteilt und zugänglich gemacht werden und so einen Beitrag zu einem kontinuierlichen Wissensmanagement leisten.

Zusammenfassung

- Wissensentwicklung ist die bewußte Produktion bisher intern noch nicht bestehender Fähigkeiten. Wissensentwicklung ist nicht nur Forschung und Entwicklung, sondern betrifft alle Bereiche, in denen kritisches Wissen für das Unternehmen erstellt wird.

- Wissen wird nicht nur bewußt entwickelt, sondern es entsteht quasi auch als Nebenprodukt im täglichen Organisationsgeschehen. Das Bewußtsein über die Grenzen der Steuerbarkeit der Entwicklung von Fähigkeiten ist daher sehr wichtig.

- Die Entkopplung des Wissensentstehungsprozesses von den Wissenszielen führt zu Ressourcenverschwendung.

- Kreativität und individuelle Problemlösungskapazität müssen bei der individuellen Wissensentwicklung zusammenspielen.

- Innovation kann durch Kontextsteuerung über die Schaffung von Freiräumen und handlungsentlasteten Interaktionszusammenhängen unterstützt werden.

- Kritisches implizites Wissen, oder tacit knowledge, muß durch Externalisierung sichtbar und bewußt gemacht werden. Damit wird es für die ganze Organisation nutzbar. Wir werden jedoch nicht alles Wissen explizit machen können und müssen mit hohen Kosten rechnen.

- Interaktion, Kommunikation sowie Transparenz und Integration bilden die Schlüsselgrößen der kollektiven Wissensentstehung.

- Think tanks, Lernarenen, Erstellung von lessons learned sowie Einsatz von Szenarien sind ausgewählte Instrumente für die kollektive Wissensentwicklung.

Leitfragen

- Wo sind die Zentren der Wissensentwicklung Ihres Unternehmens?

- Wie sind Sie mit den Wissenszielen des Unternehmens verbunden?

- Wird kontinuierlich versucht, implizites Wissen explizit und bewußt zu machen?

- Unterstützen Sie den Aufbau querliegender Kompetenzzentren, welche verstreutes Know-how bündeln und weiterentwickeln?

- Fehlt es Ihnen an Kreativität oder an systematischem Problemlösen? Was machen Sie dagegen?

8. Kapitel

Wissen (ver)teilen

Teile und herrsche. Eine solche Politisierung von Wissen ist gefährlich, denn nur wenn Informationen oder Erfahrungen in den relevanten Entscheidungsgremien verfügbar sind, können sie für die gesamte Organisation nutzbar gemacht werden. Wird häufig Wissen geheimgehalten, weil damit Macht und Ansehen verbunden ist? Bleibt das wichtigste Wissen häufig Sache einzelner Mitarbeiter, weil es implizit mit den Aufgaben und Erfahrungen verbunden ist und bewußt gar nicht wiedergegeben werden kann? Durch E-Mail wird der kostengünstige Massenversand irrelevanter Informationen noch einfacher. Gleichzeitig können gewisse Erfahrungen nur im persönlichen Gespräch oder durch langfristige Nachahmung erworben werden. Wir zeigen hier Techniken der Wissensmultiplikation sowie den Aufbau und Betrieb von Wissensnetzwerken, welche die Möglichkeiten der digitalen Revolution heute schon effektiv nutzen. Außerdem diskutieren wir, wie die Bereitschaft zur Wissensteilung bei Mitarbeitern erhöht werden kann und welche Instrumente den organisationsweiten Transfer von „Best Practices" erleichtern.

Wissen (ver)teilen

„In unserem Business ist die schnelle Verteilung von Wissen und die weltweite Nutzung von 'best practices' ein absolutes Muß. Um im Wettbewerb der Top-Berater bestehen zu können, haben wir in diese Fähigkeit bewußt langfristig investiert. Heute kann bei uns jeder Mitarbeiter innerhalb kürzester Zeit vorhandene Dokumentationen zu bestimmten Fachgebieten ermitteln. Durch die Vermittlung von Kontakten zu entsprechenden Experten kann er darüber hinaus Erfahrungen aus erster Hand beziehen." *(Senior Consultant einer weltweit tätigen Unternehmensberatungsgesellschaft)*

„An die freiwillige Abgabe von Wissen ist bei uns nicht zu denken. Besonders seit die Direktion die letzte Reengineering-Aktion durchgedrückt hat hütet jeder eifersüchtig sein Terrain. Hier läuft alles unter dem Motto: 'Sich nur nicht überflüssig machen. Wer weiß, wer beim nächsten Mal dran glauben muß'." *(Abteilungsleiter eines Automobilzulieferbetriebes)*

„In unserer Pilotfabrik war ein Meister jahrzehntelang für die Feinabstimmung unserer Produkttests verantwortlich. In diesem Jahr wird er pensioniert und alle fragen sich auf einmal: 'Was passiert, wenn wir den Herrn X einmal nicht mehr fragen können.' Für uns ist es absolut essentiell, daß dieser Mitarbeiter sein Wissen in der ihm noch verbleibenden Zeit an andere weitergibt." *(Forschungs- und Entwicklungsmanager eines internationalen Lebensmittelkonzerns)*

Die (Ver)teilung von Erfahrungen in der Organisation ist die zwingende Voraussetzung, um isoliert vorhandene Informationen oder Erfahrungen für die gesamte Organisation nutzbar zu machen. Die Leitfrage lautet: Wer sollte was in welchem Umfang wissen oder können und wie kann ich die Prozesse der Wissens(ver)teilung erleichtern?

Vorhandensein von Wissen

Erste grundlegende Voraussetzung ist das Vorhandensein von Wissen. Dieses kann sowohl aus internen Quellen stammen (Wissensentwicklung) als auch extern erworben worden sein (Wissenserwerb). Wenn vorhandene individuelle oder organisationale Wissensbestände zudem für den potentiellen Nutzer erkennbar und auffindbar sind (Wissensidentifikation) sollten beste Voraussetzungen für die breite Wissens(ver)teilung bestehen.

Problem der Wissens(ver)teilung

Dennoch stellen viele Unternehmen fest, daß genau an dieser Stelle das eigentliche Problem erst beginnt. Wissen auf die richtigen Mitarbeiter zu verteilen, beziehungsweise organisationales Wissen an die Stelle zu bringen, wo es gerade dringend gebraucht wird, ist eine der schwierigsten und am meisten unterschätzten Hindernisse für ein erfolgreiches Wissensmanagement. Jüngste Umfragen haben ergeben, daß in vielen Unternehmen mehr als die Hälfte des verfügbaren intellektuellen Kapitals nicht genutzt wird. Viele Unternehmen berichten über Schwierigkeiten bei der Übertragung von Wissen an den Ort der Anwendung. In der Mehrzahl der Fälle wurde eine Konzentration zentraler Wissensbestandteile auf eine verschwindend geringe Zahl von Personen festgestellt [1].

Bedeutung des Begriffs Wissens(ver)teilung

Wir haben diesen Baustein Wissens(ver)teilung getauft, um zu betonen, daß wir es nicht nur mit dem mechanischen Verteilen und Verschieben von 'Wissenspaketen' zu tun haben, welches über eine zentrale Verteilstelle logistisch koordiniert wird. Vielmehr ist Wissen ein Gut, das oft nur im persönlichen Austausch zwischen Individuen übertragen werden kann [2]. Der Begriff der Wissens(ver)teilung kann sich daher je nach Kontext entweder auf die zentral gesteuerte (Ver)teilung organisationalen Wissens auf eine festgelegte Gruppe von Mitarbeitern oder auf das (Mit)teilen von Wissen unter Individuen beziehungsweise im Rahmen von Teams und Arbeitsgruppen beziehen.

Die richtigen Rahmenbedingungen für Wissens(ver)teilung

Chancen und Gefahren des weltweiten Austauschs von Daten, Informationen und Wissen sind in jüngster Zeit zu einem gesellschaftlich relevanten Thema geworden [3]. Politiker stellen mehr oder weniger visionäre Entwürfe von Datenautobahnen der Zukunft vor. Geisteswissenschaftler beschwören die Risiken einer vernetzten Gesellschaft für die soziale Interaktion und das Privatleben des Individuums. Die technologischen Rahmenbedingungen haben sich durch weltweite Datennetze und leistungsfähige Hard- und Software derart gewandelt, daß Unternehmen mit neuen Möglichkeiten der (Ver)teilung von Wissen experimentieren. Zunehmende Teamarbeit im internationalen Umfeld führt zur Virtualisierung vieler Unternehmen. Die Teamsitzung im Cyberspace wird Wirklichkeit, kann aber das persönliche Zusammensein nicht ersetzen.

Wissens(ver)teilung als wirtschaftliche Notwendigkeit

Gleichzeitig verbringen immer mehr Mitarbeiter heute einen wachsenden Teil ihrer Arbeitszeit in Teams oder projektorganisierten Arbeitsprozessen [4]. Das Stichwort lautet Kollektivierung der Arbeit. Beurteilte man früher die Fähigkeit eines Mitarbeiters, mit Hilfe seines eigenen Wissens Probleme zu lösen, schaut man heute auf seinen Beitrag im Team. Wie produktiv ist sein Input für das Gesamtprojekt? Wie teilt er sein Wissen mit den Partnern und wie nutzt er deren Kenntnisse? Mitarbeiter sind immer stärker auf gegenseitige Hilfe angewiesen, um komplexe Aufgaben erfolgreich lösen zu können. Wie erfolgreich ein Projekt oder Team ist, hängt dabei

Trend zur Kollektivierung der Arbeit

entscheidend davon ab, wie effizient die (Ver)teilung von Wissen in diesen kollektiven Arbeitssituationen erfolgen kann.

Virtuelle Teams und Büros
Wissens(ver)teilung wird durch den Trend zur Virtualisierung von Organisationen nicht erleichtert. In virtuellen Teams sind die Mitarbeiter, die gemeinsam an der Lösung eines Problems arbeiten, auf verschiedene Orte verteilt. Bei HEWLETT PACKARD wurde beispielsweise die europäische Personalentwicklung in Form eines virtuellen Teams organisiert. Entwicklungsspezialisten in mehreren europäischen Ländern stellen dabei ihre speziellen Fähigkeiten über ein europaweites Netzwerk allen Länderorganisationen zur Verfügung. Im Extremfall des virtuellen Büros betrifft diese Arbeitsorganisation nicht nur einzelne Teams, sondern die Gesamtheit einer Abteilung oder eines Unternehmens.

Beispiel VERIFONE
VERIFONE, ein in Kalifornien beheimateter Hersteller von Autorisationsgeräten für Kreditkarten, stellt ein vielzitiertes Beispiel eines solchen virtuellen Büros dar [5]. VERIFONES Produktion konzentriert sich auf Indien und Thailand. Die Top-Manager des Unternehmens sind über die gesamten USA verteilt und arbeiten meist bei sich Zuhause. Der typische VERIFONE-Verkäufer arbeitet schließlich dort, wo seine Kunden angesiedelt sind. Zusammengehalten wird das gesamte Unternehmen durch ein leistungsstarkes elektronisches Netzwerk. Die annähernd 2000 Mitarbeiter sind ausnahmslos mit Modem-bestückten Laptops ausgerüstet, welche Kommunikation und Wissensaustausch über sämtliche Hierarchieebenen hinweg erlauben. Erfahrungen der Mitarbeiter mit Kunden und Wettbewerbern in den 90 Ländermärkten, die von VERIFONE bearbeitet werden, finden zudem Eingang in Datenbanken, welche unternehmensweit zugänglich sind.

Die Extremfälle dieses Organisationsprinzipes nennen wir virtuelle Unternehmen. Hierunter versteht man ein Konglomerat kooperierender – und meist über Datennetze verbundener – Organisationen, die in einem komplexen Geflecht von Austauschbeziehungen gemeinsam eine Leistung erstellen und dabei Dritten gegenüber weitgehend einheitlich auftreten. Einzelne Mitglieder des Netzwerkes konzentrieren sich dabei auf ihre jeweiligen Kernkompetenzen und überlassen andere Elemente des Leistungserstellungsprozesses den übrigen Mitgliedern [6]. Oft übernimmt ein Mitglied eines solchen Netzwerkes dabei die Rolle eines Impresarios, der die übrigen Aktivitäten koordiniert [7]. Der Austausch von Informationen und Wissen ist dabei eine absolute Grundvoraussetzung. Anstatt gemeinsame Managementfunktionen zur Steuerung des Konglomerates einzurichten, beruht ein virtuelles Unternehmen auf der intensiven Nutzung von Kommunikationstechnologien zum Informations- und Wissensaustausch [8].

Virtuelle Unternehmen

Eine Bedrohung für effektive Wissens(ver)teilung geht von abrupten Veränderungen in der Unternehmensstruktur aus. Unternehmenszusammenschlüsse, Akquisitionen oder Desinvestitionen können herkömmliche Verteilungskanäle unterbrechen beziehungsweise den Aufbau gänzlich neuer Infrastrukturen nötig machen. Ähnliche Folgen hat ein übermäßiges Wachstum. Unternehmensberatungen, die teilweise Wachstumsraten von über 50 Prozent aufweisen, sehen sich in besonderem Maße dem Problem ausgesetzt, die Konsistenz in den Strömen der organisationalen Wissens(ver)teilung aufrechtzuerhalten. Bei solch rapidem Wachstum einer Organisation ist vor allem die (Ver)teilung kulturellen Wissens betroffen. Dieses vermittelt neuen Mitarbeitern die grundlegenden Spielregeln und Verhaltensweisen eines Unternehmens und stellt dadurch ihre Sozialisation sicher.

Gefahren für kulturelles Wissen

Verlust natürlicher Teilungskontexte

Das Arbeiten im Team macht die (Ver)teilung von Wissen zu einem immer zentraleren Erfolgsfaktor. Virtuelle Organisationsformen und starke Diskontinuität in der Unternehmensentwicklung stellen dagegen offensichtliche Bedrohungen für ein effizientes Funktionieren dieser Prozesse dar. Natürliche Teilungssituationen setzen die physische Präsenz von Kollegen am Arbeitsplatz voraus. Wenn die Gelegenheiten zu gemeinsamer Arbeit oder zu informellen Begegnungen zurückgehen, müssen solche sozialen Situationen, in denen Wissen geteilt werden kann, bewußter gestaltet werden.

Ansatzpunkte

Wissensmanagement steht in diesem Bereich keinesfalls auf verlorenem Posten. Den erschwerten Rahmenbedingungen stehen vielmehr auch erhebliche Fortschritte im instrumentellen Bereich gegenüber. Instrumente zur Gestaltung der organisationalen Wissens(ver)teilung betreffen dabei alle Aspekte der physischen, technischen und organisatorischen Ausgestaltung von individuellen und kollektiven Arbeitskontexten.

Organisatorische und technische Ansatzpunkte

Im organisatorischen Bereich müssen neben herkömmlichen funktionalen oder divisionalen Organisationsformen parallele Strukturen geschaffen werden, welche die Notwendigkeiten des Wissensmanagements berücksichtigen. Im technischen Bereich sind vor allem die Aspekte der Kommunikations- und Informationstechnologie angesprochen. In jüngster Zeit konnten hier erhebliche Fortschritte erzielt werden, welche die Virtualisierung von Organisationen vielfach erst ermöglicht haben. Allen voran sind dabei die sogenannten groupware-Technologien zu nennen, als deren derzeit prominentester Vertreter LOTUS-Notes gilt. Durch konsistente Verwaltung verteilter Information unterstützen groupware-Anwendungen kollektive Arbeitsprozesse in substantieller Weise.

Space management

Neben organisatorischen und technischen Ansätzen kann die Wissens(ver)teilung auch die räumliche Gestaltung der Arbeitssituation beeinflussen. Durch eine intensivere Nutzung von space management lassen sich beispielsweise Wissensströme physisch abbilden. Arbeitsplätze von Mitarbeitern, die regelmäßig zusammenarbeiten und deren Wissensaustausch besonders wichtig ist, sollten sich in relativer Nähe zueinander befinden. Heute folgen Bürobesetzungen häufig eher der funktionalen Zugehörigkeit der betreffenden Stelle und nehmen auf die Distanzen zu wichtigen Teilungspartnern nur geringe Rücksicht. Durch geschickte Arbeitsplatzorganisation kann der Ablauf ganzer Geschäftsprozesse physisch abgebildet werden und fördert so funktionenübergreifende Zusammenarbeit [9].

Hebeln durch Teilen

Time-based management beziehungsweise Total Quality Management (TQM) haben sich als zwei dominierende Managementkonzepte der vergangenen Jahre erwiesen. Theorie und Praxis gehen heute übereinstimmend davon aus, daß Unternehmen, welche Lieferzeiten nicht einhalten, Neuprodukte verspätet auf den Markt bringen, beziehungsweise Mängel in der Qualität ihrer Produkte oder ihres Kundenservice aufweisen, ihre Wettbewerbsfähigkeit auf Dauer nicht erhalten können. Wissens(ver)teilung hat einen wesentlichen Einfluß auf die Dimensionen Zeit und Qualität im Leistungserstellungsprozeß und kann somit diese wichtigen Hebel beeinflussen.

Zeit und Qualität

Die wachsende Bedeutung des Elementes Zeit als Wettbewerbsfaktor resultiert aus der Verkürzung von Produktlebenszyklen und Technologiesprüngen. In Kombination mit ständig steigenden Forschungs- und Entwicklungskosten hat dies zur Folge, daß eine zügige Entwicklung und umgehende Markteinführung von Produkten oft stärker über die letztendliche Profitabilität entschei-

Wissens(ver)teilung zur Koordination von Abläufen

det als die strikte Einhaltung des Entwicklungsbudgets. Verzögerungen unternehmensinterner Prozesse haben ihre Ursachen dabei weniger im mangelhaften Funktionieren einzelner Akteure, sondern lassen sich häufig auf Koordinationsprobleme zurückführen. Reengineering-Konzepte konnten an diesem Punkt oft erfolgreich ansetzen. Ihr Ansatz besteht darin, Koordinationsprobleme durch die umfassende Neugestaltung von Prozessen zu bereinigen. Maßnahmen zur Förderung der Wissens(ver)teilung können vergleichbare Probleme auf eine weniger radikale und interventionistische Art beheben helfen. Der Ansatzpunkt liegt dabei darin, den einzelnen Mitarbeitern, Gruppen oder Organisationseinheiten ihre Rolle im Gesamtprozeß zu verdeutlichen und die notwendigen Kommunikationsbeziehungen herzustellen. So kann zu einer Beschleunigung von Abläufen gelangt werden [10].

Second time right Auch der Bereich des Qualitätsmanagements baut in entscheidendem Maße auf erfolgreiche Wissens(ver)teilung auf. In Abwandlung der bekannten TQM-Devise „first time right" könnte man als Kriterium für erfolgreiche Wissens(ver)teilung dabei das Motto „second time right" wählen. Wird dieses Prinzip realisiert, dann wird die Wiederholung von Fehlern vermieden, die Organisation lernt und kann die Kosten durch Doppel- und Dreifachfehler sparen. Dies gelingt hauptsächlich durch das systematische Festhalten von lessons learned sowie deren Transfer an die relevanten Beteiligten. Wissens(ver)teilung betrifft also nicht nur die Verbreitung von Erfolgsrezepten sondern auch das Wissen über die Vermeidung von Fehlern (siehe Abbildung 38).

Direkter Nutzen Wissens(ver)teilung kann sich neben Effizienzvorteilen im Zeit- und Qualitätsmanagement auch direkt in Kundennutzen niederschlagen. Verteilte organisationale Wissensbestände erlauben eine Nutzung des Wissens an zahlreichen Stellen des Unternehmens. Das Wissen ist

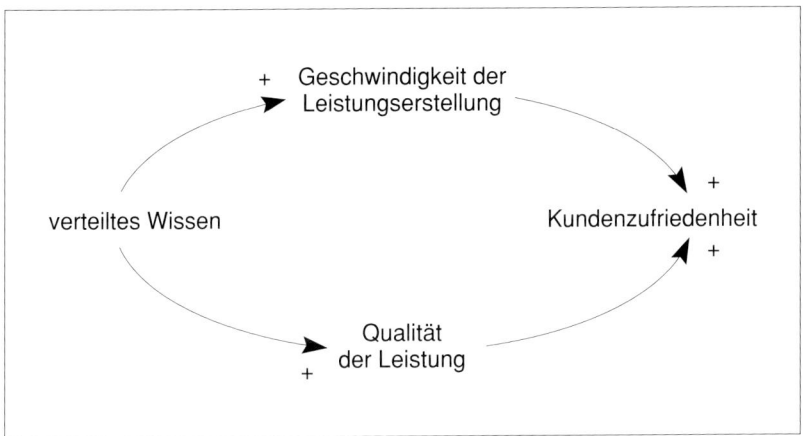

Abbildung 38: Indirekte Wirkung der Wissens(ver)teilung auf die Kundenzufriedenheit

vor Ort. Statt in der Zentrale nachzufragen kann kompetent und vor allem schnell auf Anfragen des Kunden ge-
antwortet werden. Wer hat sich noch nicht über uninfor-
mierte Filialenmitarbeiter geärgert, welche die neuesten
Produkte ihres eigenen Unternehmens nicht kannten?
Kundenorientierung setzt die effiziente Teilung solch
kritischer Informationen voraus, signalisiert Kompetenz
und kann besonders in Dienstleistungsorganisationen
wettbewerbsentscheidend sein.

Multinationale Unternehmen können durch die (Ver)tei-
lung von Wissen einen weiteren Hebeleffekt realisieren.
Ein in mehreren Ländern agierendes Unternehmen sieht
sich in vielen Fällen vor das Problem gestellt, ein weltweit einheitliches Auftreten sowie vergleichbare Image-
oder Qualitätsstandards wahren zu müssen. Die Fast-
Food-Produkte bei MCDONALD's sollen in Singapur genauso schmecken wie in Lima. Ebenso muß ein erstklas-
siges internationales Beratungsunternehmen weltweit
etwa gleiche Qualitätsstandards für die Auswahl seines

**Einheitliches
Auftreten durch
Wissens(ver)teilung**

Personals und die Erfüllung seiner Mandate wahren, wenn das Firmenimage keinen Schaden nehmen soll. Wissens(ver)teilung – beispielsweise durch sorgfältige und intensive Schulung und Sozialisierung der Mitarbeiter – kann in beiden Fällen den Weg zur erfolgreichen Umsetzung weisen.

Relevanz für Wissensnutzung

Der Prozeß der Wissens(ver)teilung ermöglicht oder verunmöglicht erfolgreiche Wissensnutzung. Was mich nicht erreicht, das kann ich nicht anwenden und in Entscheidungen oder Produkte einfließen lassen. Vieles, was für den Einzelnen banal und selbstverständlich zu sein scheint, ist für andere Mitarbeiter eine Neuheit, welche ihre Arbeit erleichtern oder verbessern kann. Häufig nehmen wir diese unsere wertvollen Fähigkeiten oder Kenntnisse nicht mehr wahr und verhindern so, daß ihr Potential von anderen Gruppen ausgeschöpft werden kann. Das Bewußtsein für diesen relativen Wert des Wissens gilt es zu fördern, um zu effektiverer (Ver)teilungsprozessen zu gelangen.

Nicht jeder muß alles wissen

Grundsatzentscheidungen

Wieviel Wissen muß (ver)teilt werden? Welche organisationalen Wissensbestände müssen geheim bleiben und vor einer breiten (Ver)teilung geschützt werden? Es ist eine grundsätzliche inhaltliche Trennung in zu (ver)teilendes und nicht zu (ver)teilendes Wissen vorzunehmen, bevor über konkrete Maßnahmen der Wissens(ver)teilung nachgedacht werden sollte. Wer diese Unterscheidung nicht trifft, darf sich nicht wundern, wenn Firmengeheimnisse im Internet verfügbar werden. Eine weitere wichtige Grundsatzentscheidung ist, ob eher eine zentral gesteuerte (Ver)teilungsstrategie oder eine dezentral orientierte Schaffung von (Ver)teilungsinfrastrukturen verfolgt werden soll.

Nicht jeder muß alles wissen. Daher ist das Ziel effektiver Wissens(ver)teilung auch keineswegs die ziellose Verbreitung jeglicher Wissensbestände an alle Mitarbeiter. Wissens(ver)teilung ist nur innerhalb gewisser Grenzen möglich und sinnvoll. Ihr eigentlicher Sinn liegt darin, Individuen oder Gruppen Zugang zu jenen Wissensbeständen zu ermöglichen, die für ihre spezifische Aufgabenerfüllung und damit für den reibungslosen Ablauf organisatorischer Prozesse notwendig sind. Der Schwerpunkt liegt also auf der Nutzbarmachung von Wissen innerhalb gewisser Grenzen, was nicht bedeutet, daß dieses Wissen notwendigerweise zu einem Wissen aller Organisationsmitglieder gemacht werden muß. Die (Ver)teilung von Wissen stößt vielmehr an eine Reihe natürlicher Grenzen.

Begrenzte Nutzbarmachung von Wissen

Hier sind zunächst ökonomische Grenzen zu nennen. Eine 'totale' Wissens(ver)teilung würde alle Vorteile effizienter Arbeitsteilung aufheben. Neben der Tatsache, daß eine solche Maßnahme mit großer Wahrscheinlichkeit an den hierzu notwendigen Ressourcen scheitern würde, wäre sie im Ergebnis auch äußerst kontraproduktiv. Der beschränkte Umfang an Fähigkeiten, die ein Individuum beherrschen kann, macht eine arbeitsteilige Spezialisierung unumgänglich. Durch vollkommene Wissens(ver)teilung würde der Umfang der möglichen Kompetenzen einer Organisation folglich auf völlig sinnlose Art und Weise eingeschränkt werden.

Ökonomische Grenzen der Wissens(ver)teilung

Eine bedeutsame Grenze für den Umfang der Wissens(ver)teilung bildet die Schutzwürdigkeit bestimmter Wissensbestandteile. Dies kann auf einer Geheimhaltungspflicht, also einer rechtlichen Verpflichtung gegenüber Kunden oder Vertragspartnern beruhen. Häufiger ist es wahrscheinlich der Wettbewerbsaspekt, der eine restriktive Behandlung von Wissen ratsam macht. Gewisse Kernwissensbestände, die essentiell für die Wettbewerbsposition des Unternehmens sind, müs

Vertraulichkeit und Geheimhaltung

sen vor einer Imitation durch Wettbewerber geschützt werden. Dies wird durch eine Einschränkung ihrer (Ver)teilung erleichtert. In diesen beiden Fällen werden bestimmte Wissensbestände von vornherein von einer (Ver)teilung ausgenommen.

Zusammenhang mit der Organisations- struktur

Ausmaß und Umfang der Wissens(ver)teilung müssen weiterhin in einem angemessenen Verhältnis zu den organisationalen und personellen Gegebenheiten eines Unternehmens stehen. In einer stark hierarchisierten Kommando-Struktur (command-and-control) fällt es relativ gesehen leichter, relevantes Wissen stellen- beziehungsweise abteilungsspezifisch festzulegen und seine Verbreitung auf diese Bereiche zu begrenzen. Der Preis hierfür sind jedoch in der Regel Einschränkungen der Flexibilität und Reaktionszeit. Je flexibler die Strukturen einer Organisation sind, um so wichtiger wird es, durch Wissens(ver)teilung auch gewisse Redundanzen in Wissensbeständen aufzubauen, die den oben beschriebenen Koordinationseffekt an kritischen Schnittstellen erfüllen können. Den Extremfall stellt hierbei die oben bereits beschriebene virtuelle Organisation dar, in der koordinierende Redundanzen zur Überlebensnotwendigkeit werden.

Personelle Barrieren

Menschen teilen ihr Wissen anderen nicht automatisch mit, sondern es existieren individuelle Teilungsbarrieren. Diese betreffen sowohl die Bereitschaft als auch die Fähigkeit von Individuen zur Teilung von Wissen. Mitarbeiter betrachten in der Regel gewisse Bereiche ihres persönlichen Wissens als Bestandteil ihrer unternehmensinternen Machtbasis beziehungsweise als ihre Privatangelegenheit. In beiden Fällen ist der Wille zur Teilung eingeschränkt [11]. Andere Wissensbestände begegnen dagegen natürlichen Grenzen der Teilung, die in der fehlenden Möglichkeit zur Beschreibung und Vermittlung dieses Wissens begründet liegen [12].

Eingeschränkte Möglichkeiten der Wissens(ver)teilung haben nicht nur negative Aspekte. Einige Studien haben vielmehr festgestellt, daß durch Abweichungen in Wissensbeständen auch positive Effekte erzielt werden können. Dies betrifft vor allem die sogenannten peripheren Wissensbereiche. Während über die Kernelemente des organisationalen Wissens, welche die Bereiche der Mission und Vision sowie das Verständnis der Wettbewerbssituation betreffen, weitgehende Einigkeit herrschen sollte, kann in peripheren Bereichen der organisationalen Wissensbasis durchaus ein gewisser Dissens herrschen. Eine lose Kopplung zwischen den beiden Wissensbereichen hilft der Organisation dabei, sich auf Veränderungen ihres Umfeldes schneller einzustellen. Mit anderen Worten kann mangelnder Konsens in peripheren Wissensbereichen durchaus flexibilitätsfördernd wirken [13].

Positive Effekte eingeschränkter (Ver)teilung

Wissensmultiplikation

Die Multiplikation von Wissen stellt einen zentral gesteuerten Eingriff dar, der die schnelle Verbreitung bestimmter Wissensbestände auf eine größere Anzahl von Mitarbeitern zum Ziel hat. Alle betroffenen Mitarbeiter sollen dabei möglichst schnell und dauerhaft auf das neue Wissen zugreifen können. Ein Beispiel für Wissensmultiplikation wäre die Schulung des gesamten Außendienstes in der Verwendung einer neuen Standard-Software. Ebenso könnte die Durchführung eines Workshops zum Thema 'Organisationaler Wandel', der die neue strategische Ausrichtung für einen Unternehmensbereich vermittelt, als Maßnahme der Wissensmultiplikation bezeichnet werden. In diesem Fall ist durch die zentrale Steuerung und möglichst rationale Ausgestaltung des Prozesses der Begriff der Verteilung von Wissen im eigentlichen Sinne gerechtfertigt.

Wissensmultiplikation

Schaffung eines
Wissensnetzwerkes
Während die Multiplikation von Wissen durch ein Element zentraler Steuerung sowie einen permanenten Zugriff auf neues Wissen gekennzeichnet ist, folgt die Schaffung eines Wissensnetzwerkes einer dezentralen Philosophie. Statt des permanenten Zugriffs auf organisationales Wissen, der eine (Ver)teilung auf Vorrat notwendig macht, steht hierbei die fallweise Zugriffsmöglichkeit im Vordergrund. Für diese Art der Wissens(ver)teilung gilt es somit, geeignete Rahmenbedingungen zu schaffen, welche eine just-in-time-Lieferung des benötigten Wissens ermöglichen. Statt einer zentralen Verteilung erfolgt dabei eher eine Mitteilung von Wissen zwischen Mitarbeitern, welche hierzu die geschaffenen Infrastrukturen des Wissensnetzwerkes der Organisation nutzen.

Sozialisierung
Die Aufgaben der Wissensmultiplikation betreffen vor allem zwei große Bereiche im Unternehmen: die Sozialisation von Mitarbeitern sowie deren kontinuierliche Aus- und Weiterbildung. Unter Sozialisation kann man hierbei das Vertrautmachen mit organisationalen Werten und Normen, die Kommunikation grundlegender Verhaltensweisen beziehungsweise Rollenerwartungen, kurz: das Einleben in die Kultur des Unternehmens verstehen [14]. Dies kann sowohl die Einführung neuer Mitarbeiter betreffen, als auch Maßnahmen der strategischen oder kulturellen Neuausrichtung eines Unternehmens.

Methoden der
Sozialisierung
Die anfängliche Sozialisation erfolgt im einfachsten Fall durch den Kontakt mit Kollegen und den informellen Austausch über „die Art und Weise, wie das bei uns gemacht wird". Häufig wird jedoch gerade in großen Unternehmen die Einarbeitungsphase neuer Mitarbeiter genutzt, um in Seminaren oder sogar in mehrtägigen retreats ein kulturelles Basiswissen über das Unternehmen zu vermitteln. Diese Grundlage kann später auch aufgefrischt werden. So findet man in Phasen gravierender Umbrüche in Unternehmen oft großangelegte Initiativen, die eine neue Strategie oder eine veränderte Unter-

nehmenskultur verbreiten und unterstützen sollen. Das oben geschilderte Workout-Programm bei GENERAL ELECTRIC bildet hierfür ein gutes Beispiel.

Neben der in erster Linie auf kulturelle Wissenselemente ausgerichteten Sozialisierung kann auch fachliches Wissen zum Gegenstand der Wissensmultiplikation werden. Gerade in dynamischen, wissensintensiven Branchen ist es wichtig, den Wissensstand der Mitarbeiter auf einem kontinuierlich hohen Niveau zu halten. Die Professionalisierung der Mitarbeiter ist Gegenstand von Personalentwicklungsmaßnahmen. Bei ARTHUR ANDERSEN werden so beispielsweise bis zu vier Wochen Ausbildungszeit pro Jahr in die Entwicklung jedes Mitarbeiters investiert, um sie so mit eingeführten Standardtools vertraut zu machen [15].

Professionalisierung

Bei den Instrumenten der Wissensmultiplikation steht vor allem die gesamte Palette der Personalentwicklungsinstrumente im Vordergrund. Während Trainingsmaßnahmen bereits auf die Multiplikation von Wissen ausgerichtet sind, lassen sich diese selbst auch multiplizieren. Das train-the-trainer-Konzept bietet hierfür ein Beispiel. An diesem Weg der Wissensmultiplikation müssen dabei nicht unbedingt nur professionelle Trainer beteiligt sein. Vielmehr wenden immer mehr Firmen heute sogenannte Selbstlernverfahren an [16]. In Kleingruppen, die in der Regel aus vier Teilnehmern und einem Moderator bestehen, werden dabei mit Hilfe einfacher graphischer Unterstützungsinstrumente neue Initiativen diskutiert und direkte Maßnahmen zur Umsetzung erarbeitet. Die Teilnehmer der Gruppensitzung werden anschließend selbst als Moderatoren für vier weitere Mitarbeiter tätig. Wird dieser Prozeß einige Male wiederholt, so kann Wissen in kürzester Zeit unternehmensweit verteilt und ein organisationaler Veränderungsprozeß auf breiter Grundlage verankert werden. Bei BASF wurde auf diese Weise eine TQM-Initiative zum Erfolg geführt. SIEMENS setzte mit

Nutzung von Personalentwicklungsmaßnahmen

der '4 plus 1-Methode' ein umfassendes Reengineering-Konzept um. Bei DAIMLER-BENZ wurde sogar die gesamte Produktion eines Werkes stillgelegt, um sämtlichen Mitarbeitern das neue Leitbild mit einem Schneeballverfahren näherzubringen.

Dokumentation Neben solchen personenzentrierten Maßnahmen bieten sich auch dokumenten- oder datenbasierte Instrumente der Wissensmultiplikation an. Betriebshandbücher analoger oder digitaler Art bilden in vielen Unternehmen noch eine unentbehrliche Wissensquelle, die vor allem für die Einarbeitung neuer Mitarbeiter und die Behandlung von Ausnahmefällen genutzt wird. Durch die Ausarbeitung und Dokumentation von standard operating procedures läßt sich ebenfalls Wissen über erprobte und erfolgreiche Prozesse weitergeben.

Querverbindung zur Wissensbewahrung Es läßt sich festhalten, daß sämtliche Maßnahmen der Wissensmultiplikation einen nahezu automatischen Bezug zur Wissensbewahrung aufweisen. Durch die (Ver)teilung von Wissen und die dadurch erfolgte Verankerung auf mehrere Individuen wird die Gefahr eines Totalverlustes organisationaler Wissensbestände durch den Verlust eines einzelnen Wissensträgers substantiell reduziert. Teilweise können hierdurch erhebliche Probleme vermieden werden.

Schaffung von Wissensnetzwerken

Steuerung der Wissens(ver)teilung Wissensprozesse in Unternehmen entziehen sich häufig einer direkten Steuerung durch das Management. Wir haben in den vorhergehenden Kapiteln daher bereits mehrfach auf die Notwendigkeit günstiger Rahmenbedingungen hingewiesen. Im Rahmen der Wissens(ver)teilung durch Kontextsteuerung stellt die Bereitstellung eines Wissensnetzwerkes ein gutes Beispiel dar. Zwar gilt auch in diesem Fall die Regel, daß das Mitteilen von Wissen unter Mitarbeitern nicht erzwungen werden kann. Oft wird jedoch erst durch die Schaffung geeigneter Infrastrukturen ein solcher Teilungsprozeß überhaupt ermöglicht.

Kontextsteuerung durch Infrastrukturgestaltung

Wissensmultiplikation folgt einer push-Philosophie. Es wird zentral entschieden, welches Wissen in welchem Umfang (ver)teilt werden soll und dieses Wissen wird dann über klar definierte Kanäle wie Trainings oder Verteiler in die Organisation 'gedrückt'. Zentral für die Funktionstüchtigkeit der push-Philosophie ist die Wahl der richtigen Multiplikationsinhalte und die Auswahl der richtigen Multiplikationsmedien. Der Aufbau einer nicht zentral gesteuerten Informationsinfrastruktur ist innerhalb dieses hierarchischen 'top-down'-Ansatzes nicht nötig.

Push-Strategien

Die pull-Philosophie setzt hingegen beim Wissensnutzer und seinen Bedürfnissen an. Im Bedarfsfall soll er benötigtes Wissen schnell anfordern können, ja, er soll die gezielte Wissensnachfrage zu seiner zweiten Natur machen. Information wird zur Holschuld. In diesem Fall führt die systematische (Ver)teilung von Informationen entlang des hierarchischen Weges nicht weiter, da sich das jeweils benötigte Wissen in einem anderen Geschäftsbereich oder einer anderen Funktion befinden kann. Der hierarchische Weg dorthin würde zu viele Hindernisse für den Wissenssuchenden bereithalten, als daß er ihn beschreiten würde. Wenn der Kontakt zwischen Wissensnachfrage und -angebot unproblematisch hergestellt werden kann, wird die pull-Philosophie unterstützt. Die Schaffung eines Wissensnetzwerkes scheint eine hierfür geeignete Infrastruktur der Wissens(ver)teilung zu sein.

Schaffung von Infrastrukturen

Vorteile querliegender Infrastrukturen

Infrastrukturen der Wissens(ver)teilung, die quer zur Hierarchie verlaufen, bieten eine Reihe von Vorteilen. Anstelle einer automatisierten (Ver)teilung erlauben sie das bedarfsgerechte, fallweise Zugreifen auf im Unternehmen vorhandenes Wissen. Unter der Voraussetzung, daß die angebotenen Infrastrukturen benutzerfreundlich gestaltet sind und die Anreizsysteme des Unternehmens zur (Ver)teilung von Wissen ermutigen, wird sich die Wissens(ver)teilung in diesem Fall selbsttätig organisieren. Probleme der Informationsüberlastung durch nicht bedarfsgerechte, automatisierte (Ver)teilung werden dadurch vermieden.

Wissens(ver)teilung organisatorisch unterstützen

Parallele Strukturen

Organisationsstrukturen sind meistens nicht nach den Anforderungen des Wissensmanagements gestaltet. Historisch gewachsene geographische oder funktionale Barrieren erschweren eine effiziente Wissens(ver)teilung oder verhindern sie gar. Das Marketing spricht nur selten mit der Produktion und die Tochterunternehmen in China oder Kanada teilen ihre Erfahrungen nur selten mit dem Mutterhaus oder untereinander. Neben funktionale und geographische Strukturen müssen interessen- oder themengeleitete Strukturen wie Kompetenzzentren oder Lernarenen treten, welche die Grundlage eines effizienten Wissensnetzwerkes bilden. Viele Unternehmen haben in den letzten Jahren solche Strukturen eingeführt.

Beispiele aus der Unternehmensberatung

Die großen Unternehmensberatungsgesellschaften waren unter den ersten, welche die Notwendigkeit einer intensiveren Wissens(ver)teilung erkannten. Bei MCKINSEY sind bereits vor vielen Jahren funktional orientierte practices und industriespezifisch ausgerichtete industry groups gegründet worden. Diese bündeln das Know-how der Organisation im betreffenden Wissensfeld und entwickeln es weiter. Mitarbeiter aus allen weltweit verstreuten Büros kommen regelmäßig zum Erfahrungsaustausch zusammen und entwickeln – außerhalb ihrer normalen Projektarbeit – ihr Fachwissen in speziellen Funktionsbereichen oder Industrien weiter. Bei ARTHUR ANDERSEN organisiert man sich in sogenannten competence centers. Weltweite Praxisgruppen existieren ebenso bei der BOSTON CONSULTING GROUP.

Ähnliche Einrichtungen finden sich in anderen Unternehmen unter der Bezeichnung Erfahrungsgruppe oder Kommunikationsforum. Eine spezielle Anwendung einer organisationalen Infrastruktur der Wissens(ver)teilung bietet die sogenannte Lernarena. Als Lernarena kann eine Struktur bezeichnet werden, welche die gewöhnliche Aufbau- und Ablauforganisation eines Unternehmens überlagert, ohne diese zu ersetzen. Sie dient der Steuerung von Lernprozessen im Unternehmen und ermöglicht durch eine bewußte Auswahl von Lernträgern und Lernarenaverantwortlichen eine gezielte Wissens(ver)teilung [17].

Erfahrungsgruppen und Lernarenen

Der Aufbau solcher Infrastrukturen bietet eine ideale Gelegenheit um Wissensinseln persönlicher, funktionaler oder geographischer Art wieder in den gesamten Wissensfluß des Unternehmens zu integrieren. Sowohl das Wissen von Mitarbeitern, die eine in der Organisation isolierte Meinung vertreten, als auch jenes von selten gehörten Stabsabteilungen oder abgelegenen Niederlassungen kann so (re)integriert werden. Dies erfordert jedoch wenigstens in der Anfangsphase des Infrastrukturaufbaus eine bewußte Entscheidung zugunsten der Integration.

Nutzen zentraler Gestaltungsmaßnahmen

Durch gezielte Job-Rotation oder durch Einsätze in speziellen Teams kann es gelingen, den Aufbau von Wissensnetzwerken gezielt zu fördern [18]. Internationale Transfers in multinationalen Unternehmen können damit

Unterstützung durch Personalentwicklungsmaßnahmen

nicht nur als Mittel der individuellen Mitarbeiterentwicklung, sondern auch als Instrument der Organisationsentwicklung interpretiert werden. Durch den Aufbau multifunktionaler oder multikultureller Projektgruppen können zudem natürliche Barrieren der Wissens(ver)teilung überwunden werden. Durch den daraus resultierenden Aufbau von Wissensnetzen und den Sozialisierungseffekt des Transfers wird die Wissens(ver)teilung erleichtert und ein stärkerer Zusammenhalt im Unternehmen geschaffen [19].

FALLBEISPIEL: MCKINSEY & COMPANY

Eine hybride Lösung: das 'Rapid Response Network'

Wissens(ver)teilung bei MCKINSEY beruhte sehr lange auf informell aufgebauten persönlichen Netzwerken. Die MCKINSEY-Berater waren über die Tätigkeitsfelder der meisten ihrer Kollegen informiert und im allgemeinen genügten einige Nachfragen, um die jeweils führenden Experten und realisierten best practices zu einem gegebenen Problem zu ermitteln. Die organisationale Infrastruktur, die auf practices und industry groups aufbaute, tat ein übriges, um die gezielte Wissens(ver)teilung zu fördern.

Starkes Wachstum führte dieses System an die Grenzen seiner Effizienz. Am Ende der achtziger Jahre beschäftigte MCKINSEY über 2000 Berater in mehr als 50 Büros. Persönliche Wissensteilung ohne Unterstützung durch eine spezialisierte Funktion war nicht länger möglich. Besonders schwerwiegend war dieses Problem im Bereich der Organisations-practice, deren Kompetenz darüber hinaus für die Mehrzahl der MCKINSEY-Projekte von großer Bedeutung war. Konsequent entschloß man sich dort zum Aufbau eines Systems, das auf Anfrage innerhalb kürzestmöglicher Zeit Hinweise auf interne Experten und relevante Dokumente zu einem spezifischen Thema liefern sollte. Hierzu wurde ein Projekt mit dem Titel Rapid Response Network ins Leben gerufen.

Der Erfolg des Systems beruht heute im wesentlichen auf drei kritischen Größen. Ein spezielles Computersystem verwaltet die Dokumentenbibliothek sowie persönliche Kompetenzprofile der Berater. Zwei permanente Mitarbeiter nehmen Anfragen per Telefon entgegen und vermitteln wenn möglich selbst Dokumente und Experten. Spezielle Experten aus der Organisations-practice stehen schließlich für die Bearbeitung komplizierterer Anfragen auf Abruf zur Verfügung. Über diese Experten wird letztendlich die Wissensteilung von Person zu Person ermöglicht.

Trotz Überlastung mit der üblichen Projektarbeit gelingt es den meisten Experten, in relativ kurzer Zeit auf Anfragen zu antworten und ihr jeweiliges Spezialwissen zu teilen. Qualität und Reaktionsgeschwindigkeit des Systems haben dazu geführt, daß das Rapid Response Network bereits im zweiten Jahr seines Bestehens über tausend Anfragen von etwa einem Viertel der weltweiten Mitarbeiter beantworten konnte und heute als Modell für weitere practices dient [20].

Der Fall McKINSEY illustriert, daß bei starkem Wachstum und gleichzeitiger Internationalisierung bestehende organisatorische Lösungen der Wissens(ver)teilung nicht mehr greifen. In Großunternehmen kann nicht mehr jeder jeden persönlich kennen. An dieser Stelle gewinnen elektronische Netzwerke an Relevanz. Ihre Einführung kann die Voraussetzungen für eine elektronisch basierte Wissens(ver)teilung in größerem Maßstab schaffen.

Grenzen organisatorischer Infrastrukturen

Wissens(ver)teilung über elektronische Netze

Wollen wir Wissen elektronisch (ver)teilen, dann müssen gewisse Voraussetzungen erfüllt sein. Die weitreichende Kompatibilität unternehmensintern verwendeter Technologien steht hierbei ganz am Anfang. Eine Debatte über

Kompatibilität

anspruchsvolle technische Infrastrukturen für eine effiziente Wissens(ver)teilung macht kaum Sinn, wenn es in
einer Organisation noch nicht möglich ist, einfache Text-
oder Graphikdateien problemlos auszutauschen. Ist ein
gewisses Kompatibilitätsniveau erreicht, so sind bereits
sehr beachtliche Leistungen möglich.

Einfache Lösungen Ein Austausch von best practices erfordert im Prinzip
noch kein Intranet auf dem letzten technologischen
Stand. Bei ARTHUR ANDERSEN werden beispielsweise regelmäßig weltweit ermittelte Global Best Practices (GBP)
in Form auf CD-ROMs an alle weltweiten Niederlassungen versendet. Auf dieser CD-ROM befinden sich ausgewählte Präsentationen und Dokumente, welche Berater vor Ort direkt einsetzen können. Sie bilden eine Ergänzung der wesentlich aufwendigeren Intranet-Lösung.
Diese relativ einfache Form der Wissens(ver)teilung
ließe sich in vielen anderen Unternehmen selbst auf der
Grundlage einer sehr eingeschränkten technischen Infrastruktur realisieren.

Datennetze und Die aktuelle Debatte über technische Infrastrukturen der
groupware Wissens(ver)teilung betrifft jedoch in erster Linie eine
Reihe anspruchsvollerer Lösungen. Dabei geht es im
wesentlichen um zwei Aspekte: die Möglichkeiten unternehmensweiter Datennetze sowie das Potential von Anwendungen, die sich unter dem Begriff groupware beziehungsweise computer-supported cooperative work zusammenfassen lassen.

FALLBEISPIEL: ARTHUR ANDERSEN

Wissens(ver)teilung auf technischer Basis

ANDERSEN WORLDWIDE teilt sich seit Ende der achtziger
Jahre in zwei separate strategische Geschäftseinheiten
auf. ANDERSEN CONSULTING befaßt sich dabei schwer-
punktmäßig mit EDV-technischen Beratungsleistungen.
ARTHUR ANDERSEN widmet sich den drei Bereichen

Wirtschaftsprüfung, Unternehmensberatung sowie Steuer- und Rechtsberatung. Die weltweite Organisation beschäftigt heute annähernd 90 000 Mitarbeiter, die über 361 Büros in 76 Ländern verteilt sind und einen Jahresumsatz von 8,1 Milliarden US Dollar erzielen.

Gegenüber seinen Kunden versteht ARTHUR ANDERSEN seine Rolle explizit als die eines „Lieferanten von Wissen". Angesichts dieses wissensbewußten Selbstverständnisses sowie des stetig wachsenden Wettbewerbsdrucks im Beratungsbereich ist Wissensmanagement für das Unternehmen ein Muß. Als Anbieter von Beratungsleistungen in diesem Feld sieht sich ARTHUR ANDERSEN zudem aus Gründen der Glaubwürdigkeit verpflichtet, in seiner internen Organisation einen vorbildlichen Umgang mit Wissen zu pflegen.

Die strategische Bedeutung von Wissen für den Unternehmenserfolg von ARTHUR ANDERSEN ist unternehmensintern auf eine einfache Formel gebracht worden:

$$K = (P + I)^S$$

Wissen (Knowledge) ergibt sich dabei als Resultat aus Mitarbeitern (People) und Informationen (Information), die durch Technologie (symbolisiert durch das Pluszeichen) verbunden werden. Potenziert wird diese Formel durch das Teilen von Wissen (Sharing). Obwohl die Form der mathematischen Verknüpfung keinerlei Anspruch auf Exaktheit erhebt, erfüllt diese Gleichung zwei wesentliche Funktionen. Durch ihre weltweit erfolgte interne Verbreitung gelang es, die Aufmerksamkeit auf die Bedeutung von Wissen als grundlegenden Parameter des Wettbewerbserfolges zu lenken. Darüber hinaus unterstreicht die Formel die besondere Rolle, die der Wissens(ver)teilung im Rahmen des Wissensmanagements zukommt.

Internes Wissensmanagement wurde bei ARTHUR ANDERSEN inzwischen durch eine Reihe von Bausteinen verwirklicht. Das Zusammenspiel technischer Infrastrukturen sowie die besondere Konzentration auf den Aspekt der Wissens(ver)teilung hat für deren Erfolg eine wesentliche Rolle gespielt.

ARTHUR ANDERSEN propagiert ein 'one firm'-Konzept und versteht sich dementsprechend als global präsenter Berater mit weltweit vergleichbarem Leistungsniveau. Der (Ver)teilung von lessons learned unter den zahlreichen Länderorganisationen und weit verstreuten Niederlassungen fällt unter dieser Perspektive eine sehr wichtige Aufgabe zu. Unter dem Titel 'Global Best Practices' (GBP) wird daher regelmäßig eine CD-ROM mit gesammelten Projekterfahrungen weltweit verteilt. Zunächst in analoger und später in digitaler Form ist dies eine Vorgehensweise, die auf die Ursprünge des Unternehmens am Anfang dieses Jahrhunderts zurückgeht.

Auf der 'GBP'-CD-ROM finden sich komplette Projektpräsentationen, welche die weltweiten best practices für verschiedenste Geschäftsprozesse dokumentieren. Die CD entsteht aus internen Projektberichten, die zunächst weitgehend unkommentiert verteilt werden. Die einzelnen Kompetenzzentren bei ARTHUR ANDERSEN übernehmen schließlich die Verdichtung der kommentierten Berichte auf best-practice-Niveau. Die CD ist nach Kernprozessen geordnet und das Wissen innerhalb dieses Grobrasters hierarchisch organisiert. Durch Volltextsuche ist jedoch ein gezieltes Zugreifen auf die Bereiche möglich, die für den Suchenden jeweils von Interesse sind. Neben Problemlösungswissen (Methoden und Instrumente) umfaßt die CD Lösungsinhaltswissen (Standardlösungen, Kausalbeziehungen) und Hinweise auf Träger und Formen (Personen, Dokumente, Datenbanken). Hierdurch wird nicht nur der direkte Zugriff auf das gespeicherte Wissen sondern auch ein Kontakt mit Experten oder Mitarbeitern früherer Projekte und ein dementsprechend direkter Erfahrungsaustausch ermöglicht.

Die technische Grundlage der Wissens(ver)teilung bildet bei ARTHUR ANDERSEN unter anderem ein umfassendes Intranet. Das sogenannte 'AA Net' ist ein globales Datennetz (WAN) welches sämtliche lokalen Netzwerke der einzelnen Büros verbindet. Hierüber kann jeder Mitarbeiter von ARTHUR ANDERSEN auf über 1000 groupware-Server zugreifen.

Ein weiteres Mittel bildet 'AA Online', eine LOTUS-Notes-basierte Datenbank, die speziell für Aufgaben der Wissens(ver)teilung eingerichtet wurde. AA Online ist in drei Komponenten unterteilt, welche die wesentlichen Aufgaben der Wissens(ver)teilung abdecken. Im Bereich 'announcements' werden hauptsächlich Aufgaben der Wissensmultiplikation übernommen. Ankündigungen des Top-Managements an die Mitarbeiter oder tägliche Nachrichten werden hier von wenigen auf sehr viele Mitarbeiter übertragen. Der Bereich 'resources' übernimmt eine Vermittlungsfunktion, die der 'GBP'-CD-ROM ähnelt. Standardisiertes und aufbereitetes Wissen der Unternehmung in Form von Präsentationen, Arbeitspapieren, Broschüren und ähnliches kann hierüber abgerufen werden. Der Bereich 'discussion' erlaubt schließlich einen quasi-simultanen Austausch von Informationen. Hier werden Diskussionsforen über spezifische Probleme eingerichtet, welche die zeit- und raumunabhängige (Ver)teilung von Wissen und die Entwicklung neuer Lösungen ermöglichen.

Professionelle Wissensmanager sind für die Pflege von AA Online verantwortlich. Obwohl täglich neue Dateien verfügbar sind bleibt der absolute Umfang des Systems in etwa stabil. Irrelevantes oder veraltetes Wissen wird folglich regelmäßig aus dem System entfernt.

Wie der Fall ARTHUR ANDERSEN illustriert, liegt ein wesentliches Element technischer Infrastrukturen der Wissens(ver)teilung darin, daß sie es erlauben, eine Vielzahl

Parallelen zu Expertensystemen

verschiedener Wissensquellen und Wissensnutzer miteinander in Verbindung zu bringen. Eine ähnliche Aufgabe wurde bisher von Expertensystemen wahrgenommen. Ein bei GENERAL MOTORS entwickeltes System mit der Bezeichnung CAMS (Computer Aided Maintenance System) hilft dem GM-Vertragsmechaniker beispielsweise bei der Diagnose und Reparatur von Kraftfahrzeugen [21]. Neben den üblichen technischen Details, die früher in verschiedenen Reparaturhandbüchern enthalten waren, speichert das System gleichzeitig die Erfahrungen und Hinweise seiner Benutzer. Erfahrene Mechaniker können über das Expertensystem ihre Tips und Tricks für besonders vertrackte Probleme mit ihren Kollegen teilen. Es wird dadurch zu einer regelmäßig erweiterten Wissensbasis aller Reparaturexperten bei GENERAL MOTORS und schafft ebenfalls einen Zusammenhang zwischen Wissensquellen und Wissensnutzern.

Vorteile des quasi-simultanen Austausches

Ein wesentlicher Nachteil des Expertensystems besteht allerdings darin, daß eine Aktualisierung in regelmäßigen Abständen und somit immer mit einer gewissen Verzögerung vorgenommen werden muß. Für dynamische Wettbewerbsumfelder, in denen die Geschwindigkeit der Wissens(ver)teilung eine große Rolle spielt, kann diese Verzögerung bereits den Ausschlag geben. Die Möglichkeit einer quasi-simultanen (Ver)teilung und Nutzung von Wissensbeständen, wie sie im vorangehenden Beispiel des Systems GRAPEVINE demonstriert wird, liefert hier einen zusätzlichen Hebeleffekt.

Intranet

Durch die Schaffung eines Intranets wie AA Online kann ein solches Potential ebenfalls ausgeschöpft werden. Unter einem Intranet versteht man ein Datennetz, das auf einen bestimmten (meist durch die Grenzen einer Organisation definierten) Bereich eingegrenzt ist sowie den Prinzipien und Standards des Internets folgt. Im Gegensatz zum Internet bietet ein Intranet höhere Datensicherheit und damit weitgehende Vertraulichkeit. Richtlinien für die Ver-

Systeme wie GRAPEVINE zeigen, daß durch die Möglich-   **Nutzen von GRAPEVINE**
keiten technischer Wissensnetzwerke vielfältige Wis-
sensmanagementprozesse zusammenfallen können. Wissensidentifikation, Wissens(ver)teilung, Wissensnutzung
und Wissensentwicklung gehen in diesem Fall eine Verbindung ein. Durch die Einbeziehung externer Wissensquellen und die Möglichkeit der Bewertung externer und
interner Dokumente wird die Wissensidentifikation erleichtert. Dadurch, daß Experten die ihren Bereich betreffenden Dokumente kommentieren beziehungsweise
das jeweilige Bedeutungsniveaus heraufsetzen können,
wird für Nicht-Experten ein besserer Überblick geschaffen. Das hierdurch transparenter gemachte Wissen kann
schließlich im Unternehmen (ver)teilt und genutzt werden. Weil sich dieser Prozeß nahezu ohne Verzögerung
wiederholen kann, ist es möglich, über die mehrfache
Kommentierung und Anhebung von Dokumenten neues
relevantes Wissen für das Unternehmen zu schaffen. Die
Abbildung der neuen Wissensstruktur durch mögliche
Modifikationen der Wissenskarte berührt schließlich sogar den Aufbau eines corporate memory und damit den
Aspekt der Wissensbewahrung.

Das Potential hybrider Systeme

Bei allen technischen Möglichkeiten sollte man nicht aus   **Katalysatorfunktion**
dem Auge verlieren, welche Hauptaufgabe technischen
Infrastrukturen der Wissens(ver)teilung eigentlich zuge-
dacht ist. Anstatt eine technikdominierte Eigendynamik
zu entwickeln, sollten sich Infrastrukturmaßnahmen im
Bereich der Wissens(ver)teilung hauptsächlich auf die
Funktion eines Katalysators beschränken, der eine rei-
bungslose Interaktion zwischen Wissensträgern in der
Organisation ermöglicht [26]. Selbst bei einer solch re-
striktiven Interpretation von Technologie als Brücke der
Wissens(ver)teilung können einige Probleme auftreten.

Effizienzgrenzen technischer Lösungen

Empirische Studien haben ergeben, daß die effiziente Verwendung neuer Technologien von einem aufnahmebereiten kulturellen Umfeld in der Unternehmung abhängt. Organisationen mit einer lernorientierten Kultur, welche die (Ver)teilung von Wissen ausdrücklich fördert, konnten groupware schneller und umfassender implementieren als Organisationen ohne die entsprechenden kulturellen Voraussetzungen [27]. Empirische Erkenntnisse sprechen ebenfalls dafür, daß ein begrenzter Einsatz von Technologie oft höheren Nutzen bringen kann als die technische Rundumlösung. So war bei 50 untersuchten multinationalen Unternehmen der Return On Investment (ROI) eines begrenzten LOTUS-Notes-Einsatzes in einer Funktion höher als derjenige eines firmenweiten Einsatzes [28]. Fehlende Motivation der potentiellen Benutzer, erhöhte Komplexität von Problemstellungen, erfolgreich funktionierende low-tech-Mechanismen der Wissens(ver)teilung und Schwierigkeiten bei der Messung des Nutzens technischer Systeme sind Faktoren, welche den Einsatz technisch anspruchsvoller Infrastrukturen entweder faktisch überflüssig machen, oder deren Implementierung erheblich erschweren können [29].

Trainings- und Kommunikations- maßnahmen

Generell gilt, daß der Übergang zu technisch anspruchsvolleren Lösungen erhebliche Investitionen in begleitende Maßnahmen erfordert. Wenn, wie etwa im Fall des virtuellen Büros, organisationale Mechanismen durch neue Technologien grundlegend verändert werden, dann sind Trainings- und Kommunikationsmaßnahmen unentbehrlich, um Mitarbeitern die Angst vor der Veränderung zu nehmen oder gegebenenfalls auch den Spaß am Neuen zu wecken. Ebenso ergibt sich meistens die Notwendigkeit, zentrale Prozesse wie Mitarbeiterbewertung, Entlohnung sowie Personalentwicklung und Karriereplanung den neuen Gegebenheiten anzupassen.

Nutzen hybrider Systeme

Den größten Nutzen entfalten technische Infrastrukturen der Wissens(ver)teilung heute noch dann, wenn sie auf intelligente Art und Weise mit konventionellen Instrumenten verbunden werden. Der Verbindung von Technik und Mensch in sogenannten hybriden Systemen [30] kommt in diesem Zusammenhang eine beachtliche Bedeutung zu. Eine Einbeziehung des menschlichen Elements in die technische Infrastruktur kann über viele Wege erfolgen. Ein möglicher Ansatzpunkt ist die Bereitstellung interner Experten als Berater, welche die Nutzer des Systems unterstützen. So kann die Effizienz der Internet-Verwendung beispielsweise erheblich gesteigert werden, wenn zwischen Netz und Endbenutzer ein Internet-Spezialist zur Verfügung steht, der Tips zur Verfügung stellt und die Suchkosten weniger spezialisierter Nutzer verringern hilft.

Experten werden außerdem zur Pflege der Infrastrukturen benötigt. Obwohl viele Unternehmen darin übereinstimmen, daß Wissens(ver)teilung besser durch Marktmechanismen als durch zentrale Planung erfolgen sollte, sind gewisse Rahmenbedingungen dieses Marktes zu definieren. Eine interne 'Aufsichtsbehörde' kann zu deren Überwachung sowie zur Korrektur eventueller Abweichungen durchaus sinnvoll sein. Bei der Konzeption seines Web-basierten Wissensmanagementsystems knowledge links hat HEWLETT PACKARD genau dies getan. Spezialisten greifen zwar nicht in die grundlegenden Funktionen des Systems ein, sie editieren, formatieren und klassifizieren jedoch einzelne Beiträge und verleihen diesen dadurch eine einheitlichere Struktur, die den Zugang zum System und dessen Nutzung vereinfacht [31].

Einheitliche Strukturen

Auf einen ähnlichen Ansatz baut der Technologie-Berater TELTECH. Die Dienstleistungen von TELTECH stützen sich zu einem großen Teil auf ein Knowledgescope genanntes Online-Suchsystem und sind somit eindeutig technikdominiert. Die Pflege der mehr als 30 000 Einträge wird jedoch von TELTECHS 'Wissens-Ingenieuren' vorgenommen. Ein besonders wichtiges Element dabei ist die stän-

Konsistenz der Terminologie

dige Aktualisierung des Thesaurus von Fachbegriffen
durch jene Ausdrücke, die von Kunden und Experten
tatsächlich verwendet werden. Ähnlich wie bei knowledge links wird also die Bedienerfreundlichkeit des Systems und die Aufrechterhaltung einer 'Landkarte des
Wissens' durch menschliche Interventionen gesichert.

Ausrichtung auf Service-Funktion

Der Furcht vor einer Dominanz der Techniker zum Nachteil der Nutzer läßt sich vor allem dadurch begegnen, daß
die Rolle von Informatikabteilungen oder speziellen Wis-
sensmanagement-Gruppen eindeutig im Sinne einer Service-Funktion für den Verwender definiert wird. Dies läßt
sich in vielen Fällen auch durch symbolische Akte fördern. So wurde bei BUCKMAN LABORATORIES die Abteilung Informationssysteme in eine Keimzelle des internen
Wissensmanagements verwandelt. Anstelle ihrer alten Bezeichnung trägt sie jedoch heute den Namen knowledge
transfer department und bringt ihre kundenorientierte
Mission dadurch eindeutig zum Ausdruck [32].

Verweise auf Experten

Der Nutzen hybrider Lösungen kann dadurch verstärkt
werden, daß technische (Ver)teilsysteme wann immer
möglich auch Hinweise auf menschliche Wissensträger
enthalten. Bei G.M. HUGHES ELECTRONICS wurde dies dadurch erreicht, daß eine Datenbank, die aufbereitete best
practices interner Reengineering-Projekte enthielt, konsequent mit den Namen und Koordinaten der jeweiligen Ansprechpartner ergänzt wurde. Die Projektbeschreibungen
in der Datenbank wurden dabei auf ein Minimum reduziert, um den interessierten Leser anzuregen, persönlichen
Kontakt mit den Experten aufzunehmen [33].

Aufbau neuer Infrastrukturen

Die personale Komponente der Wissens(ver)teilung
kann schließlich sogar in die Entstehung neuer organisationaler Infrastrukturen münden. Dies geschieht dann,
wenn es Mitarbeitern gelingt, durch erfolgreiche Kontaktaufnahme und einen erstmaligen Austausch von Wissen vorher unentdeckte Überschneidungen in ihren Inter-

essensgebieten aufzudecken. Die Weiterverfolgung dieser Schwerpunkte durch den Aufbau einer organisationalen Infrastruktur – etwa einer neuen Praxis- oder Erfahrungsgruppe – kann die Wissens(ver)teilung in bestimmten Gebieten direkt unterstützen. Im Idealfall führt dies sogar zur gemeinsamen Entwicklung neuen Wissens.

Teilungsbereitschaft fördern

Organisatorische und technische Infrastrukturen sind notwendige Voraussetzungen effizienter Wissens(ver)teilung. Mit der Bereitstellung solcher Infrastrukturen werden tatsächliche Prozesse der Wissens(ver)teilung jedoch noch nicht ausgelöst. Vielmehr werden diese in der Regel durch eine Vielzahl individueller oder kultureller Teilungsbarrieren erschwert [34]. Diese können aus funktionalen oder hierarchischen Quellen herrühren und zu einer Zersplitterung der organisationalen Wissensbasis führen, die nur schwer zu überwinden ist (siehe Abbildung 39). Zur Neutralisierung solcher Hindernisse müssen entsprechende Rahmenbedingungen vor allem im Bereich der Mitarbeiterführung sowie in Hinsicht auf

Teilungsbarrieren

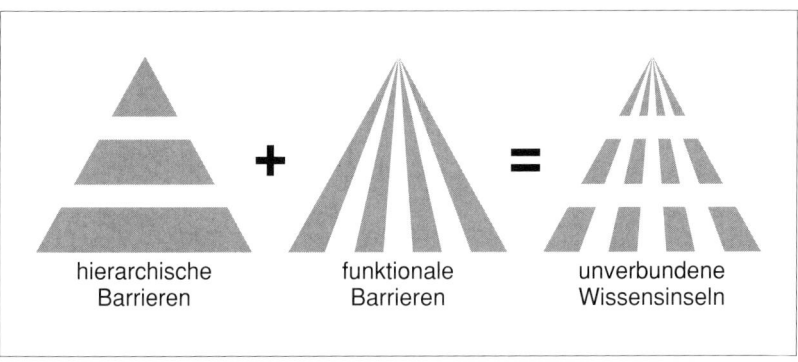

| hierarchische
Barrieren | funktionale
Barrieren | unverbundene
Wissensinseln |

Abbildung 39: Wissensbarrieren

unternehmenskulturelle Aspekte geschaffen werden. Dabei bildet die Erzielung einer ausreichenden Teilungsbereitschaft das Leitbild aller Interventionen

Individuelle Teilungsbereitschaft

Teilungsbarrieren auf individueller Ebene lassen sich in die Aspekte Teilungsfähigkeit und Teilungsbereitschaft trennen. Die Fähigkeit, Wissen zu teilen, ist dabei in erster Linie von Kommunikationstalent und Sozialverhalten des Individuums abhängig. Die Bereitschaft zur Teilung von Wissen wird dagegen durch eine breite Mischung von Variablen beeinflußt. Besitzerstolz in Bezug auf das eigene Expertenwissen kann hier eine bedeutende Rolle spielen. Durch vermeintlichen wie tatsächlichen Zeitmangel infolge von Informationsüberlastung kann die Bereitschaft, sich auf Teilungsaktivitäten einzulassen, herabgesetzt werden. Schließlich besteht häufig die Angst, durch die Aufgabe von Wissen die eigene Stellung in der Organisation zu gefährden.

Einfluß der Unternehmenskultur

Kulturelle Teilungsbarrieren bezeichnen das Fehlen unternehmenskultureller Elemente, welche legitimierend oder unterstützend auf die Wissens(ver)teilung Einfluß nehmen [35]. Die Unternehmenskultur kann dabei neben dem Umfang auch die inhaltlichen Aspekte der Wissens(ver)teilung beeinflussen. So ist die Definition relevanter Wissensbereiche häufig ein wesentlicher Träger der Unternehmenskultur. In einer quantitativ ausgerichteten Kultur werden tendenziell nur Finanzkennzahlen und verwandte Aspekte offizielle Bedeutung besitzen, während eine ausgeprägte Marketingkultur hauptsächlich das Vokabular des Kundennutzens kennt. Weniger relevante Wissensbereiche werden dadurch quasi automatisch von einer intensiveren Wissens(ver)teilung ausgeschlossen. Dies äußert sich häufig darin, daß das Wissen von Mitarbeitern, die nicht die jeweils dominierende Geschäftssprache sprechen, weitgehend ignoriert wird.

Große Bedeutung besitzen auch politische oder macht-bedingte Barrieren. Wenn die Teilung von Wissen dazu führen kann, die Position des Teilenden zu schwächen, wird die Wissens(ver)teilung grundlegend erschwert. Dies ist vor allem in stark politisierten Organisationen der Fall, in denen Wissen als Machtbasis dient. Eine effiziente Wissens(ver)teilung wird dort zumeist nicht möglich sein. Kulturelle Anreiz- und Kompensationsmechanismen haben hier die Aufgabe, das Vertrauen der Wissensbesitzer zu stärken. In gleichem Maße müssen sie jedoch auch das Nachfragen von Wissen unterstützen. Dieses sollte nicht als Eingeständnis von Schwäche und Inkompetenz sondern als Offenheit und produktive Neugier bewertet werden.

Machtaspekte

Die kulturellen Gestaltungsmöglichkeiten zur Schaffung des für eine effiziente Wissens(ver)teilung unabdingbaren Vertrauensklimas sind begrenzt. Vertrauen wird durch positive Beispiele nur langsam geschaffen. Es kann durch negative Vorkommnisse jedoch schnell und nachhaltig zerstört werden. Bei kritischen Entscheidungen, welche das Klima der Wissens(ver)teilung beeinträchtigen können, ist es daher wichtig, die Wissensperspektive ausdrücklich mit in das Kalkül einzubeziehen. Die Auswirkungen eines negativen Exempels, etwa der Entlassung eines vorbildlichen Wissensbrokers im Rahmen einer Redimensionierung, wirken sich direkt und in der Regel sehr langfristig auf das Vertrauensklima aus.

Gefahren für das Vertrauensklima

Ein bedeutender Ansatzpunkt für die Gestaltung des kulturellen Kontextes liegt schließlich im Bereich der Mitarbeiterführung. Ohne wissensorientierte Anreiz- und Evaluationsmechanismen wird eine verbesserte Wissens(ver)teilung nur schwer zu erreichen sein. Die vorherrschende Einstellung zur (Ver)teilung von Wissen in Unternehmen kann heute durch den Begriff der Holschuld charakterisiert werden. Führungssysteme, welche den Mitarbeitern die Bedeutung der Wissens(ver)teilung

Maßnahmen der Führung

demonstrieren, können diese in eine Bringschuld transformieren. Anreize können dabei positiver und negativer Art sein. Bei LOTUS DEVELOPMENT CORPORATION wurde die Bewertung und Kompensation von Mitarbeitern im Kundendienstbereich beispielsweise zu 25 Prozent an ihren Aktivitäten für die Wissens(ver)teilung ausgerichtet. Fehlende Aktivität in diesem Bereich wirkt sich automatisch negativ auf die Leistungsbeurteilung aus. BUCKMAN LABORATORIES bleiben bei einem herkömmlichen Evaluationssystem, belohnen besondere Bemühungen um die Wissensteilung jedoch mit speziellen Anreizen. So fliegen die 100 besten Wissensteiler beispielsweise auf ein gemeinsames Seminar in ein attraktives Feriendomizil [36].

Transfer von „Best Practices" – Eine aktuelle Herausforderung

Systematische Wissens(ver)teilung

Internes Benchmarking kann als Prozeß der Wissensidentifikation aufschlußreiche Informationen zur Verfügung stellen [37]. Die Realisierung potentieller Effizienzsteigerungen, die im Rahmen eines internen Benchmarkings erkannt wurden, erfordert jedoch weitergehende Maßnahmen. Nur durch systematische Wissens(ver)teilung können Best Practices auf möglichst viele Bereiche des Unternehmens ausgedehnt werden.

Erfolgreiche Umsetzung

Der konkrete Nutzen für das Unternehmen ist häufig beeindruckend. BUCKMAN LABORATORIES führen eine zehnprozentige Steigerung des Umsatzes aus neuen Produkten auf die systematische Umsetzung von Best Practices zurück. Bei CHEVRON resultierte ein Best-Practice-Transfer im Bereich Energiemanagement in Einsparungen von 150 Millionen US$. Insgesamt schätzt man, daß bisher Kostenreduktionen in Höhe von 650 Millionen US$ auf das Konto der CHEVRON Best-Practice-Teams gingen. Texas Instruments schließlich gelang es, im Rahmen eines Best-Practice-Projektes zusätzliche Produktionskapazität in Höhe von 1,5 Milliarden US$ zu generieren [38].

Angesichts dieses Potentials drängt sich die Frage auf, warum Best Practices nicht in allen Firmen konsequent zum Gegenstand der Wissens(ver)teilung werden. Eine Teilantwort auf diese Frage dürfte in den zahlreichen Hindernissen liegen, die mit dem Transfer von Best Practices verbunden sind. In einer großangelegten Studie hat Szulanski zahlreiche neue und überraschende Ergebnisse bezüglich des Transfers interner Best Practices erzielt [39].

Hindernisse

Die bestehende Forschung wies die Verantwortung für Schwierigkeiten beim Best-Practice-Transfer in erster Linie mangelnder Motivation der Beteiligten zu. Beispiele hierfür sind Rivalitäten zwischen Abteilungen oder Unternehmensteilen, genereller Widerstand gegen Wandel sowie das hinreichend bekannte „Not-Invented-Here (NIH)"-Syndrom. Szulanskis Studie stellt diese Erkenntnisse in Frage. Seine Ergebnisse unterstreichen vor allem die Bedeutung wissensbezogener Faktoren. Als Haupthindernisse für erfolgreichen Wissenstransfer identifiziert er mangelnde „Absorptionsfähigkeit" in der aufnehmenden Einheit sowie „causal ambiguity" bezüglich des zu transferierenden Wissens.

Schwierigkeiten des Wissenstransfers

In Alltagsvokabular übersetzt heißt dies, daß Best-Practice-Transfers in erster Linie daran scheitern, daß die aufnehmende Einheit über keine ausreichende Wissensgrundlage verfügt, mit deren Hilfe sie den Wert der Best Practice erkennen und diese in ihrem eigenen Kontext sinnvoll einsetzen könnte. An zweiter Stelle steht die Unsicherheit darüber, welche Faktoren den eigentlichen Erfolg der Best Practice ausmachen und ihr Funktionieren bestimmen. Erst an dritter Stelle der Hinderungsfak-

Fehlende Wissensgrundlage

toren steht die Qualität der Beziehung zwischen abgebender und aufnehmender Einheit, welche die bisher betonten Motivationsfaktoren mit einschließt.

Welche Ansätze lassen sich zur Verbesserung des Transfers von Best Practices finden? Mögliche Antworten haben wir nachfolgend zusammengestellt. Zur Erleichterung des Transferprozesses kommen häufig auch Kombinationen dieser verschiedenen Ansätze zur Anwendung.

Transfers oder Informationsreisen von Führungskräften

Regelmäßige Kontakte von Führungskräften zu den verschiedenen Standorten eines Unternehmens – sei es in Form von Informationsmeetings oder längerfristigen Transfers – erhöhen die Wissenstransparenz und schaffen Voraussetzungen für Best-Practice-Identifikation und -Transfers.

Benchmarking-Teams und Best-Practice-Teams

Benchmarking-Teams leisten Vorarbeit durch die Suche nach externen Best Practices. Best-Practice-Teams fördern kontinuierlich den Transfer interner Best Practices und konzentrieren sich dabei bevorzugt auf organisationale Kernprozesse.

Best-Practice-Netzwerke

Best-Practice-Netzwerke beruhen im Gegensatz zu formalen Teams auf informellem Austausch zwischen Mitgliedern einer „community of practice". Kommunikations- und Informationstechnologien spielen häufig eine bedeutende Rolle bei der Unterstützung dieser Netzwerke.

Interne Audits

Durch Bewertung interner Best Practices und anschließende Auszeichnung werden interne Spitzenleistungen publik gemacht. Oftmals wird dieser Ansatz mit anschließenden „Best-Practice-Messen" kombiniert, wo die Gewinner ihre erfolgreichen Practices vorstellen und Kontakte zu interessierten Parteien etabliert werden können.

Die Erfahrungen von Unternehmen, die Best-Practice-Transfers erfolgreich implementiert haben, bestätigen im wesentlichen die Gestaltungsempfehlungen, die in diesem Kapitel für die (Ver)Teilung von Wissen entwickelt wurden. In ihrer Studie über Best-Practice-Transfers leiten O'Dell und Grayson einige Grundregeln ab, die wir wie folgt interpretieren:

1. Internes und externes Benchmarking sind nützliche Instrumente zur Schaffung von „Leidensdruck", der als Auslöser für Best-Practice-Transfers dient.

2. Kritische Geschäftsprozesse, die hohe Effizienzsteigerungspotentiale beinhalten, sollten bevorzugt für Best-Practice-Transfers berücksichtigt werden.

3. Die Gesamtheit aller Best-Practice-Transferprogramme sowie ihr Umfang sollten überschaubar bleiben.

4. Evaluation ist notwendig. Übergenaues Messen und Bewerten einzelner Practices kann jedoch zum Selbstzweck werden und den Transfer behindern.

5. Anreiz- und Entlohnungssysteme müssen in Einklang mit den Zielen des Best-Practice-Transfers stehen.

6. Technologie kann als Katalysator wirken, bildet isoliert und auf sich selbst gestellt jedoch keine tragfähige Lösung.

7. Topmanagement-Unterstützung und Motivation sind entscheidende Faktoren.

Zusammenfassung

- Der Trend zu Gruppenarbeit, Kooperationen und Virtualisierung von Organisationen läßt Wissensverteilung zu einer vorrangigen Aufgabe werden.

- Die Möglichkeiten zur Gestaltung der Wissens(ver)teilung wachsen mit der Entwicklung ausgereifterer Technologien und anspruchsvollerer organisationaler Instrumente.

- Im Rahmen des Wissensmanagements kommt der Wissens(ver)teilung eine herausragende Stellung zu. Sie unterstützt das Niveau zentraler Wettbewerbsfaktoren wie Zeit und Qualität und verfügt durch ihre Bedeutung für andere Bausteine des Wissensmanagements über eine „Hebelfunktion".

- Wissens(ver)teilung ist nur innerhalb gewisser Grenzen sinnvoll. Sie kann auf ökonomische, rechtliche und organisationale Barrieren stoßen.

- Die Aufgaben der Wissens(ver)teilung lassen sich schematisch in drei Gebiete einteilen. (1) Die Multiplikation von Wissen durch rasche Verteilung auf eine Vielzahl von Mitarbeitern. (2) Die Sicherung und Teilung vergangener Erfahrungen und (3) den simultanen Wissensaustausch, der in die Entwicklung neuen Wissens mündet.

- Wissens(ver)teilung stößt auf individuell und kulturell verankerte Barrieren. Diese betreffen vor allem Macht- und Vertrauensfragen.

- Die immer stärkere Vernetzung von Unternehmen mit ihrer Umwelt sowie der Trend vom individuellen Arbeitsplatz zu kollektiven Arbeitsformen macht Wissens(ver)teilung zur unerläßlichen Voraussetzung effizienten Managements.

- Jüngste Entwicklungen der Informations- und Kommunikationstechnologie eröffnen vielfältige neue Möglichkeiten. Kriterien für deren sinnvollen Einsatz fehlen jedoch noch weitgehend.

- Wissens(ver)teilung muß die Balance zwischen zahlreichen gegenläufigen Interessen finden. Bei der Wissens(ver)teilung kommt es nicht nur auf die richtigen Mittel sondern auch auf den richtigen Umfang ihres Einsatzes an.

- Je nach Art des Wissens und der betroffenen Organisation kann Wissens(ver)teilung stärker zentralen Mechanismen („Wissensmultiplikation") oder stärker dezentral ausgerichteten Ansätzen („Infrastrukturaufbau") folgen.

- Die Kombination von Mensch und Technik in Form „hybrider Systeme" erscheint nach bisherigen Erfahrungen in der Praxis als eine vielversprechende Lösung.

- Best-Practice-Transfer wird zu einer zentralen Aufgabe der Wissens(ver)teilung in Unternehmen. Durch eine erfolgreiche unternehmensweite Ausdehnung von Best Practices können erhebliche Effizienzsteigerungen erzielt werden.

- Die Hindernisse für erfolgreichen Best-Practice-Transfer liegen sowohl auf motivationaler Ebene wie auch in der Natur des zu übertragenden Wissens. Aufnahmefähigkeit der empfangenden Einheit und ein gründliches Verständnis der Best Practice sind notwendige Erfolgsfaktoren.

Leitfragen

- Welche Informations- und Kommunikationstechnologien werden in Ihrem Umfeld derzeit zur (Ver)teilung von Informationen und Wissen eingesetzt?

- Wer treibt den Einsatz solcher Technologien voran? Sind die damit angestrebten Ziele auf breiter Basis vereinbart worden oder entwickelt die Technik eine unkontrollierte Eigendynamik?

- Nutzen Sie alle Möglichkeiten, um Wissen, das alle angeht, zügig und großflächig an Ihre Mitarbeiter zu kommunizieren?

- Tauschen Sie Ihre Informationen und Ihr Wissen systematisch mit anderen Bereichen oder Funktionen aus?

- Wenn Sie sich unternehmensintern Zugang zu Wissen verschaffen möchten, müssen Sie den „Dienstweg" einschlagen, oder bestehen parallele Infrastrukturen, die Ihnen schnellen und unbürokratischen Zugang erlauben?

- Funktionieren diese Infrastrukturen vor allem auf technischer oder auf zwischenmenschlicher Basis? Was sind die Vorteile der derzeitigen Lösung und wo sehen Sie Probleme?

- Haben Sie den Eindruck, daß Ihre Mitarbeiter sich bei eventuellen Anfragen bereitwillig von ihrem Wissen trennen? Wenn nicht, wo vermuten Sie Ursachen hierfür?

- Überblicken Sie die Best Practices für Kernprozesse in Ihrem Unternehmen? Durch welche Maßnahmen können Sie diesbezügliche Transparenz fördern?

- Erkunden Sie konsequent alle Möglichkeiten, Effizienzsteigerungen durch den Transfer von Best Practices zu erzielen? Welche spezifischen Hindernisse in Ihrem Unternehmen sind Ihnen bei diesen Versuchen aufgefallen?

9. Kapitel

Wissen nutzen

Sie haben bestehende Wissenslücken identifiziert, gezielt Wissen dazu gekauft und selber entwickelt, haben es in den Verfügungsbereich der relevanten Entscheider gebracht – doch niemand nutzt es! Die Nutzung „fremden" Wissens wird durch eine Reihe psychologischer und struktureller Barrieren behindert. Wer trennt sich schon gerne von liebgewordenen und handlungsentlastenden Routinen? Neues Wissen nutzen heißt gleichzeitig Unsicherheit akzeptieren und neue unbekannte Wege einschlagen. Die Nutzung von betrieblichem Know-how muß im Prozeß des Wissensmanagements gesichert werden. Nur genutztes Wissen stiftet einen Nutzen für Ihr Unternehmen. Die Wissensproduzenten müssen daher stärker als bisher auf die Bedürfnisse der potentiellen Wissensnutzer eingehen und diese als ihre Kunden ansehen. Nur wenn für den Mitarbeiter ein klarer Nutzen erkennbar ist, wird er fremde Wissensangebote annehmen oder neue Fähigkeiten erwerben. Wir zeigen, wie Sie Nutzungsbarrieren Ihrer Mitarbeiter überwinden und die direkte Wissensnutzung in typischen Arbeitssituationen verbessern können.

Wissen nutzen

„Ich glaube nicht, daß unser Problem im fehlenden Wissen liegt. Wir haben genug fähige und erfahrene Mitarbeiter. Was mich an mißglückten Projekten immer wieder überrascht, ist der Umstand, daß wir das Wissen zur Vermeidung dieser Fehler doch eigentlich besitzen. Es kommt einfach nicht zum Tragen." *(Abteilungsleiter eines Maschinenbauunternehmens)*

„Etwas verstehen bedeutet noch lange nicht, es auch umzusetzen. Wir haben die Erfahrung gemacht, daß wir unseren Mitarbeitern das einmal erarbeitete Wissen ständig „unter die Nase reiben" müssen. Die Visualisierung von Zusammenhängen im unmittelbaren Arbeitskontext hat sich dabei als äußerst hilfreich erwiesen." *(Spartenleiter eines multinationalen Industriekonzerns)*

„Mit der (Abteilung) Grundlagenforschung stehen wir praktisch permanent im Konflikt. Die haben uns jahrelang als „Ingenieure zweiter Klasse" behandelt. Heute, wo unsere Entwicklungsabteilung sich endlich etabliert hat, basteln wir lieber wochenlang selbst an einem Problem, als die bereits vorliegenden Erfahrungen der "Forscher" zu nutzen." *(Entwicklungsingenieur eines Elektronikkonzerns)*

Unternehmen können Weltmeister in Prozessen der Wissensentwicklung oder der Wissensidentifikation sein und scheitern dennoch. Wenn das Neuerarbeitete letztendlich nicht im betrieblichen Prozeß angewandt wird und somit den erhofften Nutzen stiftet, waren alle Anstrengungen vergebens. Der Mißerfolg zahlloser Interventionsmaßnahmen hat seine Ursache in dem Mißverständnis, daß allein die Konzeption verbesserter Wissensinfrastrukturen ausreicht, um den Wissensmanagementprozeß in den Griff zu bekommen. Letztendlich müssen alle Bausteine des Wissensmanagements auf die effiziente Nutzung individuellen und organisationalen Wissens im Sinne der Zielsetzungen des Unternehmens ausgerichtet sein. Knowledge in action ist somit das aussagekräftigste Kriterium eines erfolgreich implementierten Wissensmanagements. Denn nur durch die produktive Anwendung von Wissen können die Anstrengungen des Wissensmanagements in faßbare Resultate umgesetzt werden.

Bezug der Wissensnutzung zu anderen Bausteinen

In unserer graphischen Darstellung befindet sich die Wissensnutzung quasi am Ende unseres Kreislaufes des Wissensmanagements. Diese Perspektive läßt sich jedoch nach Belieben auch umkehren. Prozesse der Wissensidentifikation, der Wissensentwicklung, des Wissenserwerbs oder der Wissens(ver)teilung sollten stets die Bedürfnisse potentieller Wissensnutzer berücksichtigen. Ungenutzte Management-Informations-Systeme (MIS) oder ungelesene Projektberichte haben häufig diese goldene Nutzbarkeitsregel verletzt. Die Berichte sind zu lang oder zu wenig handlungsorientiert. Das MIS ermöglicht keine Verknüpfung mit anderen Anwendungen oder berücksichtigt zentrale Steuerungsgrößen nicht.

FALLBEISPIEL: HEWLETT PACKARD EUROPA

Nutzergerechte Darstellung von Informationen

Einen ungewöhnlichen Weg bei der Darstellung wichtiger Indikatoren der allgemeinen Geschäftsentwicklung hat die Europazentrale von HEWLETT PACKARD gewählt. Zwar verfügt das Unternehmen bereits seit langem über ein Managementinformationssystem. Dessen Nutzung war jedoch noch verbesserungsfähig. HEWLETT PACKARDs Antwort auf dieses Problem lag in der Einrichtung eines Systems, das eine äußerst bedienerfreundliche Präsentation zentraler Informationen ermöglicht und darüber hinaus durch eine Kombination verschiedener Darstellungsmedien vielfältig einsetzbar ist.

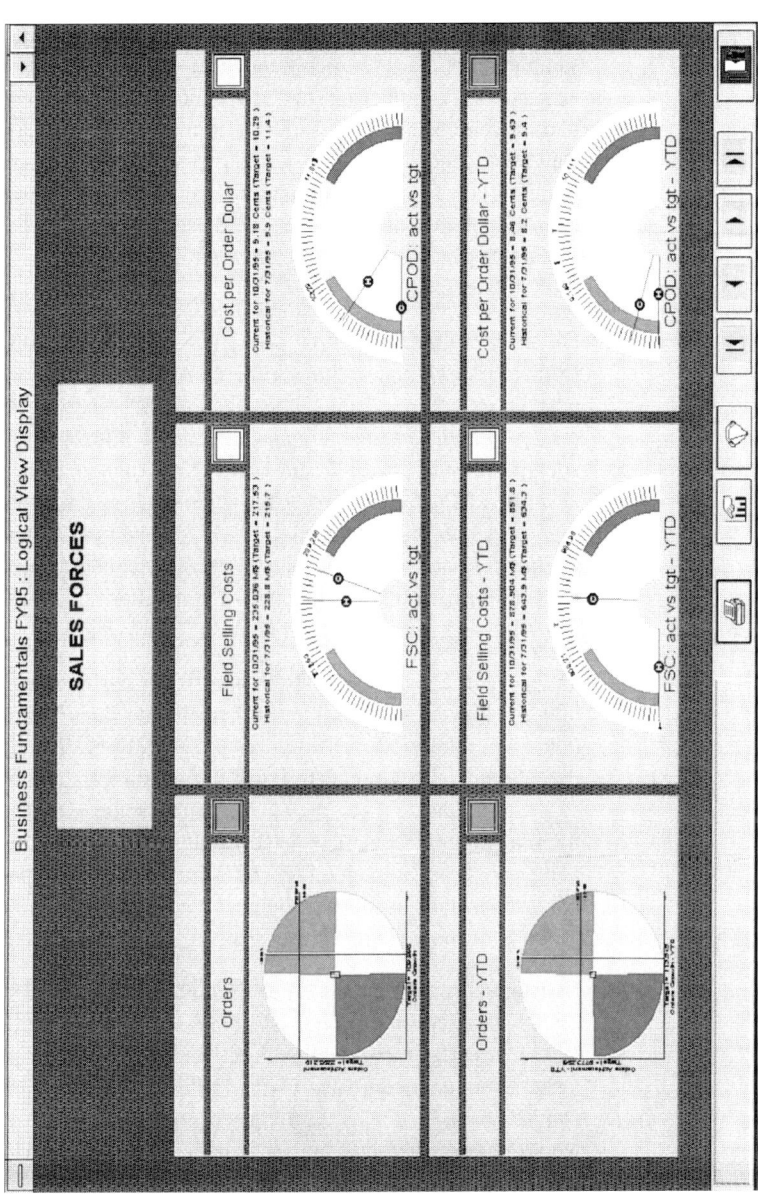

Abbildung 40: Zwei Instrumente des Management-Cockpits von HEWLETT PACKARD

Das sogenannte Management-Cockpit, welches in Zusammenarbeit mit der Beratungsfirma N.E.T.-RESEARCH eingerichtet wurde, baut auf bestehenden Daten-Warenhäusern und Managementinformationssystemen auf, anstatt diese zu ersetzen. Der zentrale Gedanke liegt darin, einige wenige zentrale Indikatoren in Form von einfachen Graphiken darzustellen und diese, ähnlich den Instrumenten in einem Flugzeugcockpit, in Gruppen anzuordnen (siehe Abbildung 40).

Die ausgewählten „Cockpit"-Anzeigen werden auf großformatigen Wandtafeln im jeweiligen Arbeitsumfeld dargestellt und von einem technischen Mitarbeiter regelmäßig aktualisiert. Sie können außerdem mittels einer speziellen Software direkt am Computer-Arbeitsplatz des einzelnen Mitarbeiters abgerufen werden. Je nach Informationsbedarf kann man die verschiedenen Indikatoren in ihrer Gesamthierarchie darstellen, kritische Indikatoren – in Form von Warnleuchten – herausfiltern oder einzelne Indikatoren detaillierter analysieren (drill-down).

Ein wesentlicher Nutzen des Systems liegt darin, daß es über die konzentrierte Darstellung relevanter Informationen eine fokussierte Diskussion über wichtige Trends der allgemeinen Geschäftsentwicklung erlaubt. In diesem Sinne kann es beispielsweise durch seine Einrichtung in einem speziellen Sitzungsraum zur Unterstützung von Teamsitzungen dienen. Bei einer Nutzung per Bildschirm läßt es sich in gleicher Weise als Hilfestellung für virtuelle Teams einsetzen.

Es ist erstaunlich, wie spät der Endnutzer teilweise erst in die Konzeption solcher Systeme einbezogen wird. Wissensmanagement-Maßnahmen, welche sich an konkreten Wissensbedürfnissen der Endnutzer orientieren (pull), haben in der Umsetzung wesentlich höhere Anwendungsaussichten als vom Nutzer entkoppelte Aktionen (push).

Nutzungsbereitschaft fördern

Wissensmanagement muß daher Kontexte schaffen, in denen das mühsam erarbeitete Wissen auch tatsächlich genutzt wird. Das persönliche Arbeitsumfeld muß die Anwendung des Neuen unterstützen und die Bereitschaft zur Nutzung von Wissen auf individueller und kollektiver Ebene fördern. So waren deutsche Automobilbauer lange nicht bereit, sich mit japanischen Produktionsmethoden auseinanderzusetzen, geschweige denn, sie in ihren eigenen Werkhallen anzuwenden. Solche psychologischen Nutzungsbarrieren beruhen häufig auf der Überschätzung der eigenen Fähigkeiten oder sind durch Angst vor dem Verlust des eigenen Expertenstatus motiviert. Diese Faktoren können die Wissensanwendung blockieren. Analog zur oben diskutierten Teilungsbereitschaft muß daher auch eine minimale Nutzungsbereitschaft bestehen.

Nutzungsbarrieren

Genau wie die Trennung von eigenem Wissen kann die Nutzung fremden Wissens im Prinzip als ein widernatürlicher Akt betrachtet werden [1]. Ein wesentlicher Grund hierfür kann in der Routinisierung von Arbeitsabläufen gesehen werden. Je mehr ein Individuum mit seinen täglichen Aufgaben vertraut ist, um so schwerer wird es in der Regel, die Bedeutung neuen Wissens zu erkennen sowie sich mit Kollegen über neue Möglichkeiten der Aufgabenerfüllung auszutauschen. Tendenziell wird mit zunehmender Routine auch die Bereitschaft sinken, neuen Verfahrensweisen ein Potential zur Verbesserung der eigenen Effizienz zuzutrauen. Der Begriff der Betriebsblindheit kennzeichnet diese Tendenz der zunehmenden Erstarrung individuellen Wissens.

Betriebsblindheit

Neben dem generellen Beharrungsvermögen in Bezug auf die Anwendung altvertrauten Wissens [2] existieren dabei oft geheime Spielregeln, welche die Nutzung

Kulturelle Barrieren

fremden Wissens blockieren. Durch die Anforderung und Nutzung fremden Wissens begibt sich der Nachfrager in eine Position der Verwundbarkeit. Er gesteht eine Wissenslücke ein und meint, oft sogar berechtigterweise, dadurch bei anderen Mitarbeitern in schlechtem Licht zu erscheinen. Die Art und Weise, wie und bei wem er das Wissen nachfragt birgt zusätzliche Gefahren. Wird Wissen in einer anderen Fachabteilung angefragt, so kann dadurch der eigene Vorgesetzte diskreditiert werden. Tendenziell gehen außerdem Sympathien bei Mitarbeitern verloren, die meinen, daß sie diese Frage auch hätten beantworten können. Die Kombination dieser verschiedenen Mechanismen läßt für den einzelnen Mitarbeiter Untätigkeit und Vertuschung des Problems oft als eine attraktive Alternative erscheinen. Die Nutzung bestehenden, aber in anderen Bereichen der Organisation verstreuten Wissens wird dadurch verhindert.

Intervention durch Führung
Kulturbewußte Führungsmaßnahmen bilden hier einen vielversprechenden Ansatzpunkt zur Förderung der Nutzungsbereitschaft. Auf individueller Ebene sollte die Bereitschaft zu kontinuierlicher Hinterfragung bestehender Abläufe gefördert und dem etwaigen Aufkommen eines not-invented-here-Syndroms vorgebeugt werden. Fragen zu stellen muß nicht als Zeichen mangelnder Kompetenz sondern als Bereitschaft zu Lernen und Veränderung aufgefaßt werden.

Auf kollektiver Ebene geht es darum, Wissen als eine Ressource zu verstehen, die schließlich unabhängig von ihrem Ursprung zum gemeinsamen Nutzen der Organisation eingesetzt werden muß. Dabei kommt es nicht darauf an, aus welcher Quelle das Wissen stammt, sondern ausschließlich darauf, wie es auf die beste und effizienteste Weise organisational nutzbar gemacht werden kann.

Der Wissensnutzer als Kunde

Zahllose Studien belegen, daß die individuelle Wissensnutzung in Organisationen in überwiegendem Maße von
Aspekten der Bequemlichkeit gesteuert wird. Eine informelle Anfrage bei einem Kollegen in unmittelbarer Ruf-
oder Gehdistanz oder ein kurzer Telefonanruf sind weitaus üblichere Mittel der Informationssuche, als eine eigenständige Recherche in einer Bibliothek oder Datenbank. Soll die Nutzung entlegenerer Bereiche organisationalen Wissens angestrebt werden, so kann dies vor allem
über eine nutzerfreundliche Gestaltung der Wissensbasis
sowie der Wissensinfrastrukturen der Organisation erreicht werden.

Nutzerfreundliche Infrastrukturen

Wesentliche Kriterien, die hierfür erfüllt sein müssen, betreffen die Elemente Einfachheit („easy-to-use"), Zeitge-
rechtheit („just-in-time") sowie Anschlußfähigkeit („rea-
dy-to-connect"). Im Idealfall können dabei Informationen und Wissen auf einfache Weise und in kurzer Zeit lo-
kalisiert und übertragen werden und liegen in einer Form
vor, die ihre umgehende Anwendung und Weiterverwen-
dung möglichst wenig behindert. Systeme wie beispielsweise die Software GRAPEVINE, die eine simultane
(Ver)teilung, Nutzung und Weiterentwicklung von Wissen gestattet, bieten ein Beispiel dafür, wie Wissensinfrastrukturen einfacher und benutzerfreundlicher gestaltet werden können. Eine zusammenhängende Betrachtung aller Bausteine des Wissensmanagements bietet
große Chancen für eine konsequent nutzungsorientierte
Ausgestaltung der Wissensinfrastrukturen. So unterstützt
GRAPEVINE hohe Distributionsgeschwindigkeiten und
läßt aufgrund der Kompatibilität seiner Teilungsmedien
die direkte Nutzung versandter Informationspakete zu.

Anforderungen

Greifen die Bausteine nahtlos ineinander, kann bei der
Nutzung der organisationalen Wissensbasis ein erhebli-

Integrierte Betrachtung

cher Effizienzvorsprung erzielt werden. So sollte ein System der Wissensidentifikation dem Nutzer beispielsweise erlauben, auf für ihn interessante Informationen sowie
interessantes Wissen möglichst direkt zuzugreifen. Verweise auf Informationen sollten beispielsweise direkten
Aufschluß über deren Archivierung sowie Möglichkeiten zu ihrer Abrufung liefern. Hinweise auf bestimmte
Wissensträger sind dann besonders effizient, wenn sie
zusätzlich eine (aktuelle) Telefonnummer oder sonstige
Kontaktmöglichkeiten umfassen. Das Beispiel eines
Info-Centers, wie es bei LANGNESE-IGLO eingerichtet
wurde, verdeutlicht dieses Prinzip.

FALLBEISPIEL: LANGNESE-IGLO

Erhöhte Wissensnutzung durch Info-Centers

Info-Centers werden bei LANGNESE-IGLO als Instrument
zur Erhöhung der Kommunikationsintensität unter Mitarbeitern eingesetzt. Sie befinden sich an zentralen Stellen der Bürogebäude und laden durch ihre graphische
Ausgestaltung sowie reichlich vorhandene Sitzgelegen-
heiten zum Aufenthalt ein (siehe Abbildung 41).

Die Präsentationsinstrumente umfassen eine Vielzahl
verschiedener Medien, von einfachen Metaplanwänden,
bis hin zu Videoanlagen und interaktiven Computer-Ter-
minals. Inhalte betreffen sowohl Mitteilungen der Geschäftsleitung als auch Neuigkeiten aus einzelnen Fachabteilungen oder Projektteams. Verschiedene Elemente
des Info-Centers laden zur Interaktion ein. So beispielsweise ein Ideenmarkt oder ein Terminal, das es ermöglicht, unpersönliche Nachrichten zu den verschiedenen
Themen des Info-Centers zu hinterlassen.

Nutzen erworbenen Bei Prozessen des Wissenserwerbs gibt vor allem die
Wissens Qualität und der damit verbundene Nutzen des neu erworbenen Wissens den Ausschlag für den Grad der Umsetzung. Nutzen und Nutzung sind dabei in der Regel

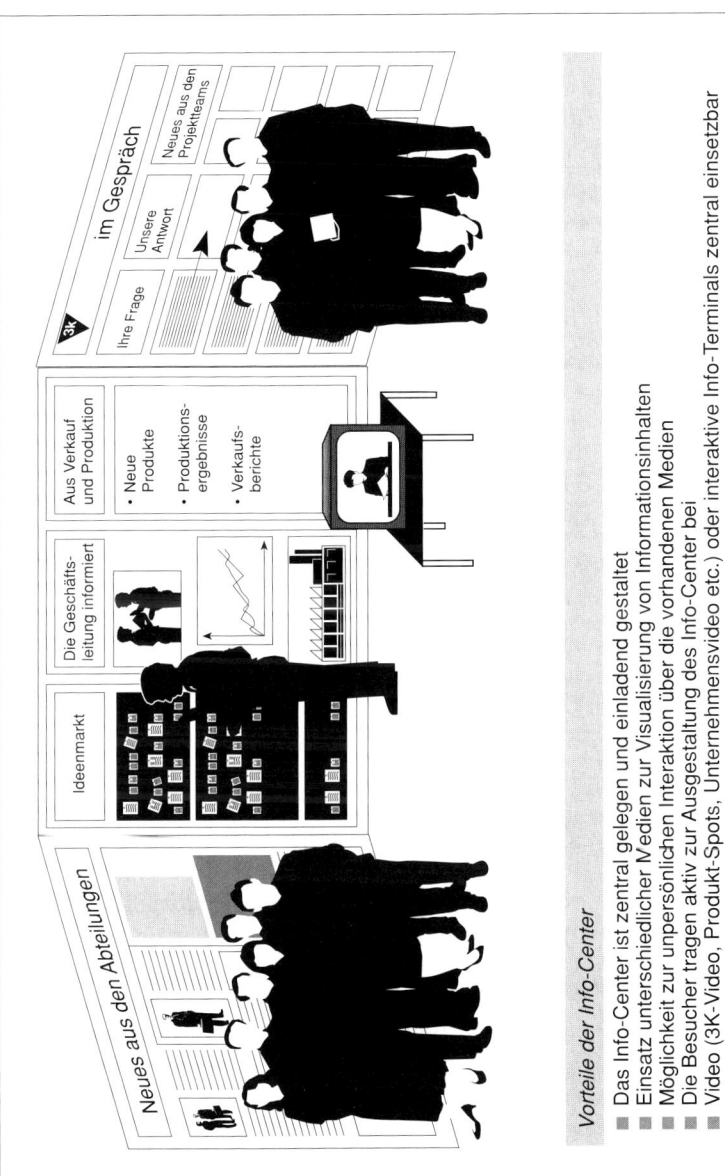

Abbildung 41: Typische Ausgestaltung eines Info-Centers

deutlich positiv korreliert. Eine komplizierte Software, die keine oder nur schwer dokumentierbare Effizienzvorteile bietet, oder ein hochwissenschaftliches Memo zu einem Thema geringer Relevanz werden in der Regel nur geringe Resonanz finden. Vielversprechender sind dagegen jene Wissensbestandteile, die bedingt durch ihre Qualität, ihren Aggregationsgrad und ihre Trägermedien ein korrektes Verhältnis zwischen Such- und Lernkosten sowie Nutzen der Anwendung aufweisen.

Wissensentwicklung im Handlungskontext
Prozesse der Wissensentwicklung können ebenso von einer anwendungsorientierten Ausrichtung profitieren. On-the-job-training beruht beispielsweise auf der Annahme, daß es Mitarbeitern in einem direkten Anwendungszusammenhang besser gelingt, neues Wissen zu erwerben. Das so Gelernte wird sich darüber hinaus meist besser ins Gedächtnis einprägen. Im Weiterbildungs- und Organisationsentwicklungsbereich gibt es eine Reihe von Konzepten, wie beispielsweise das action learning [3], welche simultane Wissensentwicklung und Wissensnutzung im Rahmen einer kollektiven Problemlösung in den Vordergrund stellen. Die Möglichkeiten von Szenarios, Simulationen und Planspielen bieten weitere Ansatzpunkte, um die Wissensnutzung in einen direkt handlungsorientierten Kontext zu stellen [4]. Neben Effizienzsteigerungen der Ausbildung, die auf eine solche motivierende Lernumgebung zurückzuführen sind, kann durch kollektive Prozesse der Wissensentwicklung auch eine umfassendere Sicht des Einzelnen auf organisationale Prozesse gefördert werden. Durch die Konfrontation mit den Perspektiven anderer Fachabteilungen oder Organisationseinheiten im Zuge eines kollektiven Lernprozesses wird außerdem die Gefahr der Betriebsblindheit durch isolierte, routinisierte Arbeitsabläufe gemindert.

Hirngerechte Dokumente
Manchmal sind es auch Kleinigkeiten, mit denen die Nutzung betrieblicher Wissensbestände gesteigert wer-

den kann. Dokumente, Memos und interne Publikationen gehören immer noch zu den Medien, über welche ein großer Teil der betrieblichen Kommunikation abgewickelt wird. Viele dieser Wissensdokumente orientieren sich allerdings nicht an den Verarbeitungsmechanismen des menschlichen Gehirns. Sie sind nutzungsfeindlich beziehungsweise nicht hirngerecht. Durch Visualisierung, Kurzzusammenfassungen und ähnliche Bearbeitungsschritte kann der Nutzwert von Dokumenten deutlich gesteigert werden (siehe Abbildung 42).

Nutzungsorientierte Gestaltung von Arbeitssituationen

Nutzungsfreundlichere Arbeitskontexte

Wissensnutzung kann auch durch den Rückgriff auf bestehende Methoden zur nutzungsfreundlicheren Gestaltung von Arbeitskontexten gefördert werden. Hier sind besonders Maßnahmen zur Gestaltung der Anordnung von Arbeitsplätzen und Abteilungen innerhalb eines Gebäudes sowie die nutzungsfreundliche Ausgestaltung der einzelnen Arbeitsplätze angesprochen. In beiden Fällen ist die physische Nähe von Mitarbeitern zu dem für sie relevanten Wissen der entscheidende Parameter.

Beispiele für space management

Durch Maßnahmen des space management lassen sich notwendige Wissensaustausch- oder Kommunikationsbeziehungen in eine möglichst geringe physische Distanz von Mitarbeitern oder Abteilungen übersetzen. Nutzungsbarrieren, die auf zu großen Entfernungen beruhen, können dadurch direkt abgebaut werden. Ein Beispiel für eine solche gelungene Reorganisation des Arbeitskontextes findet sich bei COOPERS & LYBRAND. Von einer Architektur, die vor allem das Prestige der Partner zum Ausdruck brachte – große Büros an der besten Seite des Gebäudes – wechselte man zu einem offeneren und flexibleren Layout, mit weniger Büros, dafür mehr Ar-

Nicht-hirngerechte Dokumentations-Architektur

Dieser Text fasst die zentralen Thesen der Kognitionswissenschaften zusammen und erläutert deren Relevanz für die Gestaltung von Texten und Dukumentationen. Speziell wird dabei auf die Gestaltung von Hypertext-Dokumenten verwiesen und in welcher Weise diese „brain friendly", d.h. leicht benutzbar, gemacht werden können. Im Laufe der letzten zwanzig Jahre haben sich die Kognitionswissenschaften einerseits und die Informatik andererseits rasant entwickelt. Diese beiden Entwicklungen haben jedoch nicht Hand in Hand stattgefunden, sondern sind relativ isoliert vonstatten gegangen. Die gegenseitige, transdisziplinäre Kooperation fand bis vor kurzem nur punktuell statt. Motor für eine vertiefte Zusammenarbeit zwischen Psychologen und Informatikern war, und ist, dabei vor allem die KI-Forschung (Künstliche Intelligenz). Die Zusammenarbeit von kognitiver Psychologie und Informatik ist für die Gestaltung von effizienten Repräsentationen von Wissen und Information unabdingbar. Die Psychologie verbessert die Gestaltung der Symbolverarbeitung durch den Computer. Die Psychologie untersucht also die kognitiven Voraussetzungen für eine effiziente Informationsübermittlung und Speicherung und die Informatik ermöglicht die Manipulation von diesen informationellen Einheiten, sie verarbeitet die Symbole. In der folgenden Aufzählung sind die einzelnen Erkenntnisse der kognitiven Psychologie und die entsprechenden Techniken der Informatik zusammengefasst. Die Liste ist als Auszug eines umfassenden Anforderungskataloges zu verstehen: Bildhaftes Kodieren von Informationen und unbewusstes Erstellen kognitiver Karten wird informationstechnisch umgesetzt in sogenannte Clickable Knowledge Maps (Verbindung von Visualisierungstechnik und Datenbanktechnologie); eine verbesserte Merkbarkeit, welche durch Einbeziehung beider Hirnhälften erreicht werden kann wird in der EDV durch eine Interface-Gestaltung mittels visueller und struktureller Metaphern erreicht; Informationen werden im Hirn mehrfach auf verschiedene Weisen gespeichert und oft assoziativ verbunden, dem kann Hypertext als assoziatives Speicherungsinstrument entsprechen; Informations-Abfolgen können die Informationsverarbeitung erschweren oder unterstützen, zu achten ist deshalb auf die Herausarbeitung von Unterschieden abfolgender Informationen, was durch Sequenzierungsalgorithmen oder thematische Archivierungstechniken sichergestellt werden kann. Diese Techniken lassen sich anhand von vier Kriterien gliedern: der Suche nach Informationen, der Ablage von Informationen, der Verwaltung von Informationen und der Nutzung von Informationen. Für diese Felder gibt es Instrumente wie den Theasaurs, der bei der Nutzung von Wissen zur Abfrage- und Ablagelogik dient. Hypertext ist eine Technik die vor allem die Nutzung, und nur bedingt die Entwicklung, von Wissen erleichtert. Als weiteres Instrument zur Erleichterung der Wissens-Nutzung sind Sequenzierungsalgorithmen zu nennen, welche eine sinnvolle Abfolge von Informationen gewährleisten. Suchsprachen und Wissenslandkarten (knowledge maps) sind beides Werkzeuge die bei der Nutzung von Wissen dessen Suche erleichtern. Zur Entwicklung von Wissen ist vor allem die Kooperation mit anderen als Instrument zu erwähnen, sowie die stetige Ausbildung. Als Fazit dieser Ausführungen kann man zusammenfassen, dass die Kognitive Psychologie die

Abbildung 42: Nutzungsgerechte Aufarbeitung von Dokumenten

Hirngerechte Dokumente

Anforderungen und Gestaltungsregeln an leseeffiziente Texte und ergonomische Dokumentationen

Übersicht
Dieser Text fasst die zentralen Thesen der Kognitionswissenschaften zusammen und erläutert deren Relevanz für die Gestaltung von Texten und Dokumentationen. Speziell wird dabei auf die Gestaltung von Hypertext-Dokumenten verwiesen und in welcher Weise diese „brain friendly", d.h. leicht benutzbar, gemacht werden können.

Ausgangslage

Im Laufe der letzten zwanzig Jahre haben sich die Kognitionswissenschaften einerseits und die Informatik andererseits rasant entwickelt. Diese beiden Entwicklungen haben jedoch nicht Hand in Hand stattgefunden, sondern sind relativ isoliert vonstatten gegangen. Die gegenseitige, transdisziplinäre Kooperation fand bis vor kurzem nur punktuell statt. Motor für eine vertiefte Zusammenarbeit zwischen Psychologen und Informatikern war, und ist, dabei vor allem die KI-Forschung (Künstliche Intelligenz).

Schnittpunkte
Die Zusammenarbeit von kognitiver Psychologie und Informatik ist für die Gestaltung von effizienten Repräsentationen von Wissen und Information unabdingbar. Die Psychologie verbessert die Gestaltung der Symbolverarbeitung durch den Computer. Die nachfolgende Abbildung zeigt die Schnittstelle zwischen den beiden Disziplinen.

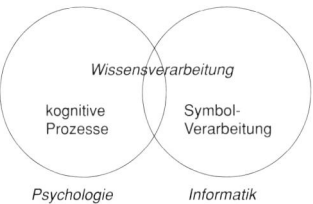

Kognitive Techniken
In der folgenden Tabelle sind die einzelnen Erkenntnisse der kognitiven Psychologie und die entsprechenden Techniken der Informatik dargestellt. Die Liste ist als Auszug eines umfassenden Anforderungskataloges zu verstehen:

Einsichten

Kognitive Psychologie	Informatik
▪ Bildhaftes Kodieren von Informationen und unbewußtes Erstellen kognitiver Karten	▪ Clickable Knowledge Maps (Verbindung von Visualisierungstechnik und Datenbanktechnologie)
▪ Verbesserte Merkbarkeit druch Einbezug beider Hirnhälften	▪ Text-Gestaltung mittels visueller und struktureller Metaphern (Grafiken)
▪ Informationen werden mehrfach auf versch. Weise gespeichert und oft assoziativ verbunden	▪ Hypertext als assoziative Speicherung von Informationen
▪ Informations-Abfolgen können die Informationsverarbeitung erschweren oder unterstützen. Zu achten ist auf Herausarbeitung von Unterschieden abfolgender Informationen	▪ Sequenzierungsalgorithmen oder thematische Archivierungstechniken können sicherstellen, daß Informationen klar unterschieden und abgerufen werden können

Abbildung 42: Nutzungsgerechte Aufarbeitung von Dokumenten (Fortsetzung)

beits- und Konferenzräumen, sowie Arbeitsplätzen, die je nach Anwesenheit von mehreren Mitarbeitern belegt werden können [5].

Arbeitsplatzgestaltung Neben den Gestaltungsmöglichkeiten auf kollektiver Ebene kann auch am individuellen Arbeitsplatz angesetzt werden. Sowohl Büros als auch Fertigungsstätten lassen sich mit teilweise einfachen Mitteln nutzungsfreundlicher gestalten. Bei ERICSSON kam man beispielsweise auf die Idee, herkömmliche Bildschirmschoner an Computerarbeitsplätzen durch eine automatische Einblendung von REUTERS-NEWS sowie eines Tickers mit dem ERICSSON-Börsenkurses zu ersetzen.

Hierdurch wird nicht nur die Aufmerksamkeit der Mitarbeiter auf ein wesentliches Ziel ihrer Tätigkeit gelenkt, sondern diese werden auch in regelmäßigen Abständen an die Möglichkeiten zur Nutzung eines internationalen Informationsangebotes erinnert. Weitere Möglichkeiten einer nutzungsfreundlicheren Arbeitsatmosphäre im Fertigungsbereich illustriert der Fall ABB.

FALLBEISPIEL: ASEA BROWN BOVERI (ABB)

Verbesserte Wissensnutzung durch Arbeitsbereichsgestaltung

Im Rahmen seines „Customer Focus"-Programms setzte ABB neben anderen Aspekten auch auf die konsequente Umsetzung einer Total Quality Management-Initiative. Um diese schließlich firmenweit zu verankern, wurde vor allem bei der Fähigkeit der Mitarbeiter angesetzt, Problemlösungsmethodiken zu verstehen sowie in der täglichen Arbeit umzusetzen. Zur Unterstützung dienen dabei eine Dokumentation des ABB-Problemlösungsprozesses in sechs Schritten sowie der memory jogger, welcher die wichtigsten Werkzeuge des TQM in knapper und übersichtlicher Form erläutert.

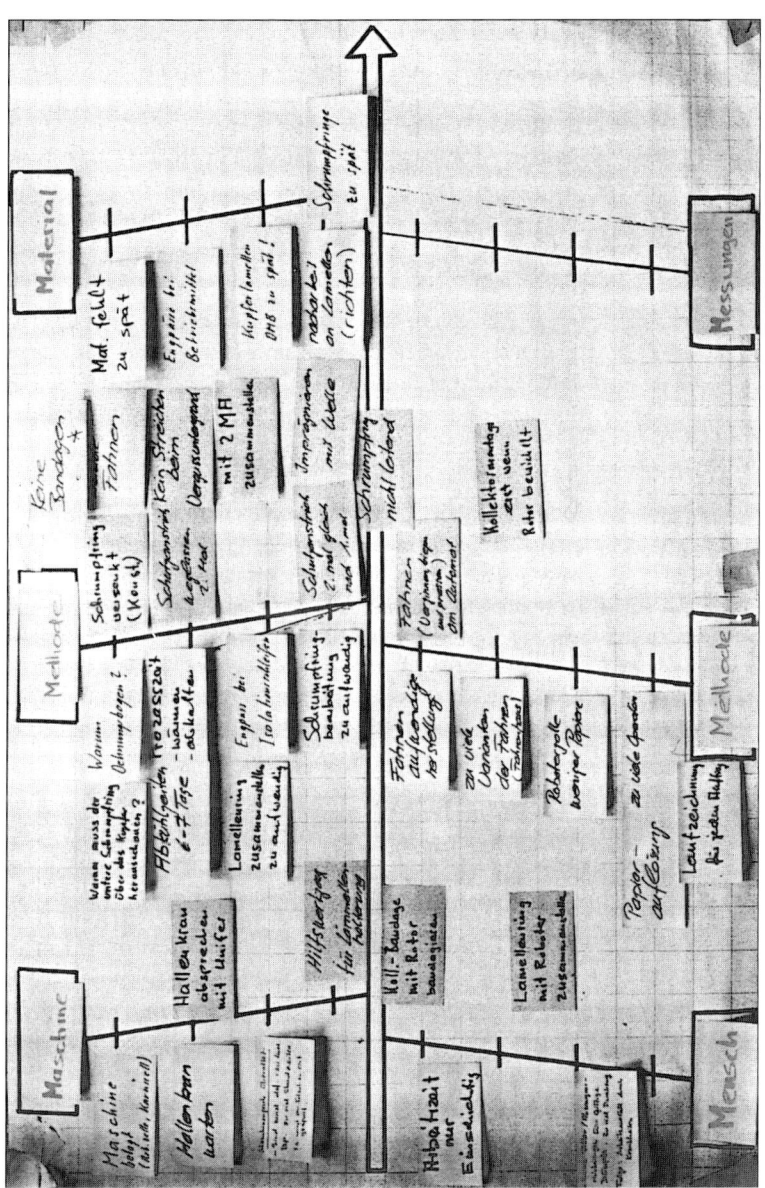

Abbildung 43: Verbesserte Wissensnutzung durch Visualisierung

ABB gelangte zu der Erkenntnis, daß die Gewinnung
von Wissen mit Hilfe dieser Methoden noch nicht
genügt. Vielmehr wird die konsequente Wissensnutzung
als ein wesentlicher Erfolgsfaktor für das Qualitätsmanagement betrachtet. Die Anwendung des TQM-Instru-
mentariums wurde daher ganz bewußt in die Gestaltung
des Arbeitsplatzes mit einbezogen. Jede Fertigungsinsel
ist mit einem großen Whiteboard ausgestattet, auf dem
die wesentlichen Qualitätsmeßgrößen illustriert sind
(siehe Abbildung 43). Problemanalysen werden in regelmäßigen Gruppensitzungen im Fertigungsbereich selbst
durchgeführt. Die Resultate dieser Sitzungen werden in
Form von Pareto- oder Fischgrätdiagrammen dargestellt
und am Whiteboard dokumentiert. Sowohl die Problem-
analyse als auch die beschlossenen Maßnahmen sowie
Meßgrößen des Fortschritts bleiben so ständig im Fertigungsbereich präsent. Gewonnenes Wissen kann jeder-
zeit wieder vergegenwärtigt werden und seine Nutzung
ist durch die unmittelbare Nähe zum Arbeitsumfeld wesentlich vereinfacht worden.

Zusammenfassung

- Wissen erwerben, entwickeln und ansammeln genügt bei weitem nicht. Es muß auch nutzbar gemacht und genutzt werden.

- Wissensnutzung kann durch die nutzungsorientierte Gestaltung kollektiver und individueller Arbeitssituationen verbessert werden.

- Wissensnutzung kann man als „Implementierungsphase" des Wissensmanagement-Prozesses verstehen. Hier wird Wissen in konkrete Resultate umgewandelt.

- Analog zu Teilungsbarrieren gibt es auch Nutzungsbarrieren. Diese können auf „Betriebsblindheit", auf der Angst vor Bloßstellung eigener Schwäche oder auf prinzipiellem Mißtrauen gegenüber fremdem Wissen beruhen.

- Nutzungsorientierung muß in allen Belangen des Wissensmanagements im Vordergrund stehen. In allen Bausteinen des Wissensmanagements sollten daher die Bedürfnisse der Wissensnutzer mitgedacht werden.

- Die Integration von Wissensmanagement-Maßnahmen in den unmittelbaren Handlungszusammenhang von Mitarbeitern fördert ebenfalls deren Nutzungsorientierung.

Leitfragen

- Ist es in Ihrer Organisation oder Ihrem Bereich möglich, inhaltliche Fragen offen zu stellen? Wird Wissen aus anderen Funktionsbereichen oder Organisationseinheiten angefragt und genutzt oder werden Anfragen eher abteilungsintern begrenzt?

- Sind Ihre bevorzugten technischen Informationsquellen (Datenbanken, Management-Informationssysteme) benutzerfreundlich gestaltet? Können Sie bei einer Recherche verschiedene Ebenen von Wissensquellen (interne und externe Dokumente, Projektmitarbeiter, Experten) kombinieren oder werden diese Informationen separat gehalten?

- Haben Sie den Eindruck, notwendige Informationen und Wissen, über das Sie nicht verfügen, in relativer Nähe zu Ihrem eigenen Arbeitsbereich vorzufinden, oder müssen Sie bei einer Recherche „lange Wege gehen"?

- Lädt Ihr eigener Arbeitsplatz durch eine entsprechende Ausstattung und Gestaltung zur Nutzung von täglich relevantem Wissen ein?

- Gibt es einen Bereich in Ihrer Abteilung, wo aktuell relevante Themen dokumentiert oder graphisch dargestellt werden, wo sich Informationen „kristallisieren" und gemeinsam Wissen erarbeitet werden kann?

- Sind die Dokumente, welche Sie tagtäglich erhalten, nutzerfreundlich aufgebaut? Falls nicht, wie geben Sie den Wissens-Produzenten Feedback?

10. Kapitel

Wissen bewahren

Das konnten wir doch mal, doch nun scheinen wir es vergessen zu haben. In Zeiten von Reengineering, Outsourcing und Lean-Management werden häufig unreflektiert Teile des organisatorischen Gedächtnisses auf Zeit oder dauerhaft gelöscht. Leidet Ihr Unternehmen an Amnesie? Entstehen immer wieder große Wissenslücken, wenn Mitarbeiter geplant oder ungeplant das Unternehmen verlassen? Nach welchen Prinzipien bewahren Sie die Erfahrungen Ihrer Organisation? Halten Sie Kontakt zu Ihren Ehemaligen und greifen auch nach deren Ausscheiden gezielt auf deren Erfahrungen zurück? Erheben Sie am Ende von Projekten „lessons learned", um die wesentlichen Erkenntnisse für zukünftige Projektteams zu sichern? Wir zeigen, wie Sie zentrale Wissensträger auch nach ihrem Ausscheiden für die Organisation bewahren, welche Rolle das kollektive Gedächtnis im Umgang mit Wissen spielt und wie Sie durch die rasante Weiterentwicklung elektronischer Speichermedien ein digitales Gedächtnis Ihres Unternehmens aufbauen können.

Wissen bewahren

„In unserem Forschungszentrum haben wir eine kleine Anzahl absoluter Produktexperten. Der erfahrenste und anerkannteste Meister ist vor einigen Tagen in den Ruhestand gegangen. Wir sind uns sicher, daß mit ihm ein äußerst wichtiger Teil unserer Produktekompetenz von Bord geht, doch wir wissen nicht, wie wir sein Erfahrungswissen für die Zukunft sichern können." *(Forschungs- und Entwicklungsleiter eines Nahrungsmittelkonzerns)*

„Vor einigen Monaten wurde mir bewußt, was es heißt in einer Organisation zu arbeiten, die es versteht wertvolles Wissen zu bewahren und weiter zu verwenden. Ich saß in einer Präsentation und sah den jungen Kollegen einige Folien auflegen, welche ich selber vor einiger Zeit erstellt hatte. Für den Vortragenden waren sie zu Firmenwissen geworden und er hatte keine Ahnung von ihrem Ursprung." *(Partner einer Unternehmensberatung)*

„In unserem Unternehmen arbeitet eine Vielzahl von Projektgruppen auf unterschiedlichen Ebenen an der Erarbeitung eines elektronischen Gedächtnisses für ihren Fachbereich. An einer integrierten Lösung für die Gesamtorganisation fehlt es allerdings, was zu Schnittstellenproblemen führen wird. Ich befürchte, daß wir am Ende wieder nur auf einen Bruchteil des bereits vorhandenen Wissens und der bereits gemachten Erfahrungen zugreifen können." *(Informatikverantwortlicher Manager in einem großen Dienstleistungsunternehmen)*

Die besondere Bedeutung des organisatorischen Gedächtnisses wird immer wieder betont, doch in den meisten Managementansätzen spielt der bewußte Umgang mit der eigenen Vergangenheit nur eine untergeordnete Rolle. Allgemein kann man das Gedächtnis als ein System von Wissen und Fähigkeiten beschreiben, um Wahrgenommenes, Erlebtes oder Erfahrenes über den Augenblick hinaus zu sichern und zu speichern, um es zu einem späteren Zeitpunkt wieder abrufen zu können [1]. Das organisatorische Gedächtnis ist der notwendige Bezugspunkt für neue Erfahrungen, ohne Gedächtnis ist kein Lernen möglich.

Unterschätzung von Erfahrung

Die Bewahrung von Wissen bildet daher einen wichtigen Baustein innerhalb des Konzeptes des Wissensmanagements. Der Wert des organisatorischen Gedächtnisses wird heute insbesondere im Reorganisationsprozeß unterschätzt. Folgende Manageraussagen scheinen hierfür typisch zu sein: „Wir müssen schlanker werden". „Wir müssen uns verjüngen". Mit dieser Argumentation wird häufig ein Outsoucing um jeden Preis vorbereitet. Es wird „Ballast abgeworfen", doch handelt es sich hierbei um eine wohlüberlegte oder um eine fahrlässige Trennung von eigenen (veralteten?) Erfahrungen? [2].

Unwiederbringliche Verluste

Die Trennung von änderungsunwilligen Mitarbeitern, die sich gegen den Wandel stemmen, kann Blockaden lösen, aber gleichzeitig kostet sie die Organisation immer auch persönliche Erfahrungen. Viele Unternehmen mußten inzwischen die bittere Erfahrung machen, daß durch konsequentes lean management und die dementsprechenden „Freisetzungen" und Outsourcing-Maßnahmen wertvolles Know-how das Unternehmen verlassen hat, welches schon nach kurzer Zeit über teure externe Beraterhonorare zurückgekauft werden mußte. Gewisse betriebsspezifische Kenntnisse, zum Beispiel über die Architektur alter Industrieanlagen, gehen auf diesem Wege unwiederbringlich verloren. Der Verlust gewisser kritischer Informationen kann gar die Funktionstüchtigkeit ganzer Unternehmensbereiche herabsetzen [3].

Das Gedächtnis der Firma

Nehmen wir das Beispiel von Andy Miller. Andy arbeitete seit 30 Jahren in der Verkaufsabteilung eines großen

amerikanischen Handelshauses. Alle kannten ihn und als
gute Seele der rund hundertköpfigen Abteilung ver-
brachte er den Großteil seiner Arbeitszeit mit informellen Gesprächen und sprach auf diese Weise fast täglich
mit allen Verkäufern der Abteilung. Nach einem Mana-
gementwechsel ordnete der neue Geschäftsführer als
eine der ersten Maßnahmen eine genaue Analyse der
Verkaufsergebnisse an und beauftragte hiermit einen externen Unternehmensberater. Andy Miller, der nie besonders viel verkauft hatte und außerdem über fünfzig
Jahre alt war, bekam zum nächsten Quartalswechsel die
Kündigung. Der Berater hatte als persönlichen Kom-
mentar vermerkt: „Miller ist nur selten an seinem Platz
anzutreffen, sondern verbringt einen Großteil seiner Zeit
mit nicht-verkaufsrelevanten Schwätzchen". Nach der
Entlassung von Andy traten ungewohnte Schwierigkeiten auf. Die Koordination zwischen Unterabteilungen
funktionierte nicht mehr wie gewohnt, Zuständigkeiten,
welche klar geregelt zu sein schienen, wurden unklar
und die Anzahl der Kundenbeschwerden nahm zu. Auch
die Grundstimmung hatte sich geändert. Man beklagte
sich darüber, daß niemand mehr an Jubiläen, Geburts-
oder Hochzeitstage dachte. Neueingestellte fühlten sich
schlecht betreut und kollidierten häufiger mit den ungeschriebenen Regeln des Unternehmens. Erst langsam
wurde klar, daß man mit Andy das „Gedächtnis der Firma" entlassen hatte, jemanden, der über die Personen
und Prozesse der Organisation ein detailliertes Wissen
aufgebaut hatte und dieses bei seinen unproduktiven
Spaziergängen allen anderen zur Verfügung stellte.

Das Beispiel zeigt, daß ohne die gezielte Bewahrung von
Erfahrungen unerwartete Verluste auftreten können. Der
Mensch ist ein mit seiner Entwicklungsgeschichte ver-
wurzeltes Wesen, das nur durch den permanenten Bezug
auf seine Erfahrungen in der Vergangenheit seine eigene
Identität bestimmen kann und so zu seiner einzigartigen

**Identität und
Gedächtnis**

Lernfähigkeit gelangt. Tatsächlich beklagen heute viele Organisationen, daß sie im Zuge von Reorganisationen einen Teil ihres Gedächtnisses verloren haben. Diese kollektive Amnesie beruht auf der unbedachten Zerstörung informeller Netzwerke, welche wichtige aber wenig beachtete Prozesse steuern. Berater nennen diese Krankheit, welche insbesondere extrem schrumpfende Unternehmen befällt, auch das kollektive Alzheimer-Syndrom.

Entlernen versus Bewahren

In der Managementtheorie läßt sich das Spannungsfeld zwischen Vernichtung und Bewahrung alter Kenntnisse, Fähigkeiten und Informationen am besten an der Diskussion über das Thema Entlernen (Unlearning) ablesen. „Entlernen ist der Prozeß in dem Lernende ihr altes Wissen ausrangieren" [4]. Mit dieser Definition fordert Hedberg eine rigorose Trennung von belastenden Vergangenheitserfahrungen. Dies ist für den Neuanfang notwendig. Organisationales Verlernen muß einsetzen, wenn die bisherigen Interpretations- und Reaktionsmuster beziehungsweise die organisationale Handlungstheorie aufgrund von Änderungen des organisationalen Umfeldes nicht mehr auf die aktuellen Herausforderungen passen. Das Problem liegt in der Selektion zwischen nicht mehr benötigten und für die Zukunft absolut notwendigen Wissensbestandteilen und Wissensträgern. Verlernen heißt in dieser Logik daher bereit zu sein, eigene Routinen zu hinterfragen und Gewohntes loszulassen.

Erfahrung als notwendiger Ausgangspunkt für Verbesserungen

Sollen alle vorhandenen Kundendaten gelöscht werden, weil das Marketing in der Vergangenheit schlecht funktionierte und reorganisiert werden soll? Sicherlich nicht. Sollen erfolgreiche Teams auseinandergerissen werden, weil sie an den falschen Fragestellungen gearbeitet haben? Sicherlich nicht. Sollen pauschal alle Mitarbeiter über einer gewissen Altersgrenze entlassen werden, weil sie für die zukünftigen Veränderungen sowieso zu inflexibel sind und eine heutige Frühpensionierung von öffentlicher Seite subventioniert wird? Sicherlich nicht. Eine gezielte Be-

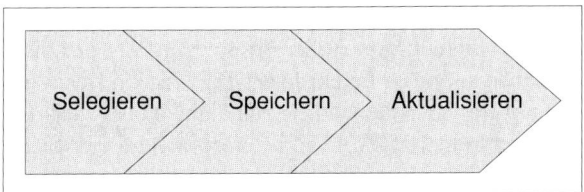

Abbildung 44: Die Hauptprozesse der Wissensbewahrung

wahrung wertvoller Erfahrungen sowie kritischer Daten und Informationen ist daher für jede Organisation von großer Bedeutung.

Die Weiterentwicklung der organisationalen Wissensbasis ist immer nur in Bezug auf das alte Wissen möglich. Auch Individualpsychologen sind der Meinung, daß alte Erfahrungen nicht von neuem Wissen überschrieben und damit gelöscht werden. Vielmehr werden alte Regeln neu markiert und kommen somit unter den aktuellen Umständen nicht mehr zur Anwendung. Sie stehen allerdings als Handlungsoption weiterhin zur Verfügung und erhöhen damit den Handlungsspielraum der Organisation in einer turbulenten Umwelt [5].

Organisationen, welche ihre Erfahrungen gezielt managen und sie damit auch in der Zukunft abrufbereit haben wollen, müssen zumindest drei Grundprozesse des Wissensmanagement beherrschen. Sie müssen aus der Vielzahl organisatorischer Ereignisse, Personen und Prozesse die bewahrungswürdigen selegieren, sollten in der Lage sein, ihre Erfahrungen in angemessener Form zu speichern und in einem letzten Schritt die Aktualisierung des organisatorischen Gedächtnisses sicherstellen (siehe Abbildung 44).

Prozesse der Wissensbewahrung

Selegieren des Bewahrungswürdigen

In jeder größeren Organisation werden täglich viele Erfahrungen gewonnen, welche für die Zukunft nützlich

Prinzip Auswahl

sein könnten und daher bewahrt werden sollten. Projektberichte, Sitzungsprotokolle, Briefe oder Präsentationen
entstehen an vielen Orten. Jeden Tag wenden sich Kunden mit Beschwerden und Reklamationen aber auch Anregungen und Lob an Unternehmensangehörige. Es ist
schier unmöglich, den Überblick über all diese organisatorischen Ereignisse zu behalten. Nehmen wir das Beispiel eines Verkäufers, der – wie seine Kollegen – häufig
vor Geschäftspartnern seine Produkte präsentieren muß.
Dieser Verkäufer hat in Eigenarbeit eine Verkaufspräsen-
tation erstellt, welche den Produktnutzen wesentlich besser visualisiert als bisherige Verkaufshilfen. Daß seine
Kollegen nichts von dieser Präsentation wissen, mag ein
Problem der Wissensidentifikation und mangelnden
Kommunikation sein. Vielleicht hat man dem Präsenta-
tionsprofi auch keine Anreize zur Teilung seines Know-
how geboten.

Selektionsregeln Aus der Perspektive der Wissensbewahrung muß allerdings folgende Frage beantwortet werden: Was passiert
mit den Erfahrungen eines Mitarbeiters, wenn er von
heute auf morgen die Firma verlassen würde? Wer findet
die zentralen Dokumente oder Präsentationen auf der
mehr oder weniger gut organisierten Festplatte wieder?
Sind die wichtigen Kontaktpersonen und Prozesse der
Position dokumentiert? In vielen Fällen reißt der unerwartete Abgang eines Mitarbeiters eine schmerzliche
Lücke, da während der Anstellungszeit keine hinreichende Dokumentation erfolgt ist. Da Dokumentation immer
Aufwand bedeutet, ihr Ertrag selten kurzfristig anfällt
und selten dem Dokumentator direkt zugerechnet wird,
braucht es Selektionsregeln. Es ist unsinnig, alles und jedes zu dokumentieren, man kann und soll nicht alles bewahren. Die Herausforderung liegt darin, wertvolle und
wertlose Erfahrungen voneinander zu trennen und die
wertvollen Daten, Informationen und Fähigkeiten in organisatorische Systeme zu überführen, in denen sie für

die Gesamtunternehmung nutzbar werden. Ein gutes Beispiel für ein solches System liefert wiederum ARTHUR ANDERSEN.

Systematische Wissensbewahrung und -selektion mit ARTHUR ANDERSEN ONLINE

Das interne Informationssystem von ARTHUR ANDERSEN wurde bereits im Baustein „Wissensziele definieren" kurz vorgestellt. Zu allen Themenfeldern, welche für die eigene Beratungskompetenz wichtig sind, existieren elektronische Diskussionsrunden. Die Qualität der Beiträge in diesen Foren ist sehr unterschiedlich und viele Beiträge sind bereits nach kurzer Zeit veraltet und damit wertlos (siehe Abbildung 44).

Die Herausforderung besteht darin, das divergente System der Einzelinformationen zu analysieren. Für diesen Analyse- und Selektionsprozeß existieren klare Verant-

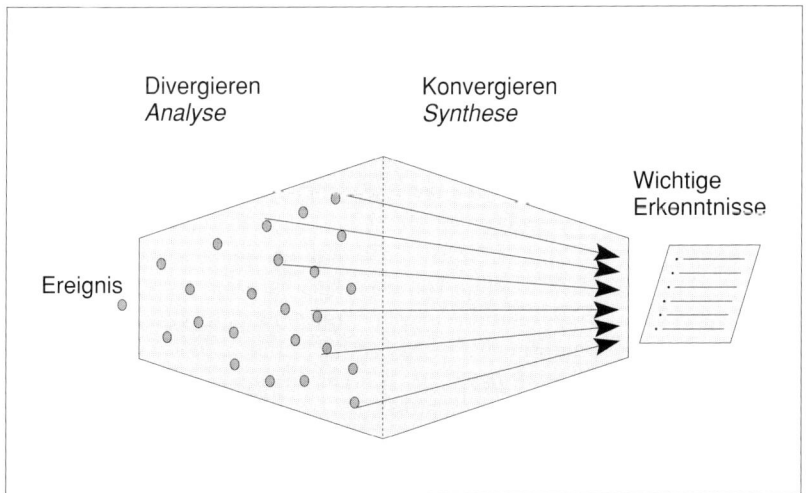

Abbildung 45: Vom divergenten zum konvergenten System

wortungen. Jedes organisatorische Kompetenzzentrum (zum Beispiel TQM) hat einzelne Manager oder Teams, welche diese Aufgabe wahrnehmen. In einem interaktiven Wissensaufbauprozeß verdichten sie die einzelnen Beiträge zu zentralen Dokumenten. So wird beispielsweise aus zwölf Erfahrungsberichten bei der Einführung von LOTUS-Notes ein Master-Dokument erstellt, welches die zentralen lessons learned zusammenfaßt. Diese Synthese erlaubt es, nur das Wesentliche längerfristig im System zu bewahren und dem Nutzer den Umweg über die Einzelberichte zu ersparen. Typische Endprodukte der Selektionsarbeit sind best practices, beste Firmen, Präsentationen, Prozeßdefinitionen, Studien und Artikel oder Wirkungsanalysen. Diese werden in strukturierter Form in ARTHUR ANDERSEN ONLINE gespeichert und stehen somit allen Organisationsmitgliedern zur Verfügung. Die Wissensmanager eines Kompetenzzentrums sind auch für die Aufräumarbeiten zuständig. Ohne diese Löschung irrelevanter oder veralteter Informationen würde die weltweite Datenbank täglich um rund drei Prozent wachsen und damit schnell dysfunktional werden.

Parallelen zum menschlichen Gedächtnis

Organisationale Selektionen und Speicherprozesse sind mit Vorgängen im menschlichen Gehirn vergleichbar. Damit sich eine Information in unser Langzeit-Gedächtnis einprägt, muß sie im ersten Schritt die Stufen des Ultrakurzzeit- und des Kurzzeitgedächtnisses durchlaufen [6]. Diese Pförtner des Langzeitgedächtnisses trennen relevante von irrelevanten Wahrnehmungen und schützen so unser Gehirn vor einer dauerhaften Reizüberflutung. Leider kann der bewußte Teil unserer Psyche nur begrenzt auf diesen Prozeß Einfluß nehmen, was dazu führt, daß wir mit zahlreichen Lerntricks und Lerntechniken arbeiten müssen, um die Pförtner zu überlisten und damit das Bewahrungswürdige aus der Informationsflut zu filtern.

Organisatorische Routinen

Auf der Organisationsebene stellt sich das Problem ähnlich dar. Nicht alle Selektionsmechanismen laufen

geplant und systematisch ab. Organisatorische Routinen sorgen dafür, daß gewisse Prozesse – wie beispielsweise die Ablage eines gewissen Dokumententyps –
völlig automatisch und ohne Reflexion ablaufen und
beibehalten werden. In praktisch jedem Büro existieren
Ordnerfriedhöfe oder verstaubende Archive, welche
den falschen Umgang mit Wissensbewahrung repräsentieren. In diesem Bereich sind Routinen sehr stark verankert und Mitarbeiter, die solche Systeme bedienen
oder verwalten, werden diese ohne Anstoß von außen
selten ändern.

Organisationen werden also nie alle Prozesse der Wissensselektion managen können. Das wäre auch gar
nicht sinnvoll. Für Kernbereiche der organisatorischen
Wissensbasis (zum Beispiel „Wissen über Kunden")
sollten allerdings Anstrengungen zur sinnvollen Selektion und Dokumentation getroffen werden. Die Materialisierung dieses Wissens in Wissensdokumenten wie
Wissenskarten oder lessons learned löst die Erfahrungen vom Individuum ab und sichert sie für die Organisation [7]. Hierbei kommt es darauf an, das Wissen auf
gewisse Kernpunkte zu konzentrieren und einen deutlichen Bezug zu speziellen Problemstellungen herzustellen. Nur was in der Zukunft für Dritte nutzbar sein
könnte, verdient bewahrt zu werden. Alles andere raubt
dem zukünftigen Nachfrager nur Zeit und sein Vertrau-
en in die Qualität des Dokumentationssystems. Dabei
ist allerdings zu berücksichtigen, daß wir nur einen
kleinen Teil der zukünftigen Informationsbedürfnisse
abschätzen können und daher unsere Selektionsgrenzen
nicht zu eng ziehen sollten.

Wissensdokumente

Eine weitere Möglichkeit, um ein Verständnis für die
Vergangenheit der Organisation zu gewinnen, ist die Fi-
xierung von Leitideen in Form von Führungsgrundsät-
zen, Leitbildern, Geschichten oder anderen Formen der
Symbolik. Diese Speichermedien haben eine instrumen-

**Erfolge
dokumentieren**

telle Nützlichkeit, da sie in der Lage sind, schnell den
Zugang zur Organisation zu ermöglichen [8]. So beauftragte ein Schweizer Handelsunternehmen einen Berater
mit der Dokumentation einer besonders erfolgreichen
Sortimentseinführung. Durch die Befragung aller am
Strategieprozeß maßgeblich beteiligten Akteure und die
Ableitung von besonderen Erfolgsfaktoren konnte diese
interne Erfolgsgeschichte systematisch rekonstruiert
werden. Die Erkenntnisse dieser Untersuchung wurden
in einem Ausbildungsfall zusammengefaßt und stehen
heute den Ausbildungsverantwortlichen zur Verfügung,
welche diesen positiven und richtungsweisenden Vorgang der Firmengeschichte zur Motivation und Wissens-
vermittlung nutzen können.

Dokumenten-Management-Systeme Auch in juristischer Hinsicht ist die Bewahrung von
Wissensdokumenten von Bedeutung. So beklagte ein Informatikverantwortlicher, der für das Controlling aller
größeren Projekte des dezentral organisierten Konzerns
zuständig war, daß ihm bei der Abrechnung von Berater-
honoraren zentrale Dokumente der Auftragserteilung
fehlten. Sie waren im Zuge neuer Projekte und erhöhter
Fluktuation nirgendwo mehr aufzufinden. Hier bestehen
Berührungspunkte zu neuen Dokumenten-Management-
Systemen, welche auf digitaler Basis einen Kundenauf-
trag über den gesamten Lebenszyklus abbilden können
und anschließend im elektronischen Gedächtnis der Firma ablegen.

Schlüsselmitarbeiter identifizieren Mit neuen Technologien wie workflow management
oder Dokumenten-Management-Systemen eröffnen sich
sicherlich neue Dimensionen der Bewahrung organisatorischen Wissens. Dennoch, an den entscheidenden Stellen der Prozesse sind es immer noch Menschen, welche
sinnvolle oder fatale Selektionen vornehmen. Mitarbeiter, wie das beschriebene Gedächtnis der Firma, können
nicht durch Maschinen oder Computersysteme ersetzt
werden. Ihre Erfahrungen sind der Schlüssel zu einer

sinnvollen Organisation der organisatorischen Vergangenheit. Wir haben immer wieder auf die besondere Bedeutung dieser Schlüsselmitarbeiter im Prozeß des Wissensmanagements hingewiesen. Sie zu identifizieren und ans Unternehmen zu binden, ist der sicherste Weg um den kollektivem Gedächtnisschwund zu verhindern.

Das Speichern von Wissen

Nachdem das bewahrungswürdige Wissen von weniger wichtigen Wissensbestandteilen getrennt worden ist, muß es in einem nächsten Schritt in angemessener Form in der organisatorischen Wissensbasis gespeichert werden. Es werden drei Speicherungsformen unterschieden: die individuelle, die kollektive und die elektronische Bewahrung von organisatorischem Wissen. Da jeder dieser Speicherungsprozesse einer eigenen Logik folgt, werden sie im folgenden getrennt vorgestellt.

Individuelle Bewahrung oder „Wer weiß das noch?"

Durch Kündigungen und Entlassungen, durch Pensionierungen und Tod verlieren Organisationen permanent wertvolle Wissensträger. In einem Beitrag bezeichnet der Economist herausragende Mitarbeiter mit ironischem Augenzwinkern als unfixed assets. Er trifft damit den Kern eines der wesentlichen Probleme im Verhältnis von Unternehmen zu ihren knowledge workers. In den Köpfen der Mitarbeiter verankertes Wissen ist äußerst flüchtiger Natur. Treten Verluste erst einmal ein, so lassen sich diese auf juristischem Wege nur unter großen Kosten und mit unberechenbaren Nebeneffekten begrenzen. Das einfachste Mittel zur Pflege intellektuellen Kapitals scheint daher in der Schaffung eines Umfeldes zu

Unfixed assets

liegen, welches den Gedanken an Wechsel überhaupt nicht aufkommen läßt.

Anreizsysteme und Austrittsbarrieren

Fühlen sich die Leistungsträger in ihrem sozialen Umfeld wohl, so sind sie für lukrative Angebote von außen sicherlich weniger anfällig. Doch Wissensträger unterscheiden sich sehr stark in ihren Motivationsstrukturen. Nur wer diese Strukturen kennt und durch Gespräche entsprechende Informationen sammelt, kann die entsprechenden Anreize bieten. Wer allerdings meint, alle Experten durch ein exzellentes Betriebsklima bei durchschnittlichem Lohn dauerhaft an das eigene Unternehmen binden zu können, der wird sicherlich nicht allen Bedürfnissen gerecht und wird den ein oder anderen Experten verlieren. Austrittsbarrieren [9] können durch soziale oder materielle Anreizsysteme aufgebaut werden, müssen sich aber stets an den persönlichen Bedürfnissen des betreffenden Mitarbeiters ausrichten, um ihre Wirkung zu entfalten.

Flexible Einbindungsmechanismen

In vielen Fällen ist es nicht möglich entsprechende Austrittsbarrieren aufzubauen und so den wertvollen Mitarbeiter an das Unternehmen zu binden. Gerade qualifizierte Arbeitskräfte, die ihre eigenen Ideen haben, fühlen sich in Großorganisationen auf Dauer nicht wohl und wagen den Sprung in die Selbständigkeit. Der Aufbau von flexiblen Kooperationsmechanismen mit diesen ehemaligen Mitarbeitern ist eine gute Möglichkeit auf deren Wissen auch nach Beendigung des Vertragsverhältnisses zurückzugreifen. Möglichkeiten der Kooperation sind Einsätze als Trainer, Berater, die selektive Hinzuziehung zu schwierigen Kundengesprächen und vieles mehr. Grundprinzip ist die Schaffung von Win-Win-Situationen. Beratungsunternehmen, welche mit jährlichen Fluktuationsraten von bis zu 30 Prozent leben, nutzen den Abfluß intern geschulter Mitarbeiter zum Aufbau starker Beziehungsnetze. Sie haben in nahezu allen wichtigen Organisationen „ihre Leute" und sichern sich damit den

Zugang zu exklusiver Information. Auch im Umgang mit den eigenen Pensionären liegen noch viele Möglichkeiten ungenutzt. Heute gewinnt man vielfach den Eindruck, daß die Alten keinen Wert mehr haben und gestaltet den Ausstieg dementsprechend abrupt. Gerade die Pflege des Verhältnisses zu den eigenen Pensionären ermöglicht aber den Zugriff auf Informationen und Kundenkontakte, die ansonsten für die Organisation auf Dauer verloren gingen.

FALLBEISPIEL: ABB CONSULTING AG

Bewahrung der Erfahrung altgedienter Führungskräfte

Vor Gründung der ABB CONSULTING AG stand das Schweizer ABB-Management vor einem Dilemma. Auf der einen Seite wollte man altgediente Führungskräfte nicht frühpensionieren und damit ihre langjährigen Erfahrungen und Beziehungen verlieren. Auf der anderen Seite brauchte man ihre Stellen, um für junge Mitarbeiter die Möglichkeit zu schaffen, rechtzeitig in Top-Kader-Funktionen aufzusteigen. Außerdem wollten ältere Manager zunehmend den Zeitpunkt und das Ausmaß ihres Rücktritts aus aktiven Managementpositionen flexibel bestimmen. Die Gründung der ABB CONSULTING AG ermöglichte diesen Rückzug auf Raten. In ihr arbeiten heute ausschließlich ehemalige Top-Kader der ABB-Schweiz, welche mit 60 Jahren einen Neustart als Berater unternehmen möchten. Diese grauen Berater agieren hauptsächlich in Tochterunternehmen der ABB und können damit ihr weltweites Beziehungsnetz und ihre Branchenerfahrung weiterhin voll einbringen (siehe Abbildung 46).

Die Berater von ABB CONSULTING sind dabei in den vielfältigsten Beratungsfeldern wie Management auf Zeit, Öffentlichkeitsarbeit oder der Kooperation mit staatlichen beziehungsweise öffentlichen Akteuren tätig. Es existieren vielfältige Nutzungsbereiche für das Wissen

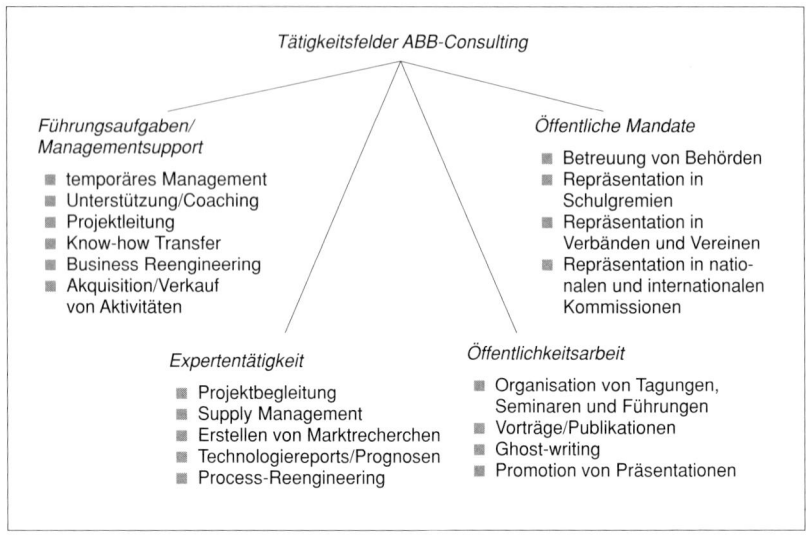

Abbildung 46: Bewahrte Fähigkeiten durch 'graue Berater'

der 'alten Hasen'. Ihre Erfahrung können sie als Ghost-Writer für die aktuelle Führungsriege, als kompetenter Führer durch (den früher selbst geführten) Produktionsbetrieb oder als erfahrener Prozeßbegleiter in komplexen Projekten einsetzen. Während mit der regulären oder erzwungenen Pensionierung eines Mitarbeiters der Wissenstransfer zwischen Arbeitgeber und -nehmer in der Regel beendet ist, hat ABB hier eine flexible Lösung zum beiderseitigen Nutzen realisiert. Das Unternehmen kann weiterhin auf seine ehemaligen Wissensträger zurückgreifen und die leistungswilligen Altmanager erhalten die persönliche und finanzielle Bestätigung, daß sie und ihre Erfahrungen noch gebraucht werden. Auf diese Weise können auch teure Prämien für Outplacement-Beratungen gespart und sinnvoller eingesetzt werden.

Systematische Übergabe von Fähigkeiten

Eine weitere Möglichkeit zur systematischen Bewahrung kritischer Fähigkeiten liegt im gezielten Aufbau eines

Nachfolgers für die eigene Position. Dieser sollte schon lange vor dem Wechsel des Positionsinhabers Schritt für Schritt in seine Aufgaben eingeführt werden und so die kritischen Fähigkeiten des Meisters langfristig erwerben. Während sich viele europäische Organisationen mit solchen Nachfolgeregelungen schwertun und die Stelleninhaber bis zum letzten Tag versuchen ihre Machtposition zu bewahren, indem sie wichtige Informationen zurückhalten, können Japaner hier auf eine andere Tradition, auf ein anderes Managementprinzip zurückgreifen.

Dieses Prinzip nennt sich sempai-kohai und steht für die enge Verbindung zwischen einem männlichen Paar, das aus einem älteren, unterweisenden sempai und einem jüngeren, anzuleitenden kohai besteht [10]. Jedem Neueinsteiger wird solch ein älterer Mentor (der teilweise nur einige Jahre älter sein kann) zugewiesen und von ihm erhält der Vertreter der jüngeren Generation alle nötigen Tricks und Kniffe vermittelt. Das Verhältnis zwischen den beiden wird durch gemeinsame Freizeitaktivitäten systematisch gestärkt, so daß eine Vertrauensbasis für den Austausch von Informationen aller Art geschaffen wird. Auch der Transfer von implizitem Wissen wird durch diesen Mechanismus sehr gut unterstützt. Als 1993 die japanische Stahlindustrie jeden vierten ihrer 150 000 Mitarbeiter freisetzte, befürchtete man einen radikalen Abfall der Durchschnittsqualifikation und damit einen deutlichen Qualitätsabfall. Dieser blieb aus, was von externen Beobachter als Bestätigung des Prinzips sempai-kohai interpretiert wurde.

Sempai-kohai

Doch auch ohne großen Aufwand kann der Schaden, der durch den Abgang eines Experten entstehen könnte, vermindert werden. Eine der einfachsten Methoden sind strukturierte Austrittsgespräche, welche von speziell ausgebildeten Fachleuten ausgeführt werden sollten. In ihnen wird das für die Organisation kritische Wissen (spezielle Dokumente, Kontakte, Projekteinbindungen)

Gezielte Explizierung

expliziert und dokumentiert. Diese Gespräche sollten bereits in Abstimmung mit dem zukünftigen Stelleninhaber durchgeführt werden. Führt man diese Gespräche in offener, positiver Form, so kann man viel wertvolle Informationen bewahren und Ansatzpunkte zum Lernen über die eigene Organisation gewinnen. Man erfährt beispielsweise, warum der betreffende Wissensträger die Organisation verläßt und kann dadurch gegebenenfalls die eigenen Austrittsbarrieren anpassen. SANDIA NATIONAL LABORATORIES in Albuquerque, New Mexico, dokumentiert diese Form von Tiefeninterviews durch Ton- und Videoaufzeichnungen [11]. So hofft man die Weisheit der ausscheidenden Wissenschaftler ein wenig einzufangen und ihre Erfahrungen für die eigene Organisation zu sichern.

Die Bewahrung im kollektiven Gedächtnis

Das menschliche Gedächtnis ist flüchtig und dynamisch. Psychologen behaupten sogar, daß wir mit jedem Erinnerungsvorgang unsere eigene Vergangenheit verändern, quasi umschreiben. Das Problem liegt darin, daß sich die „falschen" Erinnerungen genauso wie die echten anfühlen [12]. Um sich nicht in seinen Eigenkonstruktionen der Wirklichkeit [13] und Vergangenheit zu verlieren, braucht der Mensch Feedback von anderen Beteiligten, um sein Bild zu bestätigen oder anzupassen. Somit wird die Gruppe, das Kollektiv, zum Regulativ der eigenen Erinnerungen. Kollektive speichern geteilte Erfahrungen in einer anderen Form ab als Einzelpersonen. Noch heute können Psychologen mit Hilfe von Tiefeninterviews die Grenzen zwischen den unterschiedlich stark betroffenen Regionen des Dreißigjährigen Krieges identifizieren. Die Schrecken dieser Zeit hatten sich so tief ins kollektive Gedächtnis eingebrannt, daß sie noch über dreihundert Jahre später das Alltagsverhalten der Nachgeborenen beeinflussen [14]. Was hat das alles mit Wissensmanagement und Wissensbewahrung zu tun? Es wird deutlich, daß die geschichtlichen Erfahrungen einer Organisation sehr tief verankert sind, auch wenn sie sich dem Auge des flüchtigen Betrachters entziehen.

Die kollektive Bewahrung ist dabei allerdings nie einseitig als historischer Ballast anzusehen, sondern kann auch sehr produktiv sein. So wurde in einem Laborversuch zum einen Einzelpersonen, zum anderen einer geschlossenen Gruppe die Montage von Transistorradios vermittelt [15]. Eine Woche nach dem Training wurden die Personen wieder zusammengerufen und gebeten, sich an die einzelnen Montageschritte zu erinnern und sie auszuführen. Die individuell geschulten Personen wurden dabei zu kleinen Arbeitsgruppen zusammengefaßt, während die im Gruppenverband Trainierten zusammenblieben und sich „kollektiv erinnern durften". Das Ergebnis der Analyse der Arbeitsergebnisse ergab, daß die bereits im Team geschulten Gruppen sich an mehr Einzelheiten des Herstellungsprozesses erinnerten und die besseren Radios produzierten. Detaillierte Videoanalysen zeigten, daß sich bei ihnen während des ursprünglichen Trainings eine Reihe von sozialen und kognitiven Verbindungen gebildet hatten, welche die Forscher als transactive memory system [16] bezeichneten. Dieses kollektive Gedächtnis war dem des Individuums überlegen.

Kollektiv schlägt Individuum

Ein anderes Phänomen der kollektiven Bewahrung wurde aus der Beobachtung von Paaren abgeleitet [17]. So nutzen gewisse Personen andere Personen, mit denen sie in enger Interaktion stehen, als erweiterte Speicher, und vergrößern so ihre eigene Kapazität an Vergangenheitserinnerungen. Sie entwickeln ein Gefühl dafür, welche Details einer gemeinsam erlebten Situation sich der Partner besonders gut merken kann (zum Beispiel Namen). Diese

Auslagerung des Gedächtnisses

Arbeitsteilung des Erinnerungsprozesses führt dazu, daß
sich die beiden Partner an eine gemeinsam erlebte Situation nur gemeinsam vollständig erinnern können.

Dokumentieren   Viele Gruppenerfolge lassen sich nicht durch solche
wichtiger Prozesse   Analysemethoden erklären. Gruppenprozesse oder kollektive Problemlösungsprozesse folgen häufig einer Eigendynamik, welche für den Beobachter und die Gruppenmitglieder selber nur schwer nachvollziehbar sind.
Trotz dieser Schwierigkeiten kann man einiges tun, um
wichtige Prozesse festzuhalten und damit in der Zukunft
Ansatzpunkte zur Verbesserung zu gewinnen. So doku-
mentierten Mitarbeiter von FUJI-XEROX, einem japa-
nisch-amerikanischen Joint-Venture, jeden Schritt und
jedes Detail des Kooperationsprozesses [18]. Dadurch
wollte man zukünftigen Mitarbeitern des Unternehmens
die Möglichkeit zum Lernen aus und zum Lernen über
die Vergangenheit geben.

Protokollieren   Das traditionellste Instrument zur Dokumentation von
Sitzungen ist das Protokoll. Doch gute Protokollanten
sind rar und häufig wird die Aufgabe als lästige Pflicht
angesehen. Das Resultat sind dann häufig zu knappe, zu
lange, redundante, schlecht-strukturierte, lückenhafte, zu
spät eintreffende Ärgernisse in Papierform. Doch in Organisationen, welche viel in wechselnden Projektgruppen arbeiten, wird das Protokoll zum zentralen Dokument der kollektiven Bewahrung des bisherigen Projekt-
prozesses. Japanische Unternehmen bilden ihre Moderatoren speziell in geeigneten Dokumentationstechniken
aus. So soll sichergestellt werden, daß Erfahrungen und
Entscheidungen nicht verloren gehen und daß sich neue
Gruppenmitglieder über das Studium der bisherigen Pro-
tokolle schnell auf den aktuellen Stand der Gruppendis-
kussion bringen können.

Bedeutung einer   Mächtiger als die Schrift ist allerdings das gesprochene
geteilten Sprache   Wort. Es bietet die größten Möglichkeiten kollektive Er-

fahrungen festzuhalten und zu verankern. Das gesprochene Wort ist uns näher als das geschriebene Wort. So bilden Unternehmen im Laufe ihrer Existenz einen eigenen Sprachschatz heraus, welcher von Neueinsteigern erlernt werden muß, um mitreden zu können. Dieser geht weit über die üblichen, effizienzsteigernden Abkürzungen hinaus. Vielmehr sind auch übliche Worte wie Qualität, Wandel oder Sicherheit in einer firmenspezifischen Art und Weise belegt und somit Träger der organisatorischen Vergangenheit. Häufig sind diese Begriffe mit starken Emotionen verknüpft. In einem Industriebetrieb, in welchem ein hochbezahltes Beraterteam eine kläglich gescheiterte Reorganisation unter dem Namen „Horizons" durchgeführt hatte, reichte noch Jahre später die Erwähnung des Wortes „Horizons", um jegliche Beratungsprojekte abzuschmettern. Jede Organisation kennt solche Begriffe, auf welche im Alltagsgeschäft permanent bezug genommen wird. Das Wissensmanagement muß sich daher bemühen, zentrale Erfahrungen oder Ideen in der organisatorischen Sprache zu verankern und für seine Zwecke zu nutzen.

Eine Möglichkeit der Verankerung und Bewahrung von zentralen Ideen und Vorstellungen ist der Prozeß der kollektiven Begriffsbildung [19]. Durch das ausdrückliche Hinterfragen zentraler Begriffe zu Beginn eines Gruppenprozesses können scheinbar klare Begrifflichkeiten thematisiert werden. Eine im Team erarbeitete Definition, welche in angemessener Form dokumentiert wird, kann in der Zukunft die Gefahr von Mißverständnissen verringern. Gerade Modeworte wie Total Quality Management oder Prozeßorganisation werden sehr unterschiedlich verstanden. Durch eine gemeinsame Begriffsbasis vermeidet man es, aneinander vorbei zu reden.

Kollektive Begriffsbildung

Doch gerade in dezentralen oder recht heterogenen Unternehmen fällt die Integration der Vorstellungen zu einem bestimmten Thema oft sehr schwer. Die Investitio-

Geteilte Erfahrungen

nen zur Schaffung einer gemeinsamen Sprache oder Schaffung geteilter Erfahrungen können hier erheblich sein. So absolvierten beispielsweise alle 20 000 Mitarbeiter der Schweizer TELECOM-PTT im Rahmen einer groß angelegten Reorganisation einen sogenannten „Mind Change Workshop". In diesem erhielten die Teilnehmer in kleinen Gruppen die Gelegenheit, Wandel zu erfahren und auf ihre persönliche Situation anzuwenden. Alle Mitarbeiter sahen den gleichen Videofilm über die Auswirkungen mangelhafter Kundenorientierung und setzten sich in Arbeitsgruppen mit diesem Thema auseinander. So entstanden gemeinsame Erfahrungen, an welche am Arbeitsplatz wieder angeschlossen werden konnte. Das alle Organisationstrukturen und Strategien umfassende Programm „Change TELECOM" wurde auf diese Weise erlebbar gemacht und fester im organisatorischen Gedächtnis verankert. Ein Bezug zur eigenen Arbeit wurde ermöglicht.

Das elektronische Gedächtnis des Unternehmens

Unerschöpfliche Speicherkapazität Die Revolutionen in der Computerindustrie haben die elektronischen Speichermöglichkeiten in den letzten Jahren vervielfacht. Setzt sich die Entwicklung in ähnlich rasantem Tempo fort, stehen in Zukunft schier unerschöpfliche Speichermöglichkeiten zu sehr geringen Kosten zur Verfügung.

Digitalisierung Nahezu alle traditionellen Speichermedien sind digitalisierbar. Videokassetten können durch CD-ROM's ersetzt, Dokumente gescannt werden und auch die digitale Kamera ist längst auf dem Markt. In Zukunft wird daher der normale Computeranwender unter einer einheitlichen Oberfläche auf alle möglichen Speichermedien zugreifen können. Der qualitative Unterschied digitalisierter Speichermedien liegt in ihrer problemlosen Editierung, Wiederverwendung und den geringen Kosten ihrer Verteilung über Netzwerke. Mit der fortschreitenden Digitalisierung wächst die Basis des globalen digitalen Gedächtnisses der Menschheit, während gleichzeitig das Internet immer mehr Nutzern den Zugriff auf die Datenmassen ermöglicht. Dabei sind das heutige Internet und die Intranets vieler Firmen nur der Anfang einer Entwicklung, die selbst für Experten nur sehr schwer abschätzbar ist. Wenn Bibliotheken, Zeitschriften, Ton-, Film- und Textarchive zusammenwachsen und sich weitergehende Standards für die Organisation und Strukturierung des digitalen Rohstoffs durchsetzen, wird das Internet zu einem Meta-Archiv für alles und jedes.

Diese Entwicklung hat massive Konsequenzen für Unternehmen, welche sich in einem wissensintensiven Umfeld bewegen. Zum einen müssen sie davon ausgehen, daß ihre Konkurrenz prinzipiell Zugang zum weltweiten Datenpool hat und diesen für ihre Zwecke nutzt. Zum zweiten wird die Organisation der eigenen elektronischen Wissensbasis zum Thema. Da in wissensintensiven Unternehmen ein wichtiger Teil des Knowhow in digitalisierbaren Dokumenten wie Präsentationen, Formularen, Bauplänen oder Berichten steckt, ist deren systematische Ablage und Weiternutzung ein Wettbewerbsvorteil, der immer mehr zum Tragen kommt.

Konsequenzen für das organisatorische Gedächtnis

Der Zugriff auf das elektronische Gedächtnis kann aus vielen Gründen scheitern. Wenn beispielsweise Wissensdokumente eines lokalen Rechners nicht ins System eingespeist werden, stehen sie im elektronischen Gedächtnis der Firma allen anderen Mitarbeitern nicht zur Verfügung. Wird das Dokument falsch codiert oder am falschen Ort abgelegt, kann es nicht mehr wiedergefunden werden und ist (vielleicht auf Dauer) verloren. Ist die Codierung für den Nutzer nicht interpretierbar oder ein Netzwerk beziehungsweise Einzelrechner nicht mit den

Gedächtnisverlust

zentralen Datenbanken verbunden, so kann sich die Organisation an das Wissensdokument nicht mehr erinnern.

Die wenigsten Unternehmen organisieren heute ihr elektronisches Gedächtnis konsequent und haben somit die oben genannten Schwierigkeiten im Griff. Der Großteil der Organisationen kämpft vielmehr mit historisch gewachsenen Informatiksystemen und Datenstrukturen, welche gerade in internationalen Großunternehmen den Aufbau leistungsfähiger und nutzungsfreundlicher corporate memories erschweren (siehe Abbildung 47).

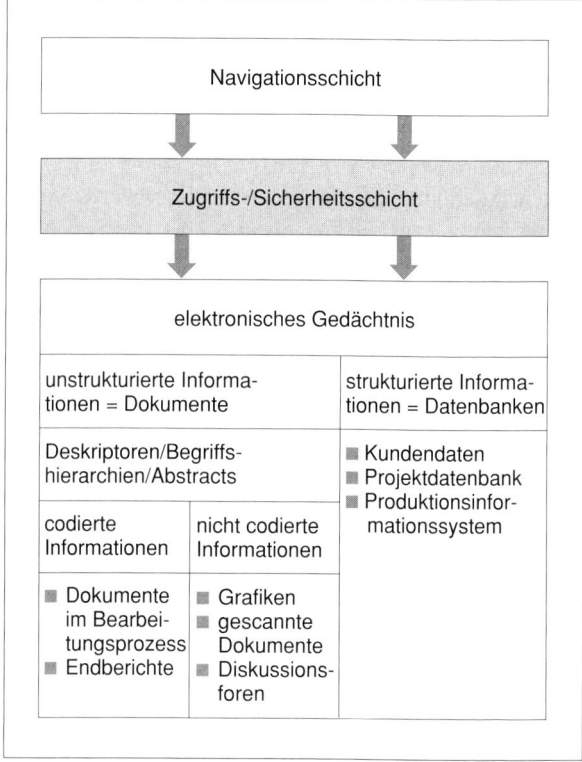

Abbildung 47: Schichten des elektronischen Gedächtnisses

Das Modell zeigt, daß das elektronische Gedächtnis einer **Datenbanken**
Organisation aus den unterschiedlichsten Datenklassen
besteht. Je strukturierter ein elektronisches Dokument abgespeichert wird, desto einfacher kann es zu einem späteren Zeitpunkt wiedergefunden werden. Die geringsten
Schwierigkeiten verursachen Datenbanken, welche von
Haus aus mit einer rigiden Klassifikation arbeiten. Kun-
den- oder Produktdatenbanken liegt heute in der Regel
eine relationale Datenstruktur zugrunde, welche die einzelnen Datensätze mit eindeutigen Kunden-, Produkt-
oder Projektnummern versieht. Auch die Verknüpfungen
zwischen den unterschiedlichen Datenbanken werden
durch Systeme wie SAP R3 unterstützt.

Probleme ergeben sich eher in der geeigneten Speiche- **Unstrukturierte**
rung des unstrukturierten Teiles des elektronischen Ge- **Informationen**
dächtnisses. Graphiken, Berichte, Word-Dokumente al-
ler Art oder Präsentationsunterlagen bilden in vielen
wissensintensiven Unternehmen einen wichtigen Teil
des intellektuellen Kapitals. Wer schon einmal seine eigene Festplatte nach einer wichtigen Graphik abgesucht
hat weiß, wie leicht wertvolle Informationen durch nach-
lässige Speicherung verloren gehen können. Auf der organisationalen Ebene, auf der teilweise Tausende von
Festplatten und Servern miteinander verbunden sind, potenziert sich das Problem dementsprechend. Nur über
die Einigung auf ein gewisses Klassifikations- und Abla-
geverfahren, kann dieses Kapital in strukturierter Form
der Organisation für die Zukunft gesichert werden.

Hierbei können grob zwei Richtungen unterschieden **Controlled vocabulary**
werden. Zum einen können wichtige Dokumente mit
Hilfe eines verbindlichen controlled vocabulary der Organisation mit Schlagworten versehen werden. Diese
Unternehmenssprache wird durch die Sammlung und
Definition relevanter Schlagworte innerhalb der Organisation aufgebaut und ermöglicht eine spätere Zuordnung
des Dokumentes zu Handlungsfeldern des Unterneh-

mens. Sein Nachteil liegt im hohen Aufwand für die Pflege und Durchsetzung der Sprache.

Automatische Verschlagwortung

Die zweite Möglichkeit liegt in der automatischen Verschlagwortung von Dokumenten durch intelligente Klassifizierungsverfahren. Zur automatischen Verschlagwortung von Texten – beispielsweise mit der Methode des case based reasoning – benötigt das Klassifizierungsprogramm eine ausreichende Menge Text, welcher auf Worthäufungen etc. geprüft wird. Aus solchen und anderen Analyseverfahren werden jedem einzelnen Dokument Deskriptoren zugeordnet. Obwohl diese Verfahren immer ausgefeilter werden und sich durch die rege Nutzung des Systems und entsprechendes Feedback immer weiter verbessern, ist die Trefferquote bei gezielten Suchvorgängen für die meisten Nutzer heute noch frustrierend. Außerdem lassen sich diese Verfahren nur auf Texte anwenden. Gescannte Dokumente oder Graphiken, welche ohne weitergehende Textbeschreibung in einem System abgespeichert werden, können nur sehr schwer wieder in den Zugriff der Organisation gelangen.

Verknüpfungen

Die sinnvolle Verknüpfung von Dokumenten bildet den Schlüsselfaktor beim Aufbau eines leistungsfähigen elektronischen Gedächtnisses. Ähnlich wie die Neuronalstruktur des Gehirns ganzheitliche Erinnerungen in Verknüpfungsstrukturen festhält, kann auch ein EDV-System den Weg zu fast schon entschwundenen Erfahrungen bahnen. Die chaotische Verknüpfungsstruktur, welche im Internet und vielen Intranets zu finden ist, kann sich allerdings für die systematische Bewahrung zentraler Organisationserfahrungen als fatal erweisen. Immer häufiger verweisen Hypertext-Verbindungen ins Nichts, da die Referenzseite im Internet nicht mehr existiert oder an einem neuen Ort gespeichert wurde. Je mehr Zeit man sich in den vorhergehenden Bausteinen des Wissensmanagements für die Definition zentraler Wissensfelder der Organisation genommen hat, desto einfacher wird auch hier eine sinnvolle Speicherung innerhalb der Wissensfeldlogik möglich sein.

Aktualisieren und erinnern

Mit der bewußten, strukturierten Speicherung organisationalen Wissens ist der Prozeß der effektiven Wissensbewahrung noch nicht abgeschlossen. Erst wenn die gewünschte Information in angemessener Qualität abgerufen werden kann, hat das organisatorische Gedächtnis seine Schuldigkeit getan. Neben hinreichender Selektion und datengerechter Speicherung müssen daher vor allem die Aktualisierungsprozesse betrachtet werden. Schließlich entstehen Unternehmen erhebliche Kosten, wenn sie beispielsweise aktuelle Investitionsentscheidungen auf der Basis von veraltetem, fehlerhaftem Wissen treffen. Bei ARTHUR ANDERSEN sind die Leiter der Kompetenzzentren gleichzeitig für die Aktualität der Dokumente in den von ihnen verantworteten Diskussionsforen und Datenbanken verantwortlich. Diese institutionalisierte Aufräumverantwortung führt dazu, daß die entsprechenden Datenbanken, deren Volumen sich ohne Löschungen innerhalb von rund drei Monaten verdoppeln würden, relativ konstante Umfänge behalten und im Idealfall frei von veralteten Informationen sind.

Bedeutung von Aktualisierung

Gelingt das Management des Aktualisierungsprozesses nicht, kann ein Wissenssystem leicht in die oben skizzierte Todesspirale geraten (siehe Abbildung 48). Unternehmen müssen beim Management ihres Gedächtnisses insbesondere Vertrauensprobleme und Zugriffsprobleme lösen. Ist das Vertrauen in die Datenqualität gegeben und gleichzeitig ein einfacher Zugriff auf das System gewährleistet, so wird das System auch genutzt und gepflegt, was wiederum der Datenqualität zugute kommt. Ist allerdings die aktuelle Wissensbasis bereits fehlerhaft, so

Todesspirale

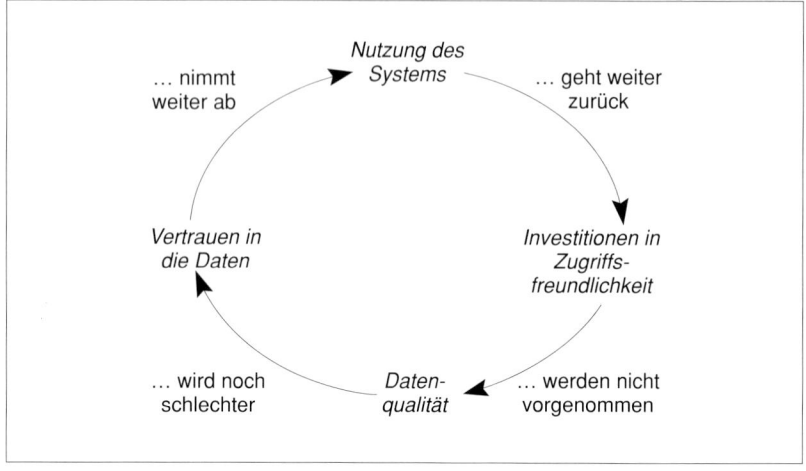

Abbildung 48: Die Todesspirale einer elektronischen Wissensbasis [20]

schwindet mit dem Vertrauen auch die Bereitschaft der Nutzer, Aufwand in die Pflege des Systems zu investieren. Die Datenqualität verschlechtert sich weiter, das System stirbt. Dies kann bei der derzeitig sehr geringen Halbwertzeit des Wissens relativ schnell der Fall sein.

Organisationales Vergessen   Eine weitere Gefahr für die wertvollen Erinnerungen einer Organisation liegt in den Prozessen des organisationalen Vergessens. Eine häufige Aussage in der Unternehmenspraxis lautet heute: „Wir wußten doch mal wie das geht, doch nun haben wir es vergessen". Wir können grundsätzlich zwei Arten von organisationalem Vergessen unterscheiden. Im ersten Fall ist der betreffende Gedächtnisinhalt gelöscht worden und geht damit der Organisation unwiederbringlich verloren. Mitarbeiter kündigen, eingespielte Teams lösen sich auf, Datenbestände werden durch Viren zerstört oder ganze Funktionsbereiche werden outgesourct. All diese Ereignisse reduzieren die kollektive Erinnerung. Im zweiten Fall ist der Zugriff zu einem Gedächtnisinhalt blockiert und die Erinnerung ist – zeitlich begrenzt oder auf Dauer – nicht mehr möglich. Beispiele auf der individuellen Ebene wären die permanente oder befristete Überlastung von Wissensträgern oder die mangelnde Bereitschaft Erfahrungen an Dritte weiterzugeben. Entsprechende Erinnerungsblockierungen finden sich auch auf der kollektiven und elektronischen Ebene (siehe Abbildung 49).

Diese Übersicht macht deutlich, daß die Bewahrung von Erfahrungen und Fähigkeiten ein permanenter Kampf gegen das natürliche Vergessen ist. Dies kennen wir aus an-

Training

Modus \ Form	individuell	kollektiv	elektronisch
Gedächtnisinhalt wird gelöscht	■ Kündigung ■ Tod ■ Amnesie ■ Frühpensionierung	■ Auflösung eingespielter Teams ■ Reengineering ■ Outsourcing von Funktionsbereichen	■ Irreversible Datenverluste durch: ■ Viren ■ Hardwarefehler ■ Systemabstürze ■ mangelnde back-ups ■ Hacker ■ …
Zugriff nicht möglich — befristet	■ Überlastung/ befristet ■ Versetzungen ■ Krankheit/Urlaub ■ mangelndes Training ■ Dienst nach Vorschrift	■ Tabuisierung von alten Routinen ■ kollektive Sabotage	■ reversible Datenverluste ■ Überlastung/ befristet ■ Schnittstellenproblem
Zugriff nicht möglich — auf Dauer	■ Überlastung/ permanent ■ kein Bewußtsein für Wichtigkeit eigenen Wissens ■ innere Kündigung	■ Verkauf von Unternehmensteilen ■ Abwanderung von Teams ■ cover-up	■ dauerhafte Inkompatibilität von Systemen ■ Überlastung/ permanent ■ falsche Kodifizierung

Abbildung 49: Formen des organisationalen Vergessens

deren Bereichen. Eine Fremdsprache, welche wir einst erlernt, aber lange nicht angewendet haben, verlieren wir Stück um Stück. Muskeln, welche nicht regelmäßig trainiert werden, verkümmern. Aus der Lernpsychologie kennen wir den Begriff der erhaltenden Wiederholung, der jedem, der schon einmal Vokabeln gelernt hat, etwas sagt. Auch im Ausbildungsbereich verpuffen eine Vielzahl von Trainingsmaßnahmen, weil die Geschulten das frisch Erlernte nicht direkt am Arbeitsplatz umsetzen können. Sollen sie dann zu einem späteren Zeitpunkt das Erlernte anwenden, haben sie es häufig (zumindest teilweise) wieder vergessen. Dies ist der Grund, warum immer mehr Organisationen zu handlungsnahen Trainings übergehen, welche das Erlernte sofort anwendbar machen und somit die Fähigkeit der Organisation länger bewahren.

Zusammenfassung

- Die Bedeutung der Erfahrung von altgedienten Personen und eingespielten Prozessen wird insbesondere bei Reorganisationsprozessen häufig unterschätzt, was zu unwiederbringlichen Know-how-Verlusten führen kann.

- Erfahrungen bilden die notwendige Referenz für zukünftige Lernprozesse. Die pauschale Forderung zu „Entlernen" ist daher wenig hilfreich.

- Der Wissensbewahrungsprozeß kann in die Phasen Selektion, Speicherung und Aktualisierung unterteilt werden.

- Die Dokumentation zentraler Erfolge, aber auch der Gründe und Elemente für Mißerfolg, in lessons learned und die Identifizierung von Schlüsselmitarbeitern gehören zu den zentralen Aufgaben der Wissensselektion.

- Durch Anreizsysteme und Austrittsbarrieren können wichtige Wissensträger und Experten an die Organisation gebunden werden. Durch flexible Einbindungsmechanismen kann das Wissen ehemaliger Mitarbeiter auch nach ihrem Austritt für die Organisation bewahrt werden.

- Kollektives Wissen sollte durch bewußte Protokollierung, gemeinsame Auseinandersetzung und kollektive Sprachentwicklung verankert werden.

- Digitalisierung und quasi unbegrenzte Speicherkapazitäten revolutionieren die Möglichkeiten auf den elektronischen Teil der organisatorischen Wissensbasis zuzugreifen.

- Der Grad der Strukturierung eines Dokumentes entscheidet über seine „Erinnerungsfähigkeit".

- Ein controlled vocabulary kann die einheitliche Verwendung von Deskriptoren für Dokumente aller Art verbessern und ermöglicht damit die Verknüpfung unterschiedlicher Wissensfelder.

- Ohne festgelegte Aktualisierungsmechanismen sterben Wissenssysteme über kurz oder lang.

- Organisationales Vergessen ist ein natürlicher Vorgang und kann Ursachen auf der individuellen, kollektiven oder elektronischen Ebene haben.

Leitfragen

- In welchen Bereichen verlieren Sie regelmäßig wertvolles Wissen? Was machen Sie dagegen?

- Wie werden die Erfahrungen eines ausscheidenden Mitarbeiters an seinen Nachfolger übergeben?

- Haben Sie ein elektronisches Gedächtnis, welches Ihnen den Zugriff auf wichtige Ereignisse, Projekte oder Dokumente der Unternehmensgeschichte ermöglicht?

- Wird erworbenes und entwickeltes Wissen auch bewußt festgehalten und für „immer" zugänglich und abrufbar gemacht?

11. Kapitel

Wissen bewerten

Können Sie aus Ihrer Bilanz ablesen, wie sich Ihre Wissensbasis innerhalb des letzten Jahres verändert hat? Oder welche Experten und Talente das Unternehmen verloren oder gewonnen, welche Produktinnovationen auf gutem Wege zu sein scheinen oder wie sich die Verankerung zentraler Kompetenzfelder ausgewirkt hat? Es existiert weltweit wohl nur eine Handvoll von Unternehmen, welche sich bemühen ihr Wissen systematisch zu messen und zu bilanzieren. Diese Pioniere sind überzeugt, daß schon in naher Zukunft die Wissensbilanzen für Aktionäre interessanter sein könnten als die Informationen traditioneller Jahresberichte. Nur wenn sich Unternehmen um aussagekräftige Indikatoren und Bewertungsmaßstäbe zur Messung ihrer organisatorischen Wissensbasis bemühen, können Sie Wissensmanagement auch effektiv betreiben. Milliarden für die Ausbildung, Pfennige für die Evaluation: Dieses Mißverhältnis gilt es zu beseitigen, denn was nutzen gute Maßnahmen, wenn sie nicht wahrgenommen, nicht geschätzt werden. Nur was meßbar oder bewußt gemacht werden kann, kann man auch managen. Wir werden unterschiedliche Ansatzpunkte für solche Indikatorensysteme aufzeigen und sie auffordern, für Ihr Unternehmen ein maßgeschneidertes Indikatorengerüst zu entwickeln. Hierbei ist Ihre Kreativität gefragt und Sie sollten einen Mix aus normativen, strategischen und operativen Indikatoren wählen.

Wissen bewerten

„Was man nicht messen kann, das kann man auch nicht managen!" *(anonyme Managementweisheit)*

„Natürlich haben wir in den vergangenen Jahren eine Menge Geld in Wissensmanagement gesteckt. Das läßt sich relativ schnell ausrechnen. Der Vorwurf, wir könnten den Nutzen unserer Investitionen nicht exakt messen, trifft zwar größtenteils zu, dieses Argument geht aber eigentlich am Punkt vorbei. Denn wer kann schließlich bewerten, was wir an Produktivität verloren hätten, wenn wir diese Investitionen nicht getätigt hätten." *(„Knowledge Manager" einer internationalen Unternehmensberatung)*

„In zehn Jahren wird intellektuelles Kapital die am meisten beachtete Größe im Jahresbericht sein. Die traditionellen Finanzkennzahlen werden nicht verschwinden, aber sie werden zur Beurteilung des Unternehmenswertes und -potentials sekundär werden". *(CEO eines Finanzdienstleisters)*

„Die Controller sind bei uns immer noch völlig auf finanzielle Kennzahlen fixiert. Wir versuchen sie jetzt langsam davon zu überzeugen, daß Wissen zu einem immer wichtigeren Erfolgsindikator wird. Enorme Schwierigkeiten werden uns allerdings dann bevorstehen, wenn es darum geht etwas zu bewerten, das man nicht mit dem Millimetermaß des Finanzcontrolling angehen kann." *(Unternehmensentwickler eines diversifizierten multinationalen Konzernes)*

Um den Erfolg des Wissensmanagements meßbar zu machen, ist dabei das scheinbar Unmögliche nötig: Die kontextgebundene Ressource Wissen soll objektivierbar gemessen werden. Der Aufbau eines Wissensbewertungssystems für eine ganze Organisation ist ein bisher

Das Unmögliche möglich machen

weitgehend ungelöstes Problem des Wissensmanagements, denn Wissen kann nur über den Preis der Verdinglichung quantifiziert werden. Hierzu muß es aus zeitlichen, situativen und persönlichen Kontexten herausgelöst werden. Ebenso wie Wissen nur kontextuell gesteuert werden kann, kann es auch nur mittelbar und unscharf erfaßt werden. Die Behauptung, Wissen exakt messen zu können, gaukelt dort Objektivität vor, wo nur Unschärfe sein kann. Eine Erhöhung der Glaubwürdigkeit des Wissensmanagements ist allerdings in stark meßorientierten Unternehmenskontexten eng an Fortschritte in der Messung und Bewertung organisationalen Wissens gekoppelt [1].

Wissensmessung und Wissensbewertung

Der Prozeß der Wissensbewertung muß hierbei in zwei Phasen unterteilt werden. Die Wissensmessung bemüht sich um die Sichtbarmachung von Veränderungen der organisatorischen Wissensbasis, während die *Interpretation* dieser Veränderung mit Hilfe von Wissenszielen erst nachgelagert erfolgen kann. Viele Mißverständnisse treten an dieser Stelle auf. Mit Wissensbewertung ist somit nicht die monetäre Bewertung von Wissen gemeint, sondern die Frage, ob Wissensziele erreicht worden sind oder nicht. Verzichten Unternehmen auf die Messung ihres Wissens und seiner Veränderungen, bleibt der Regelkreis des Wissensmanagements unvollständig, und es fehlt das Feedback für allfällige Anpassungen der Interventionen in den Bausteinen des Wissensmanagements.

Das Problem: Wie messe ich Wissen?

Begrenzte Fortschritte

Die Fachpresse zitiert in regelmäßigen Abständen Beispiele von Firmen, die auf dem Gebiet der Wissensbewertung angeblich erhebliche Fortschritte gemacht haben. ARTHUR ANDERSEN berechnet so beispielsweise einen fiktiven Zins auf Investitionen in firmeneigenes

Training [2]. Bei BUCKMAN LABORATORIES hat man sich bemüht, die Kosten des internen Wissensmanagements zu berechnen, und beziffert diese auf 3,5 Prozent des Jahresgewinns. MCKINSEY schließlich strebt bei seinen Ausgaben zur Förderung des intellektuellen Kapitals seit längerem einen Zielwert von zehn Prozent an [3]. Obwohl diese Maßnahmen notwendige und begrüßenswerte Fortschritte darstellen, illustrieren sie gleichzeitig, wo heute noch die Hauptprobleme der Wissensmessung liegen.

Insgesamt sind „Wissensindikatoren", welche die Veränderungen zentraler Größen der organisatorischen Wissensbasis messen können, in der Praxis wenig verbreitet und es besteht wenig Erfahrung mit dem Controlling nicht-monetärer Größen. Auch die mangelhafte Operationalisierung von Wissenszielen (vergleiche Baustein Wissensziele) kann leicht dazu führen, daß der Erfolg von Interventionen in die Wissensbasis nur schwer abgeschätzt werden kann.

nicht-monetäre Größen

In der Folge ist es schwierig, eine klare Zurechnung von Interventionen auf betriebliche Erfolgsgrößen zu treffen. Bei der Bewertung von Wissensbeständen treten massive Zurechnungsprobleme auf. Dies macht das strukturierte Netzwerk (siehe Abbildung 50) deutlich. Jeder Pfeil dieses Diagramms symbolisiert eine These über einen Ursache-Wirkungs-Zusammenhang. So geht man davon aus, daß die Investition in eine neue informationstechnologische Infrastruktur die Entscheidungszeiten verkürzt und über schnellere Antwort- und Lieferzeiten letztendlich zu steigender Kundenzufriedenheit und damit höherer Wettbewerbsfähigkeit führt. Doch diese These muß bewiesen werden. Nur allzu häufig erbringen Investitionen in Informatik-Infrastrukturen nicht die erwünschten Effekte. Da die finanziellen und personellen Mittel zur Überprüfung dieser Thesen begrenzt sind, fällt es „Wissensmanagern" häufig schwer, den Erfolg ihrer Maßnahmen zu beweisen und die Durchschlagskraft ihrer Maß-

strukturiertes Netzwerk

nahmen zu quantifizieren. Die Ableitung eines strukturierten Netzwerkes verbessert somit das Verständnis für
die Abhängigkeit der Einflußgrößen eines Prozesses und
zwingt zur Offenlegung der eigenen Hypothesen.

Probleme der Ein weiteres Problem liegt in der eingeschränkten Mög-
Wissensbilanzierung lichkeit der *Wissensbilanzierung*. Bilanzen wissensintensiver Unternehmen, welche nach herkömmlichen Bilan-
zierungsrichtlinien erstellt worden sind, scheinen immer
weniger aussagekräftig zu sein [4] und vernachlässigen
letztendlich auch den Grundsatz der kaufmännischen
Vorsicht. Wenn ein wachsender Anteil des Börsenwertes
einer Gesellschaft über immaterielle Werte erklärt werden kann, fällt es den Stakeholdern immer schwerer ab-
zuschätzen, wie ihr eingesetztes Kapital tatsächlich investiert wurde. Diese Intransparenz wird durch uneinheitli-
che nationale Rechnungslegungspraktiken immaterieller
Werte noch verschärft [5]. Differenzen betreffen beispielsweise die Aktivierungsfähigkeit, den Aktivierungs-
umfang oder die Abschreibemöglichkeiten immaterieller
Güter. Kann die Ausschöpfung solcher Bewertungsspiel-
räume aus steuerlicher Perspektive interessant sein, so
ist sie für eine strategische Planung der organisatorischen Wissensbasis nur eingeschränkt von Bedeutung,
da Buchhaltung stets vergangenheitsbezogen ist.
Schließlich wird Wissen innerhalb traditioneller Bilanzierungssysteme erst nach seiner Materialisierung in
handelbaren Gütern ein (greifbarer) finanzieller Wert zugewiesen. Auf das Problem der Monetarisierung einzelner Teile der organisatorischen Wissensbasis soll hier
nicht weiter eingegangen werden, sondern der Fokus
liegt auf den Meßprozessen, die zur Verfolgung und Erreichung von Wissenszielen notwendig sind.

Widerstände Wissensbewertung kann zudem sehr schnell zum Politi-
gegen Messung kum werden. Wenn die Expertise von Experten durch
Evaluierungsmaßnahmen in Frage gestellt oder die Bedeutung bestehender Technologien für die zukünftige Ent-

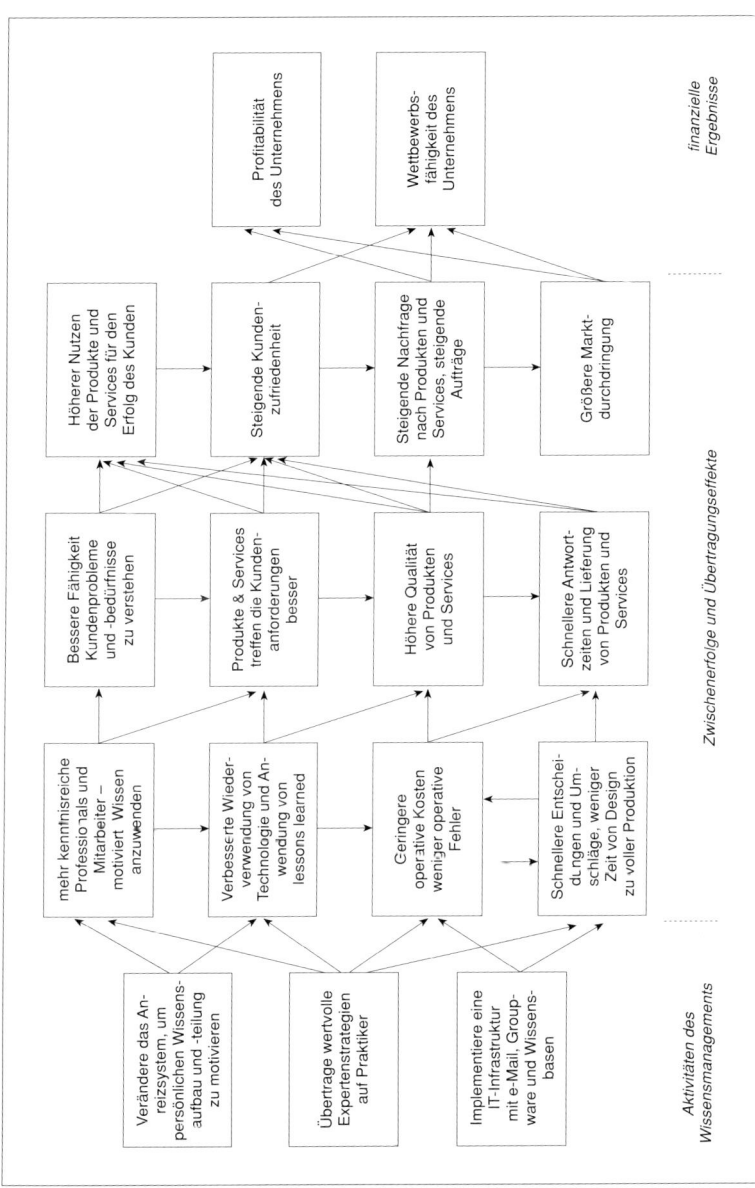

Abbildung 50: Strukturiertes Netzwerk in Anlehnung an Wiig (1996)

wicklung des Unternehmens herabgesetzt wird, kommt es häufig über die Neubewertung individueller Kompetenzportfolios zur Machtumverteilung [6]. Bewertung ist somit immer ein von Interessenurteilen durchdrungenes Gebiet [7]. Daher sind Widerstände gegen die Neubewertung von Expertise zu erwarten und müssen bei der Implementierung eines Systems der Wissensmessung antizipiert werden. Selbst sogenannte Leistungsträger oder Highpotentials einer Organisation unterwerfen sich solchen Bewertungsprozessen ungern und verfügen häufig über eine überraschend geringe Kritikfähigkeit und wenig konstruktive Feedbackverarbeitung [8]. Die Verankerung wissensorientierter Bewertungskriterien kann zudem an einer zu geringen Kopplung an bestehende Anreizsysteme der Organisation scheitern. Die vermehrte Investition in die Ressource „Wissen" muß sich in sozialer oder monetärer Art und Weise für den Einzelnen lohnen, will man Verhaltensänderungen induzieren. Die Anpassung bestehender Incentive-Strukturen wird aber in vielen Unternehmen, die von sich behaupten, Wissensmanagement zu betreiben, nur zögerlich angegangen.

Problemfelder der Messung Im Meßprozeß können somit eine Reihe von Problemfeldern eine Rolle spielen, die man wie folgt zusammenfassen kann.

Wichtiges wird nicht gemessen

- Es bestehen große Schwierigkeiten die „Erklärungslücke" zwischen Marktwert und Buchwert eines Unternehmens zu erklären. Internes Wissen wird innerhalb bestehender Bilanzierungssysteme kaum aktiviert und bleibt daher verborgen.

- Wettbewerbskritisches Wissen wird nicht oder nur ungenügend erkannt und es werden analog keine hinreichenden Wissensziele formuliert und verfolgt.

in mehreren Dimensionen formuliert und durchgesetzt werden.

Eine konkrete Operationalisierung der Wissensperspektive mit entsprechenden Wissensindikatoren ist allerdings innerhalb des Konzeptes der balanced scorecard nicht zu finden. Vielmehr muß sich jede Organisation ihr eigenes, maßgeschneidertes und kontextspezifisches Indikatorenset erarbeiten, um die gerade für sie relevanten Dimensionen zu erfassen und zu steuern. Gleichzeitig unterstützt die balanced scorecard die enge Verzahnung von Wissenszielen und Wissensmessung, was idealerweise zu schnellen Feedbackprozessen führen wird. Will die Wissensperspektive bestehende Ziel- und Bewertungssysteme ergänzen, muß sie greifbare Wissensziele definieren und adäquate Indikatoren zu ihrer Messung entwickeln und in ein unternehmensweites Controllingsystem integrieren. Ein vielgenanntes Beispiel für einen solchen Operationalisierungsversuch liefert die schwedische Skandia.

FALLBEISPIEL: SKANDIA

Indikatoren zur Messung des intellektuellen Kapitals und ihre Aussagekraft

Der in Schweden beheimatete und weltweit operierende Finanzdienstleister SKANDIA hat in den neunziger Jahren ein rasantes Wachstum erfahren [10]. Das gesamte Prämienvolumen des Unternehmens hat sich innerhalb weniger Jahre verdoppelt. SKANDIA AFS bezeichnet sich als Pionier im Bereich des Wissensmanagements und bringt seinen Geschäftserfolg in engen Zusammenhang mit Innovationen im Bereich der Messung des eigenen „intellektuellen Kapitals". Der Fall SKANDIA AFS ist inzwischen so etwas wie „die Erfolgsgeschichte" des Wissensmanagements und der Director of *Intellectual Capital* von SKANDIA, Leif Edvinsson, wurde zu einem Vorzeigemanager innerhalb der ‚knowledge community'.

Nach Eigenaussagen von SKANDIA bildete die „Erklärungslücke" zwischen Marktwert und Buchwert des Finanzdienstleisters den Ausgangspunkt für eine veränderte Betrachtung des eigenen Unternehmens. SKANDIA'S Börsenwert lag um ein Vielfaches höher als der Buchwert der Aktiva. Die Differenz zwischen Marktwert und Buchwert bildet für SKANDIA sogenanntes *intellektuelles Kapital,* welches zwar nicht bilanzierbar ist, aber die Einschätzung des Wertes des eigenen Unternehmens beeinflußt. Um dieses intellektuelle Kapital besser zu verstehen und zu steuern, wurde der Funktionsbereich Intellectual Capital gegründet, der für alle Maßnahmen der Erfassung, des Aufbaus und der Nutzbarmachung intellektuellen Kapitals verantwortlich ist und in Zusammenarbeit mit anderen Bereichen (zum Beispiel Business Development, HR Development, IT Development) eine Querschnittsfunktion wahrnimmt [11].

„We wanted to start a framework that draws a holographic picture of the company and shows the market that we have a higher IQ than currently evaluated." (Mitarbeiter im Entwicklungsteam des report on intellectual capital)

Die Grundlage für die Messung, Bewertung und Förderung des intellektuellen Kapitals bilden dabei fünf Indikatorenklassen (SKANDIA Navigator), die inzwischen halbjährlich als „Balanced Report on Intellectual Capital" publiziert werden. Neben herkömmlichen finanziellen Meßgrößen werden je nach Unternehmensbereich Indikatoren in den Dimensionen „Kunden", „Prozesse", „Menschen" und „Erneuerung und Entwicklung" erhoben (siehe Abbildung 52).

Wird mit diesem Indikatorenmix tatsächlich das Wissen von SKANDIA gemessen und werden durch die Veränderungen der Größen über die Zeit Veränderungen der organisatorischen Wissensbasis sichtbar gemacht? Alle

	1996(6)	1995	1995(6)	1994
Finanzieller Fokus				
Prämienvolumen (in Millionen Schwed. Kronen)	475	880	462	667
Prämienvolumen/Mitarbeiter (in Tausend Schwed. Kronen)	1.955	3.592	2.011	3.586
Kundenfokus				
Telefonische Erreichbarkeit (%)	96	93	93	90
Anzahl Individualpolicen	296.206	275.231	256.766	234.741
Kundenzufriedenheitsindex (Max. = 5)	4,36	4,32	4,33	4,15
Schwedisches Kundenbarometer	keine Angaben	69	keine Angaben	keine Angaben
Mitarbeiterfokus				
Durchschnittsalter	40	40	40	37
Mitarbeiterzahl	243	245	230	186
Weiterbildungszeit (Tage/Jahr)	7	6	5	3,5
Prozeßfokus				
IT-Mitarbeiter/alle Mitarbeiter (%)	7,4	7,3	7,4	8,1
Erneuerungs- und Entwicklungsfokus				
Anstieg im Prämienvolumen (%)	2,7	31,9	47,8	28,5
Werte im Schadensbewertungsverfahren	18,5	9	keine Angaben	keine Angaben
Anzahl der von „Idea Group" registrierten Ideen	90	keine Angaben	keine Angaben	keine Angaben

Abbildung 52: Auszug aus dem Navigator von SKANDIA (Bereich Dial: 1996)

aufgeführten Indikatoren sind aus der Perspektive des Wissensmanagements schwer interpretierbar. Die Veränderung des Durchschnittsalters der Mitarbeiter läßt für den externen Betrachter keine Aussage über das durchschnittliche „Fähigkeitsniveau" zu. Der Indikator „Weiterbildungszeit" belegt, daß ausgebildet wurde, aber nicht, ob die angestrebten Fähigkeiten erworben wurden oder um welche Fähigkeiten es sich handelt. Die Auswahl der Meßgrößen ist für den Externen schwer nachvollziehbar. Die Aussagekraft ist zudem durch die Vermischung verschiedener Indikatorentypen (Inputindikatoren, Bestandesindikatoren etc.) eingeschränkt. Es darf bezweifelt werden, daß diese Indikatoren intern hinreichende Steuerungshinweise in bezug auf die organisatorische Wissensbasis leisten können. Soll Wissen besser gemanagt werden, so müßte sich das Meßsystem aber aus den relevanten Zieldimensionen ergeben. In welchen Bereichen SKANDIA allerdings ihre Wissensbasis verändern will, bleibt unklar. Intellectual capital ist für SKANDIA kein Synonym für Wissen, sondern bezeichnet die Differenz zwischen Marktwert und Buchwert. Diese wird nur zum Teil durch „Wissen" erklärt, sondern auch durch Gewinnerwartungen, Imagefaktoren, Börsentrends und andere exogene Entwicklungen beeinflußt.

Vorsicht bei ‚Erfolgsfällen' Der Fall SKANDIA zeigt wie schwierig die Definition und Erhebung von Wissensindikatoren fällt und wie leicht Begriffe wie Wissen und intellectual capital miteinander verwechselt werden. Eine Übertragung des Indikatorensets von SKANDIA auf andere Unternehmen ist in jedem Fall gefährlich. Vielmehr scheint jede Organisation ihr eigenes maßgeschneidertes, kontext- und problemspezifisches Indikatorenset entwickeln zu müssen.

Mehrdimensionale Wissensmessung

Defizite bestehender Meßsysteme Indikatorensysteme wie der SKANDIA Navigator oder der Intangible Assets Monitor von CELEMI [12] mögen dazu geeignet sein, die Stakeholder des Unternehmens für die Wissensdimension zu sensibilisieren. Bei der konkreten Beschreibung und Messung der Veränderung der organisatorischen Wissensbasis scheinen sie allerdings einige Defizite aufzuweisen. Eine gezielte Entwicklung der organisationalen Wissensbasis und die Herstellung eines Bezuges zu Geschäftsergebnissen ist mit diesen Kennzahlensystemen nur bedingt möglich.

Ein Hauptproblem liegt in der unzulänglichen Differenzierung von Indikatorenklassen. *Bestandsindikatoren* (woraus besteht die organisatorische Wissensbasis heute?) werden mit *Interventionsindikatoren* (welche Wissensinterventionen wurden in welchem Umfang durchgeführt?) und *Übertragungsindikatoren* (welche Effekte lösten die vorgenommenen Wissensinterventionen aus?) sowie klassischen *finanziellen Indikatoren* vermischt. In der Folge lassen sich Bestände, Inputs und Outputs nicht mehr trennen und sind in ihren Wechselwirkungen nur schwierig interpretierbar. In North/Probst/Romhardt (1998) wird eine Bewertungslogik entwickelt, welche diese Vermischung zentral verschiedener Indikatoren durch die Differenzierung von vier Indikatorenklassen vermeiden soll (siehe Abbildung 53).

Vermischung von Indikatorenklassen

Die *Indikatorenklasse I* beschreibt die Bestandteile der organisatorischen Wissensbasis. Die *Indikatorenklasse II* beschreibt Inputs und Prozesse als meßbare Größen von

Definition von Indikatorenklassen

Indikatorenklasse	Begriffsbestimmung	Beispiele
organisatorische Wissensbasis (I)	Beschreibt den Bestand, der organisatorischen Wissensbasis zum Zeitpunkt t_x qualitativ und quantitativ	Fähigkeitsportfolio der MA nach Kernfähigkeiten, Anzahl und Qualität der externen knowledge links, Qualität und Anzahl interner Kompetenzzentren, Patente
Interventionen (II)	Beschreibt Prozesse und Inputs (Aufwand) zur Veränderung der organisationalen Wissensbasis	Anzahl lessons learned workshops, Erstellung von Expertenprofilen, Durchführung von action training (action training/Gesamttraining (%))
Zwischenerfolge und Übertragungseffekte (III)	Mißt die direkten Ergebnisse der Interventionen (Outputs)	Publikationen von MA, Verbesserungsvorschläge, Antwortzeiten auf KD-Anfragen, Nutzungsindex Intranet, Transparenzindex
Ergebnisse der Geschäftsfähigkeit (IV)	Mißt Geschäftsergebnisse am Ende der Betrachtungsperiode (z.B. Quartal, Geschäftsjahr)	Cashflow, Deckungsbeiträge, Marktanteil, Image, Return on investment

Abbildung 53: Indikatorenklassen (North/Probst/Romhardt: 1998)

Interventionen zur Veränderung der organisationalen Wissensbasis. Zwischenerfolge und Übertragungseffekte werden mit den *Indikatoren der Klasse III* gemessen, während die Geschäftsergebnisse mit den teilweise hoch aggregierten Indikatoren der *Indikatorenklasse IV* erfaßt werden.

Hierdurch wird es eher möglich Ursache-Wirkungs-Zusammenhänge herzustellen und die Veränderung der organisatorischen Wissensbasis mit Bezug zu Geschäftsergebnissen besser darzustellen und zu messen [14].

Abbildung 54 zeigt unser mehrdimensionales Meßsystem im Gesamtzusammenhang in Form eines strukturierten Netzwerkes (siehe Abbildung 50).

Von der Intervention zur Wissensbasisänderung Zur Erfüllung der Unternehmensziele wird die organisatorische Wissensbasis (Eröffnungsbilanz WB Index t_0) durch gezielte Interventionen verändert. Interventionen können beispielsweise eine Neukonzeption der Anreizsysteme zur Verbesserung des Wissenstransfers, die Implementierung einer IT-Infrastruktur oder konkrete Ausbildungsmaßnahmen sein. Durch diese Interventionen werden Zwischenerfolge und Übertragungseffekte erzielt, beispielsweise höhere Wissenstransparenz, die über schnellere Antwortzeiten zu höherer Kundenzufriedenheit führen kann. Diese Zwischenerfolge und Übertragungseffekte sind häufig stark vernetzt und in ihren Ursache-Wirkungs-Beziehungen nicht immer eindeutig nachvollziehbar. Sie resultieren in finanziellen und nicht finanziellen Ergebnissen der Unternehmenstätigkeit. Während die finanziellen Ergebnisse des Unternehmens in der traditionellen Bilanz dargestellt werden, wird die veränderte organisatorische Wissensbasis in einer „Schlußbilanz" zum Zeitpunkt t_1 zusammengefaßt. In einer Bewegungsbilanz wird die Veränderung zum Zeitpunkt t_0 zu t_1 deutlich.

Keine Standardindikatoren Dieses Modell zur Differenzierung von Indikatorenklassen und zur Illustration der Gesamtzusammenhänge der

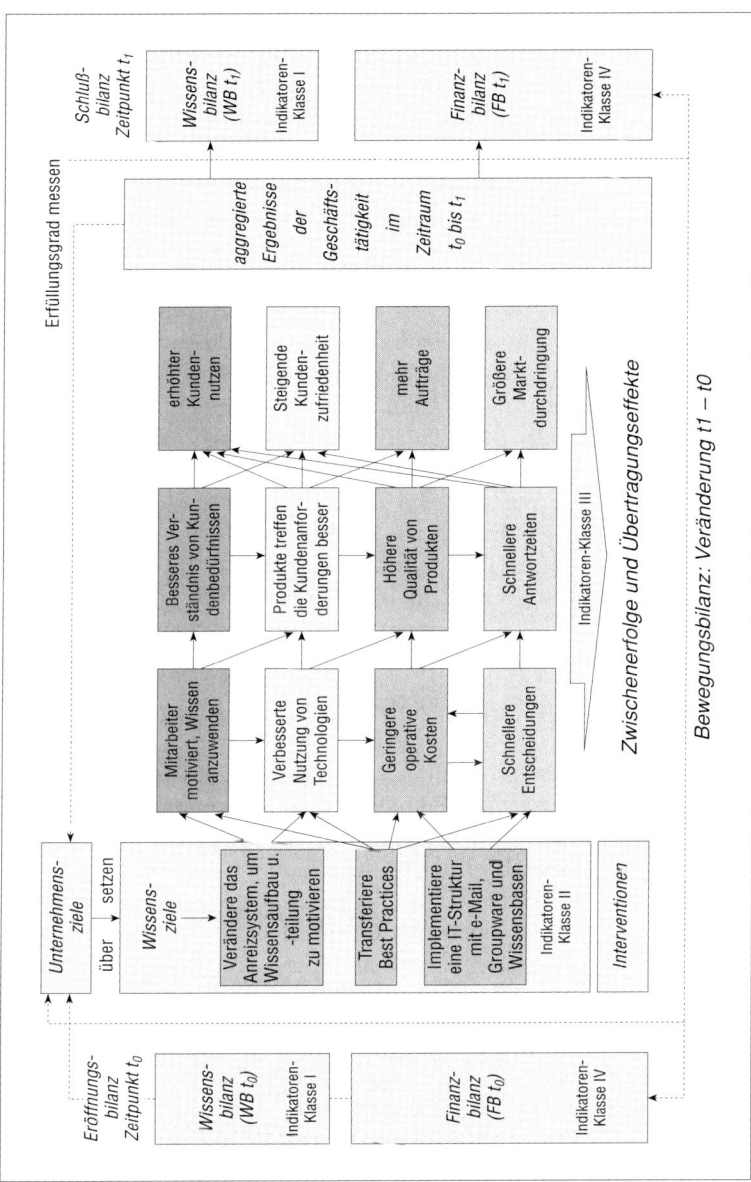

Abbildung 54: Mehrdimensionales Meßsystem von Wissen (North/Probst/Romhardt: 1998)

Interventionen in die organisatorische Wissensbasis löst die grundsätzliche Frage nach den „richtigen" Indikatoren nicht. Es versucht dort Trennschärfe anzubieten, wo andere Modelle Kategorien vermengen, und somit den Zugang zu einem vertiefenden Verständnis der Meßbarkeit des eigenen Wissens erschweren. Die Definition eines adäquaten Indikatorensets in den einzelnen Indikatorenklassen scheint jede Organisation in Abhängigkeit von ihrer Strategie, ihrem Wissensumfeld und den bereits bestehenden Controllingsystemen selbst vornehmen zu müssen. Ein Set der „zehn wichtigsten Wissensindikatoren" kann daher nicht geben. Vielmehr ist der Prozeß, der zur Definition eines organisations- und kontextspezifischen Indikatorensystems zur Messung der Wissensdimension führt, ein vielversprechender Ansatz zur Duchdringung der eigenen Wissensbasis, zur Schaffung einer Sprache, mit der Wissensphänomene in der Organisation beim Namen genannt werden können. Sie sind somit auch eine Chance zur Veränderung der eigenen Wissenskultur.

Alternative Meßmethoden

Alternative Feedbackquellen

Wissensbewertung will Managern kritische Informationen für ihre Entscheidungen über Wissensmanagement-Aktivitäten zur Verfügung zu stellen. Aufbauend auf den Ergebnissen der Wissensbewertung lassen sich jene Bereiche innerhalb des Unternehmens aufdecken, in denen Ansatzpunkte für korrigierende Maßnahmen des Wissensmanagements vorhanden sind. Neben den bereits vorgestellten Methoden sind auch andere Meßverfahren erwägenswert.

Entwicklungsphasen des Wissens

Eine alternative Möglichkeit zur Bewertung organisatorischen Wissens besteht darin, organisationale Kompetenzen in ein Evolutionsmodell des Wissens einzuordnen. Vom völligen Unverständnis über die Zusammenhänge

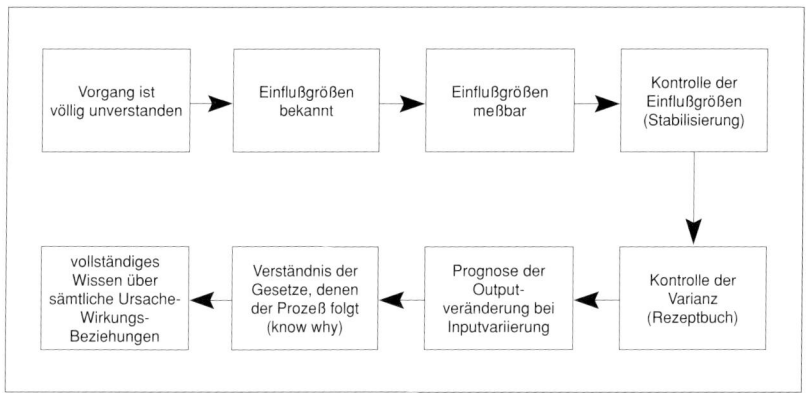

Abbildung 55: Evolutionsmodell des Wissens

einer Situation bis zum vollständigen Wissen über sämtliche Ursache-Wirkungs-Zusammenhänge bei gleichzeitiger
Gestaltungskontrolle durchlaufen organisatorische Kompetenzen verschiedene Entwicklungsphasen. Dieser Ansatz entspricht der Annahme, daß Wissen in sämtlichen
Bereichen eine Art Reifungsprozeß durchläuft, dessen
Verlauf sich an unterschiedlichen Etappen festmachen
läßt [15] (siehe Abbildung 55).

Mit dieser Methode können Sie für ein beliebiges Wis-
sensproblem überprüfen, wie weit ihr aktuelles Verständnis zur Zeit reicht. Häufig ist es erstaunlich, auf
welch geringem Wissensniveau kritische Entscheidungen manchmal getroffen werden. Prüfen Sie sich selbst.

Eine andere Möglichkeit der Wissensbewertung liegt in
der Orientierung an unseren normativen, strategischen
und operativen Wissenszielen (vergleiche Kapitel 4).
Wir müssen überprüfen, ob die Ausrichtung aller Unternehmensbereiche auf unsere Wissensstrategie und -visi-
on erfolgt ist und in ihrer operativen Umsetzung erfolgreich war (siehe Abbildung 56).

**Bezug der
Wissensbewertung
zu Wissenszielen**

	Wissensziele	Bewertungsmethoden
n o r m a t i v	■ schaffen Voraussetzungen für wissensorientierte Ziele im strategischen und operativen Bereich ■ zielen auf „wissensbewußte" Unternehmenskultur ■ erfordern Committment des Top-Managements	■ Kulturanalysen ■ Beobachtung des Top-Management-Verhalten (z. B. Agenda-Analysen) ■ Glaubwürdigkeitsanalysen (gap zwischen Ideal und IST)
s t r a t e g i s c h	■ inhaltliche Bestimmung organisationalen „Kernwissens" ■ definieren des angestrebten Kompetenzportfolio ■ legen Haupthebel des Kompetenzaufbaus fest	■ mehrdimensionale Wissensmessung (Wissensbilanz/Indikatorenklassen) ■ Analyse des Kompetenzportfolios ■ Controlling der bedeutendsten „Wissensprojekte" ■ balanced scorecard
o p e r a t i v	■ übersetzen normative und strategische Wissensziele ins Konkrete ■ sichern die Angemessenheit der Interventionen in bezug auf die jeweilige Interventionsebene	■ Ausbildungscontrolling mit klaren Lerntransferzielen ■ Messung von Systemnutzung (z. B. Intranet) ■ Erstellung individueller Fähigkeitenprofile

Abbildung 56: Wissensziele und ihre Bewertungsmethoden

Normative Wissensbewertung Ist unsere Unternehmenskultur „wissensbewußter" oder „wissensfreundlicher" geworden? Hat sich der Umgang des Top-Managements in Wissensfragen verändert? Die Entwicklungen in diesem Bereich lassen sich am besten über Befragungen und Beobachtungen von Mitarbeitern nachvollziehen. Aussagen über den Status quo auf dem Gebiet normativen Wissens erfordern somit vor allem Indikatoren, die Verhaltensänderungen der Unternehmensbelegschaft auf allen Ebenen erfassen:

- Werden die Mitarbeiter zur Wissensteilung ermutigt?

- Ist das Arbeitsklima von Offenheit und Vertrauen geprägt?

- Ist der Kundennutzen Hauptziel des Wissensmanagements?

- Sprechen die Mitarbeiter der Firma regelmäßig und kreativ miteinander über ihre Visionen für die Zukunft der Firma?

- Stellt die Firma genügend Informationen, Anreize und Ressourcen, um den Mitarbeitern den Aufbau der benötigten Fähigkeiten zu ermöglichen?

- Verbessern die Mitarbeiter des Unternehmens kontinuierlich ihr Wissen und ihre Fähigkeiten?

- Wird die Qualität des Arbeitsergebnisses durch die Berufung auf Vorurteile oder 'bewährte Routinen' behindert?

- Vertrauen die Mitarbeiter darauf, daß ihre Fehler nicht bestraft werden, sondern als Chance für einen Lernprozeß genutzt werden können?

- Konzentrieren sich die Mitarbeiter darauf, durch gemeinschaftliche Anstrengungen die Serviceleistungen des Unternehmens zu verbessern?

Leitfaden zur Wissenskultur

Bei HEWLETT-PACKARD enthält die regelmäßig durchgeführte *open line*-Mitarbeiterbefragung seit kurzem auch Fragen, die das organisationale Klima in Hinsicht auf Aktivitäten der Wissensentwicklung und der Wissensteilung betreffen. Normative Wissensbewertung betrifft somit Maßnahmen zur Annäherung der Unternehmenskultur an eine *Soll-Wissenskultur* wie sie im Rahmen der normativen Wissensziele definiert wird. Eventuelle Kurskorrekturen betreffen dabei in erster Linie die visionären Vorgaben des Topmanagements. Darüber hin-

open line

aus ist die Verankerung des Wissensmanagements betroffen, durch welche eine dauernde Thematisierung von Wissensmanagement-Aspekten in den Entscheidungsgremien gefördert werden kann.

Strategische Wissensbewertung   Mit der Festlegung strategischer Wissensziele sollte organisationales Kernwissen festgelegt und Anhaltspunkte für ein zukünftiges *Soll-Kompetenzportfolio* definiert werden. Strategische Wissensbewertung muß daher die Veränderungen organisationalen Wissens im Bereich zentraler organisationaler Kompetenzen messen. Eine systematische Wissensbewertung zentraler Kompetenzen auf verschiedenen Ebenen erlaubt es, ein umfassenderes Bild über das Kompetenzniveaus eines Unternehmens zu gewinnen. Die Überprüfung der gewählten *Normwissensstrategien,* welche im Baustein Wissensziele definiert wurden, hilft uns hierbei weiter (siehe Abbildung 57).

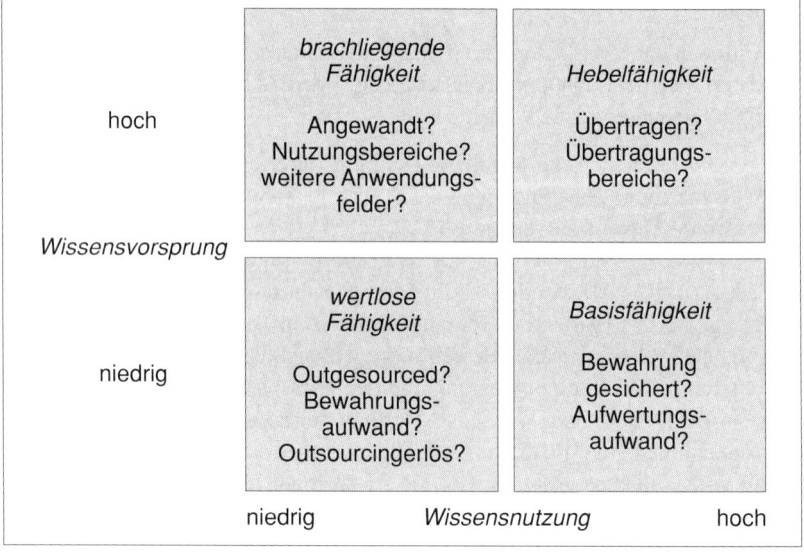

Abbildung 57: Normative Wissensbewertung – Umsetzung der Normwissensstrategien

Neben den beschriebenen Maßnahmen innerhalb eines einzelnen Kompetenzbereiches muß die *Gewichtung* verschiedener Kompetenzen untereinander überprüft werden. Strategische Wissensbewertung soll damit sicherstellen, daß sich das gesamte Kompetenzportfolio des Unternehmens in der gewünschten Weise entwickelt und strategische Prioritäten bei der Kompetenzentwicklung gewährleistet bleiben.

Gewichtung von Kompetenzbereichen

Strategische Wissensbewertung muß die Kompetenzveränderungen der Konkurrenten mit berücksichtigen. Selbst wenn wir unsere internen Wissensziele erreicht haben und angestrebte Soll-Kompetenzportfolio aufgebaut haben, kann dies im starken Kompetenzwettbewerb nicht ausreichend sein, wenn die Konkurrenz sich noch schneller weiterentwickelt hat. Man denke an die ruinösen Innovationswettläufe in der Chip-Entwicklung. *Strategisches Benchmarking* wird daher zur Pflicht. Dabei geht es darum festzustellen, welche Kompetenzen des Unternehmens als *best-in-world* qualifiziert werden können. Eine Bewertung des Kompetenzniveaus führender Wettbewerber ist hierzu unumgänglich und stellt neue Herausforderungen an die strategische Wissensbewertung [16].

Strategisches Benchmarking

Maßnahmen der operativen Wissensbewertung können schließlich auf der Ebene ansetzen, auf der die jeweiligen Wissensziele formuliert wurden. Für Zielsetzungen, die Teams oder Projektgruppen betreffen stehen dabei die normalen Instrumente des *Projektcontrolling* zur Verfügung. Die Wissensziele des einzelnen Mitarbeiters können durch den oben bereits beschriebenen *Management by Knowledge Objectives* – Prozeß nachgeführt werden. Hat Abteilungsleiter X sein Ziel erreicht, spricht er nun verhandlungssicheres Spanisch? Vor allem in diesem Bereich gilt, daß die Bewertung nicht als ein einfacher Kreislauf von Zielsetzung und Sanktionierung betrachtet werden darf, sondern durch die Gestaltung von

Operative Wissensbewertung

Rahmenbedingungen die Erreichung von Zielen fördern sollte. Der Fall XMIT zeigt, daß durch die Erhebung und regelmäßige Bewertung der Mitarbeiterfähigkeiten die Nutzung interner Potentiale wesentlich verbessert werden kann.

FALLBEISPIEL: XMIT

Wissensbewertung in einem Unternehmen der Telekommunikation mit Hilfe von Brainpool

XMIT ist ein Schweizer Unternehmen der Telekommunikationsbranche, das sich auf die Installation und den Betrieb von Netzwerken spezialisiert hat. Diese Branche ist durch eine erhebliche Produktevielfalt, sich immer mehr verkürzende Produktlebenszyklen, neue Technologien und steigende Integrationsbedürfnisse der Kundschaft gekennzeichnet. Gleichzeitig werden die eingesetzten Technologien (trotz Standards) immer komplexer. In diesem Umfeld wurde es für XMIT immer wichtiger, die richtige Person mit dem richtigen Wissen (Produkte und Technologien) und dem richtigen Werkzeug zur rechten Zeit am richtigen Ort (beim Kunden oder im Servicebereich) verfügbar zu haben.

Um dieses Leitziel zu erreichen wurden folgende Ziele definiert:

● fokussiertes Wissen im komplexen Problemumfeld „Netzwerk" aufbauen

● Service-Niveau erhöhen, um Kundenbedürfnisse besser abzudecken

● Schnelligkeit beim Aufbau neuer Skills erhöhen

● Optimale Unterstützung aller Produkte in allen Phasen des Lebenszyklus

● zielgerichtete Ausbildung (keine Produktion auf Halde, Ausbildung just-in-time)

- Wissenstransparenz schaffen (wer hat welche Fähigkeiten?)
- Verteilung des Know-how auf verschiedene Mitarbeiter sichern (geringere Abhängigkeit bei Krankheit, Kündigung etc.)

Um die Erreichung dieser Ziele zu unterstützen baute XMIT den sogenannten Brainpool auf. In ihm werden die Qualifikationen aller Mitarbeiter im Bereich Produkte Know-how und im Bereich *Technologie Know-how* zusammengefaßt. Jeder Mitarbeiter wird mit Hilfe von vier Bewertungsstufen (geringe, mittlere, hohe, Topqualifikation) für jedes Produkt und jede Querschnittsqualifikation eingestuft. Die Bewertung wird durch den Systemingenieur vorgenommen und mit dem Management abgestimmt. Dabei waren die Erfahrungen mit einer Selbstbewertung sehr positiv. Aus *Ist-Know-how an Bord* und *optimaler Know-how-Wert pro Produkt* werden Wissenslücken abgeleitet, welche die Grundlage für den Trainingsplan pro Produkt und pro Mitarbeiter bilden. Die Einstufungen aller Mitarbeiter über alle Produkte werden in einer Matrix zusammengefaßt (Brainpool XMIT Professional Services).

Eine entsprechende Matrix wird für das technologische Know-how erstellt. Die regelmäßige Bewertung dieser Fachskills ist die Voraussetzung für die richtige Steuerung der rasch veraltenden Fähigkeiten der XMIT-Mitarbeiter. Der Brainpool erleichtert die Zusammensetzung von schnellen Einsatztruppen (Pikett Crews), in denen gewisse Fachqualifikationen vorhanden sein müssen. Außerdem konnte eine augewogenere Zusammensetzung der Kundenbetreuungsgruppe (Response Center Crew) erreicht werden, da durch Brainpool sichergestellt werden konnte, daß sich jeweils ein Hub-, Router- und NMS-Spezialist im aktuellen Team befindet. Gleichzeitig wird eine flexiblere Personalplanung ermöglicht,

Produkte / Mitarbeiter	Router:				Hubs:			NMS:		NOS:			...	
	Router A	Router B	ISDN Router	Remote Access	Hub A	Hub B	Hub C	NMS A	NMS B	NOS A	NOS B	NOS C		
1	L	H			M		M			L				...
2	T	L				L	M				M			
3				L	M			T	M	H				
4		H				H				M		M		
5	M	L					H	M			H			...
6		...		...	...	...								...
7				...				...						
8														
9														

(Spalte rechts: Know-how pro Mitarbeiter; Zeile unten: Know-how pro Produkt)

Abbildung 58: Wissensmatrix des Brainpools

welche auch den Einfluß von Ausfällen abschätzbarer macht. Die Steuerung des Ausbildungsprogramms konnte zudem wesentlich effektiver gestaltet werden.

Für die Kunden bedeutete dies eine bessere Betreuung, da durch die Verteilung des Know-how auf mehrere Personen die Auskunftskompetenz erhöht werden konnte, da das Know-how auf mehrere Personen verteilt wurde. Dies führte in der Konsequenz zu kürzeren Reparaturzeiten, welche die hohen Kosten, welche beim Ausfall eines Netzwerkes anfallen reduzierten. Durch Demonstration des Brainpools beim Kunden, konnte die eigene Glaubwürdigkeit in Sachen internes Skillmanagement gesteigert werden. Diese Transparenz über die eigene Arbeit stiftete Vertrauen.

Bei XMIT selber konnte die Transparenz über das eigene Produkte- und Technologie Know-how erhöht werden. Der Ausbildungsbedarf und die hierfür entstehenden Kosten können klarer dargestellt werden und ermöglichen einen marktspezifischen Know-how Aufbau. Die interne Szenarienplanung (Krankheit, Ferien, Ausscheiden) wurde verbessert und ermöglichen das Controlling und die Planung von Skills.

Eine stärker am Einzelfall orientierte Form, individuelle Ziele zu überprüfen und anzupassen, bieten *Coaching*- und *Mentoring*-Ansätze. Ein Coach hilft seinem Schützling bei Prozessen der Bewußtseinsbildung, Zielsetzung und Erarbeitung von Umsetzungsplänen. Er hilft ihm dadurch, sein Potential freizusetzen und seine Leistung eigenständig zu verbessern [17]. Der Mentor dient dagegen dazu, geeignete Kontakte und Beziehungsnetze zur Verfügung zu stellen. Er führt seinen Schützling in die „richtigen Kreise" ein und wacht über seinen Karrierepfad [18]. Er hilft bei der Bewertung von Stärken und Schwächen, die der Betroffene aus seiner Perspektive nicht wahrnehmen kann.

Coaching und Mentoring

Im Rahmen der Vereinbarung individueller Wissensziele (MBKO) wurden Indikatoren festgelegt, mit denen der Aufbau einer bestimmten Fähigkeit überprüft werden konnte. Ob eine Fähigkeit tatsächlich aufgebaut wurde, kann häufig durch Expertenurteile, Vorgesetztenbefragung oder Tests aller Art entschieden werden. Diese Maßstäbe beziehen sich meist auf individuelle harte Fähigkeiten *(Know-how)*. Durch eine Einbeziehung von Coaching und Mentoring können zwei weitere Wissenskategorien gleichgewichtig mit entwickelt werden. Diese betreffen das normative Wissen über den Sinn und die Verantwortung für Ziele *(know-why)* sowie das aufgebaute Beziehungswissen *(know-whom)* über Netzwerke in der Organisation [19].

Ergänzung des Management by knowledge objectives

Zusammenfassung

- Wissensbewertung ist eine essentielle Voraussetzung zur Einschätzung der Effizienz von Wissensmanagement. Sie gibt Auskunft darüber, ob Wissensziele angemessen formuliert und Wissensmanagement-Maßnahmen erfolgreich durchgeführt werden.

- Eine rein quantitativ orientierte Bewertungsphilosophie ist im Bereich organisationalen Wissens unrealistisch bis kontraproduktiv. Erfolgsversprechender ist das Verständnis von Ursache-Wirkungs-Zusammenhängen und die indirekte Bewertung durch Wissensindikatoren.

- Wissensbewertung sollte als Grundlage eines „Wissenscontrolling" dienen, mit dessen Hilfe sich die vielfältigen Aktivitäten des Unternehmens auf seine wissensbezogene Vision und Strategie ausrichten lassen.

Leitfragen

- Besteht in Ihrem Unternehmen eine ausgesprochen quantitativ-finanzorientierte Controlling-Kultur oder haben Sie bereits mit qualitativen Methoden der Erfolgsmessung experimentiert?

- In welchen Funktionen oder Unternehmensbereichen sehen Sie Ansatzpunkte für „wissensorientierte" Indikatoren? Verfügen Sie bereits über regelmäßig erhobene Daten oder ganze Meßsysteme, die hierfür genutzt oder in Form einer „Wissensbilanz" aggregiert werden könnten?

- Welches wären die Aktiva und Passiva in der „Wissensbilanz" ihres Unternehmens? Auf welcher Ebene (strategisch, normativ, operativ) sind Ihre dominanten Wissensziele verankert und welche Bewertungsmethoden sollten daher Vorrang genießen?

12. Kapitel

Verankerung des Wissensmanagements

Können Sie die vielfältigen Ideen dieses Buches in Ihrem Unternehmen verankern? Wo sind die Hebel, mit denen Sie Ihr Wissen besser in den Griff bekommen? Wer sind die Verhinderer und Bedenkenträger? Vielen fällt es schwer, das Potential der neuen Informationstechnologie in effektive Wissensstrategien zu übersetzen. Sie sollten sich fragen, inwiefern innovative Wissensstrukturen, wie die Einführung von Kompetenzzentren oder elektronischen Wissenssystemen, Ihre Wissensbasis bedeutend stärken könnten. Welche neuen Managementrollen oder Positionen brauchen Sie? Wer ist bei Ihnen für Wissensmanagement verantwortlich? Die Informatik? Die Forschung? Wer schafft die nötige Wissenstransparenz und verbindet Wissensinseln? 'Brückenbauer' und 'Transparenzschaffer' sind neue Positionen, welche Wissensorganisationen zu besetzen haben. Wir zeigen Ihnen Prinzipien einer wissensbewußten Unternehmenskultur, innovative strukturelle Ansätze sowie neue Managementrollen, mit denen Sie Wissensmanagement in Ihrem Unternehmen verankern können.

Verankerung des Wissensmanagements

Wissensmanagement boomt in Theorie und Praxis. Auf Fachkonferenzen, wie den jährlichen Treffen der Strategic Management Society oder der Academy of Management, entwickelt sich Wissensmanagement zum beherrschenden Thema. Die Wirtschaftspresse fordert dazu auf, den 'Schatz in den Köpfen' der Mitarbeiter endlich besser zu nutzen [1]. Aufsichtsräte beginnen, bei ihren Vorständen anzufragen, welche Aktivitäten sich im Be- **Trendthema Wissensmanagement**

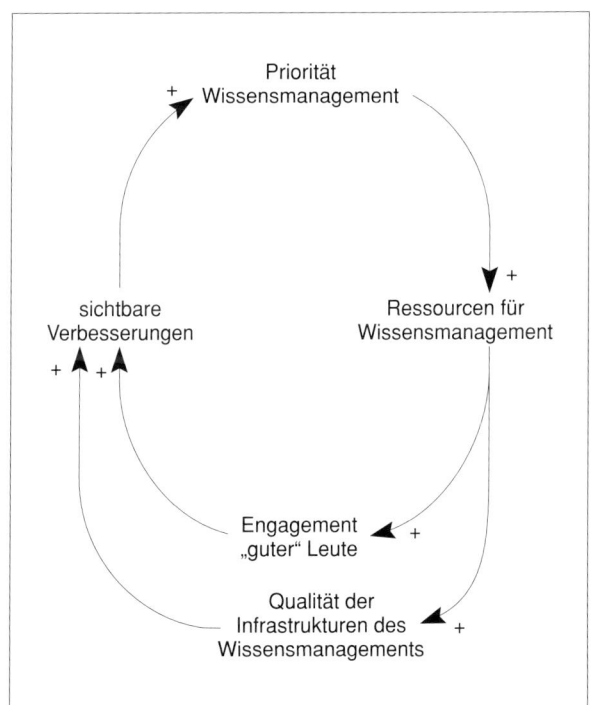

Abbildung 59: Grow or go des Wissensmanagements

reich Wissensmanagement entwickeln. Die größte Gefahr eines solchen Trends liegt in der Entfaltung von un-
gerichtetem Aktionismus. Dieser setzt nur an den Sym-
ptomen des Problems an, produziert Alibiprojekte mit
geringen Erfolgsaussichten und diskreditiert neue Ansätze damit schnell zu kurzfristigen Modeströmungen (siehe Abbildung 59).

Chance für neue Ideen Dennoch ist die Dynamik, welche neue Trends in eine
Organisation bringen können, nicht zu unterschätzen.
Sie erlauben es, neue Ideen in einem vor den 'bewährten
Routinen' geschützten Raum zu artikulieren und auszu-
probieren. Konzepte und Ansätze des Wissensmanagements sollten diesen Freiraum nutzen, um relativ schnell
zu beweisen, daß sie Nutzen für die Organisation stiften
können. Erste Schritte zur Einführung von Wissensmanagement können die unterschiedlichsten Formen annehmen. Einen kurzen Überblick darüber wollen wir
nachfolgend zur Verfügung stellen.

Den richtigen Einstieg finden

Einschätzung Geht es Ihrer Organisation um die Verbesserung der organisationalen Fähigkeiten auf allen Ebenen? Dann sollten Sie sich zunächst fragen, wie zufrieden Sie mit Ihren
bisher erzielten Ergebnissen beim Umgang mit der Ressource Wissen sind. Eine ehrliche Selbsteinschätzung
muß den Anfang aller Maßnahmen des Wissensmanagements bilden. Sie kann durch eine kritische Fremdein-
schätzung (Berater, Kunden oder Lieferanten) ergänzt
und überprüft werden.

**Anpassung an
bestehende Realitäten** Natürlich hat jede Organisation ihre eigene Art, mit Daten, Informationen und Wissen umzugehen und schafft
sich hierfür entsprechende Strukturen, Positionen und Systeme. Einige der Gedanken, die sich in diesem Buch fin-

den, sind bereits in der einen oder anderen Form in Ihrem Unternehmen realisiert. Wissensmanagement erhebt jedoch auch keinen revolutionären Anspruch, sondern will Führungskräfte auf allen Ebenen für die Bedeutung der Ressource Wissen sensibilisieren. Wie wir gezeigt haben, können bestehende Strukturen teilweise mit geringem Aufwand wissensgerechter gestaltet werden. Standardkonzepte zur Einführung von Wissensmanagement existieren also nicht, sondern es gilt, an bestehenden Strukturen und Instrumenten anzuknüpfen, um diese auf effektive Art und Weise für die eigenen Wissensziele zu nutzen.

Ein Weg hierzu ist die Einschätzung der eigenen Stärken und Schwächen mit Hilfe der Bausteine des Wissensmanagements. Abbildung 60 zeigt das Resultat einer solchen Selbsteinschätzung in Form eines Wissensprofils des Unternehmens. Stärken und Schwächen werden dabei innerhalb der einzelnen Bausteine aufgeführt. Dieses Beispiel illustriert, daß die eigenen Stärken – vor allem im Forschungs- und Entwicklungsbereich – nicht in marktfähige Produkte umgesetzt werden können. Die Kreativität der Wissensentwickler wird nicht in die notwendigen Bahnen gelenkt, Erkenntnisse werden mangelhaft bewahrt und die Wissensziele nicht regelmäßig überprüft, was im Resultat zu einer wenig effektiven Nutzung der eigenen Wissensbasis führt.

Wissensprofil erheben

Aus solchen Wissensprofilen können Maßnahmenpläne zur Verbesserung der einzelnen Wissensprozesse abgeleitet werden. Wissensprofile können auf der Ebene des Gesamtunternehmens, in einzelnen Fachbereichen, auf der Gruppen- oder Teamebene sowie der individuellen Ebene erstellt werden. Je nach Analyseebene werden dabei die unterschiedlichsten Wissensprobleme sichtbar, die stufengerecht angegangen werden müssen.

Analyseebenen

Eine weitere Möglichkeit der Selbstbewertung bietet das sogenannte KMAT (Knowledge Management Assess-

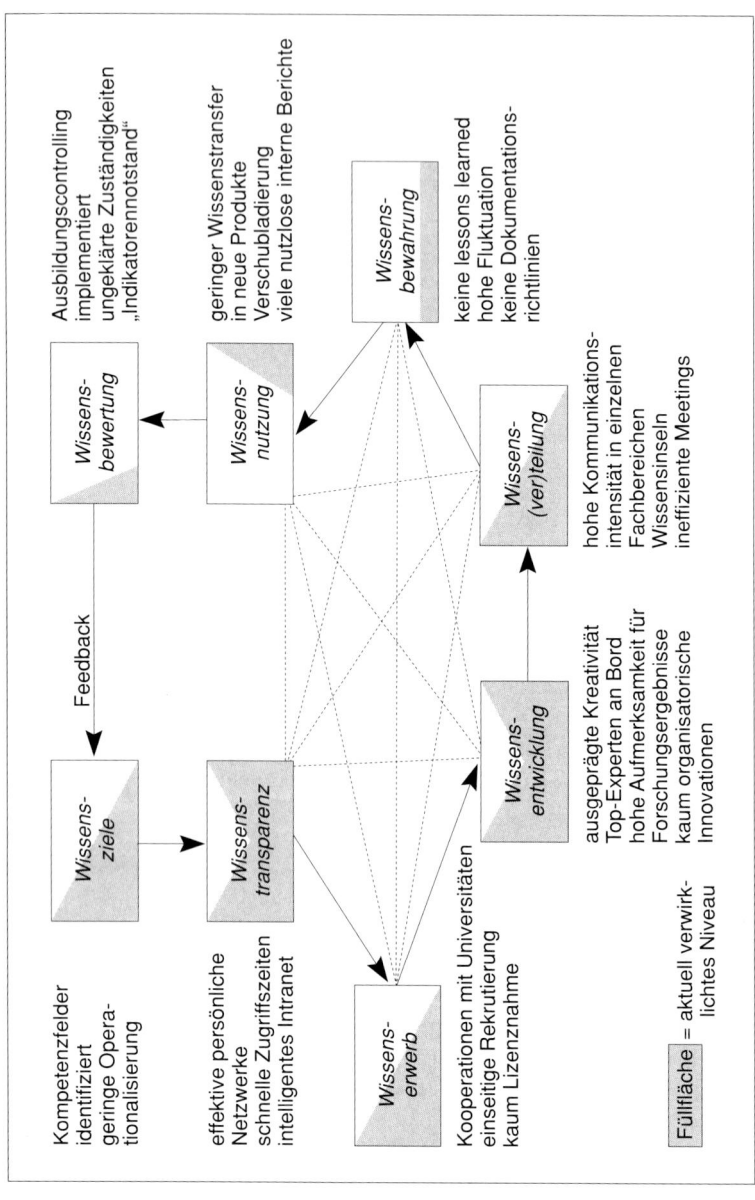

Abbildung 60: Wissensprofile eines Unternehmens

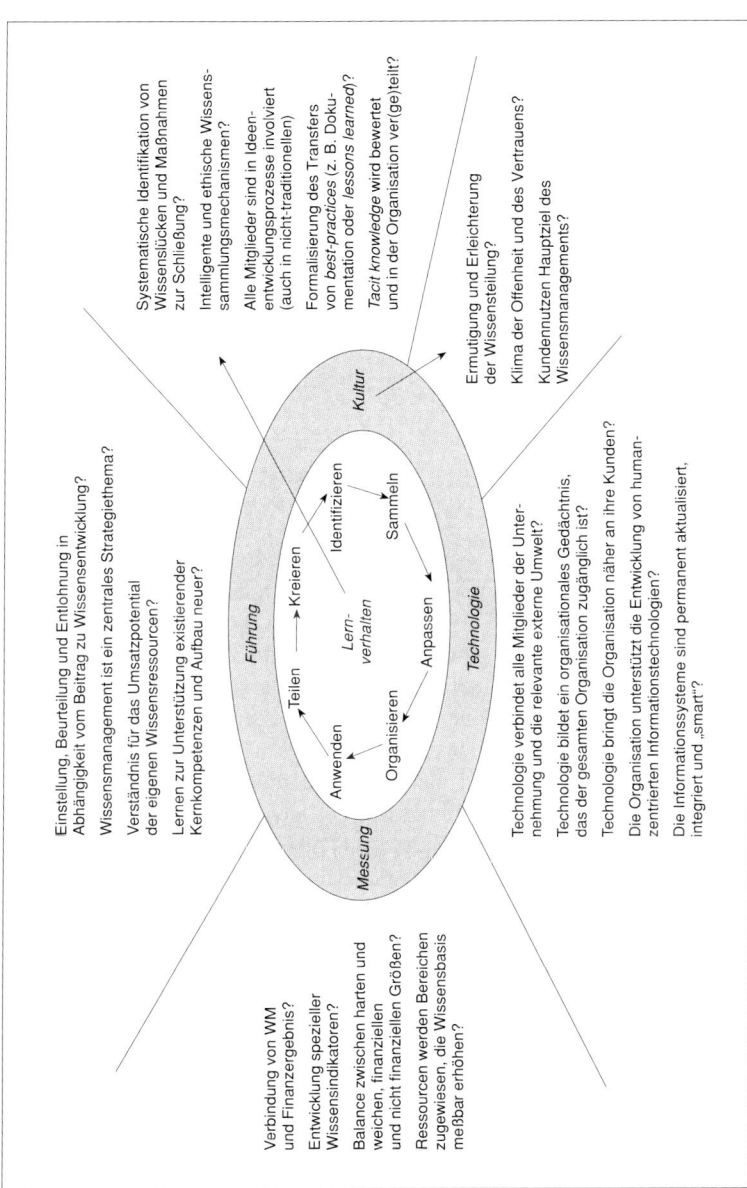

Abbildung 61: Das Knowledge Management Assessment Tool von ARTHUR ANDERSEN

ment Tool), welches ARTHUR ANDERSEN in Zusammenarbeit mit dem AMERICAN PRODUCTIVITY & QUALITY CEN-
TER entwickelt hat (siehe Abbildung 61).

Führungskräfte beantworten bei der Anwendung dieses
Instrumentes einen Fragebogen zu wissensrelevanten
Themenbereichen, welcher zu einer Positionierung des
Unternehmens in den Dimensionen Führung, Kultur, Bewertung, Technologie und Lernverhalten führt. Die Daten können außerdem in einem Benchmarking-Prozeß
mit den Resultaten bereits befragter Unternehmen verglichen werden.

Die eigene Wissenskultur verstehen

Jedes Unternehmen hat eine durch seine Geschichte
und Rahmenbedingungen geprägte spezifische Kultur
entwickelt, welche schließlich die Grundregeln für soziale Verständigung und koordiniertes kollektives Handeln definiert. Banken gehen anders mit ihren internen
Informationen um als Beratungsunternehmen oder
Softwarehäuser. Wissen wird unterschiedlich stark po-
litisiert und als machtsichernde Ressource eingesetzt.
Hierbei klaffen Anspruch (Wunsch-Kultur) und Wirklichkeit (Ist-Kultur) gelegentlich weit auseinander. In
Hochglanzbroschüren wird den Aktionären und Mitarbeitern kommuniziert, daß man ein lernendes Unternehmen sein möchte: Fehlerfreundlich, offen, experi-
mentierfreudig und kreativ. Für den unbefangenen Beobachter stellt sich die Situation bei diesen selbster-
nannten Lernchampions oft jedoch ganz anders dar
(siehe Abbildung 62).

Realitätsverlust Die dargestellten Paradoxien im Umgang mit Wissen
verdeutlichen solche Brüche zwischen Eigendarstellung
und Fremdwahrnehmung, zwischen artikuliertem Ziel

Paradoxien im Umgang mit Wissen

Wir bilden unsere Mitarbeiter gründlich aus,
⟹ aber lassen sie ihr Wissen nicht anwenden.

Wir lernen am meisten in Projekten,
⟹ aber geben die gemachten Erfahrungen nicht weiter.

Wir haben für jede Frage einen Experten,
⟹ aber die wenigsten wissen, wie man ihn findet.

Wir dokumentieren alles gründlich,
⟹ aber können nicht auf unsere Wissensspeicher zugreifen.

Wir engagieren nur die hellsten Köpfe,
⟹ aber verlieren sie nach drei Jahren an die Konkurrenz.

Wir wissen alles über unsere Konkurrenten,
⟹ aber nur wenig über uns selbst.

Wir fordern jeden zur Wissensteilung auf,
⟹ aber behalten Geheimnisse für uns.

Wir kooperieren, um von anderen zu lernen,
⟹ aber kennen unsere Lernziele nicht.

Abbildung 62: Paradoxien im Umgang mit Wissen [2]

und tatsächlichem Zustand. Sie sind Ausdruck eines gestörten Verhältnisses zur eigenen organisatorischen Wirklichkeit und der Kultur, welche sie prägt. So schrieb der Vorstandsvorsitzende eines großen Industrieunternehmens, welchem wir Grundideen des Wissensmanagements vorgestellt hatten, daß unsere Fragestellungen bereits im Grundsatzpapier zum Total Quality Management berücksichtigt seien und außerdem im Unternehmensleitbild Stellungnahmen zur Bedeutung organisationalen Lernens zu finden wären. Deswegen würden

weitere Initiativen für unnötig erachtet. So weit kann die
Verdrängung der eigenen Probleme reichen.

Sensibilisierung Die Sensibilisierung für die eigene Unternehmenskultur
und ihren Einfluß auf den Umgang mit Wissen ist unse-
rer Meinung nach ein sehr wichtiger Schritt zur Einführung eines effektiven Wissensmanagements. Organisationen haben ein breites Repertoire, um ihre bewährten
Routinen zu verteidigen. Wir schlagen daher Sensibilisierungsworkshops vor, welche den Teilnehmern ihren
persönlichen Umgang mit Wissen verdeutlichen und ihnen alternative Handlungsmöglichkeiten aufzeigen [3].
Der größte Hebel bei diesem Vorgehen ergibt sich, wenn
die Führungsmannschaft eines Unternehmens einen solchen Workshop durchführt. Es ist allerdings von Vorteil,
wenn im Vorfeld bereits ein Überblick über interne Initiativen und Projekte mit Wissensbezug geschaffen werden kann. Dies erlaubt es häufig, gescheiterte Wissens-
projekte auf kulturelle Abwehrreaktionen zurückführen.
Andererseits können auch erfolgreiche Wissensprojekte
zur Illustration des Potentials von Wissensmanagement-
Maßnahmen genutzt werden.

Innovative Wissensstrukturen und Wissenssysteme erproben

Ambivalenz von Strukturen Organisationsstrukturen sind Hilfsmittel zur Erreichung
der Unternehmensziele. Sie reduzieren Komplexität und
unterstützen die Handlungen der Organisationsmitglieder. Die ideale Organisationsstruktur für Wissensmanagement existiert jedoch nicht. Strukturen und Systeme
sind immer ein Kompromiß zwischen sich widerspre-
chenden Zielvorstellungen. Dezentralisierung schafft unternehmerische Freiräume und mag positiv auf die interne Wissensentwicklung wirken. Gleichzeitig reduziert
die Autonomie von Unternehmensteilen aber die Trans-

parenz und Nutzungsmöglichkeiten weltweit verstreuter Wissensbestände. Strukturelle Entscheidungen haben also ambivalente Wirkungen auf die von uns beschriebenen Bausteine des Wissensmanagements.

Pionierunternehmen des Wissensmanagements wie ARTHUR ANDERSEN, MCKINSEY, SKANDIA oder PHONAK wissen, wie man diese Spannungsfelder bewältigt und in neuen Strukturen berücksichtigt. Zur Imitation taugen ihre Ansätze allerdings nicht, denn jedes Unternehmen muß die geerbten Strukturen und die aktuell gelebte Kultur zum Ausgangspunkt seiner Bemühungen nehmen. Die Auseinandersetzung mit den Lösungen erfolgreicher Wissensunternehmen kann hierbei allerdings helfen.

Reflexion statt Imitation

FALLBEISPIEL: BUCKMAN LABORATORIES

Prinzipien wissensfreundlicher Strukturen

„Wissen wird ganz vorne, in der vordersten Linie erworben, bewegt sich in der Organisation nach oben, wird unter die Lupe genommen, verarbeitet, neu geordnet und dann an die vorderste Linie zurückgegeben", meint Bob Buckman, der Chairman eines Herstellers von Spezialchemikalien in Memphis, Tennessee. Hierzu braucht es seiner Meinung nach neue Organisationsstrukturen, die folgende Merkmale aufweisen:

1. Die Zahl der Wissensübertragungen zwischen Menschen sollte auf eins reduziert werden, um so wenig Verzerrung wie möglich zu erzeugen.

2. Jeder sollte Zugang zur Wissensbank des Unternehmens haben.

3. Jedem sollte es möglich sein, dem System Wissen hinzuzufügen.

4. Das System sollte über Zeit und Raum hinweg funktionieren – mit einer Wissensbank, die 24 Stunden am

Tag und sieben Tage in der Woche zur Verfügung steht, da das Unternehmen nie schließt.

5. Es sollte für diejenigen, die keine Computer-Fachleute sind, leicht zu bedienen sein – die Wissensbank sollte nach jedem in ihr vorkommenden Wort abgefragt werden können.

6. Die Kommunikation sollte in der Sprache erfolgen, die der Benutzer am besten versteht, welche das auch sein mag (BUCKMAN ist in über 60 Ländern vertreten).

7. Da die Benutzer der Wissensbank Fragen stellen und diese Antworten gibt, sollte sie automatisch auf den neuesten Stand gebracht werden.

Um diese Prinzipien umzusetzen, wurde eine interne Abteilung 'Wissenstransfer' ins Leben gerufen, welche folgende Aufgaben hat:

• Die Akkumulation und Verarbeitung von Wissen durch alle Partner der BUCKMAN-LABORATORIEN weltweit zu beschleunigen,

• einfachen und schnellen Zugang zu den weltweiten Wissensbasen des Unternehmens zu gewähren,

• die Beschränkung durch Zeit und Raum bei der Kommunikation zu beseitigen,

• die Partner anzuregen, den Wert eines unternehmensweiten Wissens-Sharing für den Kundenservice zu entdecken,

• die Würde jedes einzelnen zu respektieren, indem ein Umfeld geschaffen wird, das die berufliche Entwicklung fördert und jeden als ein geschätztes Mitglied eines service-orientierten Teams anerkennt.

Dies führt in der Konsequenz zu einer Organisationsstruktur, die durch und durch antibürokratisch ist, da sie traditionelle Informationswege und Filtersysteme ausschaltet. In solchen Strukturen gewinnen Individuen an Macht, welche beim Transfer von Wissen an andere die beste Arbeit leisten [4].

Traditionelle Stabsorganisationen sind in letzter Zeit zunehmend in Verruf geraten. Waren sie in der Vergangenheit von der Unternehmensleitung eingesetzte und bestätigte Hüter des Fachwissens, so werden sie heute in ihrer Größe und Machtbefugnis teilweise stark reduziert. Im gleichen Zuge wird ein großer Teil des Expertenwissens in Qualitätszirkel, Arbeitsgruppen oder Projektteams verlagert. Die Gründe hierfür liegen in der häufig mangelnden Verwertbarkeit von Stabskonzepten in der Linie. Gleichzeitig stellt sich heraus, daß viele vermeintliche Experten mehr damit beschäftigt sind, ihre eigene Rolle zu kultivieren und Machtposition zu sichern als produktive Konzepte zu entwickeln.

Die Rolle von Stäben

Es kann durchaus sinnvoll sein, Fragestellungen des Wissensmanagements mit Hilfe einer zentralen pressure group zu fördern. So ist GENERAL MOTORS beispielsweise dabei, eine Organisationseinheit mit Namen 'Corporate Strategy and Knowledge Development' zu etablieren. Sie soll die Fähigkeit von GENERAL MOTORS bei der Formulierung von wissensorientierten Strategien verbessern helfen. Bei einer solchen Vorgehensweise ist jedoch sicherzustellen, daß diese Einheiten ihren Kontakt zur Front nicht verlieren. Wissensmanagement benötigt in vieler Hinsicht die Festlegung von unternehmensweiten Standards oder Spielregeln und damit auch Akteure, welche diese (in Zusammenarbeit mit der Linie) entwickeln und durchsetzen. Die Berufung von gestandenen Linienmanagern in zentrale Funktionen erhöht die Akzeptanz dieser Systeme und garantiert, daß keine akademischen Kopfgeburten konstruiert werden, über welche sich der in seine Funktion zurückkehrende Linienmanager im Alltag ärgern würde.

Pressure group

Strukturierung um Kompetenzzentren

In der Regel sind Organisationen funktional, regional oder produktbezogen organisiert. Das Fallbeispiel MCKINSEY hat gezeigt, wie man durch den Aufbau interner Kompetenzzentren gezielt Fähigkeiten bündeln und weiterentwickeln kann. Parallel zur regionalen Officestruktur, welche die administrative Grundversorgung garantiert und der schlagkräftigen Projektorganisation, welche das eigentliche Beratungsgeschäft bewältigt hat, besteht eine dritte Ebene, welche wir als Wissensstruktur des Unternehmens bezeichnen können. Diese Wissensstruktur fehlt vielen Großunternehmen heute noch. Experten, Ideen und Projekte zu verwandten Themen werden nicht zusammengeführt, sondern bleiben isoliert.

Hypertextorganisation

Der japanische Managementforscher Nonaka schlägt sogenannte Hypertextorganisationen (siehe Abbildung 63) zur Verankerung von Wissensstrukturen vor [5]. Das besondere dieses Organisationsmodells liegt darin, daß drei unterschiedliche Strukurebenen (die Geschäftssystem-Ebene, die Projektteam-Ebene und die Wissensbasis-Ebene) in ein und derselben Organisation koexistieren. Die Mitarbeiter solcher Organisationen müssen sich – vergleichbar mit der Funktionsweise der 'links' einer Hypertext-Datei – mühelos durch alle drei Ebenen hindurchnavigieren können. Mit anderen Worten müssen sie sowohl festgelegte Funktionen innerhalb des Geschäftssystems erfüllen sowie als Mitarbeiter in wechselnden Projektteams prozeßorientiert denken und entscheiden. Zudem müssen sie in der Lage sein, auf der Ebene der Wissensbasis die gewonnenen Erkenntnisse zu reflektieren, lessons learned in geeigneter Form in die Wissensbasis einzuspeisen und somit an die Geschäftssystem- und die Projektteam-Ebene zurückzuspielen.

Weitere Ansatzpunkte zur strukturellen Verankerung von Wissensmanagement finden sich in Tom Peters Gestaltungsvorschlägen für effektive Wissensmanagement-Strukturen, die hier dargestellt werden [6].

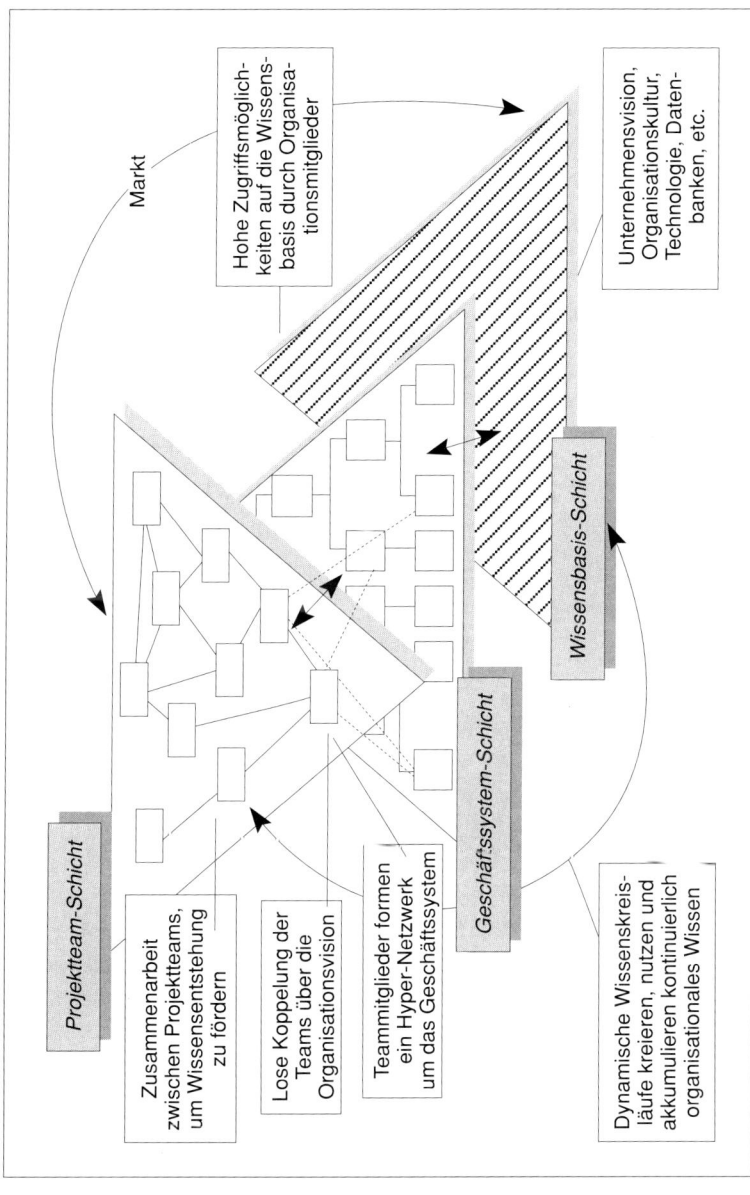

Markt

Hohe Zugriffsmöglich-
keiten auf die Wissens-
basis durch Organisa-
tionsmitglieder

Unternehmensvision,
Organisationskultur,
Technologie, Daten-
banken, etc.

Projektteam-Schicht

Geschäftssystem-Schicht

Wissensbasis-Schicht

Zusammenarbeit
zwischen Projektteams,
um Wissensentstehung
zu fördern

Lose Koppelung der
Teams über die
Organisationsvision

Teammitglieder formen
ein Hyper-Netzwerk
um das Geschäftssystem

Dynamische Wissenskreis-
läufe kreieren, nutzen und
akkumulieren kontinuierlich
organisationales Wissen

Abbildung 63: Hypertextorganisation

Elemente einer effektiven Knowledge-Management Struktur:

- Kerngruppe 'Wissensmanagement', welche den Prozeß treibt,

- Expertennetzwerke auf freiwilliger Basis,

- Schulung von Interessenten, welche ins Expertennetzwerk eingebunden werden möchten (on-the-job),

- kleine Anzahl von Super-Experten mit überragenden Fähigkeiten,

- bewußtes Netzwerkmanagement, um:

  - die Gehirne beschäftigter Mitarbeiter und Experten anzuzapfen,

  - Informationen in attraktiver, nutzbarer Art und Weise zu verpacken,

  - die psychologischen Gesetzmäßigkeiten von Netzwerken zu berücksichtigen (Ausgleich zwischen Anbietern und Nutzern),

  - Informationen zügig und gleichzeitig diskret zu verteilen,

  - Nachfragern schnellen und gesicherten Zugang zu Experten zu sichern,

  - Publikationsprozesse zu unterstützen (informelles Wissen formalisieren),

  - Nutzen und Effektivität der Maßnahmen des Wissensmanagements zu bewerten,

- viele (physische) Begegnungsmöglichkeiten,

- Kultur, welche Beiträge ins Netzwerk fordert und fördert und mit formellen, wie informellen Anreizen unterstützt.

Nicht immer müssen jedoch bestehende Organisationsstrukturen revolutioniert werden, um das Thema Wissensmanagement anzupacken. So gründete die BASF im
Bereich Forschung eine Arbeitsgruppe Wissensmanagement, welche vom Forschungsvorstand den Auftrag erhielt, das Potential des Themas für das Unternehmen ab-
zuschätzen und konkrete Ansatzpunkte für Strategien des
Wissensmanagements zu erarbeiten. Die Gruppe, der 14
Mitarbeiter aus allen Forschungsbereichen angehörten,
sichtete nach Feierabend die einschlägige Literatur zum
Thema, erarbeitete sich eine gemeinsame Wissenssspra-
che und identifizierte Handlungsfelder, welche anschließend der Vorstandsebene präsentiert wurden. Solche Keimzellen des Wissensmanagements gilt es zu fördern. Am Thema Interessierte müssen zueinander finden
und gemeinsam aufzeigen, welche Potentiale im besseren
Management der Ressource Wissen stecken.

Keimzellen

Gesucht: Wissensmanager

Wissensmanagement braucht Wissensmanager [7]. In
Stabs- und Linienfunktionen bedarf es neuer Funktionen,
welche Prozesse des Wissensmanagements unterstützen.
Eine einseitige Verankerung des Themas im Personal-
oder Informatikbereich ist auf Dauer das Ende des Themas. Wissensmanagement geht alle Funktionsbereiche
und alle Hierarchieebenen etwas an. Um dieser Interdis-
ziplinarität gerecht zu werden, müssen in Unternehmen
neue Managementpositionen geschaffen sowie bestehende Anforderungsprofile und Stellenbeschreibungen angepaßt werden. Auf Dauer werden sich neue Berufsfelder
im Bereich des Wissensmanagements herausbilden. Auf
den folgenden Seiten stellen wir vier neue Managementrollen vor, die unserer Einschätzung nach in naher Zukunft stark an Bedeutung gewinnen werden.

Neue Berufsfelder

Managementrolle: Chief Knowledge Officer

Hauptaufgabe: Gestaltung, Lenkung und Entwicklung der organisationalen Wissensbasis

Chief Knowledge Officer Der Chief Knowledge Officer (CKO) hat die Aufgabe, die Gesamtorganisation für die Bedeutung der Ressource Wissen zu sensibilisieren und zu mobilisieren. Er vertritt die Wissensperspektive in der Geschäftsleitung, deren Mitglied er idealerweise ist. Der CKO trägt die Verantwortung für die Infrastrukturen des Wissens wie Kompetenzzentren oder Informationssysteme. Er hilft allen Führungskräften bei der Übersetzung der allgemeinen Unternehmensziele in handhabbare Wissensziele. Der CKO versucht Wissensinseln zu identifizieren und diese innerhalb des Prozesses des Wissensmanagements produktiv zu machen. In seiner täglichen Arbeit muß er die angestrebte Wissenskultur vorleben.

Managementrolle: Kompetenzfeldverantwortlicher

Hauptaufgabe: Gestaltung, Lenkung und Entwicklung eines Kompetenzfeldes

Kompetenzfeld-verantwortlicher Besonders wichtige Wissensbereiche sollten in der Organisationsstruktur verankert werden. Wir schlagen den Aufbau von Kompetenzfeldern vor, die von Kompetenzfeldverantwortlichen (KFV) betreut werden. Der KFV hat die Aufgabe, die internen Experten eines Kompetenzfeldes (zum Beispiel im Bereich Projektmanagement) zu vernetzen und die Expertise, welche intern und extern zum Thema vorhanden ist, zu sammeln und zu verdichten. Er bringt die Erfahrungen des Kompetenzfeldes in Unternehmensentscheidungen ein und ist für die Bereitstellung und Pflege der Infrastruktur (Newsgroups, Konferenzen, best practice-workshops etc.) des Kompetenzfeldes verantwortlich.

Managementrolle: Brückenbauer (boundary spanner)

Hauptaufgabe: Vernetzung von Kompetenzfeldern, Kontaktvermittlung und Aufspüren neuer Geschäftsmöglichkeiten

Brückenbauer könnte man auch als interne „Trüffelschweine" der Organisation bezeichnen. Sie bemühen sich um die Aufspürung ungenutzter Wissensbestände, welche sie dann an die entsprechenden Kompetenzfelder weiterleiten. Zu diesem Zweck nehmen sie an zentralen Veranstaltungen der Kompetenzfelder teil und organisieren – nach vorheriger Abschätzung und Quantifizierung der Synergiemöglichkeiten – themenzentrierte Vernetzungs-Workshops zwischen Kompetenzfeldern. Hiermit unterstützen sie den Aufbau eines interfunktionalen und interdisziplinären Beziehungsgeflechtes in der Organisation und werden zu Ansprechpartnern für die interne und externe Kontaktvermittlung.

Brückenbauer

Managementrolle: Transparenzschaffer

Hauptaufgabe: hinreichende Transparenz über die organisationale Wissensbasis schaffen

Der interne Transparenzschaffer nimmt eine Bestandsaufnahme aller zugänglichen Wissensbestandteile der organisationalen Wissensbasis vor und beurteilt den Identifikationsaufwand für zusätzliche Wissensarten. Hierbei legt er den Grad der gewünschten Transparenz unter Berücksichtigung des Datenschutzes und der Bewahrungsnotwendigkeit von Geschäftsgeheimnissen mit den Verantwortlichen fest. Bestehende Intranets, interne Publikationen oder Memosysteme werden vom Transparenzschaffer auf ihre Nutzungsfreundlichkeit überprüft. Es ist seine Aufgabe die internen Informationssysteme zu einer effizienten elektronischen Wissensbasis zu integrieren, welche eine flexible und nutzerfreundliche Verknüpfung zwischen Kompetenzfeldern und Wissensträ-

Transparenzschaffer

gern erlaubt. Zu diesem Zweck muß er die notwendige Standardisierung von Eingabeformaten, Deskriptoren oder Feedbacksystemen vornehmen und über die Unternehmensleitung durchsetzen.

Noch haben wenige Unternehmen Positionen wie Chief Knowledge Officer, Brückenbauer, Transparenzschaffer oder Kompetenzfeldverantwortlicher geschaffen. Doch die Zahl der Management-Positionen, deren explizites Ziel es ist, die eigenen Wissensbestände besser zu steuern und zu managen, nimmt rasant zu. Alte Arbeitsbeschreibungen oder Tätigkeitsprofile reichen nicht mehr aus, um die Herausforderungen der Wissensgesellschaft zu bewältigen.

Zusammenfassung

- Das Verständnis der eigenen Kultur im Umgang mit Wissen sollte am Anfang aller Wissensmanagement-Aktivitäten stehen.

- Der Umgang mit dem Wissensthema verstrickt Unternehmen in eine Reihe von Paradoxien, welche als Ausgangspunkt der Diskussion um zukünftiges Wissensmanagement verstanden und genutzt werden müssen.

- Die Einrichtung von Lernarenen oder Kompetenzzentren kann ein effektiver Katalysator für weitere Wissensmanagement-Maßnahmen sein.

- Die Einstellung von Wissensmanagern wie Chief Knowledge Officer, Kompetenzfeldverantwortlichen oder Transparenzschaffern signalisiert, daß Wissensmanagement für Sie zu einem wichtigen Thema geworden ist. Ohne Top-Management-Unterstützung stehen die Wissensmanager allerdings auf verlorenem Posten.

Leitfragen

- Wo sehen Sie Keime des Wissensmanagements in Ihrer Organisation?

- Welche strukturellen Ansatzpunkte sehen Sie?

- Wer sind die Promotoren des Wissensmanagements und wie könnte man deren Positionen aufwerten?

- Wer sind die Feinde eines veränderten Umgangs mit Wissen? Warum sind Sie ablehnend und wie könnte man Sie überzeugen oder einbeziehen?

13. Kapitel

Erste Erfahrungen aus der praktischen Umsetzung – Oder: Nennen wir es einmal nicht „Wissensmanagement" …

Die Bausteine des Wissenmanagements bieten eine breite Palette von Ansatzpunkten für die Umsetzung, und Sie werden sich vermutlich fragen, wie andere „die Sache angehen". Wissen managen heißt ja auch, vom Wissen anderer effizient zu profitieren. Erste Erfahrungen aus renommierten Unternehmen sollen Ihnen helfen, Fehler zu vermeiden und Erfolg versprechendes zu adaptieren. Ist klar, welches Wissen Ihr Unternehmen braucht? Trägt Ihr Projekt den richtigen Titel, wurden bestehende Initiativen eingebunden? Welche Resultate erwarten Sie, und wie haben Sie es anderen „verkauft"? Fördert Ihre Unternehmenskultur die Nutzung vorhandenen Wissens? Wenn Sie sich diesen Fragen aufrichtig stellen, werden Sie gefährliche Klippen bei der Einführung von Wissensmanagement umschiffen.

Erste Erfahrungen aus der praktischen Umsetzung – Oder: Nennen wir es einmal nicht „Wissensmanagement" ...

Seit dem ersten Erscheinen dieses Buchs haben viele Unternehmen „Wissensmanagement-Projekte" lanciert. Viele dieser Initiativen haben zu äußerst zufriedenstellenden Ergebnissen geführt. Andere wiederum haben nicht den erhofften Erfolg gebracht oder konnten erst nach erheblichen Schwierigkeiten Resultate aufweisen. Als Ergänzung für die vorliegende dritte Auflage haben wir aus unseren Erfahrungen in der Umsetzung einige „lessons learned" zusammengestellt, die Ihnen bei der Gestaltung eigener Wissensmanagement-Projekte hilfreiche Dienste leisten sollten.

Lessons learned

Die folgenden Fragen und Leitlinien beruhen insbesondere auf Erfahrungen der Unternehmen, die sich im Genfer „Forum für Organisationales Lernen und Wissensmanagement" zusammengeschlossen haben. Es sind dies: DAIMLERCHRYSLER, DEUTSCHE BANK, HOLDERBANK, HEWLETT PACKARD, INSELSPITAL, MOTOROLA, NOVARTIS, ROCHE DIAGNOSTICS, SIEMENS, SWISSCOM, UBS, WINTERTHUR VERSICHERUNGEN sowie XEROX. Die Einsichten und Erfahrungen der Projektmanager und Führungskräfte, die in diesen Unternehmen Wissensmanagement gestalten, fassen wir in einigen Leitfragen zusammen. Werden diese vor dem „Aufgleisen" eines Wissensmanagement-Projektes gestellt, dann sollte es gelingen, wenigstens einige der häufigsten Schwierigkeiten in der Projektumsetzung zu vermeiden.

Praktische Erfahrungen

Leitfrage Nr. 1:
Was ist für uns relevantes Wissen?

„me-too-Phänomen"   Wissensmanagement ist zum Modethema geworden. In einer solchen Situation ist häufig ein „me-too-Phänomen" zu beobachten. Unternehmen lancieren in aller Eile Wissensmanagement-Projekte, um ja nicht der Konkurrenz hinterherzuhinken. Was dabei häufig auf der Strecke bleibt ist die kritische Frage, welche Wissensbestände des Unternehmens im Vordergrund stehen und welche Ziele mit einer Intervention verfolgt werden sollen. Zu leichtfertig wird oft akzeptiert, daß Wissen ein „zentraler Wettbewerbsfaktor" ist, ohne daß die am Projekt beteiligten eine klare Arbeitsdefinition von Wissen oder eine klare Zielvorstellung haben.

Relevantes Wissen   Eine der grundlegendsten Fragen, die daher vor der De
definieren   finition eines Projektes gestellt werden sollte, lautet: Welches Wissen ist für uns aus strategischer Sicht kritisch? Welches Wissen ist relevant und wertvoll und wirkt sich folglich in den unternehmerischen Resultaten aus? Auf welche relevanten Wissensbestände beziehen sich Aktivitäten, die den Erwerb, die Teilung, die Bewahrung oder die Nutzung von Wissen verbessern sollen? Eine vergleichbare Fragestellung verhindert, daß Wissensmanagement-Projekte von der Toolseite her getrieben werden oder nur die spezifischen Bedürfnisse einer Funktion ansprechen. Wissensmanagement-Projekte berühren nicht notwendigerweise die Informatik-Infrastruktur oder Organisationsstruktur eines Unternehmens. Ebensowenig müssen sie automatisch bei der Informatikabteilung oder im Personalbereich aufgehängt sein. Eine sorgfältige Beantwortung der oben aufgeführten Fragen kann Aufschluß darüber liefern, welche Schwerpunkte das Projekt setzen muß und wer für die Umsetzung hauptsächlich verantwortlich sein sollte.

Leitfrage Nr. 2:
Ist das Etikett „Wissensmanagement" hilfreich?

Auch in diesem Zusammenhang gilt: Der Titel „Wissensmanagement" mag der derzeitigen Mode entsprechen, motivierend und tragfähig ist eine solche Bezeichnung deswegen aber noch lange nicht. Anstatt auf kurzfristige Moden und „Konkurrenzaktivitäten" zu reagieren, sollte ein Projekt so definiert und benannt werden, daß es einem konkret vorhandenen „Leidensdruck" entspricht. Dies fördert Akzeptanz und beugt der Gefahr vor, daß das Projekt als „Schnapsidee aus der Zentrale" oder „flavor of the month" abgetan wird.

Leidensdruck

Anstelle des Labels „Wissensmanagement" bietet sich eine Vielzahl von Begriffen an, die ein Projekt besser eingrenzen können, ohne seinen Wissensbezug zu verleugnen. „Lessons Learned", „lernendes Unternehmen, „Best-in-Class", „Best-Practice-Transfer", „Service Performance", „Beziehungsnetzwerk", „Yellow Pages", „Expertennetz", „Customer Focus" oder „Competitive Intelligence" beinhalten alle den Transfer, die Nutzung oder die Beschaffung von Wissen. Wissensmanagement als globales Projektziel kann also dann kaum sinnvoll sein, wenn es möglich ist, den Gegenstandsbereich und spezifischen Wissensbezug des Projektes genauer einzugrenzen. Häufig besteht auch die Möglichkeit, auf bereits bestehenden Projekten aufzubauen. So kann ein Projekt zur Verbesserung der Zusammenarbeit zwischen Forschungsabteilungen von einer Wissensperspektive profitieren, oder ein Customer-Focus-Projekt könnte alternativ auch einmal vom Gesichtspunkt des Wissenserwerbs her angegangen werden.

Geeigneter Projekttitel

Leitfrage Nr. 3:
Kann das Projekt meßbare Resultate generieren?

Langfristiger Projektverlauf

Wissensmanagement-Projekte werden häufig als Großbaustellen konzipiert. Dies resultiert einerseits daraus, daß bei der Projektdefinition häufig eine fundamental strategische Ausrichtung (zum Beispiel in Bezug auf „Wissensprodukte", neue Märkte oder die Sicherung von Kernkompetenzen) erkannt wird. Andererseits ist häufig abzusehen, daß das Projekt umfassende operative Veränderungen von Prozessen und Strukturen mit sich bringt (beispielsweise durch neue technologische Plattformen oder eine prozeßorientierte Reorganisation). Die wesentliche Gefahr besteht darin, daß solche umfassenden Projektdefinitionen entsprechend langfristiger Natur sind. Fehlende Ergebnisse kurzfristiger und mittelfristiger Art führen dann zu Frustrationen und enden nicht selten mit dem „Versanden" des Projektes.

„Quick Wins"

Die Definition kurzfristig realisierbarer Ziele – sogenannter „Quick Wins" – kann einen Ausweg aus diesem Dilemma weisen und gleichzeitig die langfristige Gesamtkonzeption intakt lassen. Die „Quick Wins" sind sorgfältig auszuwählen. Das in Abbildung 63 dargestellte Schema, das Projekte und Teilprojekte nach ihrem Beitrag zum Unternehmenswert, ihrem Wissensbezug sowie ihrem jeweiligen Zeitrahmen klassifiziert, hat sich dabei als nützlich erwiesen.

Projektportfolio

Das Projektportfolio ordnet die verschiedenen Projekte je nach ihrem möglichen Beitrag zum Unternehmenswert sowie der Intensität des Wissensbezugs in vier Quadranten ein. Der Zeithorizont drückt sich in der Größe der Kreise aus: Projekte, die kurzfristig machbar sind und umgehende Resultate aufweisen, werden durch kleine Kreise dargestellt, größere Kreise symbolisieren lang-

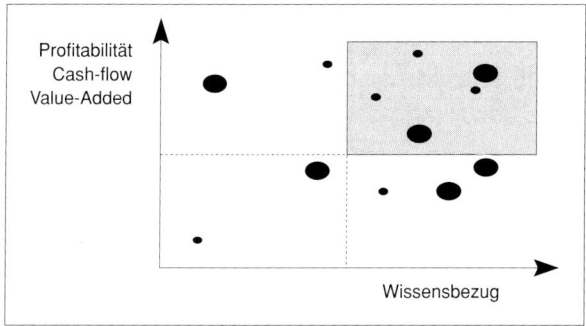

Abbildung 64: Wissensmanagement-Projektportfolio

fristig ausgelegte Projekte. Aus einer Wissensmanage-
ment-Perspektive liegen die interessantesten Projekte
zweifelsohne im oberen rechten (grau unterlegten) Quadranten. Für die Realisierung von „Quick Wins" emp-
fiehlt es sich, aus diesem Quadranten die kurzfristig rea-
lisierbaren Projekte auszuwählen.

Mit dem Hinweis auf die Bedeutung von „Quick Wins" **Teilprojekte**
soll allerdings keineswegs einem blinden Aktionismus **definieren**
isolierter Projekte das Wort geredet werden. Es ist wichtig, eine Gesamtkonzeption für wissensbezogene Fragestellungen im Unternehmen zu entwickeln. Gleichzeitig ist es jedoch möglich und sinnvoll, (Teil-) Projekte
zu definieren, die kurzfristig realisierbar sind, einen starken Wissensbezug aufweisen und bei erfolgreicher Realisierung ihren Einfluß auf Unternehmenswert, Cash-
flow oder Profitabilität des Unternehmens haben. Sowohl auf die organisationalen Entscheidungsinstanzen
wie auch die „Betroffenen" der jeweiligen Projekte wirken sich solche erfolgswirksamen Initiativen ermutigend
und motivierend aus. Meßbare Resultate sind dabei nicht
nur im finanziellen Sinne zu verstehen, sondern können
auch im Sinne des Stakeholder-Ansatzes aus der Sicht
verschiedener Interessenvertreter definiert werden. Im-

mer ist jedoch darauf zu achten, daß Wissen wertvoll
sein muß. Die folgende Tabelle (Abbildung 64) bietet einen Überblick über verschiedene mögliche Meßbereiche
und Meßansätze:

Stakeholder	Meßansatz
Mitarbeiter	Marktwert der Mitarbeiter, Employability, Mitarbeiterzufriedenheit, Produktivität/Qualität, Kreativität
Kunden	Kundenbindung, Gewinnung von Neukunden, Reaktion(szeit) auf Kundenrückmeldungen, Key Accounts, Verlust von Kunden
Investoren	Existenz/Kommunikation eines Wissensmanagement-Systems, Transparenz, Projektportfolio, Reporting
Gesellschaft	Imageverbesserung durch Wissensmanagement, „Risiko des Wissensverlustes"

Abbildung 65: Meßansätze für Wissensmanagement-Projekte

Leitfrage Nr. 4:
Wurden Buy-in-Prozesse ausreichend berücksichtigt?

**Wissens-Projekte
breit abstützen**

Vor der Umsetzung von Wissensmanagement-Projekten
passiert es häufig, daß Buy-in-Prozesse vernachlässigt
werden. Wissensbezogene Projekte müssen jedoch breit
abgestützt und als (dringend) notwendig und sinnvoll
betrachtet werden, um tatsächliche Veränderungen in
Organisationen auszulösen. Gelingt es im Zuge eines
Buy-in-Prozesses nicht, diese Notwendigkeit zu verdeutlichen, dann besteht die oben bereits geschilderte Gefahr
des passiven und aktiven Widerstands. „Wir machen
doch schon Reengineering, TQM, Customer Focus und
MBO, wozu jetzt noch Wissensmanagement?" ist ein ty-
pisches Zitat aus einem solchen Kontext.

Zielgruppe für Buy-in-Prozesse sind sowohl Entscheider als auch vom Projekt Betroffene. „Leidensdruck" oder ein Bedürfnis nach Wandel entsteht bei Entscheidungsträgern häufig durch Benchmarking-Prozesse, die strategische Lücken zutage fördern. Bei den Betroffenen muß eine ähnliche Bereitschaft zum Wandel gefördert werden. Je konkreter und näher am Betroffenen ein Projekt ist, desto höher wird dessen Engagement in der Umsetzung sein.

Bereitschaft zum Wandel fördern

Im Verlauf eines Buy-in-Prozesses kann es von entscheidender Bedeutung sein, Win-Win-Situationen zu schaffen, das heißt, Zusammenhänge zwischen dem persönlichen Nutzen des Projekts für die Betroffen und dem Nutzen für das Unternehmen darzustellen. Vision, Zielvorgaben, Vorgehensschritte, Instrumente und Incentives sind gleichzuschalten. Für die Gestaltung eines erfolgreichen Buy-in-Prozesses gilt es unter anderem, die folgenden Fragen zu beantworten: Ist ein Leidensdruck erkennbar und ist dieser ausreichend groß, um die Projektarbeit einzuleiten? Sind persönliche Vorteile des Projekts erkennbar? Und: Ist eine ausreichende Kommunikation zwischen Entscheidern und Projektbetroffenen gesichert?

Win-Win-Situationen schaffen

Leitfrage Nr. 5:
Wird der Kommunikationsarbeit genügend Aufmerksamkeit gewidmet?

Zahlreiche der von uns begleiteten Projekte belegen, daß konsequente Kommunikation eine essentielle Voraussetzung für die Auslösung und Durchführung von Wissensmanagement-Projekten ist. Diese Erkenntnis ergibt sich unter anderem daraus, daß Wissensmanagement ohnehin in den meisten Fällen persönliche Kommunikation in Beziehungsnetzen oder die Interaktion zwischen Mensch und Maschine betrifft. Von zentraler Bedeutung ist die oben genannte Kommunikation zwischen Ent-

Konsequente Kommunikation

scheidern und Betroffenen. In vielen Fällen wurde unterschätzt, wie leicht Wissensmanagement von der eigentlichen Nutzung getrennt werden kann. Zahlreiche Wissensmanagement-Projekte werden beispielsweise an Technologieexperten delegiert, was in vielen Fällen zu einer Überbewertung technischer Lösungen führt, die ohne eigentliches Zweckverständnis realisiert werden. Der reine Glaube an Technologie löst kein Problem und sichert erst recht keine Implementierung.

erfolgreich kommunizieren

Erfolgreiche Kommunikation baut vorhandene und zukünftige Widerstände und Barrieren der Projektumsetzung ab und nutzt mögliche Verstärker und Förderer des Projekts. Folgende Fragen können nützliche Hinweise liefern: Nehmen wir uns ausreichend Zeit, um über mögliche Hindernisse der Implementierung nachzudenken? Überprüfen wir kritisch unsere eigenen Denk- und Verhaltensweisen (die häufig die größten Barrieren sind)? Ist die Problemstellung des Projektes ausreichend klar abgesteckt, um gut kommunizierbar zu sein? Mit welchen Beteiligten muß kommuniziert werden, weil sie betroffen sind und eventuell Widerstand auslösen könnten? Wer kann eine Sponsoren- und Kommunikationsrolle für das Wissensmanagement übernehmen, wer kann als „Cheerleader" dienen? Welches sind die geeignetsten Kommunikationskanäle?

Leitfrage Nr. 6:
Geht es um Wissensflüsse oder Wissensbestände?

Wissen ist handlungsorientiert

Viele Wissensmanagement-Projekte erliegen der Gefahr, sich zu schnell auf Dokumentation und Bewahrung von Wissensbeständen zu konzentrieren. Ein solcher Ansatz verspricht Erfolg, und der Zugang zu den betreffenden Wissensbeständen ist häufig bereits gesichert. Wissensmanagement wird dann zur reinen Fleißarbeit. Die Dokumentation von Wissensbeständen betrifft darüber hinaus ausschließlich explizites Wissen, das schriftlich formuliert und in Expertenverzeichnissen, Patentübersichten und ähnlichen Systemen bewahrt werden kann. Wissen ist jedoch stets handlungsorientiert. Es wird kontinuierlich neu geschaffen, verändert und genutzt. Implizites Wissen, Erfahrungen, Kreativität und Innovation sind weitaus schwieriger zu erfassen als explizites Wissen. Die Interpretation, Weitergabe, Reflexion und Neukombination von Wissen führt zu organisationalen Wissensflüssen, welche die eigentliche Herausforderung des Wissensmanagements bilden.

Leitfrage Nr. 7:
Werden wissensorientierte Kultur und Wissensnutzung berücksichtigt?

Das bloße Vorhandensein von Instrumenten garantiert noch keine Nutzung. Peter Rothstein von LOTUS NOTES sieht dies genauso: „Wenn Leute keine Lust haben, Wissen zu teilen, werden sie es auch dann nicht tun, wenn es ein elektronisches Tool dafür gibt." Es sind vielmehr die wissensbezogenen Aspekte der Unternehmenskultur, die über Erfolg oder Mißerfolg der Wissensnutzung entscheiden. Zu einer wissensorientierten Kultur gehoren offene Problematisierung und Vertrauen. Mit der Einführung eines elektronischen Tools („High Tech") sollte daher immer auch Offenheit, persönliche Interaktion und Kommunikation („High Touch") verbunden sein. Von Mitarbeitern aktive Wissensteilung zu erwarten ist dann unrealistisch, wenn keine Vertrauensorganisation und -kultur herrscht.

Wissenskultur und -instrumente

Strukturen, Anreize und Incentivesysteme schaffen den Rahmen für eine wissensorientierte Kultur. Führungs-

Kulturbildung fordern und fördern

kräfte sollten darüber hinaus die Kulturbildung durch persönliches Handeln, Commitment, Dialog und sinngebende Argumentation unterstützen. Fordern und Fördern gehen dabei Hand in Hand. Nicht selten haben eindeutige Statements von Top-Führungskräften „Wunder" bei der Umsetzung von Wissensmanagement-Projekten gewirkt.

Daniel Vasella, CEO von NOVARTIS, faßt die Bedeutung von Wissen für sein Unternehmen in klare Worte: „Our success in building a high performance organisation will be substantially based on the capability of sharing and exploiting our professional knowledge better and faster than our competitors". Thomas Schmidheiny kommuniziert dies nicht weniger deutlich für den Weltmarktführer der Zementindustrie: „At HOLDERBANK we are clearly committed to our decentralized structure to maintain entrepreneurial spirit. To cope with the coming challenges we have to learn continuously, exchange best practices and master the learning process."

Bei SIEMENS hat Heinrich von Pierer Wissen und Fähigkeiten sogar ausdrücklich in die Vision aufgenommen. Unter dem Thema „Mitarbeiter und Leistungsmaßstäbe" heißt es dort: „Das Wissen und die Fähigkeiten unserer Führungskräfte und Mitarbeiter sind die entscheidende Grundlage unseres Erfolgs. Wir lassen das riesige Potential unserer Mitarbeiterinnen und Mitarbeiter voll zur Entfaltung kommen. Wir entwickeln unser Wissen und unsere Fähigkeiten ständig weiter und setzen es wirksam in Kundenvorteile und damit in Geschäftserfolg um. Wir lernen von den Besten: von unseren anspruchsvollsten Kunden, den schärfsten Wettbewerbern, den führenden Unternehmen anderer Branchen. Wir teilen Wissen und Erfahrungen in unserem Unternehmen und arbeiten vorbehaltlos zusammen – über alle Abteilungs- und Bereichsgrenzen hinweg. Weltklasseleistungen sind unser Anspruch. Wir setzen Benchmarks für andere."

Wissensmanagement-Projekte bedürfen der Unterstützung durch die oberste Führung. Die vorangegangenen
Statements liefern einige Beispiele dafür, wie eine wissensbewußte Kultur angestoßen und die Entwicklung
strategischer Kompetenz im Bereich des Wissensmanagements unterstützt werden kann.

14. Kapitel

Fangen Sie an!

Wenn Sie nun wissen, was Sie nicht wissen und sich die Leitfragen, welche wir am Ende der Kapitel gestellt haben, ehrlich
beantwortet haben, haben Sie einen ersten Schritt in Richtung
effektives Wissensmanagement getan. Erste Erfolge liegen vor,
die Instrumente des Wissensmanagements werden permanent
weiterentwickelt und das Thema erkämpft sich einen vorderen
Platz auf der Managementagenda. Die zahlreichen Fallstudien
liefern Ihnen Ansatzpunkte, wie andere Unternehmen heute
bereits bewußt ihr Wissen managen und hieraus nachhaltige
Wettbewerbsvorteile erzielen. Nun ist es an Ihnen, erste Schritte
einzuleiten und den Umgang mit der Ressource Wissen in Ihrem
Umfeld zu überprüfen. Zum Abschluß präsentieren wir Ihnen
noch einige Denk- und Handlungsanstöße für den Start ins Wissensmanagement. Sicherlich werden Sie nicht alles realisieren
können, doch Wissensmanagement fängt im kleinen an. Bei der
Umsetzung wünschen wir Ihnen die nötige Energie und Begeisterung.

Fangen Sie an!

1. Testen Sie ihre Organisation, ihre Abteilung oder sich selbst mit den Bausteinen des Wissensmanagements!

Die Bausteine des Wissensmanagements liefern Ihnen eine Reihe von Anregungen, Analyserastern und Instrumenten, mit denen Sie Ihr organisationales Umfeld und Ihre eigenen Verhaltensweisen im Umgang mit der Ressource Wissen testen können. Nehmen Sie eine ehrliche Bestandsaufnahme vor und ermitteln Sie konkrete Ansatzpunkte für Verbesserungen. Welches Wissen ist für Sie kritisch? Wo wird mit diesem Wissen falsch oder richtig umgegangen? Wie könnte man dies verbessern oder exemplarische Lösungen übertragen?

2. Wissen ist der Rohstoff der Zukunft – Versuchen Sie, Ihn besser zu verstehen und für sich zu nutzen!

Erkennen Sie die Unterschiede zwischen implizitem und explizitem Wissen, zwischen individuellen und kollektiv geteilten Fähigkeiten oder zwischen Daten, Information und Wissen. Sie können diese Unterscheidungen für Ihre eigene Arbeit nutzen, wenn Sie Ihre Aufmerksamkeit auf wissensintensive Prozesse lenken und sich fragen, welche der beschriebenen Elemente darin von besonderer Bedeutung sind.

3. Lassen Sie sich auf die Wissensperspektive ein und sehen Sie Ihre Organisation mit anderen Augen!

Wissensmanagement bringt Ihnen unmittelbaren Nutzen, wenn es Ihnen ermöglicht, Probleme aus einer neuen Perspektive zu analysieren. Schauen Sie sich typische Finanzprobleme, Organisationsprobleme oder Absatzprobleme aus der Wissensperspektive an und erforschen Sie die Wissensprozesse, welche einen Einfluß auf sie haben.

Finanzprobleme sind immer auch Wissensprobleme. Wissensprobleme umfassen umgekehrt immer auch Finanzprobleme.

4. Orientieren Sie sich in Ihrem persönlichen Wissensumfeld neu!

Versuchen Sie Ihren eigenen Umgang mit Wissen neu zu überdenken. Welche Wissensquellen nutzen Sie? Mit welchen internen und externen Experten haben Sie Kontakt? Welche Fähigkeiten besitzen Sie, die für den langfristigen Kompetenzaufbau des Unternehmens von Bedeutung sind?

5. Pflegen Sie Ihr eigenes Kompetenzportfolio!

Auch Ihre individuellen Fähigkeiten veralten immer schneller. Machen Sie eine Bestandsaufnahme und fragen Sie sich, welche Ihrer Fähigkeiten am Markt gefragt sind. Welchen Beitrag leisten Sie mit Ihren Fähigkeiten zur Erreichung der wichtigsten Ziele Ihres Unternehmens? Bilden Sie sich gezielt weiter, indem Sie Ihre Ausbildungsziele an den so gewonnenen Erkenntnissen orientieren. Die Verantwortung für Ihre eigene Kompetenz kann Ihnen niemand abnehmen.

6. Finden Sie Gleichgesinnte innerhalb und außerhalb Ihres Unternehmens!

Wollen Sie Wissensmanagement in Ihr ganzes Unternehmen tragen, so brauchen Sie Verbündete aus anderen Bereichen, um eine breit abgestützte Wissensstrategie durchsetzen zu können und die notwendige Aufmerksamkeit zu erzielen. Der Einstieg in externe Erfahrungsgruppen zum Thema kann für Sie dabei sehr hilfreich sein, da er Ihnen Zugriff auf bereits erfolgreich durchgeführte Projekte des Wissensmanagements ermöglicht.

7. Nutzen Sie bestehende Wissenssysteme und Informationsinfrastrukturen!

Haben Sie einen Überblick über alle für Sie zugänglichen Wissenssysteme und Informationsinfrastrukturen? Versuchen Sie, ihn zu erlangen, und bewerten Sie den aktuellen Nutzen dieser Systeme für Ihre eigene Arbeit. Fragen Sie Personen, welche diese Systeme mit Begeisterung nutzen, nach ihren Erfahrungen und lassen Sie sich von ihnen einführen.

8. Entwickeln Sie eine Wissenssprache!

Versuchen Sie in Ihrer Alltagssprache differenzierter mit dem Thema Wissen umzugehen. Versuchen Sie Begrifflichkeiten dieses Buches in Präsentationen, Sitzungen und Dokumenten Ihrer Organisation bewußt zu verwenden und Dritten klar und verständlich zu erklären. Legen Sie sich ein Glossar der wichtigsten Begriffe an.

9. Wissensmanagement braucht Wissensmanager. Stellen Sie sie ein oder ab!

Schaffen Sie für besonders brennende Wissensprobleme eine Projektorganisation. Überlegen Sie sich, wie Sie Wissensmanagement in Ihrer Organisation am besten verankern können und schaffen Sie die dementsprechenden Stellen. Wissensmanagement ist eine Querschnittsaufgabe, welche heute durch getrennte Funktionslogiken im Personalbereich, der Informatik oder der Forschung und Entwicklung sowie der Unternehmensplanung erschwert wird. Wissensmanagement muß sich mittelfristig in der Aufbauorganisation niederschlagen, um seine Schlagkraft zu erhöhen.

10. Sichern Sie sich für Projekte des Wissensmanagements die Unterstützung des Topmanagements. Sie werden schnell merken wie hoch politisch Wissensmanagement sein kann!

Wissensmanagement bewertet die bestehenden Kompetenzportfolios innerhalb eines Unternehmens neu und fordert veränderte Prioritäten. In diesem Prozeß verlieren bisherige Experten häufig ihre Sonderstellung. Wissenstransparenz reduziert Informationsvorsprünge, welche häufig in politischen Spielen von Bedeutung sind. Dies reduziert die Machtbasis der bisher besser Informierten. Diese Aussagen machen deutlich, daß Wissensmanagement 'natürliche Feinde' hat und viele Maßnahmen des Wissensmanagements nur mit uneingeschränkter Topmanagement-Unterstützung durchgesetzt werden können.

11. Verankern Sie Wissensmanagement in den Organisationsstrukturen!

Wissensmanagement ist eine Querschnittsaufgabe, welche heute durch getrennte Funktionslogiken im Personalbereich, der Informatik oder der Forschung und Entwicklung sowie der Unternehmungsplanung erschwert wird. Die Überzeugung, die Ressource 'Wissen' in der Organisation besser zu nutzen, muß sich mittelfristig in der Aufbauorganisation und der Unternehmenskultur niederschlagen. Die Integration von 'Wissenszielen' in die Unternehmensstrategie und Projektplanung ist sicherzustellen. Die Mitarbeiter müssen bei der Bewältigung der Informationsflut infrastrukturell unterstützt werden.

12. Nutzen Sie die Revolution in der Kommunikationstechnologie. Sie treibt weltweit den Umbau in die Wissensgesellschaft!

Ein Grund dafür, daß Wissensmanagement gerade heute seine 'Zuhörer' findet, ist auf Technologiesprünge im Kommunikationsbereich zurückzuführen, welche völlig neue Organisationsformen durch digitalisiertes Teilen der organisationalen Wissensbasis zulassen. Mit dem Trend zur weltweiten Vernetzung aller Arbeitsplätze ent-

stehen Kommunikationsstrukturen, welche mit traditionellen Organisationsmodellen nicht mehr beschreibbar
sind. Tatsächlich scheinen es moderne Informationstechnologien wie Groupware-Applikationen oder Intranets
zu sein, welche heute den Umgang der Organisation mit
ihrer eigenen Wissensbasis revolutionieren. Die Verbindung dieser technologischen Möglichkeiten mit dem
Faktor Mensch und seinen individuell-einmaligen Fähigkeiten und Erfahrungen scheint der treibende Faktor bei
der Implementierung von Wissensmanagement zu sein.

Viel Erfolg!

Anhang

- Wissen praktisch bei NOVARTIS
- Wissen praktisch bei HOLDERBANK

Wissen praktisch bei NOVARTIS

Expertenwissen nutzbar machen: Der „Knowledge MarketPlace"

NOVARTIS – wer ist das?

NOVARTIS entstand im Dezember 1996 durch die Fusion von Ciba-Geigy und Sandoz – beides Chemie- und Pharmaunternehmen mit Sitz in Basel. Das neu geschaffene Unternehmen operiert mit 275 Tochterfirmen in weltweit 142 Ländern. Mit über 87 000 Mitarbeitern und einem Umsatz von mehr als 31 Milliarden Schweizer Franken im Jahr 1997 gehört das Unternehmen zu den wichtigsten globalen Wettbewerbern im Bereich „Life Sciences" (siehe Abbildung 66). NOVARTIS verfügt über eine stark dezentralisierte Organisationsstruktur. Die Gruppe besteht aus den drei Divisionen Health Care, Agribusiness und Nutrition, die wiederum in zehn operational und juristisch autonome Sektoren unterteilt sind (siehe Abbildung 67).

Wissen ist für NOVARTIS ein wichtiges Thema. So beliefen sich im Jahr 1997 die Ausgaben für Forschung und Entwicklung auf über 3,6 Milliarden Schweizer Franken. Dem Unternehmen wurden weltweit 16 000 Patente gewährt. 12 000 weitere Anträge sind momentan noch in Bearbeitung. NOVARTIS zielt darauf ab, eine „Hochleistungsorganisation" zu werden und weist dem Wissensmanagement dabei eine führende Rolle zu. CEO Dan Vasella unterstreicht dies: „Unser Erfolg beim Aufbau einer Hochleistungsorganisation wird im wesentlichen auf der Fähigkeit basieren, unser professionelles Wissen schneller und besser als die Konkurrenz zu teilen und zu nutzen".

Kennzahlen	1997 in Mio. CHF
Umsatz	31 180
Health Care	18 742
Agribusiness	8 327
Nutrition	4 111
Industrie	0
Operativer Gewinn	6 783
Gewinn aus Finanzanlagen	120
Außerordentlicher Gewinn	0
Nettogewinn	5 211
Operativer Cash-flow	4 679
Freier Cash-flow	1 309
Veränderung der Nettoliquidität	1 224
Investitionen in fixe Vermögenswerte	1 554
Abschreibungen und Amortisation	1 292
Gruppenweite Forschung und Entwicklung	3 693
Pharmazeutische Forschung und Entwicklung	2 629
Dividenden der NOVARTIS AG	1 736

Abbildung 66: NOVARTIS in Zahlen

Wissensmanagement bei NOVARTIS

Als Resultat der Fusion steht NOVARTIS nun vor der Aufgabe, das Wissen der beiden ursprünglichen Unternehmen CIBA-GEIGY und SANDOZ miteinander zu vernetzen. Aufgrund der außergewöhnlichen Wichtigkeit von Forschung und Entwicklung in der „Life Science"-Industrie kommt der Schaffung und Nutzung von Wissen dabei entscheidende Bedeutung zu. Die momentane Organisation von NOVARTIS ist hingegen so aufgebaut, daß Wissen weitestgehend in den selbständigen Geschäftsbereichen gehortet wird. Zusätzlich ist das Unternehmen weltweit tätig, was dazu führt, daß sich bedeutende Wissensträger nicht ohne weiteres treffen können. Daher hat ein Instrument für das systematische Management internen Wissens vorrangige Bedeutung. Mit der Einführung eines Wissensmanagement-Programmes verfolgt NO-

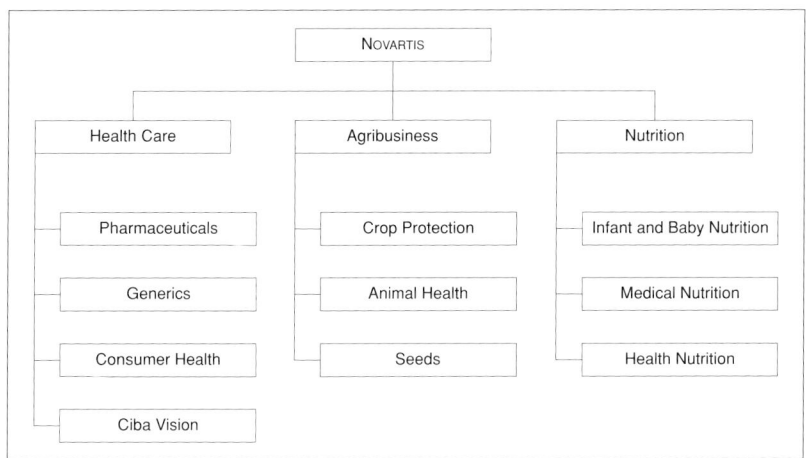

Abbildung 67: NOVARTIS – Die Gruppenstruktur

VARTIS die Absicht, die Entwicklung und Nutzung von Know-how über Grenzen hinweg zu verbessern.

Ein Beispiel illustriert, welch potentieller Nutzen ein solches Programm für NOVARTIS haben kann. Im Jahr 1998 wollte Frank Lasarasina von NOVARTIS PHARMA-CEUTICAL in New Jersey eine „Balanced Score Card" einführen. Diese Methodik war von Kaplan und Norton von der Harvard Business School entwickelt worden. Lasarasina hatte jedoch keine konkreten Vorstellungen, wie eine „Balanced Score Card" im Detail auszusehen hat und welche Probleme sich bei der Implementierung ergeben können. Auf der Suche nach Hilfestellung begab er sich in das „NOVARTIS Virtual Forum". Bernard Wasen, ein Mitarbeiter von NOVARTIS SEEDS in Holland, und David Chu aus dem Bereich Consumer Health in Nyon, Schweiz, zeigten sich interessiert und eröffneten das Gespräch mit Lasarasina. Innerhalb von wenigen Tagen gelang es dieser Gruppe, ein Instrument für die Implementierung der Methodik zu finden.

Vision und Mission

Ein zentrale Herausforderung in der „Life Sciences"-Industrie ist die Reduzierung der „time to market". Die Nutzung bereits vorhandenen Wissens kann dabei zu einem wichtigen Faktor werden. Momentan vergehen durchschnittlich 11,3 Jahre vom Beginn der Forschungstätigkeit bis zur Markteinführung eines neuen Produktes. Dem stehen Kosten von ungefähr 500 Millionen US$ gegenüber. Jeder Tag, um den die Markteinführung verzögert wird, bedeutet einen entgangenen Umsatz von etwa einer Million US$. Diese Rahmenbedingungen machen deutlich, wie wichtig die Förderung und Systematisierung interner Wissensteilung ist.

Wissensteilung geschah bei NOVARTIS traditionell im Rahmen sogenannter „Champion Communities". Dieser Ausdruck bezieht sich auf eher informelle Treffen – bei einer Tasse Kaffee oder einem Bier am Abend – bei denen Mitarbeiter von der Arbeit sprachen und Informationen austauschten. Die berufliche Neugier von Wissenschaftlern führt generell zu einem positiven Klima für Wissensteilung. In einem internationalen Unternehmen mangelt es jedoch häufig an Möglichkeiten zur Begegnung, weshalb man sich bei NOVARTIS entschied, virtuelle Links zur Verbesserung der Wissensteilung bereitzustellen.

Das Wissensmanagement-Programm bei NOVARTIS zielt auf die Umwandlung von akkumuliertem, brachliegendem Wissen in ein Aktivum des Unternehmens ab. Die Verwertung vorhandenen Wissens über organisationale Barrieren hinweg soll vor allem durch die folgenden Schritte erreicht werden:

- Bereitstellung von einfachem und schnellem Zugriff auf eine globale Wissensbasis,

- Eliminierung von zeitlichen und räumlichen Zwängen in der Kommunikation sowie

- Motivierung der Mitarbeiter zur intensiveren Teilung von Wissen.

Um das notwendige Wissen möglichst systematisch auszuschöpfen wurde bei NOVARTIS ein „Science Board" aus führenden Wissenschaftlern gebildet. Dieses Gremium hat vier Hauptaufgaben:

- Ermöglichung des Wissenstransfers,

- Beobachtung neu aufkommender Technologien und Sponsoring neuer Projekte,

- Unterhaltung und Förderung von Netzwerken unter Gleichgesinnten sowie

- Pflege externer Kontakte zu Universitäten, Beratern und anderen Institutionen.

Zur Erfüllung dieser Aufgaben verfügt das Science Board über ein umfangreiches Budget, welches momentan in erster Linie zur Finanzierung neuer Technologieprojekte verwendet wird.

Knowledge MarketPlace

Ein wesentliches Instrument des Wissensmanagements bei NOVARTIS ist die Einführung des sogenannten „Knowledge MarketPlace". Diese Initiative umfaßt drei miteinander verbundene Instrumente: Die „Yellow Pages" verzeichnen die internen Experten, die „Blue Pages" externe Experten. Das „Virtual Forum" schließlich ist ein Diskussionsforum in Form einer Newsgroup. Plattform dieser Instrumente sind das unternehmensweite Intranet sowie ein Lotus-Notes-System, das man bei Sandoz schon vor der Fusion eingeführt hatte.

Der NOVARTIS-Manager Paul Sartori definiert den Knowledge MarketPlace als „ein Mittel, das es Mitarbeitern erlaubt beizutragen, teilzunehmen, Einfluß zu nehmen und ihre eigene Zukunft zu gestalten. Wissensteilung ist ein Bestandteil jedes Jobs. Die wirklichen Assets von NOVARTIS sind die intellektuellen Fähigkeiten unserer Mitarbeiter. Wie wir diese anzapfen und auf welche Weise wir deren Entwicklung ermöglichen ist die Basis, auf der wir uns von anderen Firmen differenzieren".

Die drei Elemente des Knowledge MarketPlace greifen ineinander. Im Virtual Forum finden beispielsweise Gruppendiskussionen über spezifische Themen statt. Jemand eröffnet eine Diskussion, worauf interessierte Personen zum jeweiligen Thema Stellung nehmen können. Dadurch entsteht eine internationale Bibliothek mit Informationen zu den verschiedensten Themen. Um ein Thema weiterzuverfolgen und zu entwickeln, können die Teilnehmer den entsprechenden Kollegen auch direkt per E-Mail oder Telefon kontaktieren. Der NOVARTIS-Executive Hannon unterstreicht die Rolle dieses Instruments: „Das enorme Potential des Forums ist offensichtlich. Es wird einen Paradigmenwechsel darüber geben, wie man innerhalb von NOVARTIS Informationen austauscht und Wissen teilt. [...] Durch den Austausch im Virtual Forum kommen wir schneller an Expertenwissen heran, als dies früher möglich war. Wir geben dann unsere neuen Erkenntnisse über das Virtual Forum an andere mit den gleichen Problemen weiter".

Die „Blue Pages" und „Yellow Pages" bilden komplementäre Instrumente zur Förderung der Wissenstransparenz. Die in den „Blue Pages" verzeichneten externen Personen und Institutionen haben NOVARTIS außergewöhnlichen Service geboten und werden deshalb für weitere Projekte empfohlen. Die Profile dieser externen Experten werden von den Teilnehmern am Knowledge MarketPlace eingegeben.

Die Einträge in den „Yellow Pages" – dem Verzeichnis interner Experten – sind nach Name und persönlicher Expertise aufgelistet (siehe Abbildungen 68 und 69). Jeder Mitarbeiter bei NOVARTIS ist eingeladen, sein persönliches Profil in ein strukturiertes, elektronisches Formular einzugeben. Diese Informationen können dann von anderen Teilnehmern eingesehen werden. Die „Yellow Pages" zielen darauf ab, eine „Virtual Champion Community" zu kreieren. Einträge in die „Yellow Pages" umfassen die folgenden Kategorien:

- Standort im Unternehmen (Telefonnummer, Ort),

- beruflicher Hintergrund,

- spezielle Aktivitätsfelder,

- praktische Erfahrung,

- Ausbildung.

Dieses Instrument erlaubt allen Mitarbeitern, die Informationen zu einem speziellen Thema oder Fachbereich benötigen, eine automatische Suche nach Schlagwörtern oder ganzen Sätzen durchzuführen. Sobald der richtige Ansprechpartner gefunden ist, können Kontaktaufnahme und Wissensteilung mit dieser Person erfolgen. Der große Unterschied zwischen den „Yellow Pages" und einem normalen Unternehmensverzeichnis besteht darin, daß jene dezentral erstellt werden. Dr. Staeheli, Officer of the Science Boards und verantwortlich für den Knowledge MarketPlace, betreut die Yellow Pages allein. Dies illustriert das Prinzip der Selbstverantwortung der Mitarbeiter, das bei NOVARTIS wichtiger Bestandteil der Führungskultur ist. Bezüglich der „Yellow Pages" bedeutet dies:

- Jeder Mitarbeiter entscheidet selbst, ob er sich in die „Yellow Pages" einschreiben und sein Profil angeben möchte.

Eingabeformular Yellow Pages

General Data

First Name(s): _____   Street: _____

Last Name: _____   ZIP: _____

Company: _____   City: _____

Department: _____   Country: _____

Phone: _____   Fax: _____

                                      E-mail: _____

1. Technological / Methodological Knowledge / Expertise / Skills

Please describe hereafter in a narrative manner the characteristics of the expertise you have gained by education and during your professional career. Users tracking information in „The Yellow Pages" will employ the „Search" function with a key word search. Therefore, in your description you should apply those key words you would like to be found in a „Search".

Where possible, please avoid acronyms and abbreviations unless previously providing an explanation.

```
_____
_____
_____
_____
_____
_____
_____
_____
```

2. Goals of Current / Most-Recent Assignments

Current and most-recent assignments are another indicator of your professional skills. Rather than listing project names, the goals and achievements of your assignments will tell much more to a colleague who is trying to identify a discussion partner.

Where possible, please avoid acronyms and abbreviations unless previously providing an explanation.

```
_____
_____
_____
_____
_____
_____
_____
_____
```

Abbildung 68: Eingabeformular Yellow Pages

3. Domain, Sub-domain, Area, and Expertise Level

Please now categorize your predominant expertise initially in brief by selecting the most appropriate keywords from the following areas

- Analytical Science
- Biological Science
- Chemical Science
- Facility Development & Engineering
- Health, Safety & Environment
- Information, Computational Technology
- Management & Business Administration
- Markets
- Material Science
- Medical Science
- Processing Technologies
- Product Application & Trials
- Registration & Certification
- Sourcing & Supply

and then characterize it specifically with your free-text entry below.

Subsequently, you are asked to assign the corresponding „Level of Expertise" on the different areas you may have an expertise level.

| | Area 1 | Area 2 | Area 3 |

- Recognized expert
- Significant experience
- Moderate experience
- Limited experience
- Not yet categorized

The „Domain: Sub-domain" keywords are by definition not aiming to represent organizational structures, e.g. a particular person in R&D might categorize an expertise in the domain „Chemical Science", a second in the domain „Information / Computational Technology", and a third in the domain „Management & Business Administration".

Abbildung 68: Eingabeformular Yellow Pages (Fortsetzung)

4. Unique Equipment / Tools

If you have access to unique laboratory or plant equipment, to unique instruments or if you are employing unique software tools, etc. please describe in brief their characteristics and specifications.

Where possible, please avoid acronyms and abbreviations unless previously providing an explanation.

5. Optional Appendix (Certificates, Qualifications, Memberships, etc.)

Certificates and qualification awards granted by authorities / associations as well as memberships in associations might characterize further aspects of your expertise. Whereas you were kindly required to fill in the boxes above, entries in the following box are purely voluntary.

Where possible, please avoid acronyms and abbreviations unless previously providing an expla-n-ation.

Reminder

To keep the data on this form up to date, you will be asked to revise this form after a period that you can specify yourself.

Remind me every 90   80   360   days to update this form.

Send reminder to: _____

Date: _____

Abbildung 68: Eingabeformular Yellow Pages (Fortsetzung)

Beispiel einer Yellow Page

First Name(s): Joerg
Last Name: Staeheli
Company: Novartis International AG
Department: Corporate Knowledge Mgmt
Phone: +41-61-697-0428

Street: R-1001.4.28
ZIP: CH-4002
City: CH-4002 Basel
Country: Switzerland
Fax: +41-61-697-4027
E-mail: joerg.staeheli@group.novartis.com

Technological / Methodological Knowledge / Expertise / Skills

Consulting in

- Technology Portfolio Management
- Supply Chain Management, Lead-Time Management
- Benchmarking Best Practices
- Value Chain Analysis
- Technology Transfer
- Doing Business on the Internet

Goals of Current / Most-Recent Assignments

Senior Officer Corporate Knowledge Management, Secretary of the Technology Advisory Board

- Host of „The Knowledge Market Place"
- Directs knowledge networking initiatives in order to facilitate full use of knowledge across sector boundaries
- Organizes and conducts knowledge fairs on a scientific / technological topic of group-wide interest
- Initiates and administers Technology Advisory Board (TAB) meetings and monitors progress of funded projects
- Facilitates new and current relations with technology oriented institutions
- Acts as gatekeeper to the „Industrial Liaison Program" at the „Massachusetts Institute of Technology" MIT
- Monitors trends of science / technology applied to productivity, processes and systems, evaluates opportunities, promotes relevant subjects
- Represents Novartis in science / technology oriented organizations

---

Domain	Sub-domain	Area (optional)	Expertise Level
Management & Business Administration	Technology Management	Technology Transfer	Recognized Expert
Management & Business Administration	Organizational Design / Organizational Behavior	Knowledge Management	Recognized Expert

---

Unique Equipment / Tools

Optional Appendix (Certificates, Qualifications, Memberships, etc.)

Remind me every 180 days to update this form.
Send reminder to: Joerg Staeheli/INTERNATIONAL/CHBS/SANDOZ

Abbildung 69: Beispiel einer Yellow Page

- Jeder Mitarbeiter entscheidet, welche Informationen er angeben möchte.

Dieses Vorgehensweise löst unter anderem auch das Problem des Schutzes persönlicher Daten, da jeder Mitarbeiter für die eigenen Daten im System verantwortlich ist. Dr. Staeheli betont ausdrücklich, daß „die Wissensressourcen in die Verantwortung und die Kompetenz jeder einzelnen Person fallen".

Probleme und Hindernisse

Ein wesentliches Problem hinsichtlich der Funktionsfähigkeit des Systems ist das Erzielen einer „kritischen Masse" an Einträgen: Nur wenn eine genügend große Anzahl von Mitarbeitern im System verzeichnet ist, wird ausreichend wahrscheinlich, daß sich zu einer bestimmten Fragestellung entsprechend kompetente Wissensträger finden lassen. Bei einer zu geringen Zahl an Einträgen sinkt der Nutzen des Systems, was wiederum den Anreiz zur Eintragung verringert und somit zu einem Teufelskreis führen kann. Nur bei einer „kritischen Masse" an Einträgen ist eine regelmäßige Nutzung der „Yellow Pages" zur Herstellung und Vermittlung von Kontakten sowie zur Überwindung von funktionalen und geographischen Barrieren bei der Wissensteilung erfolgversprechend.

Bei NOVARTIS blieb der erhoffte Erfolg zu Beginn des Projektes aus. Das wichtigste Ziel war folglich, die Zahl der Mitarbeiter zu erhöhen, die das System nutzen. In einem ersten Schritt wurden die verschiedenen Problemkategorien analysiert, um daraus Lösungsvorschläge abzuleiten. Dabei ließen sich zahlreiche individuelle, kulturelle sowie organisatorische Hindernisse bei der Einführung des Systems ermitteln.

Individuelle Faktoren

Zeitlicher Aufwand

Als potentielle Anwender klagten viele Mitarbeiter darüber, daß sie viel zu beschäftigt seien, um eine intensive Informationssuche via Internet oder Intranet zu betreiben. Als potentielle „Experten" befürchteten sie außerdem, nach ihrer Eintragung in die „Yellow Pages" mit Anfragen überschwemmt zu werden.

Informationsüberlastung

Die Icons für das Virtual Forum, die „Blue Pages" und „Yellow Pages" sind nur drei von beinahe 200, die durchschnittlich auf dem Bildschirm eines NOVARTIS-Mitarbeiter erscheinen. Das Knowledge Management Team hat zwar erreicht, daß seine Icons oben links eingesetzt werden, diese Anordnung kann von den einzelnen Mitarbeitern jedoch geändert werden. Immer mehr Manager beklagen sich über die zunehmende Informationsüberlastung und nehmen eine Abwehrhaltung ein. Dies führt dazu, daß neue Informationsquellen nur noch äußerst selektiv genutzt werden.

Mangelnde Vertrautheit mit der Technologie

Vor allem Mitarbeiter, die mit neuen Informations- und Kommunikationstechnologien nicht sonderlich vertraut sind, empfinden die „Yellow Pages" oft als zu unpersönlich. Sie bevorzugen die persönliche Kommunikation und akzeptieren virtuelle Hilfsmittel nur ungern. Das Intranet kann den informellen Informationsaustausch in der Kaffeepause also nicht vollständig ersetzen.

Erwartungsdruck

Viele Mitarbeiter scheuen sich davor, sich selbst als Experten zu deklarieren. Eine solche Angabe beinhaltet eine implizite Verpflichtung: Wer Experte ist, muß auf gezielte Fragen sichere Antworten geben können. Die Furcht, bei eventuellen Anfragen etwas nicht zu wissen, hindert viele Mitarbeiter daran, ihre Daten für das System zur Verfügung zu stellen.

Kulturelle Faktoren

Zweifel an der Informationsqualität

Es gibt keine offizielle Qualitätskontrolle für die Informationen von selbsterklärten Experten. Potentielle Nutzer zweifeln daher tendenziell an der Zuverlässigkeit solcher Informationen, was die Nutzung der „Yellow Pages" negativ beeinflußt.

Spätfolgen der Fusion

Viele Mitarbeiter sind sich im Unklaren, ob bei NOVARTIS allgemein eine Kultur der Wissensteilung und des Wissensmanagements gepflegt wird. Die Tatsache, daß der Konzern aus zwei ursprünglich rivalisierenden Unternehmen entstanden ist, bestärkt diesen Verdacht und weckt Zweifel bezüglich der tatsächlichen „Wissenskultur" der neu entstandenen Organisation. Darüber hinaus besteht im Zuge der Fusion eine weitverbreitete Furcht vor dem Verlust des Arbeitsplatzes. Dieses Klima ist der Wissensteilung generell abträglich. Basierend auf dem Prinzip „Wissen ist Macht" tendieren viele Mitarbeiter dazu, ihr Wissen zu horten, um ihre eigene Position zu untermauern.

Organisatorische Faktoren

Entlohnungssystem

Die Lohnsysteme bei NOVARTIS richten sich nach den verschiedenen Sektoren. Die Anreize zur Wissensteilung zwischen verschiedenen Sektoren sind somit sehr gering. Zwar erhielt jeder neue Nutzer des Systems ein kleines Geschenk, doch kann diese Form des Anreizes eine dauerhafte effektive Nutzung nicht sicherstellen.

Kundenorientierung

Das Projekt leidet daran, daß vor seiner Lancierung keine explizite Marktforschung betrieben wurde. Folglich ist nicht bekannt, ob die eingeführten Instrumente den Bedürfnissen der Mitarbeiter entsprechen. Außerdem wurde versäumt, die Zielgruppe potentieller Anwender klar zu definieren.

Mangelnde Unterstützung des Topmanagements

Obwohl das Projekt vom Topmanagement für gut befunden wurde, gelang es weder, diese Unterstützung gegenüber den Mitarbeitern zu kommunizieren, noch wurden die für eine erfolgreiche Projektrealisierung notwendigen personellen Ressourcen budgetiert. Im Ergebnis werden die Senior Managers, die das Projekt führen, mit vielen nebensächlichen Aufgaben belastet.

Lösungsansätze

Dezentralisierung

Generell scheint der Versuch einer zentralen Koordination des Wissensmanagements bei NOVARTIS an seine Grenzen zu stoßen. Dezentralisierung, beipielsweise durch die No-

minierung eines ehrenamtlichen „Knowledge Officers"
in jeder Abteilung, könnte einen Ansatzpunkt zu einer
breiteren Unterstützung der Wissensmanagement-Aufgaben bieten. Ein solcher „Knowledge Officer" könnte
auf persönlicher Basis die Aufmerksamkeit der Kollegen
wecken. Trainings- und Koordinationsaufgaben würden
dadurch selbstverständlich nicht ersetzt. Diese könnten
weiterhin zentral von Dr. Staeheli und seinem Team
übernommen werden. Zusätzlich könnten regionale
Meetings mit Mitarbeitern aus dem mittleren und oberen
Kader die Implementierung von Knowledge Management fördern.

Anreizsysteme

Der Anreiz, durch Wissensteilung zu besseren Leistungen zu gelangen, sollte von selbst eine gewisse Wirkung
haben. Daraus ergibt sich die Aufgabe, den potentiellen
Nutzen des Systems für den einzelnen Mitarbeiter zu
kommunizieren. Zusätzlich besteht die Möglichkeit, ein
System von monetären und nicht-monetären Anreizen zu
schaffen. Ehrenamtliches Engagement – beispielsweise
als „Knowledge Officer" einer Abteilung – muß im Lei-
stungsbeurteilungssystem der Mitarbeiter unbedingt
berücksichtigt und entsprechend honoriert werden.

Kommunikation

Mit Hilfe der internen Marketing- und Kommunikations-
abteilungen sollte es möglich sein, eine gezielte Werbe-
kampagne für Wissensmanagement-Aufgaben einzuleiten. Ein Schwerpunkt könnte auf dem Virtual Forum liegen: Es ist interaktiv und kommt der menschlichen
Kommunikationsfreude stärker entgegen als beispielsweise die eher statischen „Yellow Pages". Viele Mitarbeiter fürchten sich vor erhöhtem zeitlichen Aufwand
und zunehmender Informationsüberlastung. Durch
Kommunikation müßte es gelingen, ihnen klarzuma-

chen, daß die beschriebenen Instrumente gerade die individuelle Informationsbeschaffung wesentlich erleichtern können. Wenn Mitarbeiter in einem internen System Kontakte und Informationen abrufen können, vereinfacht dies ihre Aufgabe. Bei den beschriebenen Instrumenten herrscht zudem eine Holschuld, so daß Informationsüberlastung weitgehend vermieden werden kann.

Wissen praktisch bei HOLDERBANK

Eine schneller lernende Organisation

HOLDERBANK – ein Kurzprofil

Der Schweizer Zementhersteller HOLDERBANK wurde im Jahr 1912 im gleichnamigen Dorf im Schweizer Kanton Aargau gegründet. Von seinen bescheidenen Anfängen entwickelte sich das Unternehmen zum globalen Netzwerk und größten Zementhersteller der Welt.

Die HOLDERBANK-Gruppe ist weltweit in über 60 Ländern tätig. Mit ihren mehr als 100 Zementproduktionsstätten bringt sie es auf einen Nettoumsatz von 11 265 Millionen CHF und einen Gewinn von 4 210 Millionen CHF (1997). Zum Produktsortiment gehören Zement, Klinker und verwandte Gemische. Außerdem bietet das Unternehmen Beratungs- und Ingenieurleistungen für den gesamten Produktionsprozeß im Bereich Zement an.

Dank eines gut ausgeglichenen Unternehmensportfolios hat HOLDERBANK eine starke Marktstellung nicht nur in den größten Industrienationen, sondern auch in den aufstrebenden Märkten Lateinamerikas, Afrikas und Asiens. Die dezentralisierte Struktur der Gruppe, verbunden mit einer klar definierten Gruppenstrategie, verleiht den Einzelgesellschaften einen hohen Grad an Autonomie und operativer Flexibilität: Entscheidungen werden unternehmerisch getroffen, so daß alle Handlungen Kunden- und Markterfordernissen genügen müssen. Die Gruppe versucht, das weltweit gewonnene Know-how global einzusetzen. Dabei erfüllt die HOLDERBANK MANAGEMENT CONSULTING (HMC) als Service-Center eine Schnittstellenfunktion bei der Förderung des gruppenweiten Wissensaustauschs innerhalb der Holding.

Die HOLDERBANK *Holding*

Angesichts der globalen Präsenz von HOLDERBANK stellt sich die Frage der Koordination vieler unterschiedlicher Interessen. Aufgrund langjähriger Erfahrungen wurde die Gruppenstruktur nach zwei Elementen ausgerichtet: Funktionen und Geographie. HOLDERBANK ist durch lokale Unternehmen, die in jedem Land unter anderem Namen operieren, vertreten. Diese lokalen Unternehmen koordinieren alle Produktionsstätten ihrer Region und werden von lokalen Führungskräften gemanagt. Als Konsequenz dieser dezentralen Struktur erstreckt sich die Kontrolle weitgehend auf Finanzresultate, so daß die lokalen Führungskräfte eine große Autonomie genießen.

Resultat der weltweiten Aktivitäten und Akquisitionspolitik von HOLDERBANK ist eine ungeheure Vielfalt: Vielfalt durch unterschiedliche Märkte, unterschiedliche Unternehmenskulturen und unterschiedliche nationale Kulturen. Diese Vielfalt wurde bislang immer als Vorteil gewertet, bietet sie doch die Möglichkeit, „den spezifischen Geschmack jedes Marktes wahrzunehmen und einen großen Schatz an Expertise in verschiedenen Umfeldern anzuhäufen", wie eine Führungskraft sagte.

Andererseits sucht HOLDERBANK unaufhörlich den „Klebstoff", der die vielfältigen Unterschiede zusammenhält und sie nutzbar macht. Um dieses Ziel zu erreichen und die Expertise der Mitarbeiter zu fördern, hat HOLDERBANK ein groß angelegtes Trainingsprogramm entwickelt, das sich durch alle Hierarchieebenen, alle Funktionen und Länder zieht. Mit diesem Programm sollen die Kompetenzen der Mitarbeiter verbessert und einige gemeinsame Arbeitsmuster als „gemeinsame Sprache" geschaffen werden. Teilnehmer des Programms tauschen bei Trainings Erfahrungen aus und konstituieren ein internationales Beziehungsnetzwerk.

HOLDERBANK MANAGEMENT CONSULTING LTD.

Die HOLDERBANK MANAGEMENT CONSULTING LTD. (HMC)
ist ein zentrales Instrument dieser neuen Entwicklungsstra-
tegie. Unterstützt von der Geschäftsführung der Gruppe ist
der Wissensaustausch innerhalb der Holding ein Haupt-
anliegen von HMC und ihren 320 hochqualifizierten Mitarbeitern. Des weiteren spielt HMC eine wichtige Rolle
bei der Entwicklung und Durchführung von Trainings,
Workshops und Managementseminaren. Laut ihrer Führungskräfte möchte HMC die Rolle eines „Know-how-Bro-
kers" für die Holding erfüllen. In diesem Sinne fördert HMC
mit Hilfe moderner Technologien wie virtuellen Konferenzen, Gelbe Seiten oder Praxisdatenbanken den Austausch
zwischen Führungskräften verschiedener Länder. Im Bewußtsein, daß diese Werkzeuge allein nicht ausreichen, um
Beziehungen aufzubauen, finden Managementtreffen oder
persönliche Treffen bei internationalen Seminaren statt. Die
dort praktizierte informelle Lernatmosphäre verstärkt das
Gefühl des Vertrauens, welches zur Schaffung eines Wis-
sensnetzwerks innerhalb der Gruppe unerläßlich ist.

Die schneller lernende Organisation

Im Bewußtsein, daß HMC als „Know-how-Broker" zwischen den verschiedenen Partnern in der Holding agiert,
wird im folgenden dargestellt, wie die Identifikation und
Weitergabe von Wissen konkret abläuft. Aus der wachsenden Komplexität, Dynamik und Wettbewerbsinten-
sität der Zementindustrie resultieren für HOLDERBANK
eine Reihe konkreter Probleme:

● Ökologische Chancen und Gefahren
  Zunehmend zwingen regulatorische Maßnahmen die
  Unternehmen dazu, gefährliche Gasemissionen zu reduzieren, was den Gewinn durch die daraus anfallen-
  den Kosten schmälert. Durch die Entwicklung einer

neuen Technologie zur Reduktion der Emissionen könnte ein Unternehmen einen wichtigen Wettbewerbsvorteil gegenüber der restlichen Industrie erlangen.

- Gesättigte Märkte versus Wachstumsmärkte
  Es wird immer wichtiger, die Wachstumsmärkte zu identifizieren und dort eine starke Präsenz aufzubauen, um den Erfolg für die Zukunft zu sichern. Eine dominierende Position in gesättigten Märkten reicht nicht mehr aus.

- Globale und regionale Aufsteiger
  Viele lokale Wettbewerber agieren schneller als HOLDERBANK und werden wichtige Mitstreiter auf dem Weltmarkt.

HOLDERBANKs Ziel ist nachhaltiger Erfolg, das heißt: die effizienteste Baumaterialgruppe der Welt zu bleiben. Dies kann nur durch motivierte Mitarbeiter mit überdurchschnittlichen Fähigkeiten erreicht werden. Das Unternehmen betrachtet seine Mitarbeiter daher als wichtigen Wettbewerbsvorteil. In diesem Sinne wird Wissen als Unternehmensaktivum eingestuft. Um den Wettbewerbsvorteil behalten zu können, ist konstantes Lernen notwendig. Eine lernende Organisation richtet sich aus auf:

- systematische Problemlösung,
- Experimentieren mit neuen Ansätzen,
- Wissenstransfer innerhalb der ganzen Organisation,
- Lernen aus eigenen Erfahrungen und der eigenen Geschichte sowie
- Lernen von Erfahrungen/Best Practices anderer Firmen.

In der Vergangenheit waren der Zugang zu Technologie und Kapital die kritischen Erfolgsfaktoren in der Zementindustrie. In Zukunft werden Innovationsgeschwindigkeit und Reaktion auf Marktveränderungen bestimmend sein. HOLDERBANK realisierte, daß schnelleres Lernen zur Unterstützung der dezentralen Organisation unabdingbar wurde. Die langsame Implementierung von Entscheidungen auf lokaler Ebene war nicht mehr tolerierbar. Herr Baumgartner, Chef des Corporate Trainings bei HMC, meint dazu: „Warum sollten wir das Rad immer wieder neu erfinden und jeweils die gleichen Fehler machen, wenn das Wissen bereits im Unternehmen vorhanden ist und nur geteilt werden muß?" Für das Management stellte sich somit die Frage: „Wie können wir Verhaltensveränderungen der Mitarbeiter beschleunigen, damit diese ihr Wissen untereinander teilen?" Als Resultat dieser Fragestellung wurde auf dem Treffen der HOLDERBANK-Gruppe 1995 in Davos, Schweiz, das neue Trainingskonzept „HOLDERBANK – eine schneller lernende Organisation" eingeführt.

HMC wurde die schwierige Aufgabe übertragen, dieses Konzept zu implementieren. Zur Umsetzung der schneller lernenden Organisation muß Lernen auf drei Ebenen stattfinden:

- Unternehmens- und gruppenweites Lernen
  Lernen soll durch den Wissensaustausch von Individuen innerhalb der Tochtergesellschaften und den Wissensaustausch zwischen Tochtergesellschaften stattfinden. Dies soll durch die Multiplikation von Best Practices und die Bildung eines unterstützungsfreudigen Umfelds erreicht werden.

- Lernen im Team
  Lernen soll durch den Wissensaustausch innerhalb und zwischen Teams eines Tochterunternehmens stattfinden.

- Individuelles Lernen
  Jeder Mitarbeiter soll aus den eigenen Erfahrungen lernen, diese den Kollegen mitteilen und selber von den Erfahrungen der Kollegen lernen.

Die Interaktion zwischen diesen drei Ebenen des Lernens soll zu einer stärkeren Lernkultur und konsequenterweise zu einer schneller lernenden Organisation führen. Das Herzstück dieses Prozesses ist die Identifikation von Best Practices. Was aber sind Best Practices?

Best Practices

Best Practices lassen sich charakterisieren als (1) praktische Fragen bezüglich Technologie oder Management, oder (2) Praktiken bezüglich des Verhaltens von Menschen. In diesem Sinne geht es nicht nur um Praktiken an sich, sondern auch um Methoden und strukturierte Ansätze zur Identifikation von Wissen auf unternehmensweiter, lokaler und individueller Ebene. Ziel ist es, sehr erfolgreiche Praktiken oder Methoden, die in einer Tochtergesellschaft entwickelt und angewandt wurden, anderen Tochtergesellschaften der Gruppe zugänglich zu machen, um damit „das Wiedererfinden des Rades" zu vermeiden.

Der Fokus einer neuen Initiative liegt auf der schnelleren Multiplikation von Best Practices. HMC hat ein strukturiertes Programm zur Erfassung von Best Practices entwickelt, das in vier Schritte gegliedert ist (siehe Abbildung 70).

Schritt 1	Schritt 2	Schritt 3	Schritt 4
Best Practice (BP) finden	BP beschreiben	BP transferieren	BP institutionalisieren
Gebiet mit überdurchschnittlicher Leistung lokalisieren, um Fokus und Verbesserungspotential zu definieren	BP ausreichend beschreiben und dokumentieren	geeignetes Transfermodell	Prozeß an anderen Standorten wiederholen

Abbildung 70: Erfassung von Best Practices

HMC wendet grundsätzlich zwei Werkzeuge an, um Best Practices zu identifizieren (Schritt 1) und zu beschreiben (Schritt 2):

- In einer Feldforschung gehen Mitarbeiter der HMC zu den einzelnen Holdingunternehmen und wenden verschiedene Untersuchungsmethoden wie Interviews und die Lernmatrix an.

- In Workshops kommen Mitarbeiter aus verschiedenen Tochtergesellschaften und Hierarchiestufen zusammen, um Lösungen für bestimmte Probleme zu finden.

HMC greift hierzu auf die Hilfsmittel „Identifikation ungeschriebener Regeln" und „Lernmatrix" zurück. Diese werden bei HOLDERBANK für das unternehmensinterne Lernen eingesetzt und stellen die Grundlage für Best Practices (gruppenweites Lernen) dar.

Identifikation ungeschriebener Regeln

In jedem Unternehmen gibt es sogenannte ungeschriebene Regeln, die das Verhalten von Menschen beeinflussen. Sie existieren parallel zu den vom Management herausgegebenen geschriebenen offiziellen Regeln. Da es sich dabei um informelles Wissen darüber handelt, „wie der Laden wirklich läuft", sind diese Regeln schwer erfaßbar. Sie entstehen durch die Interaktion der Mitarbeiter, durch die von ihnen gemachten Erfahrungen und durch das Handeln der Vorgesetzten. Sie sind kulturell bedingt und können teilweise kaum erkannt werden. Man unterscheidet daher auch zwischen offiziellen und versteckten Realitäten.

Ungeschriebene Regeln werden per se weder als gut noch als schlecht betrachtet. Sie werden identifiziert, um die versteckten, aber mächtigen Realitäten aufzudecken, die gegebenenfalls Veränderungen im allgemeinen und Lernfortschritte im besonderen behindern. Abbildung 70

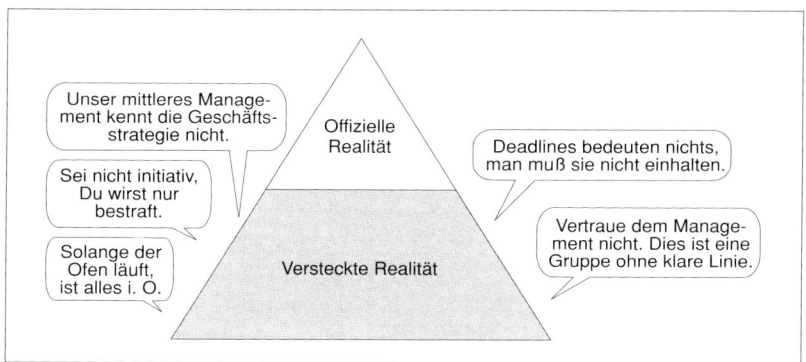

Abbildung 71: Ungeschriebene Regeln und versteckte Realität

macht Beispiele für ungeschriebene Regeln in den Unternehmen der HOLDERBANK-Gruppe deutlich.

Es ist nicht immer klar, wessen Verhalten geändert werden müßte, um diese Lernbarrieren zu überwinden. Um herauszufinden, ob die Barrieren nur innerhalb der einzelnen Unternehmen oder in der ganzen Gruppe existieren, müssen Interviews durch eine dritte Partei durchgeführt werden. Sobald die ungeschriebenen Regeln identifiziert sind, wird versucht, die Gründe für diese Regeln zu erforschen. Dabei wird der Einfluß der ungeschriebenen Regeln auf das Handeln der Gruppe, der Tochterunternehmen, der Teams und der Individuen erörtert.

Die Lernmatrix

Die Lernmatrix wird zur Strukturierung der Lernbedürfnisse und -aktivitäten herangezogen. Der Vergleich zwischen dem gewünschten Endzustand und der bestehenden Realität dient dazu, die potentiellen Lernlücken aufzudecken. Die Lernbedürfnisse werden dann analysiert, nach ihrer Wichtigkeit geordnet, in Cluster zusammengefaßt und schließlich befriedigt, indem spezifische Lern- und Entwicklungsaktivitäten umgesetzt werden.

Schritt	Individuum	Team	Unternehmen	Ganze Gruppe
Vision				
Geschäftsstrategie				
Geschäftsprozedur				
Prozeduren				

Abbildung 72: Lernmatrix bei HOLDERBANK

Für den Transfer (Schritt 3) und die Institutionalisierung (Schritt 4) des Wissens verwendet HOLDERBANK unterschiedliche Methoden und Instrumente. Dabei unterscheidet das Unternehmen zwischen Face-to-face-Methoden und technologiebasierten Instrumenten.

Face-to-face-Methoden	Technologiebasierte Instrumente
Kompetenzzentraum: Besteht aus Gruppen von Experten, welche den Transfer und die Institutionalisierung von Best Practices unterstützen. Ein Kompetenzzentrum existiert beispielsweise bereits in Mexiko. Ziel ist es, anderen bei der Implementierung von erfolgreichen Prozessen und Prozeduren zu helfen.	**Virtuelles Klassenzimmer:** Lernnetzwerke für Diskussionen und Interaktion mit Kollegen und Kursleitern über Distanzen hinweg. Die Interaktion zwischen den Experten erfolgt durch elektronische Konferenzen.
„Wanderndes" Wissen oder internationaler Transfer von Mitarbeitern: Expatriates agieren als Wissensüberträger und Integratoren.	**Computer Tools:** Simulatoren, computerbasiertes Training, CD-ROMs unterstützen den gruppenweiten Transfer von Kernwissen.
Internationale Seminare: Networking und persönlicher Wissenstransfer sind HOLDERBANKS Hauptmethode zum Transfer von Praktiken und Expertisen.	**Datenbank mit hilfreichen Praktiken:** „wer" hat „was", „wann", „wo" und „wie" gemacht?
Gegenseitige Besuche: Systematisches Verfahren zur Identifikation und Kommunikation von strategischen und operativen Informationen.	**Audiovisuelle Hilfsmittel:** Beschreibung und Transfer von hilfreichen Praktiken.

Abbildung 73: Methoden und Instrumente für den Wissenstransfer

„Informationstechnologie kreiert die Infrastruktur zum Wissenstransfer, doch es sind die Menschen, die Leben in das Gruppenlernen bringen", sagte ein Mitarbeiter. So sieht HOLDERBANK die Verbindung zwischen Technologie und persönlichen Kontakten. In einer Zeit, in der viele Unternehmen elektronische Anwendungen zur Einsparung von Reisekosten einsetzen, investiert HOLDERBANK viel Geld, um die Mitarbeiter zum Erfahrungsaustausch zusammenzubringen.

Doch trotz der Identifikation von Best Practices sieht sich das Unternehmen vor drei zentrale Hürden gestellt, die den Lernprozeß verlangsamen. Diese Hürden sind die Kultur, der Managementstil und die Organisationsstruktur. Diese lassen sich nur durch eine veränderte Unternehmenskultur überwinden, in der das Teilen von Wissen akzeptiert und gefördert wird.

Anfänglich hatte HOLDERBANK von allen Tochtergesellschaften die Angabe von jeweils drei Best Practices verlangt, welche diese in ein globales System eingeben mußten. Diese Best Practices wurden jedoch meist sehr oberflächlich beschrieben und wurden von den Tochtergesellschaften weltweit kaum benutzt oder ergänzt. Deshalb wendet HOLDERBANK jetzt einen neuen Weg zur Realisierung eines Systems für globale Best Practices an: In einem ersten Schritt werden die Best Practices nur auf nationaler Ebene ausgetauscht, da dort die persönlichen Kontakte stärker und die Mitarbeiter daher eher zu einem Wissensaustausch bereit sind. Bei der Erstellung der Best Practices wird zudem stark auf die Qualität geachtet. In einem weiteren Schritt werden die Best Practices regional ausgetauscht, um so die Bereitschaft zum globalen Austausch aufzubauen.

Unternehmensinternes und gruppenweites Lernen bei HOLDERBANK

Die folgenden drei Fälle illustrieren, wie HOLDERBANK die schneller lernende Organisation konkret verwirklicht. Der erste Fall beschreibt eine Lernsituation innerhalb einer Tochtergesellschaft, die beiden anderen Beispiele beziehen sich auf interorganisationales Lernen zwischen den Tochtergesellschaften der Gruppe.

Unternehmensinternes Lernen

HISALBA SA

Die spanische HOLDERBANK-Tochter HISALBA besteht aus drei Zementfabriken und diversen Terminals in Südspanien. Die Fabrik in Jerez wurde aufgrund ihrer strategischen Lage gewählt. Die Stätte hatte jedoch vergleichsweise hohe Produktionskosten und problematische Beziehungen zu den Gewerkschaften.

Die Clusterbildung am Standort Südspanien bot enorme Synergiepotentiale bezüglich Marktanteil, Unterhaltskosten, Managementstrukturen und Personal. Um diese Synergiepotentiale im Sinne eines Prototyps in der Fabrik in Jerez zu realisieren, wurde ein Corporate-Training-Team nach Spanien geschickt. Sein Auftrag war es, die Leistung zu verbessern, ein unternehmensspezifisches Lernprogramm zu entwickeln und konsequent die Synergien zu nutzen. Dafür mußten aber zuerst die Einstellungen und die Verhaltensweisen der Mitarbeiter geändert werden. Es hatte sich in persönlichen Interviews und informellen Gesprächen zwischen dem Corporate-Training-Team und HISALBA-Mitarbeitern herausgestellt, daß es tief verwurzelt in der Unternehmenskultur HISALBAS Hindernisse gab, die einer Umsetzung von Lernfortschritten hinderlich waren. Diese „ungeschriebenen Regeln" – in der Terminologie HOLDERBANKs – beeinfluß-

ten das Verhalten der Mitarbeiter maßgeblich und
blockierten eine nachhaltige Verbesserung.

Realisierung des schnelleren Lernens bei HISALBA

Eine ungeschriebene Regel bei HISALBA lautete beispielsweise: „Belaste Deine Schichtkollegen nicht mit
Arbeit". Zudem herrschte die Einstellung, daß „Schichten starke Familien sind" und „die Arbeiter den Kollegen
in der Schicht und nicht dem Unternehmen verpflichtet
sind". Als Konsequenz des mangelnden Informations-
und Wissensaustausches zwischen den Schichten war bei
einem Schichtwechsel die Information über den Zustand
der Geräte nur unvollständig, was zu Feuerwehrübun-
gen, hohen Unterhaltskosten und unnötigen Ausfallzei-
ten führte.

Die Skepsis zu Beginn des Lernprogramms war groß,
der Prozeß lang und voller Hindernisse. Anonyme Kom-
mentare wie „was die wirklich wollen, ist unser Gehirn
waschen, um uns zu Dingen zu zwingen, die unsere Arbeitssituation verschlechtern" brachten das Mißtrauen
zum Ausdruck. Zu Beginn forderte der Betriebsrat die
Arbeiter gar zur Verweigerung der Teilnahme am Projekt
„schneller lernende Organisation" auf.

Die Erkenntnisse aus informellen Gesprächen und den
Interviews mit dem Corporate-Training-Team wurden
vom Team aufgearbeitet und in Sitzungen mit dem Management und dem Arbeiterkomitee eingebracht. Nach
mehreren solchen Treffen hatte man eine bedeutende
Anzahl an Lernbedürfnissen identifiziert und priorisiert.

Basierend auf der Analyse der Lernbedürfnisse wurden
bei HISALBA vier Projekte gestartet. Es handelte sich um
die Verbesserung des Managementstils, die Stärkung der
Unternehmensidentität, die Erhöhung der Kundenorientierung und die Einführung eines systematischen Trainings auf allen Ebenen.

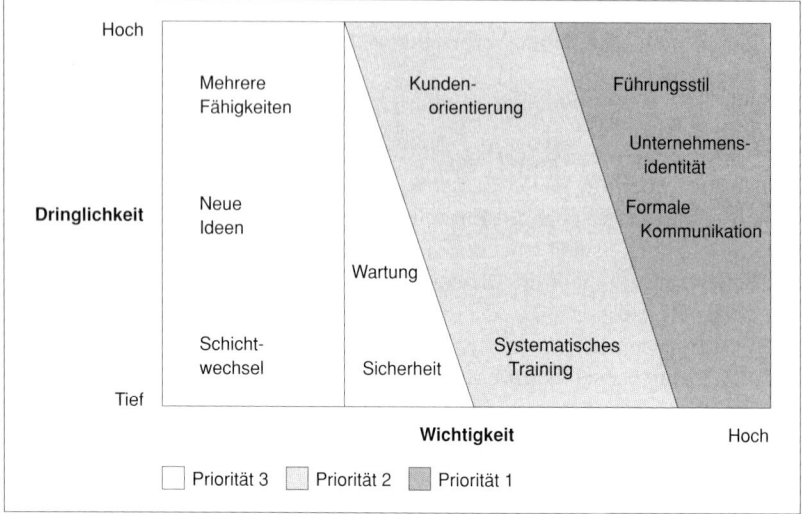

Abbildung 74: Lernbedürfnisse HISALBA

Nach einem Jahr konnten erste Verhaltensänderungen festgestellt werden. Die Projektinitiativen schafften Vertrauen zwischen Management und Mitarbeitern. Die Zusammenarbeit zwischen Arbeiterkommitees und dem Fabrikmanagement nahm zu, die Fabrikarbeiter begannen freiwillig und selbständig Probleme zu analysieren sowie Lösungsvorschläge zu machen. Der ganze Prozeß wurde sowohl vom Topmanagement als auch von den Gewerkschaften unterstützt.

Die gelernten Lektionen oder „lessons learned" aus diesem ersten Projekt waren:

● Das Explizitmachen und Überwinden der ungeschriebenen Regeln stellt die größte Herausforderung dar.

● Es muß klar und verständlich kommuniziert werden.

● Das Topmanagement muß mit gutem Beispiel vorangehen.

- Das Management muß zuerst die wirklichen Bedürfnisse der Mitarbeiter kennenlernen.

Interorganisationales Lernen in der HOLDERBANK *Gruppe*

Die beiden folgenden Fälle illustrieren das Lernen zwischen den Tochtergesellschaften bei HOLDERBANK. Das Unternehmen kommuniziert diese Erfolgsgeschichten heute mit einem Video, um mit diesen Show-Cases eine Multiplikatorenfunktion auszulösen und weiteren Wissenstransfer zu fördern.

Wissensteilung zwischen Mexiko und Deutschland

HOLDERBANK verfügt in Lägendorf, Deutschland, über eine Produktionsstätte zur Klinkerproduktion, deren Kapazitäten zu Beginn der 90er Jahre nicht mehr zur Befriedigung der Nachfrage ausreichten. So mußten Klinker aus Dänemark und Osteuropa importiert werden. Aus diesem Grund plante das Produktionsteam von Lägendorf den Bau eines zusätzlichen Ofens. Das ganze Projekt wurde auf 154 Millionen DM veranschlagt und wegen der hohen Kosten von der Geschäftsleitung abgelehnt. Die Projektleiter Joachim Patzke und Marian Uwa kamen nach einigen Diskussionen zu dem Schluß: „Wir müssen Wege finden, damit wir die Kosten signifikant reduzieren können. Da viele nicht glauben, daß dies möglich ist, brauchen wir ein überzeugendes Beispiel, mit dem wir alle ins Boot holen können".

Die Deutschen hörten vom Bau eines Ofens in Mexiko nach einem völlig neuen Konzept: dem Stripped-Down-Konzept, nach dem man nur das absolut Notwendigste baut, um eine Produktion zu starten. Silos und andere Lagerkapazitäten, die in der Vergangenheit aus Sicherheitsgründen benötigt wurden, werden nicht mehr gebaut, da diese bei den modernen Technologien und kontrollierten Prozessen gar nicht mehr notwendig sind. Die Mexikaner waren mit diesem neuen Konzept weit voraus und hatten sich in langjähriger Erfahrung ein Wissen erarbeitet, das nun multipliziert werden konnte.

Im April 1993 besuchte daher das Projektteam aus Deutschland zum ersten Mal die mexikanische Fabrik APASCO. Marian Uwa erinnert sich: „Wir wollten duplizieren, was APASCO in Ramos machte. Dank ihres Erfolgs glaubten wir an das Stripped-Down-Konzept. Aber wir hatten immer noch einige Skeptiker in unserem Team. Wir hörten immer wieder, daß die Einhaltung der Umweltvorschriften in Mexiko viel einfacher sei als in Europa, weshalb das Stripped-Down-Konzept in Deutschland nie funktionieren würde".

Vicente Galdeano Bazano, Werksleiter der besuchten Fabrik, meinte: „Wir haben vermutlich eine der profitabelsten Fabriken weltweit: Wir waren eine der Ersten, die einen Neutronenanalysator verwendeten, welcher die Qualität der Produktion absicherte. Gleichzeitig sparten wir Millionen von Dollar ein, indem wir Lagerkapazitäten reduzierten und bauliche Sparmaßnahmen ergriffen".

Marian Uwa kam zu dem Schluß: „Wir waren beeindruckt von der hohen Qualität der technischen Ausrüstung bei APASCO. Sie hatten es nicht mit billiger Ausrüstung versucht, ganz im Gegenteil: Sie hatten die beste Qualität zum besten Preis eingekauft. Es war klar, daß wir dasselbe tun wollten". Schließlich war das Team zu der Überzeugung gelangt, daß in Lägendorf ein Ofen für 115 Millionen DM gebaut werden konnte.

Das Lägendorf-Team baute eine extrem funktionale Fabrik und ließ alle unnötigen Gebäude weg. Aber wie in Mexiko ging es bei der Ausrüstung keine Kompromisse bezüglich der technischen Qualität ein. So konnten nicht nur 33 Millionen DM eingespart werden, sondern die Fabrik wurde sogar noch drei Monate vor Plan fertiggestellt. APASCO wurde damit zur Best Practice für viele andere innerhalb der HOLDERBANK Gruppe.

Nach dem gleichen Muster fand ein Wissensaustausch über das Stripped-Down-Konzept zwischen Mexiko und den USA statt.

Wissenstransfer nach Devil Slide in Utah, USA

Das amerikanische Unternehmen HOLNAM plante die neue Produktionsstätte Devil Slide in Utah:

„Vicente Galdeano und ich trafen uns das erste Mal im Jahr 1990, als APASCO mitten im Bau der Fabrik Ramos Arizpe in Mexiko steckte und ich in der Mitloithan-Fabrik arbeitete. Vicente und einige seiner Kollegen besuchten unsere Fabrik in den USA, um die Organisation und die Abläufe zu besprechen. Im Gegenzug luden sie uns ein, ihre Baustelle zu besuchen. Seither tauschen wir immer Informationen untereinander aus. Als wir mit der Prozeßplanung für eine neue Fabrik in Devil Slide begannen, kontaktierten wir logischerweise Vicente zwecks weiterer Informationen zum Stripped-Down-Konzept. Vincentes Angaben halfen uns bei der Entscheidung bezüglich der Ausrüstung. Dank seines Wissens haben wir in der neuen Fabrik viel Geld gespart. Er verfügte wie kein anderer über Glaubwürdigkeit, weil er bereits in den Bau und Betrieb einer gleichartigen Fabrik involviert war. Sein Interesse und sein Engagement wurden von uns sehr geschätzt" (Barry Lower, Projektleiter Devil Slide).

Umgekehrt äußert sich Vicente Galdeano seinerseits zum Wissens- und Erfahrungsaustausch zwischen Mexiko und den USA:

„In Devil Slide wurden wir zur Kooperation eingeladen und wir tun unser Bestes, um bei einem weiteren HOLDERBANK Erfolg mitzuhelfen. Bei unseren zwei letzten

Treffen zum Stripped-Down-Konzept teilten wir unsere
Erfahrungen bezüglich der Kostenreduktion. In der ersten Woche tauschten wir Konzept und Ideen aus. Später
konzentrierten wir uns auf Details wie technische und
operative Erfahrungen bei APASCO" (Vicente Galdeano).

Rückblickend ist Barry Lower davon überzeugt, daß die
Förderung durch das Topmanagement entscheidend war.
Die Beziehung zu den Mexikanern basierte auf Vertrau-
en, gegenseitiger Offenheit und war ein Prozeß des Ge-
bens und Nehmens. Daraus resultierten signifikante
Einsparungen mit dem Stripped-Down-Konzept.

Diese Beispiele von Wissensteilung sind immer noch
Einzelfälle, bilden aber Teil eines geplanten Prozesses.
Die Aufgabe der HMC war es, das Konzept zu erstellen,
die Mitarbeiter und das Management dafür zu begeistern
und die Tochtergesellschaften miteinander in Kontakt zu
bringen. In der nahen Zukunft möchte HOLDERBANK dieses Verhalten fördern und professionell Wissen tauschen
und transferieren.

Anmerkungen

Anmerkungen zum Vorwort

[1] Die Ergebnisse finden sich bei Probst/Raub/Romhardt (1996).

Anmerkungen zu Kapitel 1 – Herausforderung Wissensmanagement

[1] Vergleiche hierzu: Quinn (1992, 1993) sowie Economist (11.11.1995).
[2] Vergleiche Handy (1990).
[3] Was für das Geschäftsjahr 1993 als Pionierleistung einiger weniger engagierter Vordenker im Geschäftsbereich 'Assurance and Financial Services (AFS)' begann, hat sich inzwischen zu einer 25-seitigen professionellen Broschüre entwickelt (Skandia 1994). SKANDIA unternimmt heute auf der Ebene des gesamten Unternehmens den Versuch, das in den verschiedenen Geschäftsbereichen verborgene intellektuelle Kapital sichtbar zu machen und dessen Entwicklung nachzuzeichnen.
[4] Vergleiche hierzu Badaracco (1991: 17) sowie Arthur Andersen (1996: 7).
[5] Vergleiche Badaracco (1991: 17 ff.).
[6] Diese Angabe macht Badaracco (1991: 28).
[7] Vergleiche hierzu Economist (23.03.1996).
[8] Vergleiche Davis/Botkin (1994). Sie unterscheiden 'knowledge-based products' von 'knowledge-based services'.
[9] Vergleiche zu diesem Beispiel Davis/Botkin (1994).

Anmerkungen zu Kapitel 2 – Die Wissensbasis des Unternehmens

[1] Die betriebswirtschaftliche Diskussion hat sich bisher hauptsächlich auf die Thematisierung von Informationen beschränkt, während „...der Wissensbegriff zum Vorverständnis der Betriebswirtschaftslehre gezählt

(werden kann) und im Sinne des allgemeinen Sprachgebrauchs verwendet wird." Wiegand (1996:166). Eine Präzisierung dieses Vorverständnisses ist daher unverzichtbar. Zur Illustration der Definitionsvielfalt in der betriebswirtschaftlichen Literatur vergleiche Kogut/Zander (1992), Weick/Roberts (1993), Nevis et al. (1995), Machlup (1962), Nonaka (1991), Sackmann (1992), von Krogh et al. (1994), Romhardt (1996).

[2] Abbildung aus Rehäuser/Krcmar (1996:6).

[3] Vergleiche hierzu Glazer (1991): „Data is what comes directly from sensors, reporting on the measurement level of some variable. Information is data that has been organized or given structure – that is, placed in context – and thus endowed with meaning".

[4] Vergleiche hierzu Bohn (1993): „Information tells the current or past status of some part of the production system. Knowledge goes further; it allows the making of predictions, causal associations, or prescriptive decisions about what to do."

[5] Vergleiche hierzu Harrigan/Dalmia (1991).

[6] Diese Angaben macht Tapscott (1996).

[7] Vergleiche zum Fall SAATCHI & SAATCHI die Darstellung in Economist (27.05.1995).

[8] Vergleiche zu diesen Angaben Lester (1996:13).

[9] Vergleiche Drucker (1992), Harrigan/Dalmia (1991).

[10] Für einen Überblick über Theorie und Konzepte des organisationalen Lernens vergleiche Probst/Büchel (1994).

[11] Vergleiche hierzu Leonard-Barton (1995).

[12] Zum Begriff der 'strategic factor markets' sowie zur Abhängigkeit des Unternehmenserfolges von den Faktoren Glück und Erwartungen des Managements vergleiche Barney (1986, 1989, 1991).

[13] Vergleiche hierzu beispielsweise Dierickx/Cool (1989).

[14] Dieses Phänomen wird von Dierickx/Cool (1989) mit dem Begriff der 'causal ambiguity' belegt.

Anmerkungen zu Kapitel 3 – Bausteine des Wissensmanagements

[1] „Action research" ist ein wissenschaftstheoretischer Ansatz, der sich zum Ziel setzt, theoretischen Erkenntnisgewinn und praxisorientierte Problemlösung in der sozialwissenschaftlichen Forschung miteinander zu vereinen. Der Ansatz geht auf Lewin (1946) zurück und hat seither wesentliche Weiterentwicklungen erfahren. Vergleiche hierzu Argyris/Schön (1989), Whyte et al. (1989), Pasmore/Friedlander (1982), Peters/Robinson (1984), Stebbins/Snow (1982), Susman/Evered (1978). Für einen Überblick über Literatur und Konzepte vergleiche Probst/Raub (1995).

[2] Für eine Kurzvorstellung der Bausteine des Wissensmanagements vergleiche Probst/Raub (1996), Probst/Romhardt (1997 I) und Probst/Romhardt (1997 II), Romhardt (1998).

[3] Das seit 1995 bestehende „Forum für organisationales Lernen und Wissensmanagement" zählt renommierte Unternehmen wie AT&T INTERNATIONAL, SWISSCOM, SCHWEIZERISCHER BANKVEREIN, WINTERTHUR VERSICHERUNGEN, SCHWEIZERISCHE BANKGESELLSCHAFT, HOLDERBANK, DEUTSCHE BANK und HEWLETT PACKARD EUROPA zu seinen Mitgliedern. In regelmäßigen Abständen werden themenorientierte Workshops zu Fragen des Lernens und Wissens in Organisationen durchgeführt. Die wissenschaftliche Betreuung dieses Forums liegt bei der GENEVA KNOWLEDGE GROUP, einem auf Lernen und Wissen spezialisierten Forschungs- und Beratungsunternehmen. Gesellschafter sind Dr. Bettina Büchel, Prof. Dr. Gilbert Probst, Dr. Steffen Raub und Dr. Kai Romhardt. Die Kontaktadresse des Forums lautet: Forum für Organisationales Lernen und Wissensmanagement, Lehrstuhl Prof. Gilbert Probst, Université de Genève, HEC, 102, bd. Carl-Vogt, 1211 Genève 4, Suisse.

[4] Vergleiche beispielsweise das 'innovation quotient inventory', das seine Fragen an den Kategorien 'strategy', 'structure', 'systems', 'style', 'staff', 'shared values' und 'skills' ausrichtet. Eine Beschreibung des Instrumentes findet sich bei Clippinger (1995).

[5] Ein Beispiel hierfür ist das 'Knowledge Management Assessment Tool' von Arthur Andersen/APQC (1995). Hierin werden allerdings wenigstens im Modell auch Prozesse des Wissensmanagements berücksichtigt. Zu Möglichkeiten und Grenzen des Wissensmanagements vergleiche Roehl/ Romhardt (1997).

Anmerkungen zu Kapitel 4 – Wissensziele definieren

[1] Dies stellen beispielsweise Bea/Haas (1995) fest.

[2] Bleicher (1992:265) bemerkt hierzu, daß Ziele „…als Teil der strategischen Beeinflussung der Unternehmungsentwicklung den sachlichen Kurs bestimmen und in humaner Hinsicht das Verhalten der Mitarbeiter in eine konsensierte und erstrebte Bahn lenken." (Hervorhebung im Original).

[3] Die Angaben zu diesem Fall beruhen auf Economist (18.11.1995) und Uhl (1993) sowie den Internet-Homepages von 3M (http://www.3m.com) und IMATION (http://www.imation.com).

[4] Typische Wissensthemen wurden von uns ins St. Galler Managementkonzept eingeordnet. Vergleiche Bleicher (1992).

[5] Vergleiche hierzu Arthur Andersen/APQC (1995:2). Eines der ersten Items des „Knowledge Management Assessment Tool" im Leadership-Bereich lautet „The organization believes there is a strong correlation between knowledge management and improved business performance."

[6] Vergleiche zu dieser Darstellung Uhl (1993).

[7] So zitiert beispielsweise Garvin (1993:86) als Gegenpol zum not-invented-here-Syndrom (NIH) das SIS-Prinzip, welches für steal ideas shamelessly steht.

[8] Zur Interpretation eines Leitbildes als „Denkmethode" vergleiche Hinterhuber (1989:27), zitiert in Bleicher (1992).

[9] Vergleiche Schmitz/Zucker (1996).

[10] Vergleiche hierzu die Ausführungen bei Itami (1987).

[11] Itami (1987:16) bemerkt hierzu: „invisible assets created by business operations may have negative effects on the existing stock of invisible assets."

[12] Für eine Zusammenfassung der Literatur über Diversifikationsstrategien und Diversifikationserfolg vergleiche Ramanujam/Varadarajan (1989).

[13] Die Darstellung dieses Falles stützt sich auf Stewart (1995).

[14] Vergleiche zum Aufstieg von NEC die Darstellung in Prahalad/Hamel (1990:79–80).

[15] Vergleiche zu diesem Konzept den berühmt gewordenen Harvard Business Review-Artikel von Prahalad/Hamel (1990) sowie Hamel/Prahalad (1994).

[16] Vergleiche hierzu vor allem die Beiträge von Stalk et al. (1992), Mahoney (1995) und Leonard-Barton (1992, 1995).

[17] Vergleiche hierzu Economist (11.11.1995).

[18] Leonard-Barton (1992, 1995) spricht dieses Problem an, wenn sie darauf hinweist, daß jede „core capability" auch das Potential zur „core rigidity" in sich trägt.

[19] Ein „Toolkit" für kompetenzorientierte Wettbewerbsanalyse und Strategieentwicklung wird beispielsweise bei Klein/Hiscocks (1994) vorgestellt. Vergleiche hierzu auch Klein et al. (1991).

[20] Diese Darstellung lehnt sich an die Systematik von Collis/Montgomery (1995:124 ff.) an. Sie unterscheiden die Aktivitäten investing in resources, upgrading resources sowie leveraging resources.

[21] In Anlehnung an Odiorne (1967:102).

[22] Vor allen Dingen unter dem Oberbegriff skill-based management werden derzeit Instrumente zum konkreteren Umgang mit Wissenszielen auch auf der individuellen Ebene diskutiert.

[23] Zur Funktion von Zielen vergleiche auch Staehle (1991:405–419). Hauschildt (1977:9) beschreibt Ziele auch als „Aussagen mit normativem Charakter, die einen von einem Entscheidungsträger gewünschten, von ihm oder anderen anzustrebenden, auf jeden Fall zukünftigen Zustand der Realität beschreiben.

[24] Vergleiche hierzu Hauschildt (1977:7 ff.) und Hauschildt (1993:144 ff.).

[25] Vergleiche Dörner (1996).

[26] In Anlehnung an Dörner (1996:79 ff.).

[27] Vergleiche etwa die Systematik bei Bea/Haas (1995:67 ff.).

[28] Nagel (1992:2626) bemerkt hierzu: „Zielformulierungen stellen brauchbare Beurteilungsmaßstäbe dar, um zum Beispiel verschiedene Lösungsrichtungen vergleichen und beurteilen zu können."

[29] Zur Koordinationsfunktion stellt Nagel (1992:2626) fest, daß Zielformulierung als „Kommunikationshilfe und Basis für gemeinsames Verständnis und Handeln" dienen kann.

Anmerkungen zu Kapitel 5 – Wissen identifizieren

[1] Eine frühere Version dieses Kapitels bildete einen Beitrag zum Doktorandenkolloquium „Innovation, aber wie?" der Studienstiftung des deutschen Volkes. Wir danken dem GABLER Verlag für die Genehmigung der auszugsweisen Publikation in Romhardt (1997).

[2] „Benchmarking is the search for those best practices that will lead to superior performance of a company. Establishing operating targets based on the best possible industry practices is a critical component in the success of every business", vergleiche Camp (1989:XI).

[3] Für entsprechende Verweise vergleiche Szulanski (1996: 27).

[4] Probleme und Instrumente des Best-Practice-Transfers werden im Rahmen des 8. Kapitels („Wissen (ver)teilen") eingehend diskutiert.

[5] So mußten Unternehmensberater ihre Klienten in der deutschen Automobilindustrie teilweise zu Firmenbesichtigungen in Japan zwingen, um Ihnen zu beweisen, daß die damalige Revolution in der Automobilproduktion keine Erfindung der Presse, sondern Realität war. Anschaulich zu finden bei: Clark/Fujimoto (1992).

[6] Vergleiche Drucker (1988).

[7] Vergleiche Seemann/Stucky (1996).

[8] Die Systematisierung von Wissenskarten lehnt sich an die Darstellung bei Eppler (1995) an. Vergleiche weiterhin Eppler (1997).

[9] Eine Darstellung von weiteren Leitunterscheidungen des Wissens findet sich bei Romhardt (1996:11 ff.).

[10] Weitere Beispiele für Wissenslandkarten sind Techniken des Systems Design, welche die systemische Modellierung von Abhängigkeiten unterstützen oder Wissensstrukturkarten. Diese veranschaulichen, zu welchem Wissensfeld eine Information gehört und welche Bedeutung sie in diesem hat. Diese Techniken sollen aus Platzgründen nicht weiter ausgeführt werden.

[11] Vergleiche Preissler et al. (1997).

[12] Dieses unbewußte Wissen haben die Wissensträger in einem komplexen Prozeß durch tägliches Tun in einem spezifischen Kontext erworben. Diese Fähigkeiten, die für die Organisation von großem Wert sind, können aber von den Experten selbst nur sehr schwer beschrieben werden. Den Begriff des tacit knowledge prägte Polanyi (1967). Die Nutzung dieses tacit knowledge ist für den japanischen Managementforscher No-

naka der Ausgangspunkt jedes Wissensmanagements. Vergleiche: Nonaka (1991, 1994) sowie Nonaka/Takeuchi (1995).

[13] Diese Vernachlässigung kollektiver Wissensbestandteile kritisiert Weick: „The preoccupation with individual cognition has left organization theorists ill-equipped to do much more with the so-called cognitive revolution than apply it to organizational concerns one brain at a time". Vergleiche Weick/Roberts (1993:358).

[14] Vergleiche zu den Problemen der Kontextübertragung: Müller-Stewens/Osterloh (1996).

[15] Vergleiche Hammer/Champy (1994).

[16] Vergleiche Eppler (1995).

[17] Bei HOFFMANN-LAROCHE sammelten drei Vollzeitbeschäftigte über zwei Jahre die benötigten Informationen und es bedurfte zusätzlich der Eingaben von rund 300 Experten. Vergleiche Preissler et al. (1997).

[18] Vergleiche Katzenbach/Smith (1993) und Peters (1992).

[19] Vergleiche Krackhardt/Hanson (1994:19).

[20] Vergleiche Krackhardt/Hanson (1994:16).

[21] Vergleiche exemplarisch Katzenbach/Smith (1993).

[22] Vergleiche: Morgan (1986); Sandelands/Stablein (1987); Weick/Roberts (1993).

[23] Im Original verwenden Weick/Roberts den Begriff heedful interrelating. Vergleiche Weick/Roberts (1993).

[24] Vergleiche Scott-Morgan (1994).

[25] Zur Schwierigkeit der Grenzziehung zwischen innen und außen der Organisation vergleiche Wiegand (1996).

[26] Vergleiche Probst/Büchel (1994) sowie Argyris (1990).

[27] Von einem kollektiven blinden Fleck können wir sprechen, wenn der Inhalt des externen Wissens der Organisation unbekannt ist und sie gleichzeitig nicht über ein Bewußtsein über das generelle Vorhandensein des Wissens in der Welt verfügt. Vergleiche Schüppel (1996).

[28] Vergleiche Watzlawick et al. (1993:78).

[29] Vergleiche Wessells (1994:90).

[30] Beispiele wären die RAND CORPORATION, die SYSTEMS DEVELOPMENT CORPORATION (SDC) oder das STANFORD INSTITUTE (SRI), die alle in Kalifornien ansässig sind und sich insbesondere als Denkfabriken für den staatlichen Sektor einen Namen gemacht haben. Vergleiche Kreibich (1986:340–346).

[31] Beispiele für diesen Trend sind: Rommel et al. (1993)/MCKINSEY, Scott-Morgan (1994)/ARTHUR D. LITTLE sowie Winslow/Bramer (1994)/ ANDERSEN CONSULTING.

[32] Vergleiche Boos et al. (1994).

[33] Alle Nutzerzahlen sind Schätzungen, die gleichzeitig auf Grund des rasanten Wachstums (50–100 Prozent pro Jahr) sehr schnell veralten. Unsere Zahlen basieren auf Angaben aus der Microsoft Encarta96 Encyclopedia. Man schätzt, daß bis zum Jahre 2000 bis zu 100 Millionen Computer am Netz sein werden.

[34] Yahoo! (http://www.yahoo.com/). Weitere Suchmaschinen: All-In-One (http://www.albany.net/allinone/); Alta Vista (http://www.altavista.digital.com/); Lycos (http://www.lycos.com/); Magellan (http://www.mckinley.com/); Excite (http://www.excite.com/); Infoseek (http://www.infoseek.com/); Savvy Search (http://savvy.cs.colostate.edu:2000/); Webcrawler (http://www.webcrawler.com/). Deutschsprachig: Dino (http://www. dino-online.de), Web.de (http://web.de) und Focus-Netguide (http://netguide.de). Die Angaben verstehen sich ohne Gewähr, da die „Mortalitätsrate" von Internet-Diensten in diesem dynamischen Markt als äußerst hoch zu bezeichnen ist; Hotbot (http://www.search.hotbot.com).

[35] Vergleiche Hinnen (1996).

[36] HEWLETT PACKARD gehört zu den weltweit größten Betreibern eines Intranet, vergleiche Hinnen (1996).

[37] Die Nutzungsmöglichkeiten solcher Homepages demonstriert MICROSOFT unter http://www.microsoft.com. Von hier aus besteht die Möglichkeit auf die Microsoft Knowledge Base (KB) zuzugreifen, welche die primäre Produktinformationsquelle für Software-Entwickler und Kunden von Microsoft darstellt. Diese umfassende Artikelsammlung, die täglich aktualisiert wird, enthält ausführliche Informationen zur Vorgehensweise, Antworten auf technische Fragen, Programmfehlerlisten sowie Listen zu Fehlerbehebungsmethoden und man kann mit Hilfe von Text- und Stichwortabfragen auf sie zugreifen.

Anmerkungen zu Kapitel 6 – Wissen erwerben

[1] Die meisten Organisationen sind Anbieter und Nachfrager auf diesen Wissensmärkten. Der brain gain der einen Organisation ist häufig der brain drain der anderen. Hier wird zunächst die Perspektive des Nachfragers angenommen. Die Nutzung eigener Wissensaktiva und deren Kapitalisierung auf den Wissensmärkten werden im Baustein zu Wissensverteilung und -nutzung behandelt. Maßnahmen gegen den brain drain finden sich im Kapitel zur Wissensbewahrung.

[2] Katz/Allen (1982) beobachteten, daß Projektteams, die länger als fünf Jahre an einem gemeinsamen Forschungsprojekt arbeiten, Kommunikationen mit der Außenwelt verringern und zu schlechteren Forschungsergebnissen gelangen.

[3] Hier sei auf die sehr „selbstbewußten" Vorworte von modernen Managementklassikern wie Peters/Waterman (1990), Senge (1990) sowie Hammer/Champy (1994) verwiesen.

[4] Vergleiche Müller-Stewens/Osterloh (1996) und Barney (1991).

[5] Vergleiche Cohen/Levinthal (1990:131).

[6] Simon (1991:130) geht noch einen Schritt weiter indem er behauptet, daß in allen Forschungslabors mehr Informationen durch die Auswertung und Aufarbeitung von wissenschaftlichen Artikeln gewonnen werden, als durch eigene Forschungsaktivitäten.

[7] Die Verschränkung der Logistik zwischen Herstellern und Zulieferern nimmt insbesondere durch die Anforderung von 'Just-in-time'-Konzepten kontinuierlich zu. Das Know-how effizienter und zuverlässiger Logistiksteuerung wird in Branchen mit hohen Logistikkosten immer mehr an Lieferanten und Spediteure verlagert. Vergleiche Lieb/Millen/Wassenhove (1993) und Laarhoven (1994).

[8] Vergleiche hierzu Risch/Sommer (1996).

[9] Gängige Attribute: flexibel, dynamisch, mobil, fachlich kompetent, durchsetzungsfähig, engagiert, kommunikationsstark, natürlich.

[10] Wir danken Gert Stürzebecher für seine Unterstützung.

[11] Vergleiche Balzer/Wilhelm (1995).

[12] Vergleiche Schneider (1997).

[13] Vergleiche Schülin (1995:306).

[14] In Anlehnung an die Darstellung bei Müller-Stewens/Gocke (1995).

[15] Vergleiche hierzu Schülin (1995:308).

[16] Vergleiche hierzu Probst/Büchel (1994:134).

[17] Für Badaracco sind product links die Antwort auf die Herausforderung von migratory knowledge. Da Wissen in den Bereichen von Finanz, Marketing, Produktion, Kultur und Strategie sehr schnell wandert, müssen sich Unternehmen durch den Eingang flexibler Kooperationen den Zugang zu diesen Wissensquellen sichern. Vergleiche Badaracco (1991:53 ff.). Für weitere Kooperationsformen vergleiche Büchel et al. (1996).

[18] Knowledge links sind für Badaracco (1991:107) „(…) alliances that give them access to the skills and capabilities of other organizations and sometimes enable them to work with other organizations to create new capabilities." Sie gehen damit weiter als Kooperationen über sogenannte product links, da sie auch ermöglichen tiefer verankertes Wissen (embedded knowledge) zu übertragen.

[19] In enger Anlehnung an Badaracco (1991:131 ff.). Hervorhebungen durch die Verfasser.

[20] Vergleiche Bleicher (1992:105 und 139).

[21] Die beiden weiteren Tätigkeitsfelder liegen nach Schäfer (1981) in der Untersuchung beziehungsweise Beobachtung der Konkurrenz (des Angebotes) und der Absatzwege (das heißt des Verteilungsapparates).

[22] Vergleiche hierzu Wöhe (1990:633).

[23] Von Hippel (1988:11 ff.) geht noch weiter. Er fordert ein neues Customer-Active Paradigm fordert, in dem er den Kunden die Schlüsselrolle auf der Suche nach neuen Produktideen zuweist. Vergleiche auch von Hippel (1978).

[24] Vergleiche hierzu Clark/Fujimoto (1992:252).

[25] Dieser Fall stammt aus Davenport (1996:36 f.).

[26] Vergleiche Schülin (1995:305).

[27] Unternehmen befinden sich hier häufig in einem Dilemma. Auf der einen Seite führen technische Standards bei der Entwicklung von Programmen und Hardwarekomponenten und die Durchsetzung mächtiger Softwarepakete (Beispiel: SAP) zu einer erhöhten Kompatibilität zwischen bisher getrennten Systemwelten und erleichtern viele Abläufe. Auf der anderen Seite verlieren Firmen einen großen Teil ihres Differenzierungspotentials gegenüber Kunden und der Konkurrenz. Viele Leistungen werden austauschbar.

[28] „Some economists have described this kind of knowledge as a 'book of blueprints'. It is 'unitized, organized in packages labeled all you need to know about X'". Bei Badaracco (1991:36).

[29] Badaracco (1991:36).
[30] Badaracco (1991:50–51).
[31] Ausführliche Darstellung findet sich bei Rommel/Brück/Diederichs/ Kempis/Kluge (1993:107).
[32] Vergleiche zur Beschaffung von Wissen über technische Speichermedien Schüppel (1996:224).

Anmerkungen zu Kapitel 7 – Wissen entwickeln

[1] In Anlehnung an Picot/Reichwald (1994:561).
[2] Vergleiche (Brockhoff, 1992:45 f.).
[3] Vergleiche Schülin (1995:309 ff.).
[4] Weitere Beispiele finden sich bei Saad/ Roussel/Tiby (1991:123 ff.).
[5] Vergleiche Brockhoff (1992:37).
[6] Weitere Unterscheidungen von Innovationen finden sich bei Hauschildt (1993).
[7] Vergleiche Waldenfels (1991:100).
[8] Vergleiche Schülin (1995:25).
[9] Zur Selbstorganisation vergleiche Probst (1987).
[10] Einige Vorschläge zur Schaffung eines positiven Lernkontextes finden sich bei Probst (1987:132).
[11] Vergleiche Romhardt (1994). Exemplarisch sei hier die mißglückte Lancierung der S-Klasse von MERCEDES-BENZ erwähnt.
[12] Die Diskussionen, welche innerhalb der Organisationstheorie unter den Überschriften organizational slack und notwendige Redundanz geführt werden, haben insbesondere in der Integration eines hinreichend transparenten Effizienzkriteriums ihre Mängel. Vergleiche Probst (1987) und Staehle (1991).
[13] Zur Notwendigkeit schnelleren Lernens im Produktbereich vergleiche Wildemann (1996).
[14] Vergleiche Wessells (1994:66 f.).
[15] Die Gliederung in diese drei Problemarten folgt wie die folgenden Ausführungen der Darstellung bei Gomez/Probst (1995:13–22).
[16] Vergleiche Kirsch (1992:82 ff.).
[17] Bei Schmitz/Zucker (1996:108).
[18] Vergleiche Binnig (1992:134).

[19] Bei Probst/Büchel (1994:177).
[20] Vergleiche Probst (1993:350 ff.).
[21] Zur Erklärung dieser Methoden vergleiche Kreibich (1986:394 ff.).
[22] Vergleiche Gomez/Probst (1995:158 f.).
[23] Vergleiche Gomez/Probst (1995).
[24] Vergleiche Gomez/Probst (1995).
[25] Vergleiche Garvin (1993:81 f.).
[26] Vergleiche Nonaka/Takeuchi (1995:64–67) und Schüppel (1996:263 f.).
[27] Vergleiche Klimecki/Probst/Eberl (1994) und Probst/Büchel (1994:21).
[28] Vergleiche Weick/Roberts (1993:359 und 365).
[29] In diesem Zusammenhang sind auch Ansätze des space management zu sehen, welche sich um die Nutzung der räumlichen Organisationsdimension (das heißt konkret: „Wer arbeitet in wessen Nähe") bemühen. Durch die Schaffung neuer „Nachbarschaften" können strukturelle Kommunikationsineffizienzen entlang funktionaler Grenzen aufgebrochen werden. Vergleiche Lullies/ Bollinger/Weltz (1993:187–198).
[30] Vergleiche auch Müller-Stewens/Pautzke (1992:137).
[31] Der Maschinenbürokratie liegt als Koordinationsmechanismus die Standardisierung von Arbeitsprozessen zugrunde. Die Schlüsselrolle kommt einer effizienten Technostruktur zu. Vergleiche Mintzberg (1992:42).
[32] Zur Abgrenzung unterschiedlicher Gruppentypen vergleiche Katzenbach/Smith (1993:118 ff.).
[33] Leicht gekürzt aus Katzenbach/Smith (1993:92 ff.).
[34] Das Paradox des kreativen Teams könnte folgendermaßen formuliert werden: „Bringe Deine persönlichen, kreativen und provozierenden Ansichten und Kenntnisse ein, aber gefährde die Integrität der Gruppe nicht!". Zur ausführlichen Analyse dieser paradoxen, sozialen Situationen vergleiche Watzlawick/Weakland/Fisch (1992: 84 ff.). Zur Notwendigkeit des Gleichgewichts zwischen Konsens und Diversität im Prozeß des organisationalen Lernens vergleiche Fiol (1994).
[35] Vergleiche Argyris (1987, 1990).
[36] Pautzke unterscheidet strukturelle, doktrinbedingte oder psychologische Formen der Informationspathologie. Vergleiche Pautzke (1989). Informationspathologien führen im allgemeinen zu einer unzureichenden informatorischen Fundierung von Entscheidungen und stellen damit ein bedeutendes Lernhindernis dar. Vergleiche Probst/Büchel (1994:78 f.).

[37] Hier wird nicht die Ansicht vertreten, daß „mehr Kommunikation" zwangsläufig zu besseren Arbeitsergebnissen führen muß. In vielen Organisationen verbringen Manager vielmehr einen Großteil ihrer Arbeitszeit in unproduktiven Meetings. Es ist daher immer kritisch zu fragen, zu welchem Zeitpunkt und in welchen Intervallen Teamsitzungen sinnvoll sind.

[38] Zum Konzept des Languaging vergleiche von Krogh/Roos/Slocum (1994).

[39] Die Darstellung folgt Tichy (1989) und Schertler (1995). Außerdem danken wir Tobias Radel, der in seinem Arbeitspapier für das Doktorandensymposium der Studienstiftung des deutschen Volkes im Schauinsland 1995 den „Work-Out"-Prozeß aus der wissensorientierten Perspektive rekonstruierte.

[40] Leonard-Barton (1994) verdeutlicht ihr Konzept an der Erfolgsgeschichte des amerikanischen Stahlherstellers CHAPARRAL STEEL. Ihr Konzept baut sie in Leonard-Barton (1995) weiter aus.

[41] Vergleiche ausführlich Wildemann (1996).

[42] Vergleiche Wildemann (1996:39).

[43] Zu einer ausführlichen Darstellung des Lernarena-Konzeptes und einer weiteren Differenzierung in Lernarenen erster, zweiter und dritter Art vergleiche Romhardt (1995).

[44] Der Fall folgt den Darstellungen von Brook Manville, dem Knowledge-Director von MCKINSEY, und wurde durch Peters (1992) und Katzenbach/Smith (1993) ergänzt.

[45] High reliability Organisationen sind Unternehmen deren Prozesse durch besonders hohe Riskanz (das heißt einen enormen Schadensumfang im Schadensfall) bei gleichzeitig sehr geringem Risiko (das heißt eine geringe Eintretenswahrscheinlichkeit des tatsächlichen Schadenfalles) gekennzeichnet sind. Der Begriff high-reliability-organization stammt von LaPorte/Consolini (1991). Die Anregung für den Zusammenhang zum Wissensmanagement verdanken wir Willke (1996).

[46] Vergleiche zu dieser Liste von Faktoren LaPorte/Consolini (1991:29).

[47] Vergleiche die Darstellung bei Senge/Scharmer (1996).

[48] Vergleiche auch Gomez/Probst (1995:126 f.).

[49] Für die Erarbeitung dieses Falles danken wir dem Bereich „Forschung Gesellschaft und Technik" des DAIMLER-BENZ-Konzernes, aber insbesondere Heiko Roehl für seine Einordnung der Erfahrungen mit Szenarien in

die Perspektive des Wissensmanagements. Weiterführende Literatur:
Minx/Mattrisch, (1995); Geus (1989) und Gomez/Probst (1995:126 ff.).

[50] Hierbei wurde in einem ersten Schritt die Leitfrage der Untersuchung:
„Wie entwickelt sich der globale Luftverkehr bis zum Jahr 2015?" festgelegt. Hierauf aufbauend wurden im zweiten Schritt insgesamt mehr
als 120 Einflußfaktoren ermittelt, welche für die Erstellung der Szenarien auf 26 Faktoren, sogenannte Deskriptoren reduziert wurden. Beispiele für diese Deskriptoren sind Rentabilität der Airlines, Flugpläne
oder Akzeptanz des Fliegens. In einem dritten Schritt wurden die
zukünftigen Entwicklungen der Deskriptoren abgeschätzt, was in
Schritt vier zu einem Entwurf alternativer Zukunftsbilder führte. Hierbei wurden Deskriptoren und Projektionen in Diskussionen rechnergestützt vernetzt und zu widerspruchsfreien Szenarien aggregiert. In
Schritt fünf wurden die Szenarien interpretiert. Die erstellten Zukunfts-
welten werden in Geschichten veranschaulicht und die Veränderung
gegenwärtiger Strukturen im Verhältnis zur Szenario-Welt interpretiert.

Anmerkungen zu Kapitel 8 – Wissen (ver)teilen

[1] Vergleiche zu diesen Umfrageergebnissen Lester (1996).

[2] Als Beispiel für die begrenzte Übertragbarkeit 'impliziten Wissens' vergleiche Nonaka/Takeuchi (1995), Spender (1996).

[3] Vergleiche hierzu Kupfer (1995) und Willke (1996).

[4] Vergleiche Katzenbach/Smith (1994).

[5] Die Angaben zum Fall VERIFONE beruhen auf Ogilvie (1994). Für eine
weitere Darstellung vergleiche auch von Krogh/Venzin (1995).

[6] Zur Definition eines virtuellen Unternehmens vergleiche Brütsch (1996)
sowie Davidow/Malone (1993).

[7] Das Konzept des 'Produktionsimpresarios' wird beschrieben bei
North/Aukamm (1996).

[8] Diese Austauschbeziehungen gehen über den reinen Datenaustausch im
Rahmen eines überbetrieblichen Informationsverbundes hinaus. Beispiele für diese einfachere Form der Datenübertragung, die oft auf Systemen
des electronic data interchange (EDI) aufbauen, sind Clearingsysteme
von Banken oder Reservierungszentralen in der Tourismusindustrie. Vergleiche Kubicek (1992).

[9] Vergleiche hierzu Ogilvie (1994).

[10] Vergleiche zu Interventionsansätzen, die auf das systemische Denken zurückgreifen Gomez/Probst (1995), Senge (1990) sowie Ulrich/Probst (1988).

[11] Für eine Aufarbeitung verschiedener Formen des individuellen Wissens und eine Illustration des organisationalen Zugriffs auf individuelles Wissen vergleiche Pautzke (1989).

[12] Vergleiche hierzu wiederum den Aspekt des 'impliziten Wissens' bei Nonaka (1991) beziehungsweise Nonaka/Takeuchi (1995).

[13] Vergleich zu dieser Einschätzung Lyles/Schwenk (1992), Bourgeois (1980) und Fiol (1994).

[14] Zu den wissenschaftlichen Aspekten der Sozialisation im Unternehmen vergleiche auch Wiswede (1992).

[15] Vergleiche hierzu ARTHUR ANDERSEN (1996:25). Diese Trainingsmaßnahmen verursachen Kosten in Höhe von sechs Prozent des jährlichen Umsatzes, was etwa 400 Millionen US Dollar entspricht.

[16] Vergleiche hierzu den Beitrag von Rieker (1995).

[17] Für eine umfangreichere Darstellung des Lernarena-Konzeptes vergleiche Romhardt (1995).

[18] Vergleiche hierzu Harrigan/Dalmia (1991:7).

[19] Diese Interpretation internationaler Transfers findet sich erstmals bei Edström/Galbraith (1977). Für eine Vertiefung des Themas und weiterführende Literatur vergleiche auch Harzing (1995).

[20] Die Angabe zu diesem Fall beruhen auf Katzenbach/Smith (1994) sowie Peters (1992).

[21] Vergleich hierzu Davis/Botkin (1994:168).

[22] Wagner (1995:71) bezeichnet computer-supported cooperative work (CSCW) als „den akademischen Vorläufer der groupware-Systeme". In der Praxis werden beide Begriffe, sowie der Terminus workgroup computing jedoch weitgehend synonym gebraucht.

[23] Obwohl E-Mail häufig der erweiterten Kategorie der groupware zugerechnet wird, sprechen die erwähnten Gründe nach Ansicht von Wagner (1995:78) gegen diese Einordnung.

[24] Zur nachfolgenden kurzen Darstellung der verschiedenen groupware-Kategorien vergleiche Wagner (1995:79–99).

[25] Vergleiche Kirkpatrick (1994).

[26] ARTHUR ANDERSEN (1996:18) interpretiert Technologie ebenfalls als eine „Brücke", welche die Barrieren der Wissens(ver)teilung im Zusammenspiel von Personal, Struktur und Prozessen reduziert.

[27] Vergleiche hierzu den UCLA/ARTHUR ANDERSEN-Report, zitiert in Arthur Andersen (1996:19).

[28] Auf eine diesbezügliche Studie der INTERNATIONAL DATA CORPORATION verweisen Goodman/Darr (1996:14).

[29] Für eine detailliertere Erörterung dieser Faktoren vergleiche Goodman/Darr (1996).

[30] Der Begriff hybrid solutions wurde von Davenport (1996:35) geprägt.

[31] Vergleiche hierzu Davenport (1996:38–39).

[32] Vergleiche Davenport (1996:36).

[33] HUGHES nennt diese Technik des Verweisens auf Experten recht plastisch pointers to people. Vergleiche hierzu Davenport (1996:35).

[34] Zu weiteren Kategorien organisationaler 'Informationspathologien' vergleiche Scholl (1992).

[35] Goodman/Darr (1996:8–9) nennen als wesentliche Voraussetzung der Teilung von best practices ebenfalls den Aspekt organizational legitimization.

[36] Vergleiche Davenport (1996:37).

[37] Nähere Ausführungen hierzu finden sich in Kapitel 5 („Wissen identifizieren")

[38] Vergleiche hierzu die Angaben bei O'Dell/Grayson (1998: 156).

[39] Für eine wissenschaftliche Darstellung der Resultate vergleiche Szulanski (1996). Ein Executive Summary findet sich bei Szulanski (1994).

Anmerkungen zu Kapitel 9 – Wissen nutzen

[1] Vergleiche hierzu Davenport (1996:37).

[2] Dieser Problembereich wird gelegentlich auch mit dem theoretisch fragwürdigen Begriff des „Entlernens" belegt, der an dieser Stelle jedoch vermieden werden soll. Trotz seiner unbestrittenen Anziehungskraft in der Praxis tendieren Lerntheoretiker dazu, diesen Begriff zu vermeiden, da Lernprozesse nicht als schlagartig reversibel betrachtet werden. „Entlernen" kann aus theoretischer Perspektive vielmehr als ein Lernprozeß bezeichnet werden, bei dem ein alter Wissensbestandteil, durch einen neuen, aktuelleren oder relevanteren Bestandteil ersetzt wird.

[3] Zum Konzept des action learning vergleiche auch Revans (1983), Vince/Martin (1993) sowie Wallace (1990).

[4] Davenport (1996:39) illustriert die erfolgreiche Anwendung von war games bei POLAROID.

[5] Vergleiche für zahlreiche Beispiele erfolgreicher Reorganisationen der Büroorganisation den Beitrag von Ogilvie (1994).

Anmerkungen zu Kapitel 10 – Wissen bewahren

[1] In Anlehnung an Oberschulte (1996). Oberschulte konstruiert weitergehend Zusammenhänge zwischen Organisatorischem Lernen und organisatorischem Gedächtnis.

[2] Vergleiche Davenport (1996:35).

[3] Insbesondere sogenannte Redimensionierungen, welche lediglich die Kosten reduzieren, haben in vielen Unternehmen zu enormem Fähigkeitenverlust geführt. Vergleiche Mitroff (1995:27).

[4] Vergleiche Hedberg (1981:18).

[5] Ähnlich äußern sich Cohen/Levinthal (1990).

[6] Ausführlich zu den unterschiedlichen Formen des Gedächtnisses äußert sich Vester (1978: 43 ff.). Zur Rolle des unmittelbaren Gedächtnisses vergleiche Wessells (1994:107 ff.).

[7] Zur Notwendigkeit der Materialisierung von Wissen in Wissensdokumenten vergleiche Schüppel (1996:256 f.).

[8] Vergleiche Probst/Büchel (1994:21).

[9] Vergleiche Bonoma/Slevin, (1978:205).

[10] Vergleiche Economist (20.04.1996:58).

[11] Vergleiche Economist (20.04.1996:58).

[12] Dabei vermischt das Gehirn unwillkürlich erlebte und erzählte Geschichten, ein Phänomen, das man in der Psychologie Kryptomnesie nennt. Vergleiche Kotre (1996).

[13] Auf die vielfältigen Ansätze zur Konstruktion von Wirklichkeit, insbesondere die Positionen des radikalen Konstruktivismus, der Wissenssoziologie und der Psychiatrie, soll hier nicht weiter eingegangen werden. Interessierten Lesern seien zum Einstieg folgende Publikationen empfohlen: Watzlawick (1986, 1988); Berger/Luckmann (1994) und Sacks (1995).

[14] Diese Beobachtungen sind mit der Freudschen Vorstellung eines kollektiven Über-Ichs kompatibel. Zu moderneren Ansätzen der kollektiven Gedächtnisforschung vergleiche Hejl (1991).

[15] Die ausführliche Darstellung der Untersuchung findet sich bei Liang/ Moreland/Argote (1992).

[16] Vergleiche Cohen/Bacdayan (1994).

[17] Vergleiche Wegner (1996:189 ff.).

[18] Vergleiche Economist (20.04.1996:58).

[19] Schüppel (1996) ordnet diese Methode in den Prozeß des Managements impliziter Wissenspotentiale ein. Vergleiche Schüppel (1996:264 f.).

[20] Die Darstellung lehnt sich an Manago/Auriol (1996:28) an.

Anmerkungen zu Kapitel 11 – Wissen bewerten

[1] Dieses Kapitel wurde für die hier vorliegende zweite Auflage überarbeitet. Hierbei wurde insbesondere auf die Erkenntnisse aus North/ Probst/Romhardt (1998), Romhardt (1998) und Roehl/Romhardt (1997) zurückgegriffen.

[2] Vergleiche hierzu ARTHUR ANDERSEN (1996: 29).

[3] Diese Beispiele zitiert Davenport (1996: 34-35).

[4] „The components of cost in a product today are largely R&D, intellectual assets, and services. The old accounting system, which tells us the cost of material and labor isn't applicable." ARTHUR ANDERSEN-Berater bei Stewart (1994).

[5] Zur Rolle immaterieller Werte innerhalb von Rechnungslegungsprozessen und der international differierenden Rechtslage vgl. Krucker (1996).

[6] Vgl. Peters (1993: S.593).

[7] Vgl. Weick (1995: S.88). Ähnliches gilt für jedes Forschungsvorhaben, das soziale Zusammenhänge betrachtet: „Jedes Stück Sozialwissenschaft, das irgendeinen Bezug zu geltenden Werten hat, wird unvermeidlich Beurteilungen als „interessant", irrelevant", „trivial" oder „absurd" provozieren, je nachdem, mit welchen Werten es sich verbindet und mit welcher Stärke diese vertreten werden." Vgl. Weick (1995: S.88).

[8] Vgl. Argyris (1987).

[9] Vgl. zur detaillierten Kritik Sveiby (1997).

[10] Skandia ist der vielleicht am besten dokumentierte „Fall" des Wissensmanagements. Ausgangspunkt der Analyse bildeten die Sonderberichte zum „Intellectual Capital", welche Skandia seit 1992 seinem finanziellen Jahres- und Halbjahresberichten beilegt. Weiterhin wurde der IMD-Fall „SKANDIA Assurance and Financial Services: Measuring and Visualizing Intellectual Capital" von Oliver et al. (1996) ausgewertet. Anhand mehrerer Vorträge des „Director Intellectual Capital" Leif Edvinsson in Basel, Zürich und Utrecht, konnte das Bild über die Bewertungsanstrengungen von SKANDIA verfeinert werden.

[11] Nach Eigenaussagen erhielten diese Maßnahmen rasch Topmanagement-Unterstützung, was sich an folgender Aussage des damaligen CEO von SKANDIA ablesen läßt: „In ten years measurement of Intellectual Capital will become the most closely numbers in the annual report and financial figures will become the supplements."

[12] Im Intangible Assets Monitor werden die intangible assets „externe Struktur", „interne Struktur" und „Kompetenz der Mitarbeiter" nach den Gesichtspunkten „Wachstum/Erneuerung", „Effizienz" und „Stabilität" beurteilt. Sveiby (1997) kategorisierte und bewertete die Kundenbasis des schwedischen Unternehmens Celemi innerhalb dieser Logik. Die Kunden wurden in die Kategorien *imagefördernd, organisationsfördernd* und *kompetenzfördernd* unterteilt. Dies ermöglichte ein tieferes Verständnis dafür, warum man spezielle Kunden hat und was man von ihnen erwartet.

[13] Eine weitere Differenzierung der Indikatorenklasse wird in North/Probst/Romhardt (in Vorbereitung) vorgenommen.

[14] Diese Trennschärfe bieten weder die SKANDIA Navigator noch der intangible asset monitor. So wurden bei SKANDIA auf derselben Abstraktionsebene (A) Teile der Wissensbasis beschrieben (z. B. Durchschnittsalter der Mitarbeiter), (B) Inputs in die Veränderung der organisationalen Wissensbasis (z. B. Aus- und Weiterbildungsaufwand) quantifiziert, (C) Zwischenerfolge und Übertragungsergebnisse aus Organisationsprozessen gemessen (z. B. telefonische Erreichbarkeit) und (D) Finanzindikatoren aufgelistet (z. B. Prämienvolumen). Auch in der konkreten Anwendung von Sveibys „Intangible Assets Monitor" beim Unternehmen CELEMI, werden Ergebnisse (z. B. Wertschöpfung pro Mitarbeiter) und rein beschreibende Elemente (z. B. Durchschnittsalter der Mitarbeiter) miteinander vermischt.

[15] Das hier beschriebene 8-Phasen-Schema wurde von Bohn (1993) in erster Linie in Hinblick auf technologisches Wissen entwickelt. Vergleiche auch Bohn (1994).

[16] Möglichkeiten zur Messung der Kompetenzen von Wettbewerbern erörtert beispielsweise Klavans (1994).

[17] Zur ausführlichen Beschreibung des Coaching-Konzeptes vergleiche Whitmore (1994).

[18] Vergleiche hierzu beispielsweise Bertoin Antal (1993).

[19] Diese drei Wissenskategorien unterscheiden DeFillippi/Arthur (1994).

Anmerkungen zu Kapitel 12 – Verankerung des Wissensmanagements

[1] Vergleiche hierzu beispielhaft manager magazin (1/1997:112 ff.).

[2] Vergleiche Roehl/Romhardt (1997) und Romhardt (in Vorbereitung).

[3] Sensibilisierungsworkshops zum Wissensmanagement werden beispielsweise von der GENEVA KNOWLEDGE GROUP angeboten. Informationen können unter folgender Adresse angefordert werden: GENEVA KNOWLEDGE GROUP, Universität Genf, HEC, Lehrstuhl Prof. Gilbert Probst, 102 bd. Carl-Vogt, 1211 Genf 4.

[4] Der Darstellung Peters (1993:572 f.) folgend.

[5] Nonaka/Takeuchi (1995:169).

[6] Peters (1992:398).

[7] Davenport (1996).

Literaturverzeichnis

Argyris, C. (1987): Wenn Manager nicht offen miteinander reden, in: Harvard Business Manager, 2, S. 7–10.

Argyris, C. (1990): Overcoming Organizational Defenses – Facilitating Organizational Learning, Boston: Allyn and Bacon.

Argyris, C./Schön, D.A. (1989): Participatory Action Research and Action Science Compared: A Commentary. American Behavioral Scientist, 32 (5):612–623.

Arthur Andersen (1996): Improving knowledge sharing in international businesses, Andersen Worldwide, SC, April.

Arthur Andersen/APQC (1995): The Knowledge-Management Assessment Tool, Prototype Version, released at the Knowledge Imperative Symposium, Houston, Texas, September 1995, developed jointly by Arthur Andersen and The American Productivity and Quality Center.

Badaracco, J.L. (1991): Knowledge Link: How firms compete through Strategic Alliances, Boston, MA: Harvard Business School Press.

Balzer, A./Wilhelm, W. (1995): Die Firma, in: manager magazin, April, S. 42–57.

Barney, J. (1991): Firm Resources and Sustained Competitive Advantage, in: Journal of Management, 17:1, S. 99–120.

Barney, J.B. (1986): Types of Competition and the Theory of Strategy: Toward an Integrative Framework. Academy of Management Review, 11 (4):791–800.

Barney, J.B. (1989): Asset Stocks and Sustained Competitive Advantage: A Comment. Management Science, 35 (12):1511–1513.

Bea, F.X./Haas, J. (1995): Strategisches Management, Stuttgart, Jena: UTB/Gustav Fischer Verlag.

Berger, P.L./Luckmann, T. (1994): Die soziale Konstruktion der Wirklichkeit: Eine Theorie der Wissenssoziologie, Frankfurt (Main): Fischer.

Bertoin Antal, A. (1993): Odysseus' Legacy to Management Development: Mentoring, in: European Management Journal, 11:4, S. 448–454.

Binnig, G. (1992): Aus dem Nichts – Über die Kreativität von Natur und Mensch, 4. Auflage, München/Zürich: Piper.

Bleicher, K. (1992): Das Konzept Integriertes Management, 2. Auflage, Frankfurt/New York: Campus.

Bohn, R. (1993): Technological Knowledge – How to Measure, How to Manage, Research Report # 93–07, University of California, San Diego, Graduate School of International Relations and Pacific Studies, La Jolla, CA.

Bohn, R. (1993): Technological Knowledge – How to Measure, How to Manage.

Bohn, R.E. (1994): Measuring and managing technological knowledge, in: Sloan Management Review, 36:1, S. 61–73.

Bonoma, T.V./Slevin, D.P. (1978): Management and Type II Error, in: Business Horizons, 4, S. 61 ff.

Boos, F./Exner, A./Heitger, B. (1994): Soziale Netzwerke sind anders, in: Heitger, B./Boos, F. (Hrsg.): Organisation als Erfolgsfaktor, Wien: Service-Fachverlag.

Boudreau, J.W. (1991): Utility Analysis for Decisions in Human Resource Management, in: Dunnette, M.D./Hough, L.M. (Hrsg.): Handbook of Industrial and Organizational Psychology, S. 621–745, Palo Alto, CA: Consulting Psychologists Press.

Bourgeois III, L.J. (1980): Performance and Consensus, in: Strategic Management Journal, 1:3, S. 227–248.

Brockhoff, K. (1992): Forschung und Entwicklung – Planung und Kontrolle, München/Wien: Oldenbourg.

Brütsch, D. (1996): Virtuelles Unternehmen: Herausforderung oder Fiktion? in: io Management Zeitschrift, 65:1/2, S. 6–7.

Büchel, B./Prange, C./Probst, G./Rüling, C. (1996): Joint Venture-Management: Aus Kooperationen lernen, Bern: Haupt.

Camp, R.C. (1989): Benchmarking – The Search for Industry Best Practices that Lead to Superior Performance, Milwaukee: ASQC Quality Press.

Clark, K.B./Fujimoto, T. (1992): Automobilentwicklung mit System – Strategie, Organisation und Management in Europa, Japan und USA, Frankfurt/New York: Campus.

Cohen, M.D./Bacdayan, P. (1994): Organizational Routines Are Stored as Procedural Memory: Evidence from a Laboratory Study, in: Organization Science, 5:4, S. 554–568.

Cohen, W.M./Levinthal, D.A. (1990): Absorptive Capacity: A New Perspective on Learning and Innovation, in: Administrative Science Quarterly, 35:1, S. 128–152.

Collis, D.J./Montgomery, C.A. (1995): Competing on resources: Strategy in the 1990s, in: Harvard Business Review, 73:4, S. 118–128.

Davenport, T.H. (1996): Some Principles of Knowledge Management, in: Strategy&Business, 1:2, S. 34–40.

Davidow, W.H./Malone, M.S. (1993): Das virtuelle Unternehmen, Frankfurt (Main): Campus.

Davis, S./Botkin, J. (1994): The Coming of Knowledge-Based Business, in: Harvard Business Review, 72:5, S. 165–170.

Defillippi, R.J./Arthur, M.B. (1994): The boundaryless career: A competency-based perspective, in: Journal of Organizational Behavior, 15:4, S. 307–324.

Dierickx, I./Cool, K. (1989): Asset Stock Accumulation and Sustainability of Competitive Advantage. Management Science, 35 (12):1504–1511.

Dörner, D. (1996): Die Logik des Misslingens – Strategisches Denken in komplexen Situationen, Hamburg: Rowohlt.

Drucker, P.F. (1988): The Coming of the New Organization, in: Harvard Business Review, 66:1, S. 45–53.

Drucker, P.F. (1992): The New Society of Organizations. Harvard Business Review, 70 (5):95–104.

Economist (18.11.1995): And then there were two, S. 82–83.

Economist (20.04.1996): Fire and forget?, S. 57–58.

Edström, A./Galbraith, J. (1977): Transfer of Managers as a Coordination and Control Strategy in Multinational Organizations, in: Administrative Science Quarterly, 22:2, S. 248–263.

Eichenberger, P. (1992): Betriebliche Bildungsarbeit: Return on Investment und Erfolgscontrolling, Wiesbaden: Deutscher Universitäts-Verlag.

Eppler, M.J. (1995): Persönliche Informations-Portfolios – Ein integriertes Konzept für die individuelle Informationsbewirtschaftung. Diplomarbeit, Hochschule St. Gallen.

Eppler, M. (1996): Wissensmanagement und Informationslogistik. In Technische Rundschau, Nr. 31/32, 1996, S. 12–15.

Eppler, M. (1997) Praktische Instrumente des Wissensmanagements – Wissenskarten: Führer durch den „Wissensdschungel". Gablers Magazin (8): S. 10–13, 1997.

Eppler, M. (in Vorbereitung): Informative Action, Dissertation an der Universität Genf.

Fiol, C.M. (1994): Consensus, diversity, and learning in organizations, in: Organization Science, 5:3, S. 403–420.

Fitz-enz, J. (1995): How to Measure Human Resource Management, New York: McGraw-Hill.

Garvin, D.A. (1993): Building a learning organization, in: Harvard Business Review, 71:4, S. 78–91.

Geus, A.P. de (1989): Unternehmensplaner können Lernprozesse beschleunigen, in: Harvard Business Manager, 1, S. 28–34.

Glazer, R. (1991): Marketing in an Information-Intensive Environment: Strategic Implications of Knowledge as an Asset. Journal of Marketing, 55 (4):1–19.

Gomez, P./Probst, G.J.B. (1995): Die Praxis des ganzheitlichen Problemlösens – Vernetzt denken – Unternehmerisch handeln – Persönlich überzeugen, Bern/Stuttgart/Wien: Haupt.

Goodman, P.S./Darr, E.D. (1996): Exchanging best practices through computer-aided systems, in: Academy of Management Executive, 10:2, S. 7–18.

Hamel, G./Prahalad, C.K. (1994): Competing for the Future: Breakthrough Strategies for Seizing Control of Your Industry and Creating the Markets of Tomorrow, Harvard Business School Press, Boston.

Hammer, M./Champy, J. (1994): Business Reengineering, 2. Auflage, Frankfurt/New York: Campus.

Handy, C. (1990): The Age of Unreason, Harvard Business School Press, Boston, MA.

Harrigan, K.R./Dalmia, G. (1991): Knowledge Workers: The Last Bastion of Competitive Advantage, in: Planning Review, 19:6, S. 4–9.

Harzing, A. (1995): Organizational Bumble-Bees: International Transfers as a Control Mechanism in Multinational Companies, Paper to be presented to the 10th Anniversary Workshop on the „State of the Art of Strategic HRM and its future", EIASM, Brussels, March 1995.

Hauschildt, J. (1977): Entscheidungsziele. Zielbildung in innovativen Entscheidungsprozessen: theoretische Ansätze und empirische Prüfung, Tübingen.

Hauschildt, J. (1993): Innovationsmanagement, München: Vahlen.

Hedberg, B. (1981): How organizations learn and unlearn, in: Nystrom, P.C./Starbuck, W. (Hrsg.): Handbook of Organizational Design, S. 3–27, New York: Oxford University Press.

Hejl, P.M. (1991): Wie Gesellschaften Erfahrungen machen oder: Was Gesellschaftstheorie zum Verständnis des Gedächtnisproblems beitragen kann, in: Schmidt, S.J. (Hrsg.): Gedächtnis – Probleme und Perspektiven der interdisziplinären Gedächtnisforschung, 2. Auflage, S. 293–336, Frankfurt (Main): Suhrkamp.

Hinnen, M. (1996): Nur mit kompetenten Partnern ins Internet – Das Unternehmensinternetzwerk von Hewlett Packard, in: TR Transfer, 14, S. 16–18.

Hinterhuber, H.H. (1989): Strategische Unternehmensführung. Band I: Strategisches Denken, 4. Auflage, Berlin/New York: de Gruyter.

Itami, H. (1987): Mobilizing Invisible Assets, Harvard University Press, Cambridge (MA).

Kaplan, R.S./Norton, D.P. (1992): The Balanced Scorecard – Measures That Drive Performance, in: Harvard Business Review, 70:1, S. 71-79.

Kaplan, R.S./Norton, D.P. (1993): Putting the balanced scorecard to work, in: Harvard Business Review,71:5, S. 134–142.

Katz, R./Allen, T.J. (1982): Investigating the Not Invented Here (NIH) Syndrome: A Look at the Performance, Tenure, and Communication Patterns of 50 R&D Project Groups, in: R&D Management, 1, S. 7–19.

Katzenbach, J.R./Smith, D.K. (1993): Teams – Der Schlüssel zur Hochleistungsorganisation, Wien: Ueberreuter Wirtschaftsverlag.

Katzenbach, J.R./Smith, D.K. (1994): The Wisdom of Teams: Creating the High-Performance Organization, New York, NY: HarperBusiness.

Kirkpatrick, D. (1996): Why Microsoft Can't Stop Lotus Notes, in: Fortune, December 12, 1994, S. 61–71.

Kirsch, W. (1992): Kommunikatives Handeln, Autopoiese, Rationalität. Sondierungen zu einer evolutionären Führungslehre, München: Kirsch.

Klavans, R. (1994): The Measurement of a Competitor's Core Competence, in: Hamel, G./Heene, A. (Hrsg.): Competence-based Competition, S. 171–182, Chichester: John Wiley & Sons.

Klein, J.A./Edge, G.M./Kass, T. (1991): Skill-Based Competition, in: Journal of General Management, 16:4, S. 1–15.

Klein, J.A./Hiscocks, P.G. (1994): Competence-based Competition: A Practical Toolkit, in: Hamel, G./Heene, A. (Hrsg.): Competence-based Competition, S. 183–212, Chichester: John Wiley & Sons.

Klimecki, R./Lassleben, H./Riexinger-Li, B. (1994): Zur empirischen Analyse organisationeller Lernprozesse im öffentlichen Sektor: Modellbildung und Methodik, in: Bussmann, W. (Hrsg.): Lernen in Verwaltungen und Policy-Netzwerken, S. 9–38, Bern: NFP 27.

Klimecki, R./Probst, G.J.B./Eberl, P. (1994): Entwicklungsorientiertes Management, Stuttgart: Schäffer-Poeschel.

Kogut, B./Zander, U. (1992): Knowledge of the Firm,Combinative Capabilities, and the Replication of Technology, in: Organization Science, 3:3, S. 383–397.

Kotre, J. (1996): Weiße Handschuhe. Wie das Gedächtnis Lebensgeschichten schreibt, München: Carl Hanser.

Krackhardt, D./Hanson, J.R. (1994): Informelle Netze – die heimlichen Kraftquellen, in: Harvard Business Manager, 1, S. 16–24.

Kreibich, R. (1986): Die Wissenschaftsgesellschaft, Frankfurt (Main): Suhrkamp.

Kubicek, H. (1992): Informationsverbund, überbetrieblicher, in: Frese, E. (Hrsg.): Handwörterbuch der Organisation, 3. Auflage, Sp. 994–1009, Stuttgart: Schäffer-Poeschel.

Kupfer, A. (1996): Alone Together: Will Being Wired Set Us Free? in: Fortune, March 20, 1995, S. 56–62.

Kurbjuweit, D. (1996): Die Propheten der Effizienz, in: Die Zeit, 12. Januar, S. 9–11.

Laarhoven, P.v. (1994): Logistics alliances: The European experience. An early report on the development to date of one key building block of the coming 'network economy', in: McKinsey Quarterly, 1, S. 39–49.

LaPorte, T./Consolini, P. (1991): Working in Practice But Not in Theory: Theoretical Challenges of „High-Reliability Organizations", in: Journal of Public Administration Research and Theory, 1:1, S. 19–47.

Leonard-Barton, D. (1992): Core Capabilities and Core Rigidities: A Paradox in Managing New Product Development, in: Strategic Management Journal, 13: Special Issue, S. 111–125.

Leonard-Barton, D. (1994): Die Fabrik als Ort der Forschung, in: Harvard Business Manager, 1, S. 87–99.

Leonard-Barton, D. (1995): Wellsprings of Knowledge: Building and Sustaining the Sources of Innovation, Boston: Harvard Business School Press.

Lewin, K. (1946): Action Research and Minority Problems. Journal of Social Issues, 2 (4):34–46.

Liang, D.W./Moreland, R./Argote, L. (1992): Group versus Individual Training and Group Performance: The Mediating Role of Transactive Memory. Paper presented at the 1992 meetings of the Operational Research Society of America/The Institute of Management Science in San Francisco and at Carnegy Mellon University.

Lieb, R.C./Millen, R.A./Wassenhove, L.N.v. (1993): Third-party Logistics Services – A Comparison of Experienced American and European Manufacturers, in: International Journal of Physical Distribution & Logistics Management, 23:6, S. 35–44.

Lullies, V./Bollinger, H./Weltz, F. (1993): Wissenslogistik: Über den betrieblichen Umgang mit Wissen bei Innovationsvorhaben, Frankfurt (Main): Campus.

Lyles, M.A./Schwenk, C.R. (1992): Top Management, Strategy and Organizational Knowledge Structures, in: Journal of Management Studies, 29:2, S. 155–174.

Machlup, F. (1962): The production and distribution of knowledge in the United States, Princeton.

Mahoney, J.T. (1995): The Management of Resources and the Resource of Management. Journal of Business Research, 33 (2):91–101.

Manago, M./Auriol, E. (1996): Mining for Or, in: OR/MS Today, Februar, S. 28–32.

Mintzberg, H. (1992): Die Mintzberg-Struktur – Organisationen effektiver gestalten, Landsberg/Lech: verlag moderne industrie.

Minx, E./Mattrisch, G. (1995): Szenarien als Hilfsmittel bei der Produkt- und Organisationsentwicklung, in: Gausemeier, J. (Hrsg.): Die Szenario-Technik – Werkzeug für den Umgang mit einer multiplen Zukunft, Paderborn: HNI-Verlagsschriftenreihe Band 4.

Mitroff, I.I. (1995): Warum schaffen wir es nicht? in: io Management Zeitschrift, 3, S. 27–31.

Morgan, G. (1986): Images of Organization, Newsbury Park, CA/New Delhi/London: SAGE Publications.

Müller-Stewens, G./Gocke, A. (1995): Kooperation und Konzentration in der Automobilindustrie – Strategien für Zulieferer und Hersteller, Chur/Basel: Fakultas.

Müller-Stewens, G./Osterloh, M. (1996): Kooperationsinvestitionen besser nutzen: Interorganisationales Lernen als Know-how-Transfer oder Kontext-Transfer, in: Zeitschrift für Organisation, 1, S. 18–24.

Müller-Stewens, G./Pautzke, G. (1992): Führungskräfteentwicklung, Organisatorisches Lernen und Individualisierung, in: Geissler, H. (Hrsg.): Neue Qualitäten des betrieblichen Lernens, S. 137–147, Frankfurt (Main): Lang.

Nagel, P. (1992): Zielformulierung, Techniken der, in: Frese, E. (Hrsg.): Handwörterbuch der Organisation, 3. Auflage, Sp. 2626–2634, Stuttgart: Schäffer-Poeschel.

Nevis, E.C./DiBella, A.J./Gould, J.M. (1995): Understanding Organizations as Learning Systems, in: Sloan Management Review, Winter, S. 73–85.

Nonaka, I. (1991): The Knowledge-Creating Company, in: Harvard Business Review, 69:6, S. 96–104.

Nonaka, I. (1994): A dynamic theory of organizational knowledge creation, in: Organization Science, 5:1, S. 14–37.

Nonaka, I./Takeuchi, H. (1995): The Knowledge-Creating Company: How Japanese Companies Create the Dynamics of Innovation, New York/Oxford: Oxford University Press.

North, K./Aukamm, T. (1996): „Think global – Act local": Neuansätze zur Planung von Auslandsproduktionsstätten der Automobilindustrie, in: REFA-Nachrichten, 49:2, S. 15–21.

North, K./Probst, G./Romhardt, K.: Wissen bewerten: Ansätze, Strategien und Fragen, in: ZfO 4/98 (im Druck).

Oberschulte, H. (1996): Organisatorische Intelligenz – ein Vorschlag zur Konzeptdifferenzierung, in: Schreyögg, G./Conrad, P. (Hrsg.): Managementforschung 6: Wissensmanagement, S. 41–81, Berlin/New York: de Gruyter.

O'Dell, C./Grayson, C.J. (1998): If Only We Knew What We Know, in: California Management Review, 40:3, S. 154-174.

Odiorne, G.S. (1967): Management by Objectives: Führung durch Vorgabe von Zielen, München: Verlag Moderne Industrie.

Ogilvie, H. (1994): This Old Office, in: Journal of Business Strategy, 15:5, S. 26–34.

Pasmore, W./Friedlander, F. (1982): An Action-Research Program for Increasing Employee Involvement in Problem Solving. Administrative Science Quarterly, 27 (9):343–362.

Pautzke, G. (1989): Die Evolution der organisatorischen Wissensbasis: Bausteine zu einer Theorie des organisatorischen Lernens, Herrsching: Barbara Kirsch.

Peters, M./Robinson, V. (1984): The Origins and Status of Action Research. Journal of Applied Behavioral Science, 20 (2):113–124.

Peters, T.J. (1992): Liberation Management – Neccessary Disorganization for the Nanosecond Nineties, London: Macmillan.

Peters, T.J. (1993): Jenseits der Hierarchien – Liberation Management, Düsseldorf/Wien/New York/Moskau: Econ.

Peters, T.J./Waterman, R.H. (1990): Auf der Suche nach Spitzenleistungen – Was man von den bestgeführten US-Unternehmen lernen kann, München: mvg.

Phillips, J.J. (1991): Handbook of Training Evaluation and Measurement Methods, Houston, TX: Gulf Publishing Company.

Picot, A./Reichwald, R. (1994): Auflösung der Unternehmung? in: Zeitschrift für Betriebswirtschaft, 64:5, S. 547–570.

Polanyi, M. (1967): The Tacit Dimension, New York: Doubleday Anchor.

Prahalad, C.K./Hamel, G. (1990): The Core Competence of the Corporation, in: Harvard Business Review, 68:3, S. 79–91.

Preissler, H./Roehl, H./Seemann, P. (1997): Haken, Helm und Seil – Erfahrungen mit Instrumenten des Wissensmanagements, in Organisationsentwicklung, 2/97 (im Druck).

Probst, G./Raub S./Romhardt, K. (1996):Interkulturelles Lernen und Kulturmanagement in internationalen Unternehmen, Bern: Schweizerischer Nationalfonds zur Förderung der wissenschaftlichen Forschung/Abschlußbericht.

Probst, G.J.B. (1987): Selbst-Organisation: Ordnungsprozesse in sozialen Systemen aus ganzheitlicher Sicht, Berlin, Hamburg: Parey.

Probst, G.J.B. (1993): Organisation: Strukturen, Lenkungsinstrumente, Entwicklungsperspektiven, Landsberg: moderne industrie.

Probst, G.J.B./Büchel, B.S.T. (1994): Organisationales Lernen: Wettbewerbsvorteil der Zukunft, Wiesbaden: Gabler.

Probst, G.J.B./Gomez, P. (1991): Vernetztes Denken: Ganzheitliches Führen in der Praxis, Wiesbaden: Gabler.

Probst, G.J.B./Raub, S.P. (1995): Action Research: Ein Konzept angewandter Managementforschung, in: Die Unternehmung, 49:1, S. 3–19.

Probst, G.J.B./Raub, S. (1996): Wissensmanagement in der Praxis, in io Management. 65 (10), S. 33–36.

Probst, G.J.B/Romhardt, K. (1997 I): Bausteine des Wissensmanagements – ein praxisorientierter Ansatz. In: Lernende Organisation, herausgegeben von Dr. Wieselhuber & Partner Unternehmensberatung, S. 129–143, Wiesbaden: Gabler.

Probst, G.J.B./Romhardt, K. (1997 II): Faktor Wissen. Manager Bilanz (2):6–10.

Quinn, J.B. (1992): Intelligent Enterprise: A Knowledge and Service Based Paradigm for Industry, New York, Free Press.

Quinn, J.B. (1993): Managing the intelligent enterprise: Knowledge & service-based strategies. Planning Review, 21 (5):13–16.

Ramanujam, V./Varadarajan, P. (1989): Research on Corporate Diversification: A Synthesis, in: Strategic Management Journal, 10:6, S. 523–551.

Raub, S. (1996): Performance Measurement im Personalbereich, in: Benz, P. (Hrsg.): Personalhandbuch der SGP, Zürich: Huber.

Rehäuser, J./Krcmar, H. (1996): Wissensmanagement im Unternehmen, in: Schreyögg, G./Conrad, P. (Hrsg.): Managementforschung 6: Wissensmanagement, S. 1–40, Berlin/New York: de Gruyter.

Revans, R. (1983): The ABC of Action Learning, Bromley: Chartwell-Bratt.

Rieker, J. (1995): Prinzip Schneeball, in: manager magazin, Oktober 1995, S. 152–155.

Risch, S./Sommer, C. (1996): ...und raus bist du! in: manager magazin, 5, S. 220–229.

Roehl, H./Romhardt, K. (1997): Möglichkeiten und Grenzen des Wissensmanagements: Auf der Suche nach einem neuen Umgang mit der Ressource Wissen in der Organisation, in: Gablers Magazin, 6/7, S. 42–45.

Romhardt, K. (1994): Zur Evolution der organisatorischen Lernfähigkeit einer Branche am Beispiel der Automobilindustrie, in: Diplomarbeit der Hochschule St. Gallen.

Romhardt, K. (1995): Das Lernarenakonzept: Ein Ansatz zum Management organisatorischer Lernprozesse in der Unternehmenspraxis. Cahier de recherche, Université de Genève/HEC.

Romhardt, K. (1996): Interventionen in die organisatorische Wissensbasis zwischen Theorie und Praxis – Welchen Beitrag kann die Systemtheorie leisten? cahier de recherche, Université de Genève/HEC.

Romhardt, K. (1997): Interne und externe Wissenstransparenz als Ausgangspunkt für organisatorische Innovation, in: Organisation von Innovation – Strukturen, Prozesse, Interventionen, herausgegeben von Heideloff, F. und Radel, T., München/Mering:Hampp, S. 75–103.

Romhardt, K. (1998): Die Organisation aus wissensorientierter Perspektive – Möglichkeiten und Grenzen von Intervention in die organisatorische Wissensbasis. Dissertation an der Université de Genève. Wiesbaden, Gabler (im Druck).

Rommel, G./Brück, F./Diederichs, R./Kempis, R./Kluge, J. (1993): Einfach Überlegen – Das Unternehmenskonzept, das die Schlanken schlank und die Schnellen schnell macht, Stuttgart: Schäffer-Poeschel.

Saad, K.N./Roussel, P.A./Tiby, C. (1991): Management der F&E-Strategie, Wiesbaden: Gabler.

Sackmann, S.A. (1992): Möglichkeiten der Gestaltung von Unternehmenskultur, in: Lattmann, C. (Hrsg.): Die Unternehmenskultur, S. 153–187, Heidelberg: Physica.

Sacks, O. (1995): An Anthropologist on Mars, London: Picador.

Sandelands, L.E./Stablein, R.E. (1987): The Concept of Organization Mind, in: Research in the Sociology of Organizations, 5:135–162.

Schäfer, E. (1981): Absatzwirtschaft, 3. Auflage, Stuttgart: Schäffer-Poeschel

Schein, E.H. (1992): Organizational Culture and Leadership, 2. Auflage, San Francisco: Jossey-Bass.

Schertler, W. (1995): Strategie organisationalen Wandels von General Electric GE, in: Kasper, H. (Hrsg.): Postgraduate Management Wissen, S. 225–257, Wien: Ueberreuther/manager magazin.

Schmitz, C./Zucker, B. (1996): Wissen gewinnt – Knowledge Flow Management, Düsseldorf/München: Metropolitan.

Schneider, S./Barsoux, J.-L. (1997): Managing across Cultures, Prentice Hall, London.

Scholl, W. (1992): Informationspathologien, in: Handwörterbuch der Organisation, Frese, E. (Hrsg.), S. 900–911, Stuttgart: Schäffer-Poeschel.

Schülin, P. (1995): Strategisches Innovationsmanagement: Ein konzeptioneller Ansatz zur strategischen Steuerung der betrieblichen Innovationstätigkeit – dargestellt am Beispiel pharmazeutischer Unternehmen. Dissertation der Hochschule St. Gallen.

Schüppel, J. (1996): Wissensmanagement-Organisatorisches Lernen im Spannungsfeld von Wissens- und Lernbarrieren. Dissertation, Hochschule St. Gallen.

Scott-Morgan, P. (1994): Die heimlichen Spielregeln: Die Macht der ungeschriebenen Gesetze im Unternehmen, Frankfurt/New York: Campus.

Seemann, P./Stucky, S. (1996): Practical Management of Knowledge. Workshop-Unterlagen zur Tagung „Know-how flott machen" des Gottlieb-Duttweiler-Instituts am 9./10.2.1995, Rüschlikon.

Senge, P./Scharmer, C.O. (1996): Infrastrukturen des Lernens: Über den Aufbau eines Konsortiums lernender Unternehmen am MIT, in: Zeitschrift für Organisation, 1, S. 32–36.

Senge, P.M. (1990): The Fifth Discipline: The Art & Practice of the Learning Organization, New York: Doubleday.

Simon, H.A. (1991): Bounded Rationality and Organizational Learning, in: Organization Science, 2:1, S. 125–140.

Sommer, C. (1996): Denken mit Netz, in: manager magazin, März 1996, S. 94–98.

Spender, J.-C. (1996): Competitive Advantage from Tacit Knowledge? Unpacking the Concept and its Strategic Implications, in: Moingeon, B./Edmondson, A. (Hrsg.): Organizational Learning and Competitive Advantage, S. 56–73, London: Sage.

Staehle, W.H. (1991): Management, München: Vahlen.

Staehle, W.H. (1991): Redundanz, Slack und lose Koppelung in Organisationen: Eine Verschwendung von Ressourcen? in: Staehle, W.H./Sydow, J. (Hrsg.): Managementforschung 1, S. 313–345, Berlin/New York: deGruyter.

Stalk, G./Evans, P./Shulman, L.E. (1992): Competing on Capabilities: The New Rules of Corporate Strategy. Harvard Business Review, 70 (2):57–69.

Stebbins, M.W./Snow, C.C. (1982): Processes and Payoffs of Programmatic Action Research. Journal of Applied Behavioral Science, 18 (1):69–86.

Stewart, T.A. (1995): The Information Wars: What You Don't Know Will Hurt You, in: Fortune, June 12, 1995, S. 75–77.

Susman, G.I./Evered, R.D. (1978): An Assessment of the Scientific Merits of Action Research. Administrative Science Quarterly, December, S. 582–601.

Szulanski, G. (1994): Intra-Firm Transfer of Best Practices Project – Executive Summary of the Findings, APQC, Houston, TX.

Szulanski, G. (1996): Exploring Internal Stickiness: Impediments to the Transfer of Best Practice Within the Firm, in: Strategic Management Journal, 17: Winter Special Issue, S. 27-43.

Tichy, N.M. (1989): GE's Crotonvill: A Staging Ground for Corporate Revolution, in: Academy of Management Executive, 3:2, S. 99–106.

Uhl, O.W. (1993): Innovations-Management bei 3M, in: Zeitschrift Führung und Organisation, 62:4, S. 221–223.

Ulrich, H./Probst, G.J.B. (1988): Anleitung zum ganzheitlichen Denken und Handeln: Ein Brevier für Führungskräfte, Bern: Haupt.

Vester, F. (1978): Denken – Lernen – Vergessen: Was geht in unserem Kopf vor, wie lernt das Gehirn, und wann läßt es uns im Stich? München: dtv.

Vince, R./Martin, L. (1993): Inside Action Learning: An Exploration of the Psychology and Politics of the Action Learning Model, in: Management Education and Development, 24:3, S. 205–215.

von Hippel, E. (1978): Successful Industrial Products from Customer Ideas – Presentation of a New Customer-Active Paradigm With Evidence and Implications, in: Journal of Marketing, 42:1, S. 39–49.

von Hippel, E. (1988): The Sources of Innovation, New York/Oxford: Oxford University Press.

von Krogh, G./Roos, J./Slocum, K. (1994): An essay on corporate epistemology, in: Strategic Management Journal, 15, Summer, S. 53–71.

von Krogh, G./Venzin, M. (1995): Anhaltende Wettbewerbsvorteile durch Wissensmanagement, in: Die Unternehmung, 49:6, S. 417–436.

Wagner, M.P. (1995): Groupware und neues Management: Einsatz geeigneter Softwaresysteme für flexiblere Organisationen, Braunschweig/Wiesbaden: Vieweg.

Waldenfels, B. (1991): Der Stachel des Fremden, 2. Auflage, Frankfurt (Main): Suhrkamp.

Wallace, M. (1990): Can Action Learning Live Up to its Reputation? in: Management Education and Development, 21:2, S. 89–103.

Watzlawick, P. (1986): Wie wirklich ist die Wirklichkeit? 14. Auflage, München/Zürich: Piper.

Watzlawick, P. (1988): Die erfundene Wirklichkeit – Wie wissen wir, was wir zu wissen glauben? Beiträge zum Konstruktivismus, München/Zürich: Piper.

Watzlawick, P./Beavin, J.H./Jackson, D.D. (1993): Menschliche Kommunikation – Formen, Störungen, Paradoxien, Bern/Stuttgart/Toronto: Hans Huber.

Watzlawick, P./Weakland, J.H./Fisch, R. (1992): Lösungen – Zur Theorie und Praxis menschlichen Wandels, 5. Auflage, Bern/Göttingen/Toronto: Hans Huber.

Wegner, D.M. (1996): Transactive Memory, in: Mullen, B./Goethals, G.R. (Hrsg.): Theories of Group Behavior, S. 185–208, New York: Springer

Weick, K.E./Roberts, K.H. (1993): Collective mind in organizations: Heedful interrelating on flight decks, in: Administrative Science Quarterly, 38:3, S. 357–381.

Wessells, M.G. (1994): Kognitive Psychologie, München/Basel: UTB.

Whitmore, J. (1994): Coaching für die Praxis: Eine klare, prägnante und praktische Anleitung für Manager, Frankfurt (Main): Campus.

Whyte, W.F/Greenwood, D.J./Lazes, P. (1989): Participatory Action Research: Through Practice to Science in Social Research, 32 (5):513–551.

Wiegand, M. (1996): Prozesse Organisationalen Lernens, Wiesbaden: Gabler.

Wiig, K. (1996): Knowledge Management is no illusion, in: Proceedings of the First International Conference on Practical Aspects of Knowledge Management vom 30./31. Oktober 1996 in Basel.

Wildemann, H. (1996): Die Produktklinik – eine Keimzelle für Lernprozesse, in: Harvard Business Manager, 1, S. 39–49.

Willke, H. (1996): Dimensionen des Wissensmanagements – Zum Zusammenhang von gesellschaftlicher und organisationaler Wissensbasierung, in: Schreyögg, G./Conrad, P. (Hrsg.): Managementforschung 6 – Wissensmanagement, S. 263–304, Berlin/New York: de Gruyter.

Winslow, C.D./Bramer, W.L. (1994): FutureWork – Putting Knowledge to Work in the Knowledge Economy, New York: Free Press.

Wiswede, G. (1992): Sozialisation, in: Frese, E. (Hrsg.): Handwörterbuch der Organisation, 3. Auflage, Sp. 2269–2274, Stuttgart: Schäffer-Poeschel.

Wöhe, G. (1990): Einführung in die Allgemeine Betriebswirtschaftslehre, 17. Auflage, München: Vahlen.

Verzeichnis der Abbildungen

Stichwortverzeichnis

Weitere Titel der F.A.Z./Gabler-Edition

Nicolas Sokianos (Hrsg.)
Personalpolitik
Human Resources gestalten statt verwalten
1996, 339 Seiten, Geb. ISBN 3-409-19309-X
Bald nach der Jahrtausendwende droht ein eklatanter
Mangel an Spitzenkräften, prophezeit der Herausgeber.
Deshalb ist Personalpolitik *die* Herausforderung der Zukunft.
Geplagte Praktiker erhalten durch diesen Band wertvolle
Denkanstöße und Handlungsorientierungen für den Alltag.

Meinolf Dierkes/Klaus Zimmermann
Sozialstaat in der Krise
Hat die Soziale Marktwirtschaft noch eine Chance?
1996, 295 Seiten, Geb., ISBN 3-409-19315-4
Der deutsche Sozialstaat ist ins Gerede gekommen. Wirtschaft
und Staat stehen vor drängenden Fragen. Elf namhafte
Autoren nehmen zu diesem prekären Thema Stellung und zeigen aus
verschiedenen Perspektiven, was aus dem Ziel-
bild der sozialen Marktwirtschaft in der Realität geworden ist.

Andreas Lukas
Abschied von der Reparaturkultur
Selbsterneuerung durch ein neues Miteinander
1995, 289 Seiten, Geb., ISBN 3-409-19304-9
Andreas Lukas lädt Sie ein, eine Form der Zusammenarbeit
zu entdecken, die endlich Schluß macht mit Schubladen-
denken, Behelfslösungen und Abteilungsegoismen. Er zeigt
Ihnen, wie Sie echte Veränderungen ermöglichen, Kreativitäts-
potentiale wirklich nutzen und Ihr Unternehmen
dadurch erneuerungsfähig machen!

Weitere Titel der F.A.Z./Gabler-Edition

Ralf G. Kalmbach (Hrsg.)
Management im Umbruch
Wege aus der Krise
1994, 289 Seiten, Geb. ISBN 3-409-19171-2
Europa und Deutschland befinden sich in einer tiefgehenden
Strukturkrise. Elf namhafte Autoren fokussieren die
wesentlichen Herausforderungen, mit denen das Management heute
konfrontiert wird, vom wirtschaftlichen, gesellschaftlichen und
politischen Standpunkt aus. Sie analysieren nicht nur den
Handlungsbedarf, sie zeigen Wege aus der Krise.

Helmut Dreesmann/Sabine Kraemer-Fieger
Moving
Neue Managementkonzepte zur Organisation des Wandels
1994, 356 Seiten, Geb. ISBN 3-409-19180-1
Was macht Innovationen, was macht Veränderungen in
Organisationen zu einem Erfolg oder zu einem Mißerfolg?
Das Buch zeigt Ihnen, wie Sie Veränderungsprozesse
im Unternehmen erfolgreich managen, wie Sie
Widerstände aufdecken und Konflikte lösen.

Manfred Strauch (Hrsg.)
Lobbying
Wirtschaft und Politik im Wechselspiel
1993, 289 Seiten, Geb., ISBN 3-409-19183-6
Lobbying, das ist die Fähigkeit, die richtigen Informationen
am richtigen Ort von den richtigen Personen zu erhalten
und gezielt einzusetzen. Manfred Strauch analysiert,
wie Lobbying gehandhabt werden kann,
um entscheidende Wettbewerbsvorteile
zu erlangen.